Fluegel, C

Die Probleme der Philosophie und ihre Loesungen

Fluegel, Otto

Die Probleme der Philosophie und ihre Loesungen

Inktank publishing, 2018

www.inktank-publishing.com

ISBN/EAN: 9783750131798

Die

Probleme der Philosophie

und

ihre Lösungen.

Historisch-kritisch dargestellt

von

O. Flügel.

———

Zweite Auflage.

—————⟨◉⟩—————

Cöthen,
Otto Schulze Verlag.
1888.

Vorwort zur zweiten Auflage.

Von der Geschichte der Philosophie gilt ganz insbesondere, was Herbart von der Geschichte jeder Wissenschaft sagt: „Was enthält die Geschichte einer Wissenschaft? Ohne Zweifel Versuche, die man macht, um zur Wissenschaft selbst zu gelangen. Wer vermag den Wert dieser Versuche zu würdigen, und, wo darin Rückgang oder Fortgang sei, zu bemerken? Ohne Zweifel derjenige, der den besten und kürzesten Weg, welchen diese Versuche zu ihrem Ziele nehmen konnten, übersieht. Daher ist die Geschichte einer Kunst gewöhnlich erst dann verständlich und interessant, wenn man der Hauptideen mächtig ist, nach denen die mannigfaltigen Versuche, von denen die Geschichte erzählt, beurteilt werden können; wenn man bei unrichtigen Maßregeln die richtigen Absichten herauszufinden und zu schätzen, wenn man demjenigen, was Übertreibung oder Schwäche verfehlten, das rechte Maß nachzuweisen, wenn man das Wahre, das Wichtige vom Unbedeutenden, Irrigen und Gefährlichen gehörig zu trennen versteht." (Herbart, Rede bei Eröffnung der Vorlesungen über Pädagogik. Werke XI. 64.)

In diesem Sinne ist das vorliegende Werk, wie das Vorwort zur ersten Auflage näher darlegt, entworfen, ausgeführt und jetzt in der zweiten Auflage genau durchgesehen und ergänzt worden.

Wansleben a. See.

O. Flügel.

Vorwort zur ersten Auflage.

Welche Bedeutung in neuerer Zeit die Geschichte der Philosophie erlangt hat, beweisen die mannigfaltigen, zum Teil vortrefflichen Bearbeitungen derselben. Bekanntlich wird das Studium dieser Disziplin aus zweierlei Gründen geschätzt, einmal um des Interesses willen, welches die Geschichte der Philosophie, wie jede Geschichte überhaupt darbietet, sodann weil man hofft, aus derselben Philosophieren und Philosophie selbst zu lernen. Dieser letztere Gesichtspunkt hat uns vornehmlich bei der Ausarbeitung des vorliegenden Buches geleitet. Unser Hauptbestreben geht in demselben dahin, die Geschichte der Philosophie nicht zur bloßen Historie werden und über derselben nie vergessen zu lassen, wessen Geschichte sie ist.

Freilich ist bei dem Streben, Philosophieren und Philosophie aus deren Geschichte zu lernen, besondere Vorsicht nötig. Nur zu häufig ist die Erfahrung gemacht, daß man bei diesem Studium anfangs die Überfülle des geschichtlichen Stoffes nicht zu verarbeiten vermochte, am Ende aber gleichwohl sich sehr leer fühlend fragte, wozu nun dies alles? und sich davon, als von einem geistreichen Gedankenspiel abwandte. Die Hilfe, welche hier diejenigen boten, welche die Geschichte der Philosophie nach einem einheitlichen Gedanken, oder, wie es hieß, nach der Idee im organischen Zusammenhange darstellten, hat mehr geschadet, als genützt; denn nicht allein mußte sich das Geschichtliche selbst die ungeheuerlichsten Verunstaltungen gefallen lassen, sondern es wurde dadurch auch meist der Trieb zum Philosophieren erstickt.

Indessen muß doch jeder, der auch nur einigermaßen von der Geschichte der Philosophie Kenntnis nimmt, fragen: sollten denn die besten Denker aller Zeiten ihre besten Kräfte an bloße Phantasien, an ein bloß geistreiches Spiel gewandt haben? das kann nicht sein, schon darum nicht, weil es im Grunde immer nur dieselben Punkte sind, an welchen sie ihre Arbeit einsetzen. Es müssen also gewisse Aufgaben vorliegen, welche das Denken zu bearbeiten hat, Aufgaben, die man sich nicht selbst stellt, sondern die sich uns aufdrängen. Diese Punkte, diese Probleme, auf deren Lösung die philosophischen Bestrebungen aller Zeiten gerichtet gewesen sind und um deren Lösung jede ernste in dieser Beziehung angestellte Forschung bemüht sein muß, haben wir in den Vordergrund der Darstellung sowohl für die theoretische als die praktische Philosophie gerückt. Wir haben es ferner versucht, den ganzen Stoff einer allgemeinen Geschichte der Philosophie um diese Probleme und deren Lösungen zu gruppieren. Indem wir immer wieder den Blick auf die eigentlichen Grundprobleme hinlenkten, hofften wir, nicht allein sie in gehöriger Weise bemerklich zu machen, sondern zugleich den Trieb zu immer erneutem Eindringen und Forschen an den betreffenden Punkten wach zu halten. Denn das ist gewiß, wenn es auch nicht möglich ist, überall die volle Lösung herbeizuführen, wenn es z. B. auch nie gelingen wird, das Wesen der Materie vollkommen zu durchschauen, so gibt es doch sehr viel verschiedene Stufen der Einsicht, welche zwischen einer vollkommenen Durchschauung und der gegenwärtig geläufigen Erkenntnis der Materie liegen.

Demnach hat das vorliegende Buch einen doppelten Zweck. Es soll einmal denen dienen, welche das vorhandene Material einer allgemeinen Geschichte der Philosophie kennen lernen wollen, sodann aber auch denen, welche bestrebt sind, sich an der eigentlichen, weiter eindringenden Forschung zu beteiligen.

Wer hiernach die Geschichte der Philosophie kennen lernen will, dem wird dieselbe soweit vorgeführt, als deren Kenntnis für jeden wissenschaftlich Gebildeten wünschenswert ist. Allerdings ist durch den Umstand, daß der geschichtliche Stoff um die Probleme gruppiert ist, der Faden der geschicht=lichen Entwickelung oft unterbrochen. Dies war bei unserm Zweck nicht zu vermeiden, einmal weil nur die wenigsten Philosophen alle Probleme behandelt haben, sodann weil eine weitere Verfolgung des Einzelnen uns zu weit von unserer Hauptaufgabe abgeführt hätte, und endlich weil sehr häufig der Zusammenhang in den philosophischen Systemen nur ein schein=barer ist; in Wirklichkeit hat die Spekulation in jedem Systeme sehr ver=schiedene Ansätze. Um aber das Studium der Geschichte der Philosophie nach diesem Buche zu erleichtern, ist das Namensregister nach dem chrono=logischen Verlauf der Geschichte der Philosophie geordnet und bietet so gleich=sam einen kurzen Auszug derselben dar.

Der andere Zweck hat die eigentlichen Forscher im Auge. Die philo=sophische Forschung kann wohl zuweilen stocken, aber, solange nicht alle Wissenschaftlichkeit zu Grunde geht, wird sie nie aussterben. Dafür sorgen schon die einzelnen Wissenschaften. In Zeiten, wo sich namentlich auf dem Gebiete der Naturwissenschaften neue Entdeckungen häufen, zumal unerwartete Entdeckungen, welche teils ganz neue Wissensgebiete erschließen, teils auf vorhandene Gedankenkreise umgestaltend wirken, wird allerdings zunächst das empirische Interesse vorwalten. Aber je länger, umsomehr wird sich das Bedürfnis fühlbar machen, nicht allein das empirisch gewonnene Material nach bestimmten verwandtschaftlichen Gesichtspunkten zu gruppieren bez. auf=einander zurückzuführen, und so das Einzelne in einem begriffsmäßigen, größeren Zusammenhange zu erfassen, sondern auch die betreffenden Er=scheinungen aus den letzten Bedingungen abzuleiten und sie damit, soweit als möglich, erschöpfend zu erklären. Auf dem Punkte dieses Bedürfnisses steht gegenwärtig die allgemeine Naturwissenschaft. Ein reiches empirisches Wissen, welches von zahlreichen Kräften noch immer weiter in das Einzelne verfolgt wird, drängt selbst mehr und mehr zu einer darauf gegründeten, in sich zusammenhängenden Erklärung oder Theorie. In der höheren Natur=wissenschaft richtet sich dieses philosophische Interesse und Bedürfnis einer Theorie namentlich auf zwei Punkte: wir meinen einmal den Begriff des

Atoms oder das Verhältnis von Kraft und Stoff, und sodann den Begriff
der Empfindung. Wendet sich ein Forscher, welcher sich lange Zeit mit der
Bearbeitung einzelner Wissensgebiete beschäftigt hat, zum Versuche, eine
Theorie aus allgemeinen Gesichtspunkten zu geben, so pflegen sich ihm in
der Regel zwei Gefahren entgegenzustellen. Einmal macht sich ihm das
Bedürfnis einer Theorie hauptsächlich nur an einem oder doch nur an
wenigen Punkten geltend. Diesen Punkten sucht er seine Theorie anzupassen, andere Schwierigkeiten, die nicht gerade ihn drücken, werden oft
übersehen. Sodann wendet er sich im Bedürfnis nach einer Theorie leicht
einem philosophischen Systeme zu, welches ihm zufällig am nächsten liegt,
oder präsentiert wird von ihm zufällig bekannten Autoritäten, oder sonst
seiner Individualität am meisten zusagt. Aus Mangel an Kenntnis
sämtlicher Hauptprobleme und sämtlicher an diesen Punkten ein-
geschlagenen Denkbewegungen geht die Kontinuität des Wissens verloren,
und es hängt häufig nicht von sachlichen, sondern von zufälligen Gründen
ab, ob man für gewisse allgemeinere Theorien eine Vorliebe oder Abneigung
mitbringt. Hier soll nun unsere Schrift sämtliche Grundprobleme der
theoretischen und praktischen Philosophie vorführen, die Punkte, an welchen
sich Schwierigkeiten finden, insbesondere deren eigentümliche Beschaffenheit
bemerklich machen und damit die verschiedenen Anfangspunkte der
Spekulation aufzeigen. Ferner soll der Forscher bei jedem einzelnen
Probleme in den Stand gesetzt werden, sämtliche mögliche und historisch
versuchte, bemerkenswerte Lösungen zu übersehen und sie nach ihrem wahren
Werte beurteilen zu können. Denn an einem selbständigen Versuche, jene
Schwierigkeiten zu lösen, dürfte kaum jemand mit Erfolg arbeiten können,
der sich nicht mit sämtlichen Denkbewegungen in Bezug auf Geist und
Materie wenigstens den Hauptpunkten nach vertraut gemacht hat. Wo
diese Kenntnis fehlt, wird oft an vermeintlich selbständige Lösungsversuche
große Mühe verwendet, die gespart sein würde, hätte man gewußt, wie
ganz die nämlichen Gedanken bereits früher vielfach aufgestellt, abgeändert,
widerlegt und von neuem aufgenommen worden sind. Bei einer derartigen
Darlegung der verschiedenen Denkbewegungen hat allerdings auch auf
Gedanken Rücksicht genommen werden müssen, die bereits wegen ihrer
Unfruchtbarkeit aufgegeben sind, wie z. B. die Philosophie Schellings
oder Hegels, die jedoch prinzipiell immerhin als ein bedeutungsvoller
Versuch, gewisse Probleme zu lösen, anzusehen sind. Wer sie nicht
kennt, kommt nur gar zu oft, ohne es zu wollen oder zu wissen, auf sie
zurück.

Im übrigen sind die einzelnen Probleme und ihre Lösungen soweit verfolgt und die einschlägige Litteratur soweit angegeben, daß man von da aus unmittelbar zur Detailforschung übergehen kann.

Auf diese Weise glauben wir, diejenigen Fragen, von deren Beantwortung die eigentliche Entscheidung in Betreff einer allgemeinen Weltanschauung abhängt, für den angegebenen Zweck genügend erörtert zu haben, so daß sich jeder wissenschaftlich Gebildete dadurch hinlänglich auf dem Gebiete der Philosophie und der allgemeinen Naturwissenschaft orientieren und ein selbständiges Urteil über die eigentlich entscheidenden Fragen bilden kann.

Inhalts-Verzeichnis.

Zweiter Teil:

Die Probleme der praktischen Philosophie und ihre Lösungen (Ethik).

Erſter Teil.

Die Probleme der theoretiſchen Philoſophie

und ihre Löſungen.

Die ersten Anfänge der metaphysischen Spekulation.

1. Indem man seit Alters die Geschichte der Philosophie mit den sogenannten ionischen Physiologen zu beginnen pflegt, wird die ganze Reihe der vorangehenden Denkversuche von der Philosophie und ihrer Geschichte als nicht dazu gehörig ausgeschlossen. Man sieht also erstens ab von den religiösen und mythologischen Vorstellungen, mit welchen fast bei einem jeden Volke eine denkende Auffassung der Welt beginnt; zweitens von den bereits vielfach vorhandenen, wohl auch nach gewissen Gesichtspunkten geordneten rein empirischen Beobachtungen des Natur= und Menschenlebens; und drittens von allen Kenntnissen überhaupt, welche bestimmten äußeren Zwecken dienen, wie der Heilkunde, dem Landbau, der Schiffahrt u. s. w.

Mit dieser Ausscheidung dessen, was man nicht zur Philosophie rechnet, wird zugleich angedeutet, was dazu zu zählen ist, oder welchen Begriff man von Anfang an mit dem Worte Philosophie verband. Ihr genügt es also nicht, in mehr poetischer, phantasiegemäßer Weise die Rätsel des Daseins zu lösen und sich so eine allgemeine Lebens= und Weltanschauung zu bilden, wie dies die alten Mythologien und Kosmologien thaten, sondern von der Philosophie verlangt man Wissen im Gegensatz von bloßem Meinen und Glauben; sie soll in streng logischer Weise zu Annahmen führen, deren Gegenteil unmöglich ist.

Die Philosophie soll sich zum andern nicht genügen lassen an einer empirischen Betrachtung der Welt, an bloßer Feststellung und Sammlung der Thatsachen, sondern sie soll das erfahrungsmäßig Gegebene begrifflich so bearbeiten, daß der bunte Wechsel der Erscheinungen auf etwas Bleibendes, wahrhaft Seiendes zurückgeführt werde, und die mancherlei Sitten, Gewohnheiten, Einrichtungen der Völker und Individuen an etwas wahrhaft Wertvollem ihre Richtschnur finden.

Und endlich soll die philosophische Forschung keinem andern Zwecke dienen, als eben zu wissen um des Wissens willen, die Wahrheit nur um ihrer selbst willen suchen. Darnach hat man von Anfang an unter Philo=

sophie ein Streben verstanden, welches durch logische Bearbeitung der auf Grund der Erfahrung entstandenen Begriffe ein allgemein giltiges Wissen vom wahrhaft Seienden bezw. Geschehen und wahrhaft Wertvollen zu er= reichen sucht zu keinem andern Zweck als eben um des Wissens oder um der Wahrheit willen.

Weil diese Merkmale sich im allgemeinen zuerst bei den Bestrebungen der ionischen Physiologen finden, so beginnt man mit Recht mit ihnen die Geschichte der Philosophie. Ihnen ist es eigen, als das allen Naturerscheinungen zu Grunde Liegende einen Urstoff anzunehmen, aus welchem alles geworden sei. Die Motive zu diesen Aufstellungen sind uns zwar nicht aufbehalten, allein sie lassen sich leicht erraten. Zunächst mögen gewisse traditionelle Meinungen und Kosmogonien, die durch ihr Alter und die Verbindung mit den religiösen Vorstellungen einen nicht geringen Ein= fluß ausüben mußten, mitgewirkt*) und der ersten Spekulation gleichsam die Richtung der Gedanken gewiesen haben. Zum andern sind es jedoch eigentlich philosophische Motive gewesen. Die natürliche und erste Be= trachtung der Natur faßt das, was wir sehen, überhaupt sinnlich wahr= nehmen, als Dinge auf, welche außer uns und unabhängig von uns sind und feststehen. Eine einigermaßen geschärfte Beobachtung erkennt sodann, daß des Bleibenden, Feststehenden, Beharrenden viel weniger in der Natur ist, als man anfangs glaubte, daß Veränderung, Wechsel, Übergehen des einen in ein anderes bei weitem häufiger ist, ja daß nicht selten selbst das Veränderungen erleidet, an dessen Beharren sonst niemand zweifelt. Was nun aus einem andern geworden oder gemacht ist, kann man von dem eigentlich sagen: es ist? Eben das, was ich jetzt wahrnehme, ist allerdings, aber meist nur für kurze Zeit, vorher war es etwas anderes und nachher wird es etwas anderes sein, und doch ist es in diesem Augenblicke nichts neues, sondern es hat Zusammenhang mit dem, was es vorher war und nachher sein wird; es war also etwas, ehe es so war, wie es jetzt ist, und wird auch noch sein, wenn es nicht mehr so ist. Sprachlich legt man die verschiedenen Gestalten als Prädikate einem Subjekt bei. Das Subjekt als solches bleibt, nur das, was es bezeichnet, nimmt immer neue und andere Gestalten an. Die Gestalt ist aber doch nicht das Wesen. Das, was eigentlich ist, war schon, ehe es diese Gestalt annahm, und was es damals war, müßte man wissen, um es seiner wahren Natur nach zu kennen; und

---

*) S. ein Beispiel davon in der Zeitschrift für exakte Philosophie im Sinne des neuern philosophischen Realismus, Band I. S. 152. Die weiteren häufigen Hin= weisungen auf diese Zeitschrift erfolgen unter der Abkürzung: Zt. f. ex. Ph.

war das, was es vordem war, auch nur eine Gestalt, so muß man noch
weiter zurückgehen, man muß ihm alle diese fremden Verhüllungen aus=
ziehen, um es endlich, wie es wirklich ist, nackend zu erblicken.*)

Auf diese Weise wird den Dingen, wie sie sich mit ihren Be=
stimmungen der Wahrnehmung unmittelbar darbieten, das Element oder
der Stoff gegenüber gesetzt, welcher den Dingen zu Grunde liegt, ihr eigent=
liches Wesen bildet und aus dem sie geworden sind. Dies war das erste
Resultat der metaphysischen Spekulation bei den Joniern: sie verstanden
unter dem Elemente das, woraus als aus dem Ersten alle Dinge sind,
werden und in das zuletzt sie zurückgehen, so daß während sein Wesen
bleibt, es nur in seinen Zuständen sich ändert und hierin die Reihe der Dinge
durchläuft. Daß man zunächst nur ein Element annahm, kann nicht be=
fremden, einmal mögen hierzu traditionelle Vorstellungen mitgewirkt haben,
sodann waren die festen, individuellen Unterschiede der einzelnen Naturdinge
und Erscheinungen, mit denen uns eigentlich erst die neuere Naturwissen=
schaft vertraut gemacht hat, noch nicht zur genügenden Kenntnis gekommen;
die Gegensätze wurden in Gedanken gleichsam flüssig, nachdem man einmal
die Betrachtung auf das Übergehen des einen in ein anderes gerichtet hatte.
Es war also für den damaligen Standpunkt der Naturerkenntnis das
Natürlichste, einen Grundstoff anzunehmen. Auch das ist natürlich, daß
sie sich zunächst unter den gegebenen Stoffen der Natur umsahen, ob
unter diesen einer den Ansprüchen genügte, welche sie glaubten an den Be=
griff des Elementes stellen zu müssen.

Warum nun Thales als dies Eine das Wasser, Hippo das Feuchte
im allgemeinen, Anaximenes die Luft, Diogenes von Apollonia etwas
Luftartiges, welches animalisch und intelligent zugleich sei, bezeichnete, dar=
über lassen sich nur Vermutungen aufstellen.**)

2. Wird der Begriff des Elementes streng gefaßt, dann sind ihm
alle wirklich wahrnehmbaren Gestalten gleich zufällig, keine einzige ist
das Wesen selbst, sondern ist eben nur Gestalt, die wieder vergeht oder die

---

*) Herbart. Sämtliche Werke herausgegeben v. Hartenstein. Bd. XII. 108.
**) Vergl. darüber Strümpell: Geschichte der theoretischen Philosophie der
Griechen. Leipzig 1854. S. 26, und Seidel: der Fortschritt der Metaphysik inner=
halb der Schule des ionischen Hylozoismus. 1860.
Dabei darf indes nicht übersehen werden, daß die wissenschaftlichen Bemühungen
der ionischen Physiologen nicht allein auf eine Zurückführung des Gegebenen auf ein
metaphysisches Letztes gerichtet waren, sondern vornehmlich auch auf eine Sammlung
und Beschreibung der gegebenen Erscheinungen und deren Erklärung aus Prinzipien
oder Thatsachen, welche teils jenen Erscheinungen, teils dem eigenen Gedankenkreise
dieser Männer am nächsten lagen.

1*

doch wenigstens den Wechsel fürchten läßt; ebenso wenig kann eine derselben den Vorzug vor den andern haben, das eigentliche Wesen näher oder gar vollkommen genau zu bezeichnen. Warum soll also das Wasser oder die Luft das eigentliche Wesen der Dinge zuverlässiger darstellen, als etwa das Feuer oder die Erde? Weder durch das eine, noch durch das andere kann beantwortet werden, was das Wesen der Dinge ist. Vielmehr wird man von dem Gegebenen absehen müssen und Nicht=Gegebenes anzunehmen haben, welches in der gegebenen Natur erscheint. So wird der Begriff des reinen Stoffes gewonnen, eines Etwas, was nichts Bestimmtes ist, sondern alles Bestimmte sein kann, das erst noch darauf wartet, was aus ihm werden soll.

Dieses scheint der Sinn zu sein, in welchem Anarimander das Element ἄπειρον genannt hat, ein Ausdruck, der nicht nur das Unendliche der Größe nach bedeuten kann, sondern auch das Unbestimmte der Qualität nach, das Bestimmungslose, welches aber unendlich viele mögliche Bestimmungen erhalten kann, gleichsam den Sitz bietet für unbegrenzt viele einzelne Unterschiede oder Prädikate. Sieht man von der Zeitfolge ab, in welcher das Element nach und nach die verschiedenen Qualitäten annimmt, welche die Natur zeigt, so wird man sagen müssen, das ἄπειρον hat unendlich viele Qualitäten, von denen ihm aber jede gleich wesentlich und gleich unwesentlich ist. Das Element selbst ist also das Eigenschaftslose.

So war denn in sehr früher Zeit von der Spekulation das Gegebene überschritten und als sein letzter Grund etwas Nicht=Gegebenes angenommen. Aber vom Gegebenen war man ausgegangen, dieses zu erklären, bezw. richtig zu denken, lediglich dazu war das Nicht=Gegebene vorausgesetzt. Erklärt diese Annahme nun auch wirklich das Gegebene, d. h. lassen sich die Erscheinungen der Natur folgerichtig aus jenem Elemente ableiten und begreifen? Wie folgt das Bestimmte aus dem Unbestimmten? Wodurch, durch welche Kraft oder Ursache wird das Element genötigt, jetzt gerade diese, dann jene andere bestimmte Form anzunehmen?

Diese Fragen nicht aufgeworfen, geschweige denn sie beantwortet zu haben, ist das andere, was die Spekulation der Jonier kennzeichnet. Sie sprechen wohl im allgemeinen von Umwandlung, Verdichtung und Verdünnung, aber bereits Aristoteles tadelt an ihnen, daß sie für die Entstehung überhaupt und für die spezifischen Beschaffenheiten des Einzelnen insbesondere keine Ursache angegeben haben.

3. Auf dieser untersten Stufe des Philosophierens, wo zwar erkannt ist, daß, wenn die Rede ist von dem, was wahrhaft ist, man nicht bei dem, was erscheint oder was unmittelbar gegeben ist, stehen bleiben darf, wo

aber zum andern die Frage nach der Urſache oder Kraft, welche das nicht ſelbſt gegebene Seiende zu den einzelnen gegebenen Erſcheinungen beſtimmt, noch nicht fühlbar iſt oder wenigſtens nicht recht gewürdigt wird, ſteht unter den Neuern Spinoza.

Seine eine unendlich ausgedehnte und doch nicht teilbare Subſtanz oder Gott mit den unendlich vielen Attributen oder Qualitäten, von denen uns aber nur die zwei Denken und Ausdehnung bekannt ſind, entſpricht etwa dem ἄπειρον des Anaximander. Das, was eigentlich iſt, iſt die Subſtanz, was ſie iſt, iſt die Möglichkeit, alles Beſtimmte zu werden oder, wie auch ſchon Anaximander lehrte, alles Beſtimmte, alle Gegenſätze in ſich der Möglichkeit nach enthaltend.*) Aber wie aus ihr die endlichen beſtimmten, gegebenen Dinge folgen, dieſe Frage ſchiebt er wohl hin und her, darauf gibt er auch wohl etwas, das wie eine Antwort ausſieht, allein in Wirklichkeit hat er dieſe Frage in ihrer Bedeutung gar nicht recht ge= fühlt. Auf der einen Seite ſtehen die wirklichen Dinge und Erſcheinungen der gegebenen Welt, auf der andern Seite ſteht die Subſtanz, alles Sein in ſich enthaltend und darum alle einzelnen Dinge der Möglichkeit nach in ſich tragend, alſo, ſo wird geſagt, muß ja das Wirkliche aus der Subſtanz folgen, worin jedoch dieſes „muß“ ſeinen Grund hat, bleibt unbeachtet. Zum Beweiſe wird angeführt, daß aus Unendlichem nur Unendliches auf unendliche Weiſe folge. Damit wird freilich auf doppelte Weiſe die Un= möglichkeit der Ableitung des Endlichen aus dem Unendlichen ausgeſprochen; denn kann aus dem Unendlichen nur Unendliches, ſo kann nicht zugleich Endliches folgen, und folgt es nur auf eine unendliche Weiſe, ſo heißt das auf eine Weiſe, die nie zum Ziele führt. Man frage alſo nicht, wie hat Spinoza das Endliche aus dem Unendlichen abgeleitet, denn er hat die Bedeutung dieſer Frage, auf welche hier doch alles ankommt, gar nicht ge= fühlt, noch fühlbar gemacht.**)

---

*) S. Thilo: Kurze pragmatiſche Geſchichte der Philoſophie, 1880. I. S. 36.

**) Vgl. Herbart III. 164 u. Thilo: Ueber Spinozas Religionsphiloſophie in Zt. f. ex. Ph. VI. 389. Ein wichtiger Unterſchied zwiſchen den Joniern und Spinoza beſteht darin, daß erſtere das Daſein des Elements nicht beweiſen, auch nicht daran denken, daß ein ſolcher Beweis etwa nötig ſei. Und das iſt ganz natür= lich, die Natur ſelbſt fordert zu jenem Begriff, derſelbe war ihnen zwar nicht gegeben, aber das Gegebene drängte ihn ſelbſt auf, ſie bedurften alſo keines Beweiſes für das Daſein des Elements, ſie haben ſelbſt jenen Begriff ſpekulativ erzeugt und Zweifel dagegen ſind noch nicht erhoben. Anders Spinoza, er ſteht nicht in der unmittelbaren Friſche der metaphyſiſchen Unterſuchung, er hat auch jenen Gedanken von der Subſtanz nicht ſelbſt gewonnen, ſondern hat ihn als einen bereits vorhandenen, faſt fertigen, namentlich von Des=Cartes aufgenommen; es iſt alſo natürlich,

Bei alledem werde nun aber nicht vergessen, daß die Spekulation darauf ausgeht, das Gegebene zu erklären, daß es also ein Hauptpunkt ist, wie das Zuerklärende aus dem folgt, was lediglich um dieser Erklärung willen angenommen ist; ist eine solche Ableitung unmöglich, dann ist jene Annahme völlig unnütz.

Treten wir mit unserm an naturwissenschaftlichen Erklärungen mannig= fach geübten Denken an jene Frage heran, so wird die Vermutung erregt, es werden nach der Spekulation der Jonier Untersuchungen folgen über die Ursache oder die Kraft, welche das Element nötigt, das Bestimmte hervorzubringen. Allein unsere ausgebildeteren Begriffe dürfen wir weder auf jene frühe Zeit, noch auf den die eigentlichen metaphysischen Fragen verkennenden Spinoza übertragen. Jenen ersten Naturphilosophen war das Fragen nach Ursachen nicht so geläufig, als uns; hatten sie doch das Schauspiel der Veränderung täglich vor Augen, sahen sie doch, wie eins aus dem andern wurde, wozu noch nach der Möglichkeit des Wirklichen fragen? Viel natürlicher erschien es ihnen, das Werden so anzunehmen, wie es sich der unwissenschaftlichen Betrachtung zunächst darbietet, als ein Werden ohne Ursache, d. h. als absolutes Werden.

Begriff des absoluten Werdens.

4. Den Begriff des absoluten Werdens entwickeln, heißt zugleich eine Kritik dieses Begriffes geben, denn es heißt zeigen, daß er in sich wider= sprechend und also unhaltbar ist.

Im Werden liegt zweierlei: erstens, daß jetzt etwas ist, was vorher nicht war, und zweitens, daß zwischen dem jetzt und dem vorher Seienden ein gewisser Zusammenhang stattfindet. Wäre das erste nicht, so wäre nichts geworden, wäre das zweite nicht, so wäre nichts geworden. Wird das Werden ferner noch als absolutes gefaßt, so wird damit aus= drücklich von jeder innern oder äußern Ursache abgesehen, vielmehr soll es in dem, was jetzt ist, liegen, daß es im nächsten Augenblicke nicht mehr dieses ist, sondern ein anderes. Ausgeschlossen ist demnach vom absoluten Werden auch der absolute Zufall. Dieser hat zwar auch keine Ursache, aber er entbehrt zugleich der Regel. Ein Ding, welches eine zeitlang be=

daß sich bei ihm selbst Zweifel dagegen erheben, und so ist er dazu gekommen, das Dasein dessen beweisen zu wollen, was ja eben nur darum angenommen wurde, um das Dasein des Vorhandenen begreiflich zu machen. Ueber diese nichts beweisenden Beweise f. Zt. f. ex. Ph. VI. 123—127.

harrt und dann sprungweise die vorige Beschaffenheit mit einer neuen ver=
tauscht, wird oder verändert sich eigentlich nicht, sondern es verschwindet,
und ein ganz anderes, fremdes tritt an seine Stelle. Das Werden besagt
eben, daß ein Zusammenhang der verschiedenen Momente bestehe, deren
eines aus dem andern wird. Jedes Glied erhält das nächst folgende und
damit alle weitern präformiert in sich. Wird nun das absolute Werden
scharf aufgefaßt, als das, was darunter zu verstehen ist, so liegen die
Widersprüche darin klar zu Tage. Betrachtet man die ganze Komplexion
der einzelnen bestimmten Qualitäten, so fordert der Begriff, daß alle die
entgegengesetzten, wechselnden Beschaffenheiten in eine Einheit zusammen=
gefaßt werden, um anzugeben, was das Werdende ist. Das ist unmöglich.
Betrachtet man die einzelnen Glieder, so ist jedes das, was es ist, und zu=
gleich das, was es nicht ist. Im Aufhören der vorigen Beschaffenheit liegt
Sein und Nicht=mehr=Sein, im Beginn der folgenden Sein und Noch=nicht=
Sein. Und soweit man auch die einzelnen Glieder der Zeit nach von ein=
ander entfernt denkt, immer muß es doch einen Punkt geben, in dem das
eine aufhört und das folgende beginnt. Soll aber dieser Punkt des
Uebergehens vermieden werden, und soll das eine erst völlig verschwinden,
ehe das andere beginnt, so behält man doch erstens für jedes der Glieder
als seine Natur übrig, daß es jetzt ist und dann von selbst nicht mehr ist,
sondern verschwindet, also denselben Widerspruch wie oben, und zum andern
zerreißt man den Faden, den Zusammenhang der einzelnen Glieder unter=
einander, man gibt das Werden auf. Es ist auch um nichts besser, außer
und hinter den einzelnen wechselnden Beschaffenheiten, die das Werdende
nach einander durchläuft, noch etwas Besonderes zu denken, welches als
solches beharrt, an welchem aber jene einzelnen Bestimmungen wechseln.
Denn wenn man von Ursachen ausdrücklich absieht, dann kann auch das
eine Beharrende im Hintergrunde nicht die Ursache des Vielen und
Wechselnden sein, und dann steht die Reihe des Werdens wieder für sich
und zwar mit denselben widersprechenden Bestimmungen, wie vorher, es ist
ganz so, als ob das Beharrende dahinter überhaupt nicht vorhanden wäre.
Soll dieses jedoch die Ursache des Wechselnden sein, so gibt man erstens
das absolute (ursachlose) Werden auf, und zweitens müßte gezeigt werden,
wie vieles Wechselnde aus einem Beharrenden folgen kann, ohne daß
dieses aufhört, als sich selbst Gleiches zu beharren.*)

---

*) Die ausführlichere Nachweisung der Widersprüche im Begriffe des absoluten
Werdens f. bei Herbart namentlich 1. 205—210, Hartenstein, die Probleme und
Grundlehren der allgemeinen Metaphysik. 1836. S. 95—101. Zt. f. ex. Ph. I.
248 f., Zimmermann, philosophische Propädeutik. 1867. S. 390 f. u. a.

Was heißt nun sagen, das absolute Werden ist in sich widersprechend? Es heißt: es ist unmöglich; und zwar ist hier nicht von einer subjektiven Unmöglichkeit oder Unbegreiflichkeit die Rede, daß man etwa von einer spätern Zeit und höherm Scharfsinn hoffen könnte, es werde ihm gelingen, diese Widersprüche zu lösen. Nein, was in seinem Begriffe widersprechend ist, das ist schlechthin unmöglich, das kann nicht so sein oder geschehen, wie der es denkt, welcher dessen Begriff in sich selbst widersprechend denkt. Ein Ding ist ein viereckiger Kreis, heißt: dieses Ding ist unmöglich, ein solches kann es nicht geben, und keine Intelligenz wird im stande sein, ein solches als wirklich seiend zu denken, und keine Allmacht ihm Dasein verleihen können. Zwar an und für sich ist jede Bestimmung: viereckig und Kreis recht wohl zu denken, aber beide zu gleicher Zeit einem und demselben Dinge an ein und derselben Stelle beilegen, kurz die kontradiktorischen Gegensätze zu einer Identität zusammenfassen, das ist soviel als ein solches Ding für unmöglich, für nicht seiend erklären. Ebenso verhält es sich mit dem absoluten Werden; ein Geschehen für absolut erklären, heißt einem Dinge Sein und Nicht-Sein zugleich beilegen oder sagen: ein solches Geschehen ist unmöglich; nirgends in der ganzen Natur wird jemals irgend etwas absolut.

Allein das Werden ist gegeben, es läßt sich nicht wegleugnen, und je weiter die Natur im großen Ganzen betrachtet wird, um so weniger Beständigkeit zeigt sie, um so deutlicher tritt das Werden hervor,*) und nirgends ist für das Werden, für die Veränderung eine Ursache im eigentlichen Sinne gegeben, sondern das Werden stellt sich zunächst als ursachlos oder absolut dar. Wenn nun die Spekulation das absolute Werden für unmöglich erklärt und auf der andern Seite die Wahrnehmung das absolute Werden als wirklich zeigt, was ist hier zu thun? Hier teilt sich das Feld der Philosophie in Empirismus und Rationalismus. Der erstere hat nicht genug zweifeln gelernt, hat die Erfahrungsbegriffe nicht kritisch genug behandelt, sondern hält an ihnen fest, wie sie sich einer noch unausgebildeten Beobachtung, wenn auch als widersprechend, darbieten. Der andere sucht vor allen dem Gedanken, daß nichts in sich Widersprechendes sein oder geschehen könne, gerecht zu werden und sollte er ratlos stehen vor einer Welt, die nach seinen Gedanken konsequenter Weise nicht sein könnte. Zu den Empiristen in diesem Sinne gehören alle diejenigen, welche an dem absoluten Werden festhalten. Sie erkennen die in diesem Gedanken

---

*) Allerdings zeigt die Natur bei scharfer und eingehender Betrachtung des Einzelnen wieder eine gewisse Festigkeit und Beständigkeit und nirgends eigentlich wesentliche Umwandlung oder gar Vernichtung.

liegenden Widersprüche wohl an und sprechen sie zuweilen auch deutlich
aus, geben aber diesen Betrachtungen nicht die Folge, das absolute Werden
überhaupt zu verwerfen, sondern erkennen das Denken, welches erklärt, ein
In=sich= widersprechendes ist nicht und geschieht nicht, nicht als giltig und
bindend an. Das Folgende möge nun zeigen, wie der Begriff des absoluten
Werdens von den einzelnen Philosophen angewendet worden ist.

Die Hauptsysteme des absoluten Werdens.

5. Wo der Gedanke des absoluten Werdens in der Geschichte der
Philosophie zum ersten Male auftritt, erscheint er sofort in vollkommener
Schärfe und Präzision, und keine der späteren Fassungen hat zu dem
Grundgedanken etwas wesentliches hinzusetzen können. Dies geschieht von
Heraflit. Zunächst bleibt derselbe mit seinen Betrachtungen ganz im
Kreise der alten Physiologen, ja sinkt insofern sogar unter die Stufe des
Anaximander zurück, als er wieder einen empirisch gegebenen Stoff als
Element ansieht, nämlich das Feuer in der Form des warmen Hauches.
Aber noch viel weniger, als die früheren geht er darauf aus, in allen ge=
gebenen Dingen die Qualität des angenommenen Elementes, also des Feuers,
zu finden, vielmehr ist er bemüht, überall den ruhelosen Wechsel, die be=
ständige Veränderlichkeit zu erkennen, wie dies dem Feuer ja vor allen
andern Elementen eigen ist. Diesem Werden ist die ganze Natur im
einzelnen und im ganzen unterworfen; was ihr zu Grunde liegt, ist darum
nicht ein Sein, sondern ein Werden. Und zwar denkt Heraflit dieses
Werden vollkommen scharf und hebt das Widersprechende darin deutlich
genug hervor: es ist ein Sein und Nicht=Sein zu gleicher Zeit, es bezieht
sich nicht nur auf einiges, sondern alles ist ihm unterworfen, nicht allein
zu gewissen Zeitpunkten, sondern immer, nicht so, daß es in der Wahl der
einzelnen stände, ob es sich dem Werden hingibt oder nicht, oder welche
Form es bei dem Wechsel der Gestalten annehmen möchte, sondern nach
unabänderlicher Notwendigkeit wird alles in den Strom des Werdens
hinein und darin fortgerissen; diese Notwendigkeit ist aber nicht zu denken
als eine Ursache, welche die unaufhörliche Umwandlung bewirkte, sondern
alles geschieht eben ohne Ursache, nach einer unabänderlichen Vorherbestimmt=
heit, die ohne jeden Grund da ist. Diese Lehre vom Werden heben Plato
und Aristoteles als das den Heraflit besonders bezeichnende hervor.

Wie wir bereits andeuteten, hat Heraflit mit diesen seinen so fremd=
artig scheinenden Lehren das Gegebene eigentlich nicht überschritten, sondern

bleibt bei demselben stehen, denn die gegebene Natur stellt sich der unbefangenen genauern Beobachtung zunächst wirklich als ein solcher unauf-
hörlicher Fluß von immer andern und andern Erscheinungen dar, ohne daß
streng genommen eine bewirkende Ursache gegeben ist.

6. Der von Heraklit festgestellte Begriff des absoluten Werdens
ist der Philosophie nie wieder abhanden gekommen, fast alle Philosophen
haben sich bewußt oder unbewußt und wenn auch nur ihn bekämpfend
damit abgegeben. Die wenigsten Philosophen haben geglaubt, diesen Begriff entbehren zu können, wenn von der gegebenen Welt die Rede war.
Selbst bei den Eleaten könnte man eine Spur davon finden in der Art,
wie sie von der sinnlich gegebenen Natur sprechen als wie von einem von
den Dichtern beliebig zu verwendenden mythischen Stoffe. Namentlich aber
kommen Plato und Aristoteles ohne den Begriff der Materie, welche
dem absoluten Werden des Heraklit sehr nahe steht, nicht zu einer einigermaßen zusammenhängenden Weltanschauung. Zumal bei Aristoteles
spitzen sich die Betrachtungen sogar über das Seiende schließlich zum absoluten Werden zu (Nr. 28), indem dem Seienden ursprünglich schon eine
notwendige Beziehung zu andern und zum Anderswerden innewohnt. Recht
eigentlich aber macht Plotin vom Begriff des absoluten Werdens Gebrauch,
nicht allein hinsichtlich der Materie, sondern auch in Beziehung auf das,
was er für das absolute Sein erklärt. Er lehrt von dem einen Seienden
oder von Gott, daß er sein eigenes Sein hervorgebracht habe, daß er also
wirksam war, ehe er überhaupt war, so daß sein Wirken zur Bedingung
seines Seins gemacht wird (causa sui).*)

Allein bei den alten Philosophen ist nicht zu übersehen, daß ihnen
allen ein deutliches Bewußtsein von den Widersprüchen des absoluten
Werdens innewohnt. Sie sprechen es auch immer klar aus, daß dieser
Begriff kein Erkenntnisbegriff sei, vielmehr daß dasjenige, was etwa durch
denselben scheint erkannt zu werden, nicht ein Wissen, sondern bloß eine

---

*) Thilo: Kurze pragm. Gesch. d. Phil. I. 352 f., wo dazu bemerkt wird:
„Hier hat man aus erster Hand die noch in unsern Zeiten vielfach gehörten und
selbst von orthodox-christlichen Theologen begierig aufgenommenen Reden von der
causa sui, der Selbstschöpfung Gottes. Hier ist schon jene Verschmähung eines
Seienden, welches ist und bleibt, was es ist, als des Trägers oder der Substanz
aller Thätigkeit; denn das Thun selbst ist die Substanz. Hier ist daher schon, wenn
auch mit andern Worten, Fichtes Ich, welches darum ist, weil es sich selbst setzt
und sich durch sein eigenes Thun hervorbringt; ist absolute Freiheit, welche eins
ist mit der Notwendigkeit, weil der absolute Wille das Wesen zwar frei schafft, aber
es nicht anders schaffen kann; ferner Hegels Selbstentlassung der Idee aus sich
selbst zur Natur und endlich jenes unbewußte Urwollen.“

nichtige Rede (bei den Eleaten) oder ein bloßes Meinen (bei Plato) oder
ein Vorbeigehen am Denken (bei Plotin) sei.

Diese wichtige Erkenntnis ist den Neuern vielfach verloren gegangen.
Um von den Scholastikern zu schweigen, von denen namentlich Scotus
Erigena einen sehr ausgedehnten Gebrauch vom absoluten Werden hinsichtlich seines pantheistisch gedachten Gottes machte, hat Des-Cartes an
mehreren Punkten diesen Begriff vom Werden in sein Denken aufgenommen.
So hegt er die Meinung, die einzelnen Dinge würden, sich selbst überlassen,
jeden Augenblick in das Nichts verschwinden, ihr Sein würde also in Nicht-
Sein übergehen, wenn nicht die höhere Macht Gottes sie im Dasein erhielte;
ja Gott selbst würde nicht von einem Augenblick zum andern im Sein beharren, wenn er nicht in so fern a se wäre, als er sich selbst jeden Augenblick erhielte. Und zwar wird dabei keine Ursache gedacht, weshalb das
Nicht-Sein eintreten müßte, oder gegen welche die Selbsterhaltung des
Seins gerichtet wäre.

Indem ferner Des-Cartes, Spinoza und Leibniz die Natur
oder Qualität der Seelen und Leibniz die aller Monaden in ein ursprüngliches Thun setzen (s. Nr. 36 u. 17. Anm.) und viele neuere Naturforscher die letzten Elemente der Natur als ursprüngliche Kraftwesen ansehen
(Nr. 33—37), nehmen sie alle den Begriff des absoluten Werdens im
Prinzip an. Namentlich aber würde Spinoza diesem Begriff noch viel
mehr verfallen müssen, wenn er sich näher darüber hätte auslassen wollen,
wie in seinem System überhaupt die thatsächlich gegebene Veränderung zu
denken sei, wie insbesondere das Endliche aus dem Unendlichen folgen
soll (Nr. 3).

Das ist auch der Punkt, an welchem der neuere absolute Idealismus
in die Vorstellung des absoluten Werdens hineingetrieben wird. Dieser
ist bekanntlich von Kant ausgegangen, wo er eine Reihe von Gedanken
vorfand, welche der Annahme des Begriffs vom absoluten Werden sehr
günstig waren. Denn auch Kant hat wenigstens an einem Punkte sich der
Vorstellung des absoluten Werdens bedient. Zwar behauptet er, daß alles,
was in der erfahrungsmäßig gegebenen Natur ist und geschieht, nicht absolut
wird, sondern dem festen und notwendigen Kausalnexus unterworfen ist,
selbst die Handlungen der Menschen, wie weit sie in die Erscheinung fallen,
sind notwendig von seinem empirischen Charakter verursacht. Allein schon
in der Behauptung, daß die Kategorie der Kausalität nur auf die Erscheinungen und nicht auf die Dinge-an-sich oder die intelligibele Welt
anzuwenden sei, liegt, daß in dieser ein Geschehen ohne Ursache, also ein

absolutes Werden möglich sei.*) Freilich ist bereits mit dieser Annahme der Möglichkeit die Strenge des Gedankens, daß ein In-sich-widersprechendes nicht sein noch geschehen könne, aufgegeben. Ausdrücklich indes bekennt sich Kant zum absoluten Werden einmal da, wo er die Thesis aufstellt, daß absolute Spontaneität, transcendentale Freiheit ohne Ursache von selbst die Reihe der Ereignisse beginne, und sodann, wo er als Postulat der Sittlich= keit die transcendentale Freiheit als ein Vermögen, eine Reihe von selbst und von vorn anzufangen, dem menschlichen Geiste wenigstens in der intelligibelen Welt zuschreibt.**) Bei dem allen aber übersah Kant nicht, daß das absolute Werden eigentlich etwas Unmögliches bezeichne, wie er das in der dritten Antithesis: „es ist keine Freiheit, sondern alles in der Welt geschieht lediglich nach Gesetzen in der Natur" hervorhebt und in der Anmerkung dazu sogar die bloße Möglichkeit einer Veränderung überhaupt in Abrede stellt. Ja er nennt die Veränderung ausdrücklich eine Ver= bindung kontradiktorisch einander entgegengesetzter Bestimmungen im Dasein eines und desselben Dinges und setzt hinzu, keine Vernunft könne begreif= lich machen, wie es möglich sei, daß aus einem gegebenen Zustande ein ihm entgegengesetzter desselben Dinges folge.***)

Darum hat Kant auch an keiner Stelle den Versuch gemacht, das thatsächlich Gegebene aus einem absoluten Werden abzuleiten, und deshalb darf man Kants Philosophie nicht eine Philosophie des absoluten Werdens nennen. Freilich ist es richtig, wenn nur einmal, auch nur der Möglichkeit nach, das absolute Werden zugelassen ist, so ist kein Grund vorhanden, warum es nicht überall angewendet wird. Ein anderer Unterschied zwischen der Art, wie Kant und wie andere auf das absolute Werden geführt werden, besteht darin, daß letztere es als etwas empirisch Gegebenes, trotz seiner Widersprüche nicht Wegzuleugnendes aufnehmen, Kant hingegen wird darauf erst am Schlusse spekulativer Gedankenreihen geführt.

7. Fichte knüpfte an Kant an. War einmal das absolute Werden für einen Teil (den intelligibelen Willen) des menschlichen Geistes zugelassen, warum nicht für den ganzen? Aus Gründen, welche später zu erörtern sind, (s. Nr. 64) hatte Fichte als das einzige Reale das menschliche Ich

---

*) Diese Konsequenz würde sich ebenso aus dem Satze Humes ziehen lassen, daß die Verbindung zwischen Ursache und Wirkung keine objektiv notwendige sei, wie denn auch Mill (induktive Logik S. 331) es für möglich hält, daß in einer der Himmelsregionen Ereignisse aufs Gradewohl und ohne bestimmtes Gesetz erfolgen können.

**) Vgl. Zt. f. ex. Ph. I. S. 9, 18, 310.

***) Werke von Schubert und Rosenkranz II. 778 u. I. 13.

übrigbehalten, nicht das empirische Ich, wie es mit seiner Vielheit gegeben
ist, sondern das reine Ich, die Identität des Subjekts und Objekts. Aus
diesem sollte die gegebene Mannigfaltigkeit abgeleitet werden. Dies ging
nicht anders, als durch Zuhilfenahme des Begriffs vom absoluten Werden,
in welchem eben die Natur des Ichs bestehe. Das ist die Qualität des
reinen Ich, daß es nicht bleibt, was es ist, daß es überhaupt nicht ist,
sondern in reiner Thätigkeit, als purus actus besteht.

Die Widersprüche, die in diesem Gedanken liegen, hat niemand deutlicher gefühlt und ausgesprochen als Fichte selbst, er erklärt eine solche
Thätigkeit für „undenkbar" und weiß, daß die Widersprüche damit nicht
gelöst, sondern nur gesetzt werden. Gleichwohl glaubt er jenen Begriff
nicht aufgeben zu dürfen, weil er ihm unmittelbar gegeben zu sein schien.

Wie Fichte Kants trancendentale Freiheit auf das ganze Ich, so
übertrug Schelling Fichtes Begriff von der reinen Thätigkeit auf die
ganze Natur. Weil auch er nur Eins als Reales gelten ließ, so steht er
gleichfalls vor der Frage, wie aus dem Einen Vieles, aus der Ruhe die
Bewegung entstehen könne. Und hier macht sich wiederum in gleicher Weise
das absolute Werden unter den Benennungen von Leben, Differenzüeren,
Manifestieren, Bejahen u. s. w. geltend; aber zugleich so, daß doch ein
Bewußtsein des darin liegenden Widerspruchs zurückbleibt, denn Schelling
weiß, daß vom Absoluten zum Wirklichen es keinen stetigen Übergang gibt,
sondern daß der Ursprung der Sinnenwelt nur als ein vollkommenes Ab-
brechen von der Absolutheit durch einen Sprung denkbar sei.

8. Am konsequentesten und am meisten systematisch ausgebildet tritt
die alte Lehre des Heraklit bei Hegel auf. Auch hier wird mit Hilfe
des absoluten Werdens die gegebene Mannigfaltigkeit aus einem Absoluten
abgeleitet. Nur tritt bei Hegel der eigentliche Widerspruch, der im Werden
liegt, weit schärfer als bei Schelling hervor. Trotzdem aber Hegel auf
diese Widersprüche ein besonders grelles Licht geworfen hat, versteht er sie
doch keineswegs von dem rechten Gesichtspunkt aus zu betrachten; er selbst
hat sich in seinem Denken nie über dieselben erhoben, er wird von den
Widersprüchen im Gegebenen vielmehr beherrscht, als daß er sie im Denken
beherrscht, d. h. objektiv dargestellt und in der rechten Weise behandelt hätte.

Verwickeln sich irgendwo unsere Gedanken in Widersprüche, so ist die
logische Regel dafür, dabei nicht stehen zu bleiben, sondern sich von diesem
Widerspruch zu andern richtigen Gedanken treiben zu lassen, indem das
Denken revidiert wird. Dies wird von Hegel so gedeutet, daß die Widersprüche, in welchen wir unwissenschaftlicher Weise das Gegebene auffassen,
nicht in unsern Gedanken, sondern in den objektiven Dingen selbst liegen,

als ein treibendes Prinzip, welches das Ding nicht läßt als das, was es ist, sondern weiter zu andern Momenten forttreibt. Nach der wissenschaft=lichen Logik hebt im Widerspruche das eine Glied das andere auf, und ein in=sich=widersprechendes Ding ist nichts. Um dieser Wahrheit zu entgehen, hat Hegel die wissenschaftliche Logik bekanntlich aufzuheben und an deren Stelle eine solche zu setzen versucht, die den Widerspruch erträgt und ihn für das konstitutive Prinzip der Wissenschaft ausgibt. Vermag also das Denken in einem Dinge Widersprechendes zu erkennen, so ist es ein richtiges Denken und hat die wahre Natur des Dinges erkannt. Und solche Wider=sprüche zeigt die Erfahrung überall, denn was in der That vorhanden ist, ist, daß etwas zu anderem und das andere überhaupt zum anderen wird, und wenn man die Vorstellung vom Werden analysiert, so ist darin die Bestimmung des Seins, aber auch vom schlechthin anderen desselben, dem Nichts enthalten; diese beiden Bestimmungen sind ungetrennt in dieser einen Vorstellung enthalten, so daß Werden somit Einheit des Seins und des Nichts ist. Daß der Begriff des Werdens empirisch aus der Erfahrung genommen ist, und das Werden selbst als etwas In=sich=widersprechendes als Einheit von Sein und Nicht=Sein gedacht wird, tritt bei Hegel be=sonders deutlich hervor, und darum ist das Studium dieser Philosophie noch immer lehrreicher als anderer, die im allgemeinen auch derselben Welt=anschauung huldigen, aber dabei über die eigentlich treibenden Prinzipien selbst im Unklaren geblieben sind oder sie für andere in Unklarheit verhüllt haben. Dahin gehört z. B. Schopenhauer, welcher statt Werden Wille, oder Trendelenburg, welcher lieber Bewegung*) sagt, wie denn überhaupt alle Monisten, d. h. diejenigen Philosophen, welche aus einem Prinzip die gegebene Mannigfaltigkeit ableiten, ohne die Vorstellung des absoluten Werdens nicht einmal den Schein einer Ableitung bekommen. Sie müssen das Widersprechende als geschehend annehmen, oder sie erhalten überhaupt keine Bewegung und Entwickelung. Aber um ein System des absoluten Werdens lehrreich zu machen, ist es nicht genug, sich in wider=spruchsvollen Begriffen zu bewegen, sondern man muß auch deren Wider=sprüche als solche deutlich erkennen und aussprechen. Baader bewegt sich

---

*) Über das absolute Werden bei Fichte, Schelling, Hegel s. Thilo: die Grundirrtümer des Idealismus in ihrer Entwickelung von Kant bis Hegel in Zt. f. ex. Ph. I. 1 u. 113. Ueber die Anwendung desselben Gedankens von Schopen=hauer s. Thilo: Schopenhauers ethischer Atheismus in Zt. f. ex. Ph. VII. 345. Ueber Trendelenburgs Ausführungen s. Zt. f. ex. Ph. IV. 281. Ähnliches bei Lotze s. Zt. f. ex. Ph. VII. 49, bei Langenbeck s. Zt. f. ex. Ph. VIII. 178, bei Quaebicker s. Zt. f. ex. Ph. IX. 307.

z. B. in denselben Widersprüchen wie Schelling und Hegel, nur leugnet er ausdrücklich, daß es Widersprüche sind, und tadelt letztern, daß er den Widerspruch zum Prinzip der Wissenschaft gemacht habe.

Einschränkungen des absoluten Werdens.

9. Mit der Annahme des absoluten Werdens war man eigentlich zurückgekehrt zu dem, wovon die Jonier ausgingen, und hatte festgehalten, was diese verwarfen, denn die sich nicht gleichbleibende Natur, wie sie sich darstellt, konnte den Joniern nicht für das gelten, was eigentlich ist, es mußte ihr jedoch etwas Seiendes zu Grunde liegen. Aber der Weg von diesem Seienden oder Elemente zu der wirklichen Welt war abgeschnitten. Das zur Erklärung Angenommene erklärte nicht das, um deswillen es vorausgesetzt war.

Leistet hierin die Annahme des absoluten Werdens — indem wir von seinen innern Widersprüchen einmal absehen — mehr? Der Begriff desselben fordert die Annahme, daß nichts beharrt, sondern eins ohne jede Ursache aus dem andern wird. Folgt nun auch aus diesem allgemeinen Gedanken des Werdens nicht unbedingt eine besondere Art, wie die Veränderungen geschehen müssen, so liegt doch der Gedanke am nächsten, diesen Fluß als stets gleichmäßig anzusehen, so daß jede Abweichung von der einmal angenommenen Richtung und Geschwindigkeit die Frage nach dem Grunde der Abweichung erregen und so der Absolutheit widersprechen würde. Man müßte also erwarten, die Natur müsse zu einer Zeit alles durchweg gleichmäßig, z. B. rund, dann eckig, oder blau u. s. w. zeigen. Allein einen solchen gleichförmigen Fluß bietet die Natur weder im großen noch im einzelnen dar, es zeigt sich zu gleicher Zeit eine große Mannigfaltigkeit, also verschiedene Resultate des angeblich einen gleichmäßigen Flusses und auch eine verschiedene Schnelligkeit, indem eines länger als das andere beharrt. Darum sind mancherlei Beschränkungen des absoluten Werdens vorgenommen, damit dasselbe zu der gegebenen Natur passe.

So sind erstens gewisse Stockungen in dem Flusse des Werdens selbst angenommen. Heraklit suchte hier zu helfen, indem er einen Gegeneinanderlauf oder Krieg der Dinge lehrte. Allerdings werden dadurch gewisse Stauungen, gleichsam festere Knotenpunkte an den Schnittpunkten der verschiedenen Strömungen scheinbar erklärlich, und Heraklit mochte des-

wegen den Streit den Vater aller Dinge nennen;*) allein einmal ist doch
unerklärlich, woher die Verschiedenheit der Strömungen kommt, denn man
darf nicht sagen, das eine ist eben seiner Natur nach schneller im Flusse
als das andere, gleichsam ein besserer Leiter für das Werden, denn damit
schreibt man bereits den Dingen eine Natur zu, an welcher das Werden
sich vollzieht, während doch gerade das Werden selbst die Natur der Dinge
ausmachen und folglich überall gleich sein sollte. Zum andern wird
in dem Gegeneinanderlauf ein Kausalnexus zwischen den verschiedenen
Strömungen statuiert und damit das absolute Werden aufgegeben.

Etwas Ähnliches liegt in Fichtes Annahme eines unbegreiflichen
Anstoßes. Fichte erkannte, aus dem Unbestimmten und Gleichmäßigen,
was bei ihm die Thätigkeit des reinen Ich charakterisiert, folgt unmöglich
das Bestimmte, Einzelne, Mannigfaltige, was die Natur zeigt. Es wird
also nötig, etwas vom Ich Unabhängiges zu setzen, an welchem sich die
ins Unendliche gehende Thätigkeit des Ich gleichsam stößt, eine Grenze, an
welcher es selbst in sich reflektiert und bestimmt wird.**) Weil aber das
Ich das einzige Reale sein und es allein sich bestimmen kann, so wird
jene Grenze, jener Anstoß wiederum auch als etwas vom Ich nicht Unab=
hängiges, vielmehr als von ihm selbst Gesetztes betrachtet. Damit kommen
nun jedoch in die eine gleichförmige Thätigkeit des Ich zwei verschiedene
sich stoßende Strömungen hinein, es ist derselbe Gedanke als bei Heraklit,
und unterliegt denselben Bedenken als dort.

10.   Der andere Versuch, die Gleichförmigkeit des Werdens, welche
der Begriff erfordert, mit der Ungleichförmigkeit, welche die Erfahrung zeigt,
zu vereinigen, besteht darin, daß gesagt wird, das Werden in der Natur
an sich ist wohl völlig gleichförmig, aber unsere Auffassung durch die Sinne

---

*) Als Wirkung des allgemeinen Gegeneinanderlaufes ist nach Heraklit die
Welt, der κόσμος anzusehen, an welchem Ordnung und Vernunft nicht zu verkennen
ist. Darin liegt jedoch nicht der Gedanke, als habe eine göttliche Vernunft den Lauf
der Dinge absichtlich geordnet, sondern das Werden selbst ist die Vernunft, die Vernunft
als κοινὸς λόγος, Weltseele ist allen Dingen immanent, ist mit dem Werden selbst
identisch. Wie das Feuer ist ja auch das Denken wegen seiner großen Beweglichkeit
eine recht genaue Darstellung des allgemeinen Werdens. Das individuelle Denken
wird daher um so vernünftiger, richtiger sein, je mehr und je ungetrübter es die
allgemeine Weltsubstanz (das Werden, Feuer, Denken) in sich (durch den Atmungs=
prozeß und die geöffneten Sinne) aufnimmt. Als praktisches Prinzip folgt daraus,
daß der Einzelne um so vernünftiger handelt, je mehr er, von sich selbst absehend, den
allgemeinen und natürlichen Gesetzen sich in ruhiger Zufriedenheit mit dem Schicksal
unterwirft.

**) Zt. f. ex. Ph. I. 34.

ist eine trübe und bringt Verschiedenheit in das an sich Gleichmäßige. Auch
dieser Wendung bedient sich Heraklit, indem er unsere Augen und Ohren
schlechte Zeugen von der Beschaffenheit und dem Maß des äußerlich Werdenden
nennt, die Ruhe sehen, wo Bewegung ist, und Tod, wo Leben u. s. w.
Übrigens sei es weniger Schuld der Sinne, als vielmehr der Roheit, der
Unaufmerksamkeit der Seele, wenn die Menschen nicht überall das alles
durchdringende Werden wahrnehmen. Etwas Ähnliches sollte wohl auch der
Satz des Protagoras bezeichnen, daß der Mensch das Maß aller Dinge sei.

Unter den Neuern hat namentlich Schopenhauer diesen Gedanken
weiter ausgeführt; nach ihm ist der Wille, das Grundwesen aller Erscheinungen, auch in sich Eins und gleichförmig, allein er soll durch das
Prinzip der Individuation, d. h. durch die Auffassung des Intellekts
namentlich nach den Formen des Raums und der Zeit und der Kategorie
der Kausalität als individuell bestimmt erscheinen.

Gleichwohl weicht man hiermit von dem Grundgedanken des absoluten
Werdens ab, da einmal von einer trüben Auffassung geredet wird, wo
doch überhaupt keine stattfinden kann; denn wenn kein Kausalnexus angenommen werden soll, so besteht ein solcher auch nicht zwischen dem Objekt
und dem dasselbe auffassenden Subjekt oder Intellekt. Sodann aber trägt
das auffassende Subjekt doch wieder eine Mannigfaltigkeit bereits ursprünglich in sich selbst, die es den Objekten aufprägt. Denn woher sollte auch
nur der Schein der Mannigfaltigkeit kommen? Liegt er nicht im Objekt, so
muß er im Subjekt liegen. Dieses aber ist selbst eine besondere Darstellung
des allgemeinen gleichförmigen Werdens, eine besondere Objektivation des
Willens nach Schopenhauers Ausdruck. Es wird also auch hier vorausgesetzt, was erst erklärt werden soll, nämlich die gegebene Mannigfaltigkeit
in dem angeblich gleichförmigen Werden.*)

11. Schelling verfolgt einen ähnlichen Gedanken, wenn er der gemeinen Anschauung eine höhere intellektuelle gegenüberstellt und letztere als
die eigentlich philosophische bezeichnet. Bei Fichte hatte diese Anschauung
den Sinn, das Ich mit seinen Widersprüchen scharf zu denken und als
etwas Gegebenes, gleichsam mit dem innern Sinn Geschautes festzuhalten;
bei Schelling indes hat diese Anschauung die allgemeinere Bedeutung:
alles in der Form der Ichheit oder überhaupt als vieles und eines zugleich, als werdend und in sich widersprechend zu denken und zugleich als
denkbar und logisch richtig gelten zu lassen. Mochte also immerhin die
gemeine Anschauung der Dinge nicht alles im gleichmäßigen Flusse begriffen

---

*) S. Zt. f. ex. Ph. VII. 349 f.

sehen, wie der Begriff es streng genommen erfordert, so ist dies eben die gemeine niedere Anschauung, die höhere, intellektuelle faßt die Dinge gerade so auf, wie sie dem Begriffe nach sein sollen, nämlich als verschwindende Momente des einen Absoluten. Sie ist eine Anschauung, denn sie schaut alles, wie es gegeben ist, nämlich als werdend; sie ist intellektuell, denn sie denkt das Werdende, das In-sich-Widersprechende zugleich als das Richtige und Wahre, das heißt, sie bleibt bei der ersten rohen, unwissen= schaftlichen Auffassung der Dinge und deren Widersprüchen stehen und er= klärt zugleich dieses gedankenlose Stehenbleiben bei den Widersprüchen der Erfahrung für das höchste Wissen selbst.*) Wenn man nun auch davon absehen wollte, daß diese Anschauung nichts ist, als eine für Schelling unpassende Reminiscenz aus Fichtes Philosophie, eine leere und grund= lose Behauptung, so leuchtet doch außerdem ein, daß damit noch immer die eigentliche Frage zurückbleibt, wie nämlich überhaupt eine Trübung der Auffassung durch die Sinne, also eine Abweichung, wenn auch nur der ge=

---

*) Darauf beruht es, daß es für Schelling wie auch für Hegel eigentlich keine Widerlegung ihrer Systeme geben kann, denn ein System wird widerlegt, wenn man ihm einmal nachweist, es erkläre nicht, was es erklären wolle, und sodann, es sei in sich widersprechend. Wenn nun in erster Beziehung auf die gegebene Natur hingewiesen wird, die thatsächlich ganz anders sei, als sie nach dem Grundbegriffe des Systems sein müsse, so wird mit der intellektuellen Anschauung geantwortet, daß nämlich die niedere das Gegebene falsch auffasse; wer aber die erstere besitze, schaue alles so, wie es der Begriff fordert. Über solche Anschauungen jedoch läßt sich nicht streiten. Wird zum andern auf die Widersprüche des Systems selbst hin= gewiesen, so wird geantwortet, die gemeine Logik, welche Widersprüche verbietet, ist ungiltig; das Wahre ist der Widerspruch selbst, je mehr ihr uns Widersprüche nach= weist und uns nach gewöhnlicher Weise ad absurdum führt, umsomehr erweist ihr uns die Wahrheit unseres Systems, denn, so sagt Hegel selbst, Wk. IV. 69, das spekulative Denken besteht nur darin, daß das Denken den Widerspruch und in ihm sich festhält. Vgl. dazu Herbart XII. 195.

Diese Art der Philosophie, die man wohl als ein absichtliches Verzichtleisten auf philosophische Erklärung charakterisieren kann, ist oft für die rechte Enthaltsam= keit und Selbstbeschränkung erklärt worden, die der Mensch gegenüber den objektiven Realitäten der Welt innehalten müsse. Es zieme sich für das Geschöpf, des Schöpfers Werke nur aufzufassen als das, als was sie sich darstellen, sich bei ihren Unbegreif= lichkeiten zu beruhigen, die Gedanken Gottes nachdenken, weniger selbst zu denken, als nach Hegels Ausdruck sich dem Denken, soll eigentlich heißen der unwissen= schaftlichen Auffassung, hinzugeben. Indes ist es ja bekannt, daß dergleichen Systeme nicht allein die größten subjektiven Willkürlichkeiten gestatten, sondern gewissermaßen geradezu dazu nötigen, wie denn auch thatsächlich der absolute Idealismus und die empirischen, exakten Wissenschaften, die es mit Feststellung der objektiven Thatsachen zu thun haben, einander stets feindlich entgegengearbeitet haben.

meinen Anschauung von dem gleichmäßigen Flusse der Erscheinungen, zu welchen auch die sinnliche niedere Auffassung gehört, in das ewig gleiche Werden hineinkommt. Auch Hegel hilft sich damit, zu sagen, daß die schlechte und endliche Wirklichkeit, also die Auffassung der Welt nach der gewöhnlichen Anschauung, ihrem Begriffe nicht entspricht und darum das Richtige ist. Damit ist offenbar eingestanden, daß die gemachten Voraus= setzungen das nicht erklären können, zu dessen Erklärung sie aufgestellt sind.

12. Als eine Meinung, die den Anhängern des absoluten Werdens gemeinsam ist, ist noch zu erwähnen die Ansicht, daß der Lauf des Werdens ein kreisförmiger sei, indem sein Ende wieder in seinen Anfang einmünde und dieselbe Bewegung von neuem beginne. Schon die Jonier sagen von dem angenommenen Elemente, daß von ihm alles ausgehe und zu ihm zurückkehre. Ferner sprechen Heraklit und, ihm sich anschließend, die Stoiker von einer periodischen Weltverbrennung, Plotin von der Materie, welche von Gott abfällt und sich wieder mit ihm vereinigt, Fichte von einer in sich zurücklaufenden Thätigkeit des Ich, Schelling, Hegel und Schopenhauer von einer endlichen Rückkehr des Endlichen zum Unend= lichen. Zur Entstehung und Verbreitung dieser Meinung mag wohl die Reflexion auf gewisse Naturerscheinungen Anlaß gegeben haben, z. B. die Reihenfolge: Keim, Pflanze, Blüte, Frucht, Keim, oder Eis, Wasser, Wasser= dampf, Wasser, oder die Flüsse speisen das Meer und dieses speist infolge seiner Verdampfung und der atmosphärischen Niederschläge die Quellen, Flüsse, u. s. f.*) Dergleichen Thatsachen verallgemeinert mochten früher wohl leicht zu einem Kreislauf der Welt im ganzen führen, obgleich in der That nichts zu einer solchen Verallgemeinerung berechtigt. Wenn aber auch wirklich ein derartiger in sich selbst zurücklaufender Wechsel bestände, so folgte derselbe doch nicht aus dem Begriffe vom absoluten Werden. Für die Alten, welche unsere Mechanik noch nicht kannten, mochte allerdings die Kreisbewegung als die einfachste erscheinen; aber wir heutzutage wissen, daß die Kreisbewegung nie eine einfache ist, sondern daß stets mindestens zwei Faktoren zur Erzeugung einer solchen gehören; einfach ist nur die geradlinige Richtung, die kreisförmige Bewegung erfordert noch eine zweite Kraft, welche stetig die gerade Bewegung abändert. Das absolute Werden kann demnach nur unter dem Bilde einer geradlinigen Bewegung gedacht

---

*) Weitere Argumente für und wider einen allgemeinen Kreislauf der Dinge f. bei Cornelius: Über die Entstehung der Welt mit besonderer Rücksicht auf die Frage, ob unserm Sonnensystem, namentlich der Erde und ihren Bewohnern, ein zeit= licher Anfang zugeschrieben werden muß. Gekrönte Preisschrift. Halle, 1870. S. 63; vgl. dazu die Rec. in Zt. f. ex. Ph. X. 194.

2*

werden; die kreisförmige brächte einmal noch eine zweite verschiedene Richtung und zum andern die Kausalität zu der ursprünglichen Annahme hinzu.

Das Ergebnis aus den vorstehenden Betrachtungen über das absolute Werden ist dies, daß dieser Begriff erstens undenkbar, weil in=sich=wider= sprechend ist, und daß er zum zweiten auch ungiltig und auf die uns ge= gebene Natur nicht anwendbar ist, denn die Einschränkungen, durch welche das Werden zu den besonderen Naturerscheinungen passend gemacht werden sollte, haben sich uns als unhaltbar erwiesen. Folglich gibt es in dem ganzen Umfang der Natur kein absolutes, ursachloses Werden, noch kann es ein solches geben, und überall, wo ein solches als wirklich gegeben ist, da scheint es eben nur absolut oder ursachlos zu sein, ist aber in Wirk= lichkeit anders.

Der Begriff des Seins.

13. Was war denn der Ausgangspunkt der Spekulation? und wes= wegen wurde sie überhaupt unternommen? Weil es bei dem, was gegeben ist, nicht sein Bewenden haben konnte. Also man suchte nach etwas, wobei es sein Bewenden haben konnte. Und warum konnte man bei dem Ge= gebenen als solchem nicht stehen bleiben? Weil es sich als ein Werdendes zeigte, und das Werden nicht als das wahre Wesen der Dinge angesehen werden durfte. Werden ist Einheit von Sein und Nicht=Sein. Diese Einheit muß aufgegeben werden, das ist der erste Schritt, den die Spekulation thun muß, wenn sie rechtmäßig fortschreiten will. Entweder nur Sein für sich oder Nicht=Sein. Das eine wie das andere ist für sich ohne Wider= spruch denkbar. Da nun das Gegebene nicht nichts ist, sondern etwas ist, so ist es das Sein bezw. das Seiende, welches man bei der ersten meta= physischen Spekulation als das Zu=findende im Sinne hatte. Und zwar hatte sich die metaphysische Bedeutung des Seins eher herausgestellt als der wissenschaftliche Gebrauch des Wortes selbst, denn danach suchten schon die ionischen Physiologen. Der Sinn ist zunächst der, daß das, was ist, nicht ein Nichts und auch nicht ein Werden ist, denn Werden enthält ja eben zugleich ein Nicht=Sein in sich.

Im Werden ferner liegt, daß eins aus dem andern wird, also ein gewisser Zusammenhang der einzelnen Glieder unter einander besteht. Hat man also die Reihe a b c d, so soll eines aus dem zunächst vorhergehenden folgen, d ist ohne c undenkbar, sowie c nicht ohne d sein kann; eines ist von dem andern abhängig. Kann man also im strengen Sinne sagen:

d ist? Nein, denn es ist nicht ohne c und dieses nicht ohne b, überhaupt, es ist keins der Glieder ohne alle ihm vorhergehenden. Aber das Anfangs= glied? Gibt es ein solches? Gäbe es keines, ginge die Reihe der Be= dingungen ins unendliche, so sind auch alle übrigen Glieder nicht, denn jedes einzelne hätte unendlich viele Bedingungen, die also niemals er= schöpft, niemals beisammen sein könnten, um die Grundlage für die folgenden zu bieten. Gibt es aber ein Anfangsglied, so ist dieses ohne ein noch vorhergehendes zu denken, also unabhängig von einem andern. Zwischen der Art, in welcher man dieses für etwas Seiendes erklärt, und der Art, in welcher auch von den von ihm abhängigen Gliedern gesagt werden kann, sie sind, ist ein großer Unterschied. Das Sein der letztern ist nur ein relatives, bedingtes, das des Anfangsgliedes aber ein absolutes, unbedingtes. Man könnte hiergegen geltend machen, die Reihe der sich gegenseitig be= dingenden Glieder dürfe nicht gedacht werden als sich in der Zeit nach und nach entwickelnd, als ob immer eins auf das andere warten müßte, ehe es selbst ins Sein treten könnte. Vielmehr möge angenommen werden, daß die ganze Reihe der von einander abhängigen Glieder alle auf einmal und zugleich vorhanden seien. Dann, so meint man, verschwindet das Warten auf einander. Allein mit diesen Gedanken, womit namentlich Lotze zu helfen sucht,[*] ist durchaus nichts gewonnen. Zunächst muß abgesehen werden von einer unendlichen Reihe von Gliedern, welche als real vorgestellt werden soll, denn eine unendliche Anzahl darf niemals als fertig, abgeschlossen und also auch nicht als real, seiend gedacht werden. (Nr. 30.) Aber wenn auch nur zwei einander in ihrem Sein be= dingende Glieder angenommen werden, so erhält man den Widerspruch, daß a nicht ohne b, und b nicht ohne a ist. Das heißt: es ist nichts, weder a noch b ist. Denn soll a das b in seinem Sein bedingen, so muß doch a sein, denn sonst ist nichts da, welches b bedingt, und ist nichts, welches b bedingt, dann ist b nicht. Ist nun a in seinem Sein durch b bedingt, so fehlt eben in der That jedes Etwas, oder Seiendes, von welchem die Bedingung ausgehen könnte. Man spricht dann von Be= dingungen und Beziehungen ohne etwas, welches bezogen wird oder bedingt. Es heißt die Wirkung der Ursache vorausschicken, man denkt als seiend (a), welches zugleich als nicht=seiend gedacht wird (nämlich bedingt durch b) und denkt wiederum als nicht=seiend (das zu bedingende) b, welches als seiend (als das a bedingend) gedacht wird.

---

*) Vgl. dazu Zt. f. ex. Ph. VI. 390; VIII. 38 ff. Strümpell, Einleitung in die Philos. 1886. S. 397 ff.

Ja, handelt es sich nicht um das Sein, sondern um bloße Eigenschaften oder Stellungen zweier Dinge, dann mag man sagen: die Steine im Gewölbe bedingen sich gegenseitig, nämlich in ihrer Lage, oder zwei an= einander geriebene Hölzer bedingen sich gegenseitig zu ihrem Warmsein. Aber, wenn von Lage oder von erworbenen Eigenschaften die Rede ist, setzt man das Ding selbst schon in seinem Sein voraus. Von den beiden Hölzern ist jedes für das andere die Ursache nicht des Seins, sondern des Warmseins. Man beziehe aber den Gedanken des sich gegenseitig Be= dingens auf das Sein selbst, so kommt man bei dem Widerspruch an, demselben Ding das Sein und auch das Nicht=Sein in demselben Sinne beizulegen.

Oder man führe den Gedanken des sich gegenseitig Bedingens noch einen Schritt weiter: a nicht ohne b, und b nicht ohne a, das heißt auch a nicht ohne a und b nicht ohne b. Jedes setzt sich selbst in seinem Sein voraus, jedes bedingt sich selbst. Es wird eben nichts als seiend an= genommen. Oder man bekommt den Begriff des absoluten Werdens im strengsten Sinne als causa sui, daß nämlich das, was nicht ist, aus sich heraus spontan in das Etwas übergeht.

Aus diesen Betrachtungen geht hervor, bloß Relatives, oder Bedingtes setzen, heißt nichts setzen. Sind wir also genötigt, irgend etwas zunächst nur als etwas Relatives, oder Bedingtes, oder Erscheinung anzunehmen, so muß auch etwas Unbedingtes oder in seinem Sein als Absolutes hin= zugedacht werden; oder müssen wir auf Grund der Erfahrung solches an= nehmen, welches nicht ohne Beziehung zu denken ist, so ist auch Beziehungs= loses vorauszusetzen. Rückwärts: wer nichts absolut Seiendes gelten läßt, der muß auch das relative Sein, auch die gegebene Erscheinungswelt leugnen. Alles relativ setzen, heißt nichts setzen. Nur bei dem Gedanken des absoluten Seins kann es sein Bewenden haben.

Diesen Begriff vom Sein, nämlich vom absoluten Sein hatte man gleich anfangs im Sinne, da man das Gegebene als das Unselbständige, Abhängige verließ und nach etwas Festem suchte, wobei die Spekulation stehen bleiben konnte. Ist das, was ist, überhaupt unabhängig, so auch von dem auffassenden Subjekt; dieses mag das Seiende kennen oder nicht, daran denken oder nicht: das Seiende selbst bleibt ein Seiendes. Der Begriff des Seins läßt sich, wie jeder einfache Begriff, nur verdeutlichen, indem man ihn von seinem Gegenteile oder den ihm ähnlichen Begriffen unter= scheidet. Dieses ist soeben geschehen, indem wir das Sein dem Nicht=Sein und dem Werden und dem relativen Sein gegenübergestellt haben. Dieser Sinn ist nicht willkürlich mit dem Worte Sein verknüpft, sondern jeder,

der überhaupt vom Sein redet, muß es in diesem Sinne verstehen, oder er denkt eben bei diesem Worte das Gegenteil oder nur etwas dem Sein Verwandtes. Namentlich ist zu warnen vor der Verwechselung des absoluten Seins und des relativen. Letzteres hat ersteres zur Voraussetzung, ohne absolutes kein relatives Sein, dieses besteht nur unter gewissen Bedingungen und fällt unter den Begriff des Geschehens.*) Wird das Sein im strengen Sinne gefaßt, so kann auch nicht weiter von einem mehr oder weniger Sein ge= redet werden, sondern ein Ding ist entweder, oder es ist überhaupt n i ch t. Gibt man sich der Vorstellung hin, es könnte etwas im höheren Grade s e i n, als ein anderes, so wird bereits der reine Begriff des Seins auf= gegeben und es wird als ein Prädikat gedacht. In diesem Sinne meint S p i n o z a, daß einem Dinge umsomehr Realität zukomme, je mehr Attribute es habe. So konnte die Rede von einem ens realissimum entstehen, dessen Essenz, d. h. dessen Attribute die Existenz involviere.**)

---

*) Eine Verwechselung des absoluten und des relativen Sein findet sich z. B. bei L o tz e, f. Zt. f. ex. Ph. VIII. 38; bei L a n g e n b e ck, f. Zt. f. ex. Ph. VIII. 156; bei Q u a e b i ke r, Zt. f. ex. Ph. IV. 399. D i t t e s, Zt. f. ex. Ph. XIV. 48 ff.; O st e r m a n n, Zt. f. ex. Ph. XV. 232 ff.; L a a s, Zt. f. ex. Ph. XIII. 393. Auf dem richtigen Gedanken, daß das relative Sein notwendig ein absolutes Sein voraus= setze, beruht der kosmologische Beweis für das Dasein Gottes. Dieser Beweis irrt freilich in der Hauptsache, daß er nämlich das absolut Seiende ohne weiteres als Gott bezeichnet. Vgl. dazu: D r o b i s ch: Religionsphilosophie, 1840, S. 105, und T h i l o in Zt. f. ex. Ph. V. 309.

**) Vgl. dazu Zt. f. ex. Ph. VI. 122—124. Hierher gehört auch das Sophisma vom o n t o l o g i s ch e n Beweise für das Dasein Gottes. Derselbe lautet bei dem Urheber A n s e l m v o n C a n t e r b u r y: certe id, quo majus cogitari nequit, non potest esse in intellectu solo. Si enim vel in solo intellectu est, potest cogitari esse et in re, quod majus est. Si ergo id, quo majus cogitari non potest, est in solo intellectu id ipsum, quo majus cogitari non potest ,est, quo majus cogitari potest; sed certe hoc esse non potest. Existit ergo procul dubio aliquid, quo majus cogitari non valet et intellectu et in re. Ausführlicheres darüber, sowie über die Art, wie G a u n i l o das Argument zu entkräften suchte, f. bei T a u t e, Religionsphilosophie, 1840, I. 111 ff. u. 225 ff. Über die verschiedenen Fassungen dieses Beweises bei D e s C a r t e s, M a l e b r a n ch e u. L e i b n i z, f. T h i l o in Zt. f. ex. Ph. III. 138; IV. 381; V. 171 --175; IX. 234.

In der Kritik, welche K a n t dem ontologischen Beweise entgegensetzt, hellt er die Zweideutigkeit auf, welche in dem Satze liegt, was wirklich ist, ist ein Höheres, als das, was bloß gedacht wird oder in der Vorstellung existiert, und kommt so zu dem richtigen Begriff vom Sein. Sein, sagt er, ist offenbar kein reales Prädikat, das ist, ein Begriff von irgend etwas, was zu dem Begriff eines Dinges hinzu= kommen könne, es ist bloß die Position eines Dinges, oder gewisser Bestimmungen (Prädikate) an sich selbst; im logischen Gebrauch ist es lediglich die Copula eines Urteils. Wird das Subjekt eines Urteils mit allen seinen möglichen Prädikaten zu= sammengenommen und von ihm gesagt, es i st, so kommt dadurch kein neues Prädikat

14. Den Begriff des Seins im strengen Sinne, im Gegensatz gegen das Nicht-Sein, gegen das Werden, gegen die Wirklichkeit, die sich stets als bloße Erscheinung oder relatives Sein zeigt, zuerst aufgestellt und fest= gehalten zu haben, ist das große Verdienst und das aus zeichnende Merk= mal der Eleaten. Hinsichtlich des Seienden — so lehren sie — kann nur gefragt werden, ob es ist oder nicht, ein mittleres gibt es nicht; es selbst aber ist, und ist weder entstanden noch vergänglich; ist es, so ist es unvergänglich; ist es nicht, so wird es nie. In demselben Sinne verstehen alle diejenigen das Sein, welche das Werden als in=sich=widersprechend verwerfen und vom eigentlichen Realen fern halten, so Empedokles, Anaxagoras, die Atomiker, namentlich aber beruht Platos ganze metaphysische Spekulation darauf, daß er das eigentlich Seiende von dem Werden in jeder Gestalt rein zu halten sucht. Nach ihm hat es lange gedauert, bis der Begriff vom absoluten Sein rein und klar wieder zutage getreten ist. Es geschieht dies erst, als der ontologische Beweis für das Dasein Gottes vorgetragen und erörtert wird. Ohne Zweifel schwebten Gaunilo in der Kritik, welche er gegen diesen Beweis von Anselm richtete, und auch Gassendi, indem er die gleichen Gedanken bei Des= Cartes bekämpfte, der richtige Begriff vom Sein vor; auch Hobbes be=

zum Subjektbegriff hinzu, sondern es wird nur das Subjekt mit seinen sämtlichen Prädikaten an sich selbst gesetzt, nämlich der Gegenstand in Beziehung auf seinen Begriff. Beide müssen genau einerlei enthalten, und es kann zum Begriff, der bloß die Möglichkeit ausdrückt, darum, daß dessen Gegenstand durch den Ausdruck: er ist als gegeben bezeichnet wird, nichts weiter hinzukommen. Das Wirkliche enthält nichts mehr als das bloß Mögliche; hundert wirkliche Thaler enthalten nicht das mindeste mehr, als hundert mögliche; wäre es anders, so würde der Begriff, der die Möglichkeit des Gegenstandes bedeutet, nicht der ganze und angemessene Begriff dieses Gegenstandes sein. Zur Existenz gehört also ein wirkliches Gegebensein des Gegen= standes. Bei Gegenständen der Sinne geschieht dies durch den Zusammenhang mit irgend einer Wahrnehmung, aber für Objekte des reinen Denkens ist ganz und gar kein Mittel, ihr Dasein lediglich aus ihrem Begriff zu erkennen. Zur Beurteilung des ontologischen Beweises f. außerdem Drobisch: Religionsphilosophie, 1840, 93. (Derselbe: neue Darstellung der Logik, 1863, 61). Thilo, in Zt. f. ex. Ph. V. 307. Übrigens begegnet man bereits bei Plato dem Versuche, aus der Wahrheit, der Richtigkeit des Begriffs auf die Existenz zu schließen, als ob alle giltigen Begriffe auch reale Gegenstände haben müßten. Plato behauptet nämlich, das Erkennen muß sich auf ein Sein beziehen, denn wie könnte ein $\mu\grave{\eta}\ \ddot{o}\nu$ erkannt werden? Was erkennbar ist, muß sein, und was ist, muß erkennbar sein (S. Nr. 27). Von Plato rührt auch die Spekulation Anselms her. Der Begriff des ens realissimum, eines absolut notwendigen Seins in dem Sinne, daß sein Begriff notwendig auch die Existenz des betreffenden Wesens fordert, ist den Scholastikern sehr geläufig; sie legen nämlich Gott ein notwendiges Sein in diesem Sinne bei.

zweifelt, ob die Annahme eines Mehr oder Minder der Realität zulässig
sei*); noch viel nachdrücklicher warnt Leibniz davor, das Sein als ein
reales Prädikat zu denken**). Allein erst Kant war es, der den oben
entwickelten Begriff vom Sein wiederherstellte, ohne ihn freilich selbst fest=
gehalten oder angewendet zu haben; dieses letztere geschah erst von Herbart.
Doch sei hier noch besonders eines Philosophen erwähnt, dessen besonnene
Art zu philosophieren auf die Folgezeit leider keinen Einfluß gehabt hat.
Etwa gleichzeitig mit Kant bestimmte nämlich auch C. J. Kraus den
Begriff vom Sein in derselben Weise; ja in der Auseinandersetzung über
den Begriff des Absolut=Notwendigen hat er nach Herbarts Urteile***)
seinen Freund Kant weit übertroffen. Von den zuletzt genannten Männern
wird der Begriff vom Sein dahin bestimmt, daß er in keinem Sinne ein
reales Merkmal eines Dinges sei, welches demselben unbeschadet seiner
selbst zu= und abgesprochen werden könnte, wie andere Prädikate, sondern
er bedeute nur die Position oder Setzung von etwas, welches unabhängig
von allen andern Dingen selbständig oder absolut für sich besteht, so daß
es dabei für immer sein Bewenden haben kann. In diesem Sinne sagt
man, der Begriff des Seins sei der Begriff der absoluten Position.†) Bei
diesem Begriff vom Sein versteht es sich von selbst, daß dasjenige, worauf
derselbe angewendet wird, das Seiende, als völlig unveränderlich in
seinem Sein zu denken ist. Nach dem Unveränderlichen hat die Spekulation
von Anfang gesucht. Desgleichen setzt die Naturforschung die Beharrung
der Substanz als selbstverständlich voraus, und die Erfahrung bestätigt dies
hinsichtlich der einfachen chemischen Stoffe. Ebenso wäre die durch Er=
fahrung so sicher verbürgte Festigkeit und Unwandelbarkeit der Naturgesetze
gar nicht denkbar, wenn sie nicht begründet wäre in beharrenden, unver=
änderlichen letzten Trägern der Erscheinung. Aber — das sei sogleich hier
bemerkt — bleibt auch ein Wesen unter obigen Umständen das, was es ist,
ohne sich in seinem Sein zu verändern, so ist damit nicht ausgeschlossen,
daß ein Seiendes unter verschiedenen Umständen oder Bedingungen ver=
schieden wirkt.

*) Thilo: s. Zt. f. ex. Ph. IX 347.
**) S. bei Taute a. a. O. I. 20.
***) S. Herbart, IX. 4.
†) S. u. a. Zt. f. ex. Ph. I. 14 und 244. Eine Differenz in diesem Punkte
zwischen Kant und Herbart, wie Langenbeck, s. Zt. f. ex. Ph. VIII. 156, und
Quaebiker, s. dieselbe IX. 402, und Capesius, s. Jahrbuch für wissenschaftliche
Pädagogik XI. 241, behaupten, ist durchaus nicht vorhanden. Beide, Kant und
Herbart, bestimmen den Begriff vom Sein ganz in derselben Weise, nur macht
Kant keine Anwendung davon.

Das Seiende.

15. Der Begriff des Seins in seiner abstrakten Einfachheit ist völlig
leer, wenn er nicht bezogen wird auf etwas, welches ist. Man versuche,
denselben ohne alle Beziehung auf eine bestimmte Qualität zu denken, es
sei also nicht A, nicht B, nicht C u. s. w. alles Bestimmte nicht, so
ist überhaupt nichts, es wird eben das Sein auf nichts bezogen, es wird
nichts gesetzt. Sein ist nichts ohne Seiendes, d. h. ohne ein bestimmtes
Etwas, welches ist. So wenig die Bewegung etwas ist ohne Bewegtes,
d. h. ohne etwas, welches sich bewegt, ebensowenig gibt es eine Existenz
ohne etwas, was existiert. Sprachlich wird man nun allerdings nicht
umhin können, von einer Qualität des Seienden zu reden und so gleichsam
die Qualität als einen Besitz neben das Seiende zu setzen, oder auch zu
sagen, das Seiende hat eine bestimmte Qualität, allein in Wirklichkeit ist
dies nicht zu trennen, sondern die Qualität ist es eben, welche ist. So
ist wohl der Begriff vom Seienden zusammengesetzt aus den Begriffen vom
Sein und vom Was, das Seiende selbst aber ist nicht aus Sein und
Qualität zusammengesetzt, sondern streng eins.*)

Nun ist aber doch der Versuch gemacht, das absolut Seiende als völlig
qualitätslos zu denken. Dies geschah wohl zuerst von Anaximander.
Er sah ein, daß keiner der gegebenen Stoffe oder Qualitäten als das
absolut Seiende zu setzen sei, statt dessen meint er nun dasselbe als reinen
Stoff, als etwas völlig Qualitätsloses, Unbestimmtes oder Unendliches ansehen zu müssen (Nr. 2). Die andere Möglichkeit, daß das Seiende zwar
von bestimmter Qualität sein könne, wenn schon dieselbe nicht sinnlich gegeben sei, hat er nicht erwogen. Nur sehr bedingter Weise ist hierher der
Begriff der Materie, wie ihn Plato und Aristoteles aufgestellt haben,
zu rechnen. Allerdings wollten diese die ὕλη als das Eigenschaftslose gedacht wissen, welches selbst keine Qualität hat, aber jede unter näheren
Umständen annehmen kann. Allein diese ὕλη ist ihnen darum auch nicht
das Seiende, am wenigsten das absolut Seiende, sondern das μὴ ὄν und
ist daher nach Plato nicht Gegenstand des Wissens oder strengen Denkens,
sondern der bloßen Meinung. Hingegen ist hier der Gottesbegriff Philos
und der mit ihm in dieser Beziehung völlig übereinstimmenden Neuplatoniker zu erwähnen. Gott oder das absolut Seiende, der Grund

---

*) Langenbeck, a. a. O., glaubt, daß das Seiende, wenn ihm Sein und
Qualität zugeschrieben wird, selbst als zusammengesetzt aufgefaßt werde, vgl. dazu
Zt. f. ex. Ph. VIII. 160 ff.

und das Weſen von allem, ſollte alles nur Denkbare nicht ſein; auch Sein und Leben werden ihm abgeſprochen. Wenn er dennoch mit poſitiven Prädikaten genannt wird, nämlich: das Erſte, das Eine, das Gute, ſo ſollen dieſe Bezeichnungen keinerlei Weſenbeſtimmungen des Abſoluten ſelbſt ſein, ſondern haben nur die negative Bedeutung, daß es das Erſte ſei, verglichen mit dem, was aus ihm folgt, eins im Gegenſatz zur Viel-heit, gut, nicht an-ſich, ſondern ſofern es der ſichtbaren Welt Sein und Beſtehen gibt.*)

16. Im Mittelalter wurde dieſer Begriff eines ἄποιον, eines völlig Unbeſtimmten, vorzugsweiſe von den Myſtikern, in der ſogenannten ϑεολογία ἀποφατική (negativen Theologie), welche namentlich von Dionyſius Areopagita ſtammt, vertreten. Unter den Neueren gehören hierher Fichte, Schelling, Hegel, welche ſämtlich als das Abſolute etwas Unbeſtimmtes ſetzen, namentlich hat ſich Schelling bemüht, dieſes als die Indifferenz, als den Ungrund und Urgrund, in welchem alle Gegen-ſätze aufgehoben ſind, zu denken. Freilich ſoll doch auch wieder dieſes Un-beſtimmte die Urſache und zwar die alleinige Urſache des Beſtimmten, der gegebenen Welt ſein, und inſofern wird jenes Abſolute verſteckter Weiſe ſchon als Beſtimmtes und auch als Vieles und Mannigfaltiges gedacht. Allein, weil jene Philoſophen beſtändig verſichern, es ſolle das Abſolute an ſich als völlig qualitätslos gedacht werden, ſo muß man bei den Worten ſtehen bleiben und die Ableitung eben als Inkonſequenz des Syſtems anſehen.

Nun iſt aber erſichtlich, wird damit Ernſt gemacht, daß das Abſolute völlig ohne jede Qualität zu denken ſei, ſo wird es weder als abſolut, noch

---

*) Je mehr auf dieſe Weiſe das Abſolute, was doch der Grund der gegebenen Welt ſein ſollte, von dieſer ſelbſt entfernt wurde, um ſo unbegreiflicher ward es, wie dieſe von jenem Einwirkung erfahren oder gar herrühren könne, und es machte ſich daher das Bedürfnis geltend, gewiſſe Mittelgriffe zwiſchen das Abſolute und Gegebene einzuſchieben, die beides vermitteln ſollten. So bei Philo die Lehre vom λόγος, bei den Neuplatonikern die Lehre vom νοῦς und der ψυχή. Übrigens iſt ſofort erſichtlich, daß dieſe Ableitung des Gegebenen aus dem Einen Eigenſchafts-loſen nur mit Hilfe des abſoluten Werdens möglich iſt (Nr. 5). Die Neuplatoniker ſprechen davon faſt ausſchließlich in bildlichen Ausdrücken, wie vom Überfließen eines vollen Gefäßes oder vom ausſtrahlenden Lichte u. a. Etwas ähnliches iſt von dem Pantheismus der Stoiker zu ſagen: ſo ſehr die Einheit des Urprinzips betont wird, wird doch ohne jegliche Ableitung, wenigſtens iſt uns keine aufbehalten, das-ſelbe in eine Zweiheit von Prinzipien geſpalten, ein Thätiges und ein Leidendes, welche auch ἀρχαί genannt werden und wahrſcheinlich nur verſchiedene Betrachtungs-weiſen des Einen ſind (ſ. Nr. 135).

überhaupt nur als etwas Seiendes gedacht. Daher forderte Plato ent=
schieden, das Seiende als etwas qualitativ Bestimmtes zu betrachten, und
Leibniz hebt es gleich im Anfang seiner Monadologie hervor: die Monaden
müssen gewisse Qualitäten haben, sonst sind sie gar keine Wesen. Am
reinsten tritt diese Wahrheit bei Herbart hervor, für den sie ein Grund=
pfeiler der Metaphysik ist.

17. Wie aber ist nun ferner die Qualität des Seienden zu denken?
Einfach oder zusammengesetzt? Die Frage ist die, ob jedes einzelne Seiende
nur eine Qualität haben kann, oder ob es auch denkbar sei, daß ein
Wesen mehrere Qualitäten habe und zwar ursprünglich, d. h. hier so, daß
dieselben ihm notwendig sind und eben in ihrer Vielheit und Mannig=
faltigkeit das eigentliche Wesen des Realen ausmachen. Auf die Frage
also: was ist das reale A? erhielte man die Antwort: es ist a und b,
falls man dessen Qualität als aus a und b zusammengesetzt annimmt.
Sind nun a und b unabhängig von einander, so hat man eigentlich zwei
Seiende, nämlich a und b, indem sowohl dem a als dem b das Sein
zugeschrieben wird. Sagt man: nicht dem a und nicht dem b für sich,
sondern der Verbindung beider wird ein Sein beigelegt, so führt das doch
wieder zu zwei Seienden, da ja die Verbindung eine bloße Form ist, der
das Sein nur insofern zugeschrieben werden kann, als es dem a und b
zukommt. Wollte man endlich behaupten, a und b notwendig mit ein=
ander verknüpft, geben die Qualität des A, so heißt „notwendig" soviel, als
a ist nicht ohne b und b nicht ohne a selbständig zu denken. Dann wird
aber das, was absolut sein soll, nämlich A, dessen Wesen aber in der
notwendigen Verknüpfung von a und b besteht, völlig relativ, denn A ist
ja nicht ohne a und b, es bezöge sich also durchweg auf etwas Relatives,
und es geschieht dann, was der Begriff des absoluten Seins verbietet, es
wird A nur bedingungsweise gesetzt.*)

Allein zeigt denn nicht das Gegebene thatsächlich eine Vielheit in der
Einheit? „Wir erfahren in uns selbst eine Vielheit in der einfachen Sub=
stanz — so argumentiert Leibniz —, da wir finden, daß der geringste
Gedanke, dessen wir uns bewußt sind, eine Mannigfaltigkeit in dem Gegen=
stande einschließt. Alle diejenigen also, welche zugeben, daß die Seele eine
einfache Substanz ist, müssen diese Vielheit in der Monade zugeben, und
Bayle sollte darin keine Schwierigkeit finden." Aber die Schwierigkeiten
hat Bayle nicht hineingetragen oder gemacht, sondern sie liegen wirklich
in dem Begriff einer Einheit, die mehrere Qualitäten haben soll; zunächst

---

*) Weiteres darüber s. bei Herbart, IV. 83, Zt. f. ex. Ph. I. 230; VIII. 159.

handelt es sich indes nur um eine ursprüngliche Vielheit, die eine wesentliche, notwendige Bestimmung des einzelnen Wesens sein soll, nicht etwa um eine Vielheit von Bestimmungen, welche durch mehrere andere reale Wesen in ihrer gegenseitigen Wechselwirkung verursacht ist. Leibniz freilich wollte nichts von einer äußeren Ursache wissen, darum mußte ihm jede thatsächliche Vielheit in der Monas zu einer ursprünglichen werden; dieser Gedanke, wiewohl widersprechend, mußte beibehalten werden, und deutlicher, als bei anderen, zeigt sich bei Leibniz das philosophische Motiv zu diesem Gedanken: nämlich, daß er thatsächlich gegeben ist.*) Ebenso

*) Von der interessanten Erörterung zwischen Leibniz und Bayle, welche in des letzteren Wörterbuche im Artikel Rorarius mitgeteilt wird, mögen die Haupt= punkte hier Platz finden. Bayle wirft hier Leibniz ein: Im System der rein inneren Ursachen muß immer der gegenwärtige Zustand eines Dinges die notwendige Folge des vorhergehenden sein. Ich kann mir aber nicht denken, wie in einem Hunde die Freude zugleich die Ursache des Schmerzes sein soll, wie es doch sein müßte, wenn der Hund beim Fressen einen Schlag erhält, oder wenn ein Kind, welches trinkt, sich an einer Nadel sticht, oder wenn ich jetzt etwas Weißes sehe und gleich darauf etwas Schwarzes, ist hier die Empfindung des Weißen die Ursache der Empfindung des Schwarzen? Dies müßte sein, wenn es wahr wäre, was Leibniz sagt, daß nämlich jede Monade und also auch jede Seele ganz dieselben Zustände haben müßte, welche sie jetzt hat, auch wenn sie mit Gott ganz allein auf der Welt wäre. Eine derartige Veränderlichkeit, wie hier vorausgesetzt wird, ist gar nicht zu denken, denn die Seele erhält in der andern Minute ihres Daseins keine neue Kraft zu denken, sie behält nur die Kraft, welche sie in der ersten Minute empfangen hatte, und also ist sie von dem Zuflusse aller anderen Ursachen in der anderen Minute ebenso unabhängig, als in der ersten, folglich muß sie in der anderen Minute eben= denselben Gedanken hervorbringen, den sie bereits hervorgebracht hatte. Darauf antwortet Leibniz: „Keineswegs, denn vermöge des Gesetzes der Lust oder des appetitus strebt die Seele jeder Zeit nach Veränderung, sowie der Körper nach dem Gesetze der Bewegung." Hiermit acceptiert also Leibniz das absolute Werden, so daß jeder Zustand in sich selbst das Streben hat, sich zu verändern. Dazu paßt aber gar nicht das Gleichnis von der Bewegung, denn diese bleibt sich stets gleich, wenn man von jeder abändernden Ursache absieht. Etwas Ähnliches macht Bayle gegen Leibniz geltend, wenn er fortfährt: die Seele ist nach Leibniz einfach und unteilbar. Man begreift klar, daß ein einfaches Wesen allezeit einförmig handeln wird, wenn es nicht irgend eine fremde Ursache davon abwendet. Eine Maschine, z. B. eine Uhr, mit welcher Leibniz die Seele vergleicht, ist aus verschiedenen Teilen zusammengesetzt, kann also auch verschiedene Thätigkeiten ausüben, weil die besondere Thätigkeit eines jeden einzelnen Stückes alle Augenblicke die Thätigkeit der anderen ändern kann; allein, wo will man in einem einfachen Wesen die Ursache von der Veränderung der Wirkung finden? Wie kann überhaupt Leibniz die Seele mit einer Uhr vergleichen, welche doch zusammengesetzt ist? Man würde etwas hiervon begreifen, wenn man voraussetzte, daß die Seele des Menschen kein Geist, sondern vielmehr eine Legion von Geistern sei, wovon jeder seine Verrichtung hat, welche

müssen alle diejenigen diese innere Vielheit für eine ursprüngliche Wesen=
bestimmung des Absoluten ansehen, welche nur Eine Substanz oder Ein
Seiendes anerkennen, also jede Art von Monismus, denn dieser hat die
doppelte Aufgabe, aus dem Einen Absoluten die thatsächliche Vielheit und
Mannigfaltigkeit der gegebenen Natur abzuleiten und zugleich die Einheit
zu wahren. Hier schiebt sich gewöhnlich der Begriff vom absoluten Werden
ein, allein dieser ist schon abgewiesen. Sodann soll eben die Versicherung
helfen, die abzuleitende Vielheit liege als Einheit, als Indifferenz in dem
Absoluten; so haben wir es bei den Neuplatonikern und den modernen

just anfangen und aufhören, wie es die Veränderungen erfordern, welche in dem
menschlichen Körper geschehen. Darauf erklärt Leibniz: Wir haben keine Zusammen=
setzung der Substanz der Seele von nöten, es ist genug, daß ihre Gedanken zu=
sammengesetzt sind und eine große Anzahl der Objekte und der entweder deutlich oder
undeutlich erkannten Veränderungen in sich fassen, wie die Erfahrung uns solches
in der That erkennen läßt. Denn obgleich die Seele eine einfache Substanz ist, so
hat sie doch niemals einfache und einerlei Empfindungen; sie hat deren allezeit auf
einmal viele deutliche, deren sie sich erinnern kann, und unendlich viele undeutliche,
welche mit jenen verknüpft sind und deren Inhalt sie nicht von einander zu unter=
scheiden vermag. Darum thut die Seele vieles, ohne daß sie es weiß, warum sie es
thut. Solches geschieht nämlich, wenn sie vermittelst undeutlicher Empfindungen und
Neigungen oder vermöge unmerklicher Begierden wirkt. Daraus erklärt sich, wie die
Seele plötzlich aus Freude zum Schmerz u. s. w. übergehen kann: die unbewußten
Vorstellungen sind die Ursache, nicht die Freude für sich allein.

Man sieht, daß Leibniz den eigentlichen Widerspruch, auf welchen ihn Bayle
hinweist, nicht erkennt, wie nämlich die Vielheit ursprünglich, d. h. ursachlos in das
einfache Wesen hineinkomme. Leibniz beruft sich immer nur auf die Erfahrung,
daß thatsächlich in der Seele eine Vielheit von Vorstellungen vorhanden sei: ich
glaube, spricht er, Herr Bayle und alle Philosophen werden zugeben, daß unsere
Gedanken niemals einfach sind und daß die Seele in Ansehung gewisser Gedanken
die Kraft habe, von sich selbst von dem einen auf den andern zu kommen.

Damit ist die eigentliche Frage nach dem Ursprung der Vielheit in der einfachen
Substanz kurz abgewiesen. Wo Leibniz aber darauf einzugehen im Begriff steht,
weicht er auch vom System der rein inneren Ursachen ab und nimmt auf einem
Umwege seine Zuflucht zu der verworfenen causa transiens. Jede Monade ist eine
Konzentration des Weltgebäudes, jede spiegelt die Welt ab von ihrem besonderen
Standpunkte aus. Doch soll hier nicht eine unmittelbare Wechselwirkung der Monaden
unter einander die Ursache des Abspiegelns sein, sondern durch Gottes Macht hat
jede Monade diejenigen inneren Zustände und diese in der bestimmten Reihenfolge,
daß sie zu ihrer Umgebung harmonisch paßt, sie direkt abzuspiegeln scheint, als ob
eine auf die andere wirkte. Damit ist doch wieder die causa transiens eingeführt,
zunächst zwischen der einzelnen Monade und Gott, dann aber auch durch diesen ver=
mittelt zwischen allen Monaden untereinander. Der Occasionalismus ist nur in
einen vorweltlichen einmaligen Akt Gottes verlegt und so zur prästabilierten
Harmonie geworden.

Monisten Fichte, Hegel, Schopenhauer und namentlich Schelling schon erkannt, sowie es auch ein Hauptsatz Baaders ist, daß die Persönlichkeit und zwar die trinitarische, die vollkommenste Form der Existenz ist, wobei unter Existenz eben das absolut Seiende zu denken ist. Ein besonders lehrreiches Beispiel dafür bietet Spinoza in seiner Grundanschauung, daß es nur Eine absolute Substanz gibt, mit unendlich vielen Attributen, von denen aber bloß zwei: Ausdehnung und Denken, uns bekannt seien. Zwar versichert er auch, daß alle diese unendlich vielen Attribute im Grunde Eins sind*), allein im weiteren Verlauf der Spekulation wird doch auf diese Voraussetzung so gut wie gar keine Rücksicht genommen. Zunächst leuchtet ein, daß unendlich viele Attribute nicht existieren können, denn der Begriff des streng Unendlichen verträgt sich nicht mit dem Begriff der Realität (s. Nr. 30). Sodann aber wird, wenn der Begriff des absoluten Seins auf die Substanz mit ihren Attributen angewendet wird, jedes einzelne der Attribute zu einem Seienden, wie denn auch in der That nach Spinoza jedes der Attribute völlig selbständig für sich und unabhängig von den anderen besteht, und dennoch jedes für sich allein die ganze Substanz ausdrückt.

18. Die Annahme, das absolut Seiende habe in sich ursprünglich mehrere Wesenbestimmungen oder Qualitäten, verbietet sich also darum, weil dadurch das absolut Seiende als solches aufgehoben und an seine Stelle etwas durchaus Relatives gesetzt wird, indem diese innere Vielheit notwendig mit einander verbunden, also jedes Glied zu den anderen Gliedern in völliger Relation stehend und doch absolut seiend gedacht werden soll. Derselbe Widerspruch stellt sich heraus, wenn die Qualität des absolut Seienden als ursprünglich wirkend oder als ursachlose Kraft angesehen wird. Eine Kraft soll wirken entweder nach außen oder nach innen. Im letzteren Falle bekommen wir den Begriff des absoluten Werdens, denn das soll dabei die Qualität des Wesens sein, daß es sich selbst und zwar ursprünglich oder absolut zu etwas bestimmt, was es vorher nicht war. Damit würden wir in bereits abgewiesene Widersprüche fallen, sodann aber nur einen anderen Fall von dem obigen Widerspruch der Inhärenz des Vielen in Einem haben, denn ob die innere Vielheit in ihren Gliedern simultan also gleichzeitig bestehend oder successiv also eins aus dem anderen werdend gedacht wird, ändert die Sache selbst nicht, es bleibt immer der Widerspruch, daß das Relative absolut sein soll. Zum anderen: die Kraft werde nach außen, d. h. auf andere Wesen, wirkend gedacht, und dieses

---

*) S. Zt. f. ex. Ph. VII. 62.

Wirken sei selbst die Qualität des Wesens. Wenn jetzt gefragt wird: was ist das Wesen, so muß geantwortet werden, daß es wirkt auf etwas, was es selbst nicht ist; jede Bestimmung des eigentlichen Wesens muß die Beziehung auf etwas dem Wesen selbst Fremdes, nicht Zugehöriges ent= halten, und diese Beziehung ist dennoch das zum Wesen selbst notwendig Zugehörige. Eine solche Kraft bezieht sich demnach ihrem Begriffe nach auf etwas Fremdes. Das heißt, um diese Kraft zu denken, wird das, was man denkt, als etwas durchweg Relatives bestimmt; wodurch die absolute Position aufgegeben, und zugleich die wirkliche Kraft, als absolut gedacht, für ein Unding erklärt wird.*) Wollte man nun statt Kraft nur die Fähigkeit oder Anlage zur Wirksamkeit setzen, so aber, daß diese Anlage eine wirkliche, inwohnende Bestimmung des Wesens selbst wäre, so würde auch damit eine ursprüngliche Beziehung in das Seiende hinein kommen, denn diese Anlage sollte sich ja eben auf etwas anderes beziehen, was das Wesen selbst nicht ist. Die Widersprüche häufen sich noch, wenn mehrere oder gar entgegengesetzte Kräfte als ursprünglich in Ein Wesen hinein gedacht werden. (Weiteres darüber s. Nr. 34—35.)

Soll also das Seiende absolut und widerspruchsfrei aufgefaßt werden, so muß es ohne alle ursprünglichen oder wesentlichen Relationen und demnach als qualitativ einfach und diese einfache Qualität als beharrend und nicht als ursprünglich wirkend gedacht werden, als id, quod semper sit simplex, et unius modi et tale, quale sit.**) So lehrten die Eleaten und Plato, nur haben die Eleaten noch keinen Unterschied zwischen dem Begriff des Seins und dem des Seienden gemacht, sondern sie begnügten sich zu sagen: das Sein selbst ist. Ebenso beschreibt Empedokles jedes einzelne seiner vier Elemente als qualitativ einfach, doch hält er diese Einfachheit nicht rein, da er ursprüngliche Kräfte der Elemente anzunehmen scheint. Ein Gleiches gilt von den Atomen der alten sowohl, als auch vieler neueren Physiker; strenger hat wohl Anaxagoras die letzten Teile der Welt als unteilbare Einheiten gefaßt. Unter den neueren sind es Herbart und dessen Anhänger, welche die Einheit des Seienden streng gefaßt, bewiesen und angewendet haben, und die neuere theoretische Natur= forschung treibt immer mehr zur Anerkennung dieser Wahrheit hin.

19. Auf dieselbe Weise, wie die qualitative Einfachheit des absolut Seienden bewiesen wird, ergibt sich auch die quantitative Einfachheit

---

*) Ausführlicher wird der Beweis, daß es keine ursprünglichen Kraftwesen geben könne, geliefert Herbart IV. S. 531 ff., vgl. auch Cornelius: Grundzüge einer Molekularphysik. Halle, 1866. S. 5—8.

**) Cicero, acad. quaest. I. 8, berichtet dies von Plato.

desselben. Zunächst leuchtet ein, daß man sich ein Reales A nicht aus diskreten, nebeneinander liegenden Teilen zusammengesetzt denken darf. Sonst wäre jeder derartige Teil ein Selbständiges, ein Seiendes für sich, und A nur die formale Einheit dieser Seienden. Vielmehr müssen die Teile eines Realen, wenn man von solchen sprechen will, als kontinuierlich zusammenhängend aufgefaßt werden, so daß keiner etwas Selbständiges für sich ist, sondern überhaupt nur ist, sofern er mit den anderen zu einer realen Einheit A verknüpft ist. Faßt man nun A als ein Continuum, bestehend aus unendlich vielen Teilen auf, so können diese Teile eben als unendlich viele unmöglich als ein geschlossenes Ganze gedacht werden, denn das unendlich Viele ist unvollendbar, und ein solches Continuum kann daher nicht das Reale sein (s. Nr. 30). Der Begriff des absoluten relationslosen Sein müßte sonst eben auf etwas bezogen werden, was als Unvollendbares überhaupt nicht sein kann. Dies schließt jedoch im Hinblick auf eine Mehrheit realer Wesen nicht die Möglichkeit aus, sich jedes in seinen räumlichen Beziehungen zu anderen als ein kugelförmiges, begrenztes Continuum zu denken. Ferner dürfen Zeitbegriffe nicht auf das Seiende als solches angewendet werden, d. h. zunächst, man darf das Seiende nicht als zu einer bestimmten Zeit entstehend und zu einer anderen vergehend oder sich ändernd, also als werdend auffassen. Dies ist bereits abgewiesen. Schreibt man dem Realen eine Dauer zu, so muß ihm eine ewige Dauer ohne Unterscheidung von Momenten zugeschrieben werden. Darum behaupten die Eleaten, das Seiende ist nicht ausgestreckt in der Zeit, nicht aus= gedehnt im Raume, noch durch das Weltall zerstreut. Hingegen legen die Atomiker der alten und meist auch der neueren Zeit den Atomen eine gewisse, wenn auch noch so geringe Ausdehnung bei, indem man Realität und Ausdehnung für gleichbedeutende Begriffe ansieht und etwas Un= ausgedehntes, räumlich streng Einfaches, geradezu für Nichts hält. Auf dieser Ansicht beruht der sogenannte Materialismus der Stoiker. Ihnen galt alle Substanz für etwas Körperliches, Materielles, und sie berufen sich dafür auf die beiden falschen Sätze: seiend ist nur, was wirkt und auf sich wirken läßt, und sodann: was wirkt oder auf sich wirken läßt, ist thatsächlich überall etwas Körperliches. Daher kann das, was ist, nur körperliche Substantialität sein. Ebenso gründet Hobbes seinen Materialismus auf den Satz: Was im Raume ist, muß räumlich sein. Besonders aber hat Des=Cartes dazu beigetragen, daß man die Ausdehnung als das eigent= liche Reale an den Dingen ansah. Dagegen haben wir bereits angedeutet, daß das Seiende nicht notwendig als ausgedehnt gedacht werden dürfe. Vielleicht wollte Anaxagoras dies sagen, wenn er seine Elemente als unendlich klein bezeichnet; freilich legt er denselben dennoch eine Gestalt und zwar eine verschiedene bei und mischt somit doch die Ausdehnung hinein. Auf die eigentlichen Widersprüche aber, die im Begriff eines realen Con= tinuum liegen, machte zuerst der Eleat Zeno aufmerksam, welcher freilich noch an dem falschen Satze festhält: Wenn das Seiende keine Größe hat, so ist es nicht. Genauer nachgewiesen wurden die Widersprüche im Con= tinuum von Leibniz und Herbart. Diese fassen daher das Seiende als räumlich streng einfach, als Monas ohne alle Ausdehnung. Leibniz geht überall von der Überzeugung aus, daß es einfache Wesen geben muß, weil es zusammengesetzte gibt, und daß das Zusammengesetzte nichts ist als eine Anhäufung von Einfachen. Desgleichen bemerkt Fries: „Wir kommen bei dem Zusammengesetzten nur dann auf etwas an sich, wenn wir bis auf einfache Teile zurückgekommen sind." Und auch Kant, wenn er einmal von seiner Lehre über die Anschauungsformen absieht, bekennt, „das Zu= sammengesetzte der Dinge an sich selbst muß freilich aus dem Einfachen bestehen, denn die Teile müssen hier vor aller Zusammensetzung gegeben sein." Indessen, wenn er sonst und nach seinem Vorgange Fichte und die Anhänger des transcendentalen Idealismus, wie Schopenhauer und ein Teil der neueren Physiologen leugnen, daß unsere Raumvorstellungen auf das Absolute an sich anzuwenden sind, so haben diese Behauptungen einen andern Zusammenhang, der später aufzuweisen ist (s. Nr. 73 ff.). Der eigentliche Fragepunkt, ob das Reale ausgedehnt sei oder nicht, wird von ihnen überhaupt von der Metaphysik ausgeschlossen.

20. Die letzte Frage hinsichtlich des Seienden endlich ist die: folgt aus dem Begriffe des Seienden, ob es der Seienden mehrere gibt, oder ob nur Eins zu denken ist?

Das absolut Seiende ist etwas völlig in sich Abgeschlossenes und Selbständiges und sagt über etwas, was es selbst nicht ist, gar nichts aus. Dieser Satz wird von einer großen Anzahl von Philosophen so gedeutet, im Begriff des Absoluten liegt es, daß das Reale selbst negative Be= stimmungen erhielte, wenn es etwas nicht wäre, was andere Wesen sind. Sehr früh hat sich in das metaphysische Denken dieser Irrtum eingeschlichen, welchen späterhin Spinoza mit den Worten determinatio est negatio aussprach. Man sagt nämlich: wenn a eine einfache absolute Qualität hat und ebenso b und c, jede aber von der anderen verschieden, so ist a verschieden von b und verschieden von c; a ist also nicht, was b und nicht was c ist; ebenso ist b nicht, was a und nicht was c ist u. s. w.; so kommt in jedes Wesen so oft eine negative Bestimmung hinein, als es Wesen gibt, von denen es verschieden ist. Man übersieht dabei, daß die Negation hier nicht eine Bestimmung des Wesens selbst ist, sondern daß sie bloß in der Vorstellung desjenigen vorhanden ist, welcher die Wesen mit einander vergleicht und sie von einander unterscheidet, und der in dem Gegenstande etwas sucht, was er nicht findet. Wenn man aber sagt, die Wesen unterscheiden sich, so ist damit selbstverständlich nicht eine Thätigkeit der Wesen selbst gemeint.*)

Derselbe Irrtum liegt der Meinung von Leibniz zu Grunde, als könnten zwei völlig gleiche Wesen nicht gesondert für sich bestehen, sondern fielen in Eins zusammen (principium indiscernibilium). Dies ist so wenig der Fall, als zwei mathematische Punkte, die doch einander vollkommen gleich sind, in Eins zusammenfallen, wenn man ihnen eine unbestimmte Entfernung beilegt.**)

Ob den Eleaten bei ihrer nachdrücklichen Behauptung von der Einheit des Seins schon ähnliche Gründe vorgeschwebt haben, kann nicht entschieden werden. Sie nehmen vorzüglich daran Anstoß, daß bei der Annahme einer Mehrheit von Seienden das eine hier und das andere dort sein müßte, und mit den räumlichen Prädikaten schien ihnen Nicht-Sein in das Sein hineinzukommen, denn das, was hier ist, kann nicht auch dort sein. Sehr nahe gelegt war ihnen die Meinung, daß es nur ein Seiendes geben könne, durch ihren Satz, daß das Sein selbst das Seiende ist, daß also das Sein, d. h. der bloße Begriff des Seienden das Reale selbst ist, welches er vorstellt. Schon Aristoteles bemerkt, diesen Satz bekämpfend, daß, wenn das Sein für das Seiende selbst genommen werde, so entstehe eine große Schwierigkeit, wie außer diesem noch etwas anderes sein soll. Denn jedes andere etwa noch außer dem Sein anzunehmende Seiende würde natürlich jenes zuerst angenommene Sein nicht sein, also überhaupt nicht sein.

Wird dieser Satz, daß das Sein ist, etwas anders ausgedrückt, so behauptet er eine Identität des Seins und des Denkens. Das reine Denken, welches das absolute Sein erkennt, ist nichts Nichtiges, keine bloße Meinung, ist aber auch kein Sein, neben anderem Sein, denn sonst gäbe es deren ja zwei, ist auch kein Prädikat des Seins, denn sonst ginge dessen innere Einheit verloren, es gäbe Sein und Denken, sondern Sein und Denken müssen dasselbe sein.

---

*) Zur Widerlegung dieses Satzes vgl. Herbart III. 217 f. Hartenstein: die Probleme und Grundlehren der Metaphysik, 1836, S. 190 ff. Thilo: Zt. f. ex. Ph. I. S. 114 f. u. 131. Der besondere Sinn, in welchem Spinoza selbst jenen Satz anwandte, s. Zt. f. ex. Ph. VI. 128 f.

**) Herbart III. 162.

3*

In Wahrheit nun ist der Satz: das Sein ist, durchaus falsch. Denn Sein ist ein bloßer Begriff, er bezieht sich stets auf ein Was, welches ist, darf also selbst als etwas Relatives nicht als seiend oder real gesetzt werden. Gleichwohl ist diese Meinung eine sehr folgenreiche für die Geschichte der Philosophie geworden, da fast alle Monisten ihr huldigen.

Auch ein dritter Grund für die Annahme nur e i n e s Seienden tritt bereits im Altertum völlig deutlich hervor: nämlich die Meinung, zwei oder mehrere Seiende könnten nicht auf einander wirken, wenn sie nicht schließlich ein Seiendes wären. D i o g e n e s von A p o l l o n i a lehrt: wenn es mehrere selbständige Seiende gäbe, so wäre es unmöglich, daß eins auf das andere wirkte, sich mit ihm mischte, Förderung oder Hinderung von ihm erführe. Weil nun die Natur überall derartige Einwirkungen und Wechselwirkungen zeigt, so muß angenommen werden, daß alles, was ist, im Grunde Eins ist, und daß das als verschiedenes uns gegebene nur mancherlei Darstellungen des Einen sind. Auch A r i s t o t e l e s gibt diesem Satze seine ausdrückliche Zustimmung.*) Das gleiche behauptet S p i n o z a: quae res nihil commune inter se habent, earum una alterius causa esse non potest. In der Gegenwart hat namentlich L o t z e den Monismus mit diesem Grunde zu stützen versucht, daß keine Wechselwirkung stattfinden könne unter mehreren absolut seienden Wesen, sondern alles Leiden und Wirken nur in einem einheitlichen Wesen möglich sei.**)

Übrigens ist niemals ein ernstlicher Versuch gemacht, diesen so folgenreichen Satz zu beweisen. Er wird meist hingestellt in der Erwartung, daß man ihm ohne weiteres zustimmen werde. Oder es wird noch hinzugesetzt, daß alle Versuche, eine Wechselwirkung unter zwei oder mehreren absoluten Wesen begreiflich zu machen, gescheitert seien und scheitern müßten. (Darüber s. Nr. 43—45.)

Die erörterten drei Gründe für die Annahme e i n e s Seienden: erstens determinatio est negativo oder das Seiende ist nicht, wenn es nicht alles ist, weil sonst etwas w ä r e, was das eine Seiende n i c h t wäre; zweitens: zwei oder mehrere Seiende s i n d nicht, wenn sie nicht Eins sind, nämlich wenn sie nicht in dem Begriffe des Seins Eins wären; drittens: zwei oder

---

*) De gen. et corr. l. C: Καὶ τοῦτ᾽ ὀρθῶς λέγει Διογένης, ὅτι εἰ μὴ ἐξ ἑνὸς ἦν τὰ ἄπαντα, οὐκ ἂν ἦν τὸ ποιεῖν καὶ τὸ πάσχειν ὑπ᾽ ἀλλήλων.

**) Gegen L o t z e vgl. Zt. f. ex. Ph. VIII. 38 ff. u. XV. 262 ff. u. S t r ü m p e l l: Einleitung in die Philosophie, 1886, S. 363 ff. Desgleichen hat L o t t auch durch obige Weise die Einheit alles Seienden zu beweisen versucht. S. dazu: Jahrbuch des Vereins für wissenschaftliche Pädagogik XII. 1880, S. 209 u. XIII. 1881, S. 6.

mehrere Seienden könnten nicht auf einander wirken, wenn ſie nicht Eins wären, laſſen ſich zum Teil auf einander zurückführen und ſtammen zu= meiſt aus der Verwechſelung logiſcher Begriffe, durch welche wir das Seiende denken, mit den realen Verhältniſſen ſelbſt, welche durch jene gedacht werden. Zu dieſen drei metaphyſiſchen Gründen des Monismus geſellen ſich bei den einzelnen Denkern noch mancherlei ſubjektive Neigungen, welche das natürliche Denken für den Monismus empfänglich machen.*) Die Vertreter desſelben benutzen bald den einen, bald den andern, bald alle dieſe Gründe, um ihre Anſicht von der Exiſtenz nur eines Seienden zu ſtützen.

21. Werden nun dieſe Gründe für nichtig erkannt, ſo folgt noch keineswegs: es gibt mehrere Seiende, ſondern nur: der Begriff des Seienden beſtimmt nichts darüber, ob es nur ein Seiendes oder ob es deren mehrere gibt. Dieſe Frage zu entſcheiden, das hängt vom Gegebenen ab, ob dieſes ſich aus einer Einheit oder einer Mehrheit folgerecht ableiten läßt. Doch ehe wir dazu fortſchreiten, möge ein Bedenken erwogen werden, welches leicht bei der Auseinanderſetzung des Seienden ſich einſchleicht. Es kann nämlich geſagt werden: Bisher iſt immer nur vom Begriffe des Seienden die Rede geweſen und iſt erörtert worden, wie das Seiende gedacht werden muß, aber kann man denn hoffen, durch dieſe Begriffe, ſelbſt wenn ſie als Begriffe notwendig ſo und nicht anders zu beſtimmen ſind, das Seiende ſelbſt, nicht wie es gedacht werden muß, ſondern wie es in Wirklichkeit iſt, zu erkennen? wo liegt die Bürgſchaft, daß, wenn wir uns das Reale ſo denken müſſen, es auch ſo beſchaffen ſei? warum ſoll das, was wahr= haft und an ſich iſt, ſich nach unſerer notwendigen Vorſtellungsart richten? Dieſe Frage ſich klar machen, heißt auch, ſie als unbegründet zurückweiſen. Der Fragende gibt die entwickelten Beſtimmungen des Seienden als not= wendig zu, d. h. er erkennt an, daß dieſer Begriff auf eine andere Weiſe ohne Widerſpruch nicht gedacht werden kann; zu gleicher Zeit unternimmt er aber ſich vorzuſtellen, daß etwas ſei, was von unſerer notwendigen Vorſtellungsart abweiche, er unternimmt alſo ſich etwas zu denken, was zu denken er ſoeben ſich ſelbſt als unmöglich oder widerſprechend verboten hatte; er erklärt alſo das für möglich, was er eben als unmöglich erkannt hatte, er nimmt in ſein Denken gerade die falſchen Gedanken auf, die er als falſch bereits abgewieſen hatte, oder mit anderen Worten, er verſucht das Seiende als das In=ſich=Widerſprechende zu denken. Es kommen die alten

---

*) S. darüber O. Flügel: Die ſpekulative Theologie der Gegenwart kritiſch beleuchtet. Cöthen, 1888, S. 5 ff.

Ungereimtheiten wieder, welche zu den schon angestellten Untersuchungen getrieben haben; sie treiben noch einmal, und man muß den schon betretenen Weg zu demselben Ziele noch einmal gehen.*) Und um dies zu vermeiden, ist der Begriff vom Sein und dem Seienden so gefaßt, wie er eben erörtert worden ist. Wer diese Begriffe nicht so denken will, der muß nachweisen, daß sie, anders gedacht, nicht widersprechend sind. Dies aber, meinen wir, ist unmöglich. Es ist also ein für allemal das Bedenken abzuweisen, als machte die Metaphysik sich erst den Begriff vom Sein und Seienden zurecht, wendete dann diesen gemachten Begriff auf das wirklich Gegebene an, fände, daß dieses nicht zu jenem paßte, und suchte nun dieses nach dem gemachten Begriffe vom Seienden zu berichtigen; umgekehrt müsse der Begriff vom Seienden nach dem Gegebenen berichtigt werden. Allein der eben erörterte Begriff vom Sein und dem Seienden ist nicht willkürlich gemacht, sondern muß notwendig so und nicht anders gedacht werden, wer ihn anders denkt, denkt ihn eben nicht scharf. Paßt nun dieser Begriff nicht auf das Gegebene, so ist weder das eine noch das andere so abzuändern, daß sie zu einander passen, sondern es ist die Erinnerung nötig, daß das Gegebene wohl etwas ist, was nicht nicht ist, aber daß es keineswegs auf der Hand liegt, das uns Gegebene als solches sei das absolut Seiende selbst. Das Gegebene ist, aber es ist nicht das Absolute. Wäre es dies, d. h. könnte es dabei sein Bewenden haben, dann würde man es auch dabei haben bewenden lassen, und es würde sich nicht immer von neuem die Spekulation in Bewegung gesetzt haben, das Gegebene so zu denken, wie es gedacht werden müsse, um dabei stehen bleiben zu können. Wie das zu denken sei, bei dem es sein Bewenden haben kann, nämlich das absolut Seiende, ist im Vorhergehenden auseinander gesetzt; jetzt erhebt sich die Frage, in welchem Zusammenhange das Seiende und das Gegebene zu einander stehen.

Zusammenhang zwischen dem Seienden und dem Gegebenen.

22. Die bisherigen Auseinandersetzungen über das Seiende waren rein hypothetischer Art, sie zeigten nämlich: wenn etwas als absolut seiend

---

*) Vgl. Herbart I. 221 ff. u. Hartenstein, a. a. O. 506: „Wenn man bezweifelt, ob etwas so sei, wie wir es nicht etwa bloß sinnlich vorzustellen, sondern zu denken genötigt sind, so heißt dies mit anderen Worten: man bezweifelt, ob wir etwas so denken müssen, wie wir es denken müssen. Es gibt ja kein anderes Merkmal der Möglichkeit, als die Denkbarkeit, und kein anderes Mittel der Wirklichkeit, als die Notwendigkeit, uns die Sache als wirklich zu denken." Zeller: Geschichte der deutschen Philosophie seit Leibniz, 1873, S. 585.

anzunehmen ist, so muß dies so gedacht werden, wie wir es bisher erörtert haben. Nun ist es die Frage: muß denn in der That etwas als absolut seiend gesetzt werden? Der Versuch, nichts zu setzen, hebt sich selbst auf, denn etwas ist gegeben und macht Anspruch, für ein Seiendes genommen zu werden. Das Gegebene ist nichts Nichts, sondern jedenfalls Erscheinung. Etwas muß demnach als seiend gesetzt werden, denn wenn Nichts wäre, sollte auch Nichts erscheinen. Wenn also etwas erscheint, so muß auch etwas als seiend gesetzt werden, und wenn etwas als seiend gesetzt werden muß, so muß auch etwas als absolut seiend gesetzt werden: denn nur Relatives oder Bedingtes setzen, heißt, nichts setzen (Nr. 13).

Es ist Ein und dasselbe, das Gegebene für wirklich erklären, und das, was das Gegebene schließlich bedingt, als absolut seiend setzen. Darum ist es denn auch unter den Philosophen niemals eine Frage gewesen, ob etwas absolut gesetzt werden müsse, sondern alle haben ohne weiteres etwas als absolut Seiendes vorausgesetzt. Nur darüber sind die Meinungen auseinander gegangen, wie das Absolute zu denken sei und was als absolut gesetzt werden müsse. Hierbei ist es allerdings oft vorgekommen, daß man das angeblich Absolute in lauter relative Bestimmungen auf= gehen ließ.

Bei Betrachtung des Gegebenen entsteht also notwendig der Gedanke an das Sein, das Gegebene selbst aber als Erscheinung kann das Seiende im strengen Sinne nicht sein, es verlangt demnach als seine Bedingung etwas, was absolut ist. Dieses Absolute muß fähig sein, dem Gegebenen zur Erklärung zu dienen, denn nur allein darum, weil das letztere für sich genommen nicht begrifflich widerspruchsfrei war, mußte ersteres voraus= gesetzt werden.

23. Wie nun das absolut Seiende zu denken ist, ist bereits oben (Nr. 13—20) auseinander gesetzt; an diesen Bestimmungen darf nachträglich nichts mehr geändert werden, etwa in der Absicht, das Gegebene recht leicht daraus ableiten zu können. Die Aufgabe ist jetzt, einmal das Seiende im obigen Sinne festzuhalten, und es andererseits so zu fassen, daß es den Erklärungsgrund für das Gegebene abgibt. Hier hat man zunächst nur die Wahl zwischen zweierlei, nämlich das Seiende entweder als Eins oder in der Mehrzahl anzunehmen. Wir sahen früher (Nr. 20), diese Frage konnte nicht aus dem Begriffe des Seienden heraus beantwortet werden, begrifflich läßt sich ebensowohl ein Seiendes als deren mehrere denken. Die Entscheidung hängt vielmehr lediglich davon ab, welche der beiden be= grifflich gleich möglichen Annahmen geeigneter sei, das wirklich Gegebene zu erklären.

Prüfen wir zunächst die erste Annahme: es werde nur ein Seiendes vorausgesetzt, und dieses Eine werde so gedacht, wie es als absolut Seiendes notwendig gedacht werden muß, nämlich als schlechthin einfach und un= veränderlich, so ist es durchaus unmöglich, aus diesem Seienden die Natur, so wie sie gegeben ist, als ein Vieles, Mannigfaltiges und Veränderliches, folgerichtig abzuleiten. Aus dem Einen kann nichts werden. Soll etwas daraus und zwar allein aus ihm werden, so ist es entweder nicht als ein Seiendes, sondern als ein absolut Werdendes oder nicht als Eins, sondern als eine Mehrheit gedacht. Aus dem Einen an sich folgt nichts.

24. Dies klar erkannt und darum ein für allemal jede Naturerklärung aus dem einen Absoluten abgewiesen zu haben, ist eine der hervorragendsten Eigentümlichkeiten der Eleaten. Das Gegebene brachte bei ihnen zunächst allgemeinen Zweifel (Xenophanes), dann ein entschiedenes Verwerfen aller Erfahrung hervor, die man nur etwa zum Spiel in eine geordnete Darstellung bringen kann, wie der Dichter einen mythologischen Stoff aus= schmückt*) (Parmenides). Endlich zeigte Zeno, die Erfahrung selbst sei in sich ungereimt und undenkbar und verrate sich ganz offenbar als leere Täuschung. Parmenides suchte die Existenz des Einen, Zeno die Nicht=Existenz des Vielen festzustellen.

Eine andere Stellung zum Gegebenen als eine gänzliche Verzicht= leistung, es zu erklären, kann man auch konsequenter Weise nicht ein= nehmen,**) wenn einmal der Monismus, d. h. die Voraussetzung nur eines Seienden, und zum andern der wahre Begriff des Seienden fest= gehalten werden soll. Alle anderen Monisten denken hier weniger scharf, als die Eleaten, denn jene nehmen den Begriff des absoluten Werdens zu Hilfe, um aus dem ursprünglich einen Absoluten die Welt mit ihrer Mannigfaltigkeit abzuleiten. Damit wird jedoch der Begriff des Seins aufgegeben, man verfällt in bereits abgewiesene Widersprüche und erklärt das Gegebene auf widersprechende Weise, d. h. man erklärt es gar nicht. Denn widersprechende Erklärungen sind im Grunde nichts anderes als ein Verzichtleisten auf Erklärung, nur daß man sich und andere mit einer Scheinerklärung täuscht.***)

*) Wenn gleichwohl Parmenides noch einige kosmologische Lehren vortrug, denen zufolge zwei Elemente, das Warme und das Kalte (oder Feuer und Erde), zur Bildung der Welt thätig gewesen sind, so geschieht das doch nur, indem er ausdrück= lich hinzusetzt, das sei nicht Gegenstand des Wissens, sondern nur der Meinung und nichts als Wortschmuck.

**) Etwas Ähnliches versucht neuerdings Spir; s. Zt. f. ex. Ph. IX. 218.

***) Mit den andern monistischen Systemen, die gewöhnlich als Pantheismus verlaufen, darf man die Eleaten nicht zusammenstellen. Diese werden freilich auch

25. Nun ist es aber nicht Sache des Beliebens, ob man auf alle Naturerklärung verzichten will oder nicht. Die metaphysische Spekulation darf darauf nicht verzichten, heute, wo die Thatsachen bei weitem mehr gehäuft sind, als vordem, noch viel weniger, als sonst. Wollte sie darauf verzichten, so gäbe sie sich selber auf, denn sie geht ja ihrer Bestimmung nach lediglich auf eine widerspruchsfreie Naturerklärung aus, zu diesem Zwecke allein ward die Annahme des Seienden gemacht. Wäre diese Annahme von der Art, daß sie das Gegebene nicht nur nicht begreiflich, sondern geradezu unbegreiflich machte, so müßte sich irgendwo ein Fehler in die Voraussetzungen eingeschlichen haben.

Was machte denn nun den Eleaten die Natur so unbegreiflich? Dies, daß ihnen das Seiende eins und unveränderlich war, die Natur aber Mannigfaltigkeit und Veränderlichkeit darbot. Eins von beiden mußte also geleugnet werden. Besinnen wir uns auf den Ausgangspunkt der metaphysischen Spekulation, so können wir nicht mit den Eleaten die Mannigfaltigkeit und Veränderlichkeit der Natur in Abrede stellen, denn wenn unsere Anschauung der Natur auch nur auf dem allerflüchtigsten Scheine beruht, so ist sie doch gerade so und nicht anders thatsächlich gegeben. Ebensowenig aber läßt sich an der Unveränderlichkeit des Seienden etwas abdingen; rütteln wir an diesem Begriffe, so verwickeln wir uns sofort in die bekannten Widersprüche des absoluten Werdens. Es bleibt also nur eins übrig, nämlich die vorausgesetzte Einheit aufzugeben, nicht die Einheit im Seienden selbst, sondern die Meinung, als könne es überhaupt nur ein Seiendes geben.

Wir bemerkten bereits früher (s. Nr. 20), daß diese letztere Ansicht keineswegs eine notwendige sei, daß die Entscheidung der Frage, ob nur ein Seiendes oder deren mehrere anzunehmen sind, allein davon abhänge, welche Voraussetzung geeigneter sei, die Natur widerspruchsfrei zu erklären. Da sich der Monismus, d. h. die Annahme eines Seienden, nun als völlig unfähig zur Erklärung der Natur gezeigt hat, so sind wir genötigt, von den beiden an sich begrifflich gleichmöglichen Ansichten den Pluralismus, d. h. die Voraussetzung vieler Seienden als die einzig annehmbare zu wählen, hingegen den Monismus gänzlich und für immer abzuweisen. Aus dem wahrhaft Einen, sagte Leucipp, wird nie Vieles, aus dem wahrhaft

oft genug als Pantheisten bezeichnet. Allein mit dem Pantheismus haben sie nur den Monismus gemein, durchaus aber nicht die Entwickelungen Gottes zur Welt. Daher kann hinsichtlich der Eleaten von Pantheismus nur mit sehr erheblichen Einschränkungen die Rede sein. Außerdem nennt Parmenides, der Hauptvertreter der Eleaten, das eine Seiende nie Gott.

Vielen nie Eins. Vieles ist aber gegeben, also muß ein ursprünglich Vieles zu Grunde gelegt werden.

So hat sich uns denn ergeben: Vieles ist, und dieses Viele muß die Ursache der gegebenen Natur sein, jedes dieser Vielen ist ein Seiendes im strengen Sinne, einfach und unveränderlich. Wie nun der Monismus der Systeme vom absoluten Werden vor die Aufgabe gestellt war, das Gegebene aus dem gleichmäßigen Werden, die thatsächliche Vielheit aus der Einheit, das Einzelne aus dem Ganzen zu erklären, so ist es die Aufgabe des Pluralismus, das thatsächlich gegebene Werden aus dem Sein, das Ganze aus dem Einzelnen abzuleiten. Wird dies gelingen? Das werden die nun folgenden Versuche lehren.

Systeme des Pluralismus.

26. Es ist wohl natürlich, daß man sich zuerst unter dem Gegebenen umsieht, ob nicht vielleicht wenigstens einiges darunter als ein absolut Seiendes angesehen werden könne. Bei den mannigfachen Versuchen, noch innerhalb des Gegebenen zu den wechselnden Erscheinungen das Bleibende, zu dem Werdenden das Seiende aufzufinden, trat schon sehr frühzeitig die Bemerkung hervor, daß es gewisse Begriffe gibt, welche sich immer gleich bleiben und festatehen, während die Dinge, auf welche sie sich beziehen, dem Wechsel unterworfen sind. Die ersten Begriffe, die sich als fest und un= abänderlich herausgebildet hatten, waren die Zahlenbegriffe. Diese schienen wegen ihrer Unveränderlichkeit dem wahren Begriffe vom Sein am nächsten zu kommen. Dies bestimmte die älteren Pythagoreer zu der Behauptung, die Zahlen seien der eigentliche Grund, das Prinzip der Dinge, die Dinge selbst seien (Nachahmungen von) Zahlen, diese das Seiende. Allein es wollte nicht gelingen, auf diese Zahlenbegriffe, so sehr ihnen auch vor anderen der Vorzug einer großen Bestimmtheit zukommt, die ganze Mannigfaltigkeit der Erscheinungen zurückzuführen. Deshalb nehmen auch die späteren Pythagoreer zu anderweitigen Deutungen und Deuteleien ihre Zuflucht.

27. Das Eigentümliche der pythagoreischen Metaphysik liegt in der Ansicht, daß die Zahlen an und für sich, sei es in, sei es außer den zähl= baren Dingen sind. Verglichen mit diesen festbestimmten, unwandelbaren mathematischen Begriffen, scheinen die wirklichen Dinge nur als Nach= ahmungen derselben. Ahmen die Sinnendinge nun aber bloß Größenbegriffe nach? Gibt es nicht noch höhere und schönere Muster? Darf man die

pythagoreische Lehre von der Realität der Zahlenbegriffe nicht auf alle
Gattungsbegriffe erweitern? Werden diese Fragen bejaht, so erhält man
den Standpunkt Platos in der Ideenlehre. Die Dinge sind dem un=
begreiflichen Wechsel hingegeben: das Wasser ist jetzt flüssig, dann fest, wenn
es gefriert, oder luftartig, wenn es verdampft. (Gewöhnlich nimmt man
hier Wasser als den Hauptbegriff, als das Reale, als das Subjekt, welchem
die verschiedenen Eigenschaften als Prädikate beigelegt werden. Diese
wechseln, sagt man, jenes beharrt, allein dadurch wird gleichwohl das Ding
selbst, welches seine Natur eben in seinen Eigenschaften zeigt, in den Wechsel
und damit in das Nicht=seiende hinein gezogen. Es hindert nun nichts,
das, was die gewöhnliche Meinung als den Hauptbegriff und als das Reale
ansieht, zum Prädikate, und das, was der Sprachgebrauch als Prädikat
hinstellt, zum Subjekt und zum Realen zu machen. So gut, wie ich sagen
kann: flüssiges Wasser, darf ich auch sagen: wässerige Flüssigkeit. Damit
gewinnt man den Vorteil, daß man in der Beschaffenheit etwas Unveränder=
liches erhält und dieses zum Realen macht, das Wechselnde aber nicht als
das Reale ansieht, sondern als das Nicht=seiende, auf welches mehrere Be=
schaffenheiten bezogen werden können. Die Beschaffenheit z. B. des Flüssigen
kann auf das Wasser, auf Wein, auf Blut u. s. w. bezogen werden, ebenso
das Feste auf Eis, auf Steine u. s. w. Die Beschaffenheit als solche bleibt
überall dieselbe, das Flüssige bleibt flüssig, von welcher Flüssigkeit es auch
ausgesagt werden mag. Hingegen das, was die gewöhnliche Meinung für
das Reale hält, und worauf unter andern die eine Beschaffenheit bezogen
wird, ist veränderlich, zeigt sich bald so, bald anders, während die Beschaffen=
heit selbst, losgelöst von den Dingen, an denen sie beobachtet wird, sich
selbst gleich bleibt. Das also, was z. B. alle Flüssigkeiten gleich und ge=
meinsam haben, das Flüssige als solches, verdient viel eher absolut gesetzt
zu werden, als die einzelne besondere Flüssigkeit. Sobald aber die all=
gemeinen, weil feststehenden Begriffe als das Seiende angesehen werden,
dürfen sie nicht mehr Prädikate oder Eigenschaften heißen, denn es ist kein
realer Gegenstand mehr als seiend vorhanden, welcher so beschaffen wäre.
Die Eigenschaften werden vielmehr selbständig, die Adjektiva zu Substantiven,
sie heißen Ideen (Beschaffenheiten). Rein, selbständig, unveränderlich
bleiben sie als das eigentlich Wahre und Seiende zurück, was von den
Dingen selbst nur unvollkommen nachgeahmt wird. Hebt man also aus
dem mit verschiedenen Eigenschaften gleichzeitig oder nacheinander behafteten
einzelnen Dinge dessen einzelne Beschaffenheiten heraus, führt diese auf ihre
allgemeinen Begriffe zurück, so ist jeder derselben nur einmal vorhanden,
kann jedoch auf viele Dinge bezogen werden und stellt das dar, was Plato

eine Idee nannte. Die wirklich gegebenen, veränderlichen Dinge sind nicht
das Reale, sie suchen die Ideen, das wahrhaft Seiende nur darzustellen
oder nachzuahmen, sind das Nicht-seiende oder vielmehr das zwischen Sein und
Nicht-Sein Schwebende, davon es nicht ein Wissen, sondern nur eine
Meinung gibt (Nr. 13, Anm.).

Auf diese Weise glaubte Plato das Seiende für immer vom Werden
befreit zu haben. Nur die Ideen sind, denn sie sind unveränderlich das,
was sie sind, jede selbständig für sich.

Allein die Selbständigkeit der Ideen stellte sich bald als trügerisch
heraus. Denn, gibt es soviel Ideen, als es allgemeine Begriffe gibt, und
bezeichnet jeder derselben eine Idee, so stehen diese Ideen in denselben Verhältnissen der Über- und Unterordnung, kurz, der gegenseitigen Abhängigkeit, wie jene Begriffe; ja einige bezeichnen überhaupt nichts, als ein Verhältnis, also eine Relation, wie z. B. die Idee des Gleichen. So verlieren
die Ideen ein wesentliches Merkmal des Seienden, die Selbständigkeit oder
Absolutheit. Dies tritt noch mehr hervor, wenn von den Ideen gesagt
wird, sie sind nur, sofern sie Teil haben an der Idee des Seins, oder
die Idee des Guten sei die Ursache der andern Ideen. Hätte Plato mit
dieser Vorstellung Ernst gemacht, so würde geradezu allen Ideen außer der
des Guten das absolute Sein abgesprochen, ihnen nur ein relatives, bedingtes gelassen, und in die Ideenwelt selbst das Werden und das Entstehen
eindringen. Wir befänden uns wieder auf der Bahn des Monismus: als
letztes absolutes Reales bliebe allein die Idee des Guten übrig, ja auch
diese vertrüge die absolute Position nicht, denn sie müßte konsequenter
Weise als Ursache, als wirkendes Prinzip und zwar ursprünglich als solches
gedacht werden.

Doch wenn man auch von diesen Schwierigkeiten, in welche Plato
sich verwickelt und die er sich selbst nicht vollkommen verdeutlicht hat, absehen wollte, es bleiben noch andere Schwierigkeiten in der Hauptsache,
nämlich wie denn nun das Gegebene aus den als absolut seiend angenommenen Ideen folgen soll. Nachdem aus dem Gegebenen alle Beschaffenheiten abgezogen und als bloße Abbilder der Ideen bezeichnet waren,
blieb als Träger dieser Abbilder etwas übrig, was selbst keine Eigenschaften
mehr hatte, wohl aber fähig war, jede Eigenschaft anzunehmen. Diese
qualitätslose Materie sollte der Sitz des Werdens und des Wechsels sein,
denn dieser ist gegeben und darf nicht aus den Ideen abgeleitet werden.
Daß ein solches Etwas, welches alles bestimmte nicht ist, nicht sein kann,
entging Plato keineswegs, der ja den richtigen Begriff vom Sein besaß.
Statt es indes ganz bei Seite zu lassen, bezeichnete er es wohl als das

Nicht=Seiende, aber doch eigentlich als ein zwischen Sein und Nicht=Sein in der Mitte Stehendes, als bloßes Objekt der Meinung, nicht des Denkens. Das Gegebene machte seine Ansprüche, als ein Reales angesehen zu werden, zu sehr geltend, so daß irgend etwas gesetzt werden mußte, an welchem das absolut Seiende, die Ideen, erschienen, und welches doch zugleich die Ideen nicht rein, sondern durch den der Materie eigenen Wechsel getrübt zur Erscheinung brachte.

Aus diesem Begriffe der Materie ergab sich eine neue Schwierigkeit. Jetzt standen die Ideen auf der einen Seite, auf der andern die Materie. Was bestimmte nun die Materie, die Ideen abzubilden, oder die Ideen, in die Materie einzugehen? Von der Materie konnte dieses Streben nicht ausgehen, sie ist ja ohne alle Kraft; von den Ideen auch nicht, denn sie stellen das rein Seiende dar, und dieses hat kein Streben, kein Verlangen nach etwas, was es selbst nicht ist, es ist sich selbst genug; wirkende Kräfte an demselben anzunehmen, hätte es mit dem Werden behaftet. So stehen denn die Ideen ganz müßig da und sind nicht im stande, das Gegebene zu erklären, zu welchem Zwecke doch alles Seiende angenommen wird. Denker, welche den Begriff des Seienden weniger festhalten, wie z. B. Aristoteles, helfen hier damit, die Ideen selbst als die Ursachen, als wirkende Prinzipien zu betrachten, und auch Plato sucht wohl mit einem ähnlichen Gedanken*) oder Bilde zu helfen, nämlich die Ideen spiegelten sich in der Materie ab, ohne von ihrer Seite eine Wirksamkeit auszuüben. Im Timäus aber scheint er keinen andern Ausweg gewußt zu haben, als sich auf Gott zu berufen, welcher, auf die Ideen blickend, die wirklichen Dinge aus der Materie bildete. Indessen erkennt Plato selbst die Ein= führung der Materie und des Schöpfers in das System der Ideen als Notbehelfe; auf diese Begriffe beziehe sich nicht das Erkennen oder Wissen, sondern das Meinen, hingegen die Ideen werden begrifflich erkannt, sie sind, denn was erkannt wird, kann nicht Nichts sein.

Der Unterschied, welchen hier Plato nach dem Vorgange der Eleaten zwischen Wissen und Glauben macht, beruht auf dem der ganzen alten Philosophie eigenen naiven Realismus. Nach ihm ist das Erkennen ein Abbilden der Dinge. Je nach der Verschiedenheit der letztern muß sich also die Erkenntnis richten. Vollkommen deutlich, d. h. ohne Widerspruch in sich selbst, kann nur die Erkenntnis dessen sein, was auch in sich wider= spruchslos ist, also des wahrhaft Seienden. Und umgekehrt, wovon ich

---

*) Über die beiden Dialogen Parmenides und Sophistes und ihre zu Aristoteles neigende Ideenlehre f. Zt. f. er. Ph. XII. 9 ff.

eine wahrhaft widerspruchsfreie Erkenntnis habe, das muß auch Seiendes
fein. Wovon ich aber nur eine dunkle Erkenntnis habe, aus welcher es
mir nicht gelingt, die Widersprüche zu entfernen, das ist auch selbst in=fich=
widersprechend, ist also nicht das Seiende, sondern das Werdende, das Ver=
änderliche, die Materie. Und endlich, wovon sich überhaupt gar keine
Erkenntnis denken läßt, das ist auch überhaupt nicht. Das Nicht=Sein
kann nicht erkannt werden. Also das, was zwischen dem liegt, was wahr=
haft erkannt wird (dem Seienden) und dem, was überhaupt nicht erkannt
wird (dem Nicht=Seienden), ist gar kein Seiendes, aber auch kein Nicht=
Seiendes, sondern etwas, was zwischen beiden schwebt, ein μὴ ὄν. Mit
diesen Unterscheidungen hatten nun zwar die Eleaten und Plato die
Aufgabe der Philosophie insofern richtig bestimmt, als sie sich nicht mit
einem bloßen Meinen oder einer dunklen Erkenntnis begnügen darf, sondern
auf ein Wissen, ein in sich widerspruchsfreies Erkennen gerichtet sein muß,
und ferner, daß das Werdende als solches nicht als widerspruchsfrei
aufgefaßt werden kann, aber diese Unterscheidung diente doch zugleich
dazu, das wissenschaftliche Gewissen hinsichtlich der Materie als des μὴ ὄν
nur zu leicht zu beruhigen. Man glaubte genug gethan zu haben, wenn
man das Widersprechende von dem strengen Wissen abgesondert hatte, und
gewöhnte sich daran, den Widerspruch in dem Gegebenen, in der wirklichen
Welt, zu ertragen. Weil es bisher nicht gelungen war, das wirklich Ge=
gebene widerspruchsfrei zu denken, so meinte man, das könne überhaupt
nicht gelingen, von dem Veränderlichen sei überhaupt kein eigentliches Wissen
möglich, da müsse man sich mit bloßer Meinung begnügen und könne sich
ungestört der Phantasie hingeben. Und so entfernte man sich allmählich
ganz und gar von der eigentlichen Aufgabe der Naturphilosophie, der zu=
nächst gar nichts anderes obliegt, als eben das Gegebene, das Veränder=
liche, die Materie, widerspruchslos zu begreifen, oder aus dem Seienden das
Gegebene, das Werden abzuleiten. Gelingt dies nicht, so ist eben die ganze
Spekulation hinsichtlich des Seienden vergeblich. Dies zeigt sich auch bei
Aristoteles.

28. Derselbe teilt im allgemeinen die Ansichten Platos hinsichtlich
der Materie, des Begriffs vom Seienden, und hinsichtlich dessen, worauf
dieser bezogen wird, der Ideen. Der Begriff der Materie wird hier noch
ausführlicher bestimmt als das Unbestimmte, welches fähig ist, im allgemeinen
wenigstens alles Bestimmte zu werden, als Sitz der Gegensätze von Naß
und Trocken, von Kalt und Warm oder Feuer, Luft, Wasser, Erde, als
Herd der Veränderung, werde sie nun als Entstehen oder Vergehen, als
Vermehrung oder Verminderung, als Ortswechsel oder als qualitative Um=

wandlung gedacht. Bei dem allen aber ist die Materie nicht absolutes
Werden in dem Sinne, daß aus ihr die wirklichen Dinge und Erscheinungen
von selbst folgten, sondern die Materie ist dies alles nur potentiell, nur
der Möglichkeit nach, wenn noch etwas anderes hinzukommt. Hinsichtlich
des Begriffes vom Sein schwebt dem Aristoteles anfänglich etwa das=
selbe vor, als was es die Eleaten und Plato gedacht hatten, es soll
einfach, qualitativ bestimmt, sich selbst gleich, unveränderlich sein. Eben
darum konnte er das Gegebene als solches wegen dessen Unbeständigkeit
nicht als das wahrhaft Seiende ansehen, sondern bezog das Sein auf das,
was das Ding eigentlich seiner Natur nach sei, auf das, was er im Sinne
Platos eine Idee oder Form nannte. Wenn auch der Weg zu diesen
Ideen oder Formen und deren nähere Bestimmung anders als bei Plato
ist, so trifft Aristoteles doch der Hauptsache nach mit ihm zusammen,
indem das eigentliche Wesen der Dinge in deren Begriff, nicht in den all=
gemeinen, wie bei Plato, sondern in den individuellen gesetzt und für
jedes Ding oder Verhältnis eine bestimmte Idee oder Form angenommen wird.

Die eigentliche begriffliche Veränderung, welche Aristoteles an der
Ideenlehre Platos vornimmt, besteht darin, daß er die Ideen als
wirkende Ursachen der gegebenen Dinge und Erscheinungen ansieht.
Wir bemerkten bei Plato die Verlegenheit, wie denn die Ideen es machen
sollten, sich in der Materie abzubilden und doch vom Werden frei zu bleiben.
Aristoteles tadelt Plato ausdrücklich darum, daß nach ihm die Ideen
nichts zum Sein oder Werden der wirklichen Dinge beitrügen; wenn es
auch Ideen gibt, sagt er, so entstehen doch bei Plato aus ihnen keine
Einzeldinge, die an ihnen Teil haben, wenn nicht eine bewegende Ursache
vorhanden ist, welche die Materie und die Ideen aneinander bringt. Ja
die Ideen müßten, falls sie überhaupt eine Wirksamkeit ausüben würden,
eher Ursachen des Stillstandes und der Unbeweglichkeit als des thatsächlich
gegebenen Werdens sein. Die Annahme der Ideen ist also unnütz, sie
leisten nicht, wozu sie vorausgesetzt sind, sie erklären das Gegebene nicht
nur nicht, sondern sie machen es geradezu unbegreiflich. Werden die Ideen
hingegen als ursprünglich wirkende Prinzipien gedacht, so ist jene Ver=
legenheit verschwunden, nun sind die Ideen fähig, die gegebenen Natur=
erscheinungen zu erklären, denn die Ideen bestimmen die an sich unbestimmte
Materie nach sich. Sie stehen nun nicht mehr müßig hinter den Natur=
erscheinungen, als abgesonderte, bloße Musterbegriffe, sondern sind selbst die
Ursache der Dinge und machen ihr eigentliches Wesen aus.

An diesem Punkte zeigt sich ein Hauptunterschied zwischen dem Philo=
sophieren des Plato und des Aristoteles: wenn sie zu wählen haben,

entweder etwas Widerſprechendes anzunehmen, wobei aber die Natur be=
greiflich zu werden ſcheint, oder das Widerſpruchsfreie, Begriffsmäßige an=
zunehmen, wobei aber die Erfahrung unbegriffen bleibt, ſo entſcheidet ſich
Ariſtoteles, mehr zum Empirismus neigend, für das erſtere, Plato,
mehr dem ſpekulativen Rationalismus folgend, für das letztere (Nr. 4).
Indem Ariſtoteles die Ideen oder Formen als wirkende Kräfte ſetzt, hat
er allerdings vor Plato den Vorteil voraus, daß die Ableitung der er=
fahrungsmäßig gegebenen Dinge möglich erſcheint, aber indem jene Formen
zugleich das eigentlich Seiende bezeichnen ſollen, denkt er dieſes nicht ſo
ſcharf und rein als Plato, denn urſprünglich wirkende Prinzipien ver=
tragen die abſolute Poſition nicht (Nr. 18).

Allein die urſprüngliche Wirkſamkeit der Ideen erfährt doch bei
Ariſtoteles noch eine gewiſſe Beſchränkung. Er unterſcheidet z. B. im
Menſchen viererlei Arten von Ideen oder Formen oder Seelen: die vege=
tative, die ſenſitive, die motoriſche (begehrend und bewegend) und die
denkende, welche wiederum in einen νοῦς παθητικός und einen νοῦς
ποιητικός zerfällt. Nur der letztere, der νοῦς ποιητικός, iſt ohne alle
Einſchränkung rein aus ſich heraus wirkend, er iſt für ſich ſelbſt ἐνέργεια,
frei von Materie, an ſich ſelbſt purus actus. Die übrigen Seelen ſind
wohl auch wirkend, aber nur potentiell, d. h. wenn noch gewiſſe äußere
Veranlaſſungen zur Thätigkeit eintreten, die vegetative Seele z. B. nur,
wenn vorhandene Nahrung, die ſenſitive, wenn etwas Wahrnehmbares ſie
zur Wirkſamkeit beſtimmt. Zu dieſem Falle geht ſie aus dem Zuſtande
der δύναμις in den der ἐνέργεια über. Hierin könnte man ein ſtrengeres
Feſthalten an dem Begriffe des Seins finden, denn es ſcheint hiernach, als
ſei das Wirken nicht etwas Urſprüngliches, welches als ſolches das Weſen
der Ideen ausmacht, ſondern etwas Zufälliges, zu dem das eigentlich
Seiende, die Idee, nur unter beſondern Umſtänden, nämlich im Zuſammen=
treffen mit etwas anderem veranlaßt wird. Allein Ariſtoteles denkt jene
potentielle Anlage zum Wirken doch nicht als eine bloße Möglichkeit, die als
ſolche gar keine poſitive, innere Beſtimmung des Seienden iſt, ſondern als
eine reelle, präformierte Fähigkeit, welche zum Weſen der Idee gehört, ja
die Qualität derſelben ſelbſt iſt. Damit kommt aber in das, was abſolut
ſein ſoll, die gleiche Relation hinein, als mit der urſprünglich aktiven
Thätigkeit. Das Seiende wird in Relation zu dem geſetzt, worauf ſich
die poſitive Anlage bezieht (Nr. 6). Außerdem wird hier noch der Begriff
einer unthätigen oder kraftloſen Kraft, einer wirkungsloſen Urſache, alſo
ein neuer Widerſpruch eingeführt. Endlich werden alle Ideen oder Formen
ähnlich wie bei Plato noch einmal in eine Abhängigkeit zu einem höheren

Prinzip, zu einem Zwecke gesetzt. Dieser Zweck oder νοῦς wird wie im Menschen der νοῦς ποιητικός, als frei von Materie, als purus actus gedacht, der als letzter Beweger den Formen erst ihre Bewegung, nämlich ihre Kraft, aus der potentia in den actus zu treten, verleiht. Von ihm stammt also im letzten Grunde alle Wirksamkeit, er ist das Seiende, im minderen Grade sind es die Formen, im noch geringeren die Materie. So sind die Ideen, die doch das eigentlich Seiende vorstellen sollten, gänzlich relativ geworden, sie werden bezogen auf etwas, was sie selber nicht sind und durch welches sie erst Sein und Wirken haben, sie warten also erst darauf, seiend zu werden, „sie stehen jetzt in ganz gleichem Range mit der Materie: das Eine wie das Andere ist nur ein halbes Seiendes, jedes von beiden mehr ein Geschehendes, als ein Reales, mithin ein Relatives, das, wie die Materie, über seinen eigenen Begriff hinausweist.*)" Aristoteles mag das wohl selbst geahnt haben, wenn er sagt, daß weder die Materie noch die Form den Voraussetzungen einer Realität an sich genüge, und keines von beiden ein ewiges Sein beanspruchen könne und demnach ein solches von der Art, daß es Prinzip des Einen wie des Andern sei, gesucht werden müsse. Vielleicht hat er ein solches Absolute in der Gottheit gefunden.

Demnach kann die Metaphysik des Aristoteles Anlaß zum Pluralismus geben, da die Formen sich nicht aus einer Urform ergeben, sondern ursprünglich viele sind und ihre Grundlage am letzten Ende in den vielen gegebenen verschiedenen Sinnesempfindungen haben. Es ist aber auch Anlaß vorhanden zur Annahme von drei Prinzipien (Materie, Formen, letzter Beweger), oder auch zum Dualismus, da ja die Formen ihre Wirksamkeit lediglich dem letzten Beweger verdanken und somit ihm zukommen sollen, endlich auch zum Monismus, sofern die Materie eigentlich ein μὴ ὄν ist, kein selbständiges Prinzip. Der Stoizismus kann als ein Versuch betrachtet werden, den Monismus und den Dualismus des Aristoteles zu verschmelzen (Nr. 135). Wir sehen Aristoteles bemüht, einmal das absolut Seiende festzuhalten und es doch so zu fassen, daß es Ursache der gegebenen Wirklichkeit wird. Das ist auch ohne Zweifel die Hauptaufgabe der Metaphysik. Aber wo er ernstlich daran geht, das Seiende zur Ursache des Gegebenen zu machen, oder mit anderen Worten, aus dem Sein das Geschehen abzuleiten, da wird der strenge Begriff des Seins aufgegeben, das Absolute wird einer qualitativen Umwandlung und notwendigen Relation zugänglich.

---

*) S. Strümpell, a. a. O. S. 382.

Flügel, Die Probleme der Philosophie. 4

29. Ist dies nun der notwendige Gang jeder metaphysischen Spekulation, oder läßt sich denken, daß das absolut Seiende, in der Mehr= zahl angenommen, Ursache des Geschehenen sei, ohne selbst seinem Wesen nach sich zu verändern?

Am nächsten liegt es hier, an die Bewegung zu denken. Die bloße Bewegung ist ein formaler Vorgang, der die Ursache neuer Vorgänge werden kann und doch die Natur des Bewegten gar nicht verändert. Ist ein Ding in Bewegung, so bleibt es an sich vollkommen das, was es in Ruhe war, sein qualitativer Zustand bleibt derselbe, weder gewinnt es, noch verliert es eine Eigenschaft lediglich durch die Bewegung als solche. Allein trifft es in dieser Bewegung auf ein anderes, so kann dies die Ursache mannigfacher Veränderungen sein.

Hier scheint vor uns zu liegen, was wir suchten: die Seienden, falls sie bewegt und aufeinander stoßend gedacht werden, bleiben einmal in sich selbst ihrem Wesen nach unverändert, wie dies der Begriff des Seins fordert, und werden doch zugleich vermöge ihrer Bewegung mit verschiedener Richtung und Geschwindigkeit Ursachen vieler verschiedener Erscheinungen. Es wird hier in gleicher Weise dem Begriff des Seins, wie dem Gegebenen Rechnung getragen. Denn von den vielen Seienden ist jedes einzelne streng das, was es ist, ohne innere Vielheit, ohne Möglichkeit, sich zu ver= wandeln oder von einem anderen umgewandelt zu werden. Die gegebene Mannigfaltigkeit und Veränderung der Natur kann nur in der Mischung und Entmischung der Wesen nach verschiedenen Verhältnissen ihren Grund haben. In diesen Sätzen sind die eigentlichen Urheber der mechanischen Weltanschauung Empedocles, Anaxagoras, die Atomiker Leucipp und Democrit und viele heutige Naturforscher einig, sofern sie alle Er= scheinungen auf bloße Bewegung zurückführen.

Als die letzten Bestandteile der Natur sah Empedocles die bekannten vier Elemente Feuer, Wasser, Luft und Erde, Anaxagoras eine un= bestimmte (zuweilen heißt es eine unendliche) Anzahl von unendlich kleinen Wesen an, welche bei Leucipp und Democrit Atome genannt werden. Doch unterscheiden sich die letzten Bestandteile der Atomiker von denen des Anaxagoras dadurch, daß Leucipp und Democrit von der ver= schiedenen Qualität, welche Anaxagoras von ihnen behauptet hatte, ab= sahen und sich für eine vollkommen qualitative Gleichheit bezw. Gleichgiltig= keit der Atome erklärten, d. h. deren Qualität nirgends in Betracht zogen. Diese Wesen mußten nun die Ursache von verschiedenen Bewegungen sein, wenn die Welt der Erscheinungen begreiflich werden sollte. Empedocles wird als der erste genannt, welcher nach Ursachen der Bewegung gefragt und sie in gewissen Beschaffenheiten oder Kräften der Elemente gefunden habe. Anaxagoras hingegen sah als Bewegungsursache ein außerhalb der eigentlichen Stoffe stehendes Prinzip an, trennte also Stoff und Kraft; die Atomiker endlich betrachten die Bewegung teils als etwas Ursprüng=liches, welches keiner Ursache bedürfe, teils als etwas Abgeleitetes, als eine Folge des Stoßes und Gegenstoßes der Atome untereinander. Diese selbst sollen undurchdringlich, ausgedehnt und verschieden gestaltet, aber unteilbar und unsichtbar sein. Es sind also in diesen ersten Anfängen einer mechani=schen Welterklärung mancherlei Gedankenwendungen bereits angedeutet, welche der Pluralismus zur Erklärung der Erscheinungen nehmen kann. Nämlich:

A. Gibt es eine endliche oder unendliche Anzahl realer Wesen?

B. Kann deren Bewegung eine ursprüngliche, ursachlose sein, oder bedarf jede Bewegung einer Ursache?

C. Sind Kraft und Stoff zu trennen, oder unzertrennlich miteinander verknüpft?

D. Sind die realen Wesen für einander durchdringlich oder undurch=dringlich?

E. Sind die realen Wesen von gleicher oder verschiedener Qualität?

A. Gibt es eine endliche oder unendliche Anzahl realer Wesen?

30. Es zeigte sich sehr bald, daß des Empedocles vier Elemente und deren Verbindung zur Erklärung der außerordentlich großen Mannig=faltigkeit der Welt nicht ausreichten, die Anzahl mußte größer angenommen werden, wie groß, ließ sich nicht bestimmen; aber sie mußte außerordentlich groß sein, wenn noch der Gedanke hinzukam, daß die Elemente an sich unsichtbar klein sein sollten. Es ist nun natürlich, daß eine unbestimmte, außerordentlich große Anzahl von Wesen leicht Veranlassung gibt, von einer unendlich großen Anzahl derselben zu reden, wie dies von Anaxagoras und den Atomikern geschieht, wiewohl es immerhin zweifelhaft ist, ob sie unter ἄπειρος eine streng objektiv unendliche Anzahl von Wesen ge=dacht wissen wollten. Hingegen wird in neuerer Zeit öfters eine unendliche Anzahl von Atomen von Seiten einiger Philosophen und Physiker als etwas ganz natürliches und unverfängliches vorausgesetzt, um daraus die gegebenen Erscheinungen der Natur zu erklären.*) Dies kann indes nur

---

*) Vgl. dazu Zt. f. ex. Ph. XII. 10, 144, 166.

4*

darauf beruhen, daß man sich den Begriff einer unendlichen Anzahl nicht vollkommen verdeutlicht hat; geschieht dies, so muß einleuchten, daß das schlechthin Unendliche, das Unerschöpfliche, nie Fertige auch nicht als ein abgeschlossenes Ganze gedacht werden kann, es ist ein unvollziehbarer Gedanke, dem nichts Reales entsprechen kann. Darum stand es auch in der Leibniz=Wolff'schen Philosophie fest: eine unendliche Zahl und unendliche Größe ist unmöglich. Alle Zahl und Größe, die wirklich ist und gedacht werden kann, ist endlich. Das Unendliche, heißt es bei Fries, ist das Unvollendbare; es darf nie als ein gegebenes Ganze angesehen werden. Darum kann die unendlich ausgedehnte und mit unendlich vielen Attributen behaftete Substanz Spinozas nicht als real gesetzt werden, sondern ist nur ein Gedankending, mit dessen Denken man niemals fertig wird.*) Ebensowenig darf die Anzahl der Elemente oder realen Wesen im strengen Sinne als unendlich groß angenommen werden, sondern es kann nur eine endliche Anzahl von Wesen und Weltkörpern geben. Aber nichts hindert, vielmehr führt alles darauf, anzunehmen, diese Anzahl sei so groß, daß man sie wohl vom subjektiven Standpunkte aus unendlich groß, eigentlich unvorstellbar, unzählbar nennen mag. Diese Annahme ist frei von dem Widerspruche, der in der Annahme einer unendlichen Anzahl realer Wesen liegt.

Kant hat die Frage nach der Endlichkeit oder Unendlichkeit der Welt als etwas angesehen, was sich nicht entscheiden läßt. Die erste seiner vier Antinomien**) stellt die Thesis auf: die Welt ist endlich, und dazu die Antithesis: die Welt ist unendlich. Wir sehen hier ab von den Beziehungen der Zeit, welche Kant bei dieser Frage einmischt, und fragen nur, ob von den realen Wesen eine unendlich große Anzahl in streng begrifflichem Sinne anzunehmen ist, oder nicht. Wer eine unendliche Menge realer Wesen voraussetzt, vollzieht keine unbedingte Setzung, sondern eine solche, welche stets mit dem Vorbehalt behaftet ist, noch einiges hinzuzufügen, das hat aber eben die Bedeutung, daß dem unendlich Vielen keine Realität zukommt. Wie die Anzahl der realen Wesen, so ist auch die aus ihnen zusammengesetzte Welt im großen und ganzen, wenn schon unermeßlich, doch nicht unendlich groß. Alle Weltkörper zusammen, alle realen Wesen zusammen bilden eine endliche Summe.***)

---

*) Herbart III. 428.

**) Die weiteren Antinomien sind: 2) ob eine Substanz endlich oder unendlich teilbar; 3) ob ein absolutes Werden zulässig sei, oder alles Geschehen eine Ursache haben müsse; 4) ob als Ursache der Welt ein schlechthin notwendiges Wesen anzunehmen ist, oder nicht. Vgl. über die Antinomien Herbart VI. 340; IV. 258.

***) S. Cornelius: Die Entstehung der Welt. Halle, 1870. S. 130 und 3t.

B. Kann die Bewegung der realen Wesen eine ursprüngliche, ursachlose sein, oder bedarf jede Bewegung einer Ursache?

31. Man muß sich wundern, daß die Alten, namentlich die Atomiker, so wenig in der Erklärung natürlicher Erscheinungen im Sinne der heutigen Naturforschung geleistet haben. Wie viel erfolgreicher weiß nicht die neuere theoretische Physik, meist auf analogen Hypothesen der Atomistik fußend, diese zur Erklärung der Naturerscheinungen zu verwenden! Die Haupt-ursachen, daß den Alten die Atomistik zur Naturerklärung so wenig Dienste leistete, liegen wohl vorzugsweise in einer mangelhaften Auffassung der Bewegung.

Empedocles hat das große Verdienst, zuerst nach Kräften als Be-wegungsursachen gefragt und geforscht zu haben, er nimmt deren zwei an, welche er φιλία und νεῖκος nennt. Wir würden uns zu sehr von unseren naturwissenschaftlichen Begriffen leiten lassen, wollten wir jene Worte mit Anziehung und Abstoßung, Attraktion und Repulsion übersetzen. Jene Be-griffe des Empedocles können die in ihren Namen liegende, sozusagen persönliche Bedeutung nicht verleugnen, es scheint, nach den Proben der Naturerklärung, welche wir von Empedocles haben, immer auf einer Art freien, persönlichen Wahl zu beruhen, wenn sich nach ihm zwei Wesen anziehen oder abstoßen, daß sich z. B. Gleiches anziehe, oder daß die Liebe auch trennend wirken könne.

Statt daß die Atomiker diese Begriffe reinigten und rein mechanisch faßten, scheinen sie nicht einmal den Grundgedanken des Empedocles von einer Ursache der Bewegung recht verstanden zu haben. Bald sehen sie die Bewegung als etwas an, was nicht von den Atomen selbst ausgeht, sondern sie von außen ergreift und bewegt, z. B. wenn sie sich so oft der Bilder vom Schütteln der Würfel oder Steinchen und der daraus hervorgehenden mannigfachen Gruppierungen bedienen, bald betrachten sie wieder die Be-wegung als eine eigentümliche Qualität der Atome, und fast das ganze Altertum unterschied natürliche und widernatürliche Bewegungen; manches sollte sich von Natur nach oben (wie das Feuer), manches nach unten (wie die Erde), manches sich geradlinig, anderes geneigt, noch anderes kreis-förmig u. s. w. bewegen, und wenn es sich anders bewege, so sei dies nicht

---

s. ex. Ph. VIII. 162; X. 69. Auch Krönig findet es widersinnig, eine unendlich große Zahl als in Wirklichkeit bestehend anzunehmen, s. dessen Schrift „das Unend-liche": Separatabdruck aus desselben Verf. größerem Werke „Das Dasein Gottes und das Glück des Menschen". Berlin, 1874.

sein natürlicher, sondern ein ihm aufgezwungener Zustand. Dadurch schnitt man sich ganz die Möglichkeit ab, nach Gesetzen der Bewegung im Sinne der heutigen Mechanik zu fragen.*)

32. Bei alledem haben die Atomiker doch recht, wenn sie im all= gemeinen zwei Bewegungen unterscheiden, eine ursprüngliche, die keiner Ursache bedarf, und eine sekundäre, welche eine Folge einer Ursache, eines Stoßes oder Zuges ist. Bekanntlich folgt aus dem Begriff der Bewegung als eines rein formalen Vorganges, eines Wechsels, welcher eben nur den Ort betrifft, also eine dem Dinge selbst ganz zufällige äußere Beziehung zu anderen Dingen ist, sowie aus der richtigen Deutung der Trägheit der Materie, daß die Bewegung als solche weder eine besondere Eigenschaft des Stoffes, noch notwendig und immer Folge einer Ursache oder Kraft ist. Es schleicht sich hier freilich gar zu leicht eine Verwechselung der qualitativen und der räumlichen Veränderung ein. Daß erstere einer Ursache bedarf, ist außer Zweifel, daß man vielfach eine Ursache auch für die bloß räum= liche Ortsveränderung ohne alle Einschränkung annimmt, beruht auf einer unvollständigen Induktion, wobei Ruhe als der ursprüngliche, gleichsam natürliche Zustand aller im Raum befindlichen Wesen betrachtet wird. Nun ist allerdings richtig, kein Körper kann von selbst, d h. ohne Ursache Ruhe mit Bewegung, oder Bewegung mit Ruhe oder eine Bewegung mit einer nach Richtung oder Geschwindigkeit anderen Bewegung vertauschen. Ferner sind die unserer Wahrnehmung sich darbietenden Bewegungen nur solche, welche in dem vorhandenen Weltzusammenhange namentlich bei der überall wirksamen Gravitation notwendiger Weise aus einem Kausalverhältnis der Körper untereinander hervorgegangen sind bezw. hervorgehen. Aber man fasse die Bewegung für sich ins Auge, also Ortsveränderung unter Wesen, welche völlig unabhängig von einander sind, oder außerhalb jedes Welt= zusammenhanges stehen, so ist eine ursprüngliche Bewegung nicht allein möglich, sondern auch im höchsten Grade wahrscheinlich. Bedürfte die Orts= veränderung überhaupt einer Ursache, so würde auch das Gesetz der Träg= heit oder der Beharrung für den gleichförmigen Fortgang einer geradlinigen Bewegung keine Geltung haben. Und doch steht es erfahrungsmäßig fest, daß ein Ding, welches in einer gleichförmigen Bewegung begriffen ist, in dieser um so länger beharrt, je mehr Hindernisse jeder Art hinweg geräumt sind. Wie ein Ding, abgesehen von einer Ursache, in Ruhe beharrt, so auch in der geradlinig=gleichförmigen Bewegung. Anders kann es auch nicht sein, wenn eben Bewegung kein reales Prädikat des Bewegten ist,

---

*) Vgl. Strümpell, a. a. O. 76 f.

welches dieſes von einem Ruhenden qualitativ unterſcheidet. Wäre Ruhe
der natürliche Zuſtand der Körper, ſo müßte jeder ſich bewegende Körper
von ſelbſt allmählich wieder in den Zuſtand der Ruhe gelangen, oder
anders ausgedrückt: wäre die Bewegung überhaupt ohne Urſache undenkbar, ſo
bedürfte auch ein bewegtes Ding für das Fortrücken von einem Punkte ſeiner
Bahn zum anderen immer einer neuen Urſache. Denn der Grund, warum
es ſeinen Ort verlaſſen hat, möge ſein, welcher er wolle, ſo bezog ſich doch
dieſer Grund auf die damalige Stelle des Dinges, denn um ſeinetwillen
hat es eben dieſe Stelle verlaſſen müſſen. Sobald es aber dieſe verläßt,
iſt eine Veränderung der Umſtände eingetreten, und man kann nicht behaupten, es müſſe aus demſelben Grunde weitergehen. Die ganze Überzeugung, daß ein Bewegtes, dem kein Hindernis widerfährt, in gleicher
Richtung und Geſchwindigkeit ſtets weiter gehen werde, beruht einzig auf
der Vorausſetzung, die Bewegung ſei keine wahre Veränderung, ſondern
das Bewegte befinde ſich an jedem neuen Orte, den es erreicht, noch genau
ebenſo wie an dem nächſtvorhergehenden, und gerade wie dieſen, ſo verlaſſe
es jenen. Wäre überhaupt Bewegung ein innerer Zuſtand des Bewegten,
ſo wäre ſie ein Trieb; denn ſo nennt man ein ſolches Beſtreben, welches
innerlich nötigt zum fortgehenden Wechſel. Dieſer Trieb würde die künftigen
Fortrückungen, wie ſie durch die gerade Linie der Bahn beſtimmt ſind,
prädeſtiniert in ſich enthalten. Er würde zum Teil befriedigt durch jeden
Teil der wirklich vollzogenen Bewegung. Aber nimmermehr kann ein Trieb,
der zum Teil befriedigt worden, gleich ſein ihm ſelbſt vor der Befriedigung;
ſondern er iſt notwendig ſchwächer um das Quantum, welches von ihm
befriedigt wurde. Die Bewegung müßte demgemäß notwendig langſamer
werden. Ein richtiges Verſtändnis alſo des Geſetzes der Trägheit lehrt,
daß die Bewegung an ſich keiner Urſache bedarf, ſondern den Gegenſtänden
im Raume vollkommen ebenſo natürlich iſt, als Ruhe.*) Wenn es nun
feſtſteht, daß die einzelnen realen Weſen oder Atome, iſoliert und unabhängig vor dem jetzigen Weltzuſammenhange aufgefaßt, ſich gegen Ruhe
und Bewegung gleichgiltig verhalten, d. h. daß für jedes einzelne Weſen
ſowohl das eine als das andere möglich, alſo ohne Widerſpruch denkbar
iſt: ſo kann man weiter fragen, hat man Gründe, die uns zur Annahme
urſprünglicher Ruhe oder urſprünglicher Bewegung nötigen? Wenn man
Ruhe und Bewegung als mögliche Fälle hinſichtlich des urſprünglichen
räumlichen Verhältniſſes der realen Weſen einander gegenüberſtellt, ſo darf

*) Herbart IV. 229. Hartenſtein, a. a. O. 389. Cornelius: Die Ent-
ſtehung der Welt, S. 3. Kramär, a. a. O. 230; Zt. f. ex. Ph. VII. 197; IX. 157;
XII. 15 ff.

man dabei doch nicht übersehen, daß von den möglichen räumlichen Ver=
hältnissen Ruhe nur einen Fall, Bewegung dagegen alle anderen, d. h.
unendlich viele bezeichnet. Und zwar liegen für die Bewegung zwei
unendliche Reihen vor, von denen sich die eine auf unendlich viele mögliche
Geschwindigkeiten, die andere auf unendlich viele verschiedene Richtungen
bezieht. Dabei muß wieder jedes einzelne Glied der einen Reihe mit jedem der
anderen kombiniert gedacht werden. Aber nur in einem Falle, nämlich wenn
die Geschwindigkeit gleich Null ist, haben wir den Fall der Ruhe. Dieser
Fall ist also wohl ebenso möglich, als jeder einzelne Fall der Bewegung;
aber Ruhe als der eine Fall steht der Bewegung überhaupt als dem In=
begriff aller möglichen, d. h. unendlich vielen einzelnen Bewegungen keines=
wegs mit gleicher Wahrscheinlichkeit gegenüber, sondern Bewegung ist der
unendlich wahrscheinlichere Zustand der realen Wesen hinsichtlich ihrer ur=
sprünglichen räumlichen Beziehung. Doch ist hier nicht zu übersehen, daß
nur die einfachste aller Bewegungen, die geradlinig=gleichförmige, als eine
ursprüngliche Bewegung betrachtet werden darf, wobei aber im Hinblick
auf eine unbestimmte Vielheit realer Wesen immerhin eine große Mannig=
faltigkeit bezüglich der Richtung und Geschwindigkeit einer solchen Bewegung
denkbar ist.

C. Sind Kraft und Stoff zu trennen, oder unzertrennlich mit einander verknüpft?

33. Es ist wohl anzunehmen, daß ähnliche Gedanken, welche
Aristoteles zur Annahme eines ersten Bewegers, eines letzten Urhebers
aller Bewegungen führten, bereits bei Anaxagoras gewirkt haben, als
er neben den Atomen (Homöomeren) noch ein bewegendes Prinzip, als
Quelle aller Kraft, den νοῦς voraussetzte. Dieser ist ihm die Ursache der
Bewegung, obwohl selbst unbewegt, schlechthin vom Stoffe getrennt, mit
keinem Dinge gemischt, für sich bestehend, freiwaltend und allbeherrschend.
Der νοῦς gab der chaotischen Masse der ursprünglichen Materie die erste
Bewegung und leitete damit die Entstehung des jetzigen Weltzustandes ein.
Strenger kann die Scheidung zwischen Kraft und Stoff nicht gedacht werden.
Wir haben nun schon gesagt, daß das Hauptmotiv für die Alten, welches
zu dieser Scheidung Veranlassung gab, der Gedanke war: die Bewegung
bedarf einer Ursache, nämlich wieder einer Bewegung, und weil dies nicht
ins Unendliche fortgehen kann, so wird die Annahme eines ersten Bewegers
nötig, der selbst keiner Bewegung bedarf, um eine solche erteilen zu können.

Es ist auch gezeigt, daß diese Schlußfolge hinfällig wird, sobald erkannt ist, daß die Bewegung als solche den Atomen ursprünglich eigen sein könne; so wird wenigstens von dieser Seite her die Scheidung zwischen Stoff und Kraft nicht nötig.

Andere Umstände haben einige neuere Naturphilosophen zu einer Trennung von Stoff und Kraft veranlaßt, so daß auf der einen Seite die Kraft steht, auf der anderen der Stoff, lediglich als träge Masse, welche sich nur bewegen oder überhaupt wirken könne, wenn sich eine besondere Kraft, die dem Stoffe nicht wesentlich zugehört, mit ihm verbindet. Diese Art der Naturbetrachtung, wie sie der idealistischen Naturphilosophie eigen ist, schließt sich der alten Unterscheidung von Materie und Form (Idee) an und stützt sich auf gewisse Erscheinungen an den Organismen. Einige weniger genaue Betrachtungen nämlich zeigten, wie z. B. ein und derselbe Stoff in unorganischen Verbindungen sich ganz anders verhielt, als in organischen. Man dachte hierbei, dieses verschiedene Verhalten eines und desselben Stoffes kann nicht von ihm allein, sondern muß von etwas herrühren, welches von außen den Stoff ergreift und ihm hier diese, dort jene bestimmte Lage oder Bewegung vorschreibt. Allein dergleichen That=sachen beruhten auf einer ungenauen Erfahrung. Gegenwärtig ist die Un=zertrennlichkeit von Kraft und Stoff ein fast allgemein anerkannter Satz der exakten Naturforschung. Dafür beruft man sich einmal auf die Er=fahrung, welche in keinem einzigen Falle einen Stoff ohne alle Kraft, noch eine Kraft als solche ohne jeglichen Träger oder Stoff zeige. Zum anderen läßt sich nachweisen, daß eine Trennung von Stoff und Kraft überhaupt unmöglich, weil ungereimt, in sich widersprechend ist. Zunächst ist freilich ein kraftloser Stoff — oder sagen wir lieber Atom, damit der Ausdruck Stoff nicht verleite, sofort an die gegebene Materie zu denken — kein Widerspruch, im Gegenteil, wir haben oben (Nr. 18) gesehen, der Begriff vom Seienden fordert, dieses an sich ohne alle ursprüngliche Kraft zu denken. Kraftlos ist noch nicht qualitätslos. Kraft legen wir einem Stoffe nur bei, sofern er auf andere Dinge wirkt, Qualität hingegen kommt ihm auch an sich ohne jede Beziehung zu etwas anderem zu. Könnte sich aber diese Qualität nie und unter keinen Umständen als Kraft äußern, dann würde freilich ein solcher Stoff zur Bildung bezw. zur Erklärung der Naturerscheinungen nicht das geringste beitragen; denn das, was zunächst gegeben ist, ist nicht der Stoff als solcher, sondern ist nur Wirkung, Folge einer Kraft. Ebenso unzulässig ist die Annahme einer Kraft ohne Stoff oder ohne einen Träger derselben. Denn was heißt ein Wirken ohne Wirkendes, eine Thätigkeit ohne Thätiges anders, als ein im Leeren schwebendes absolutes Werden? Alle Widersprüche, die im Begriff des absoluten Werdens liegen, wiederholen sich hier. Eine solche selbständige Kraft kann nicht sein, sondern sie muß ihrem Begriffe nach wirken, lediglich im Wirken kann ihr Wesen bestehen: wirken aber als selbständig gedacht heißt, nicht bei dem stehen bleiben, was es ist, sondern darüber hinausgehen, das nicht zu sein, was es ist, vielmehr sein, was es nicht ist. Wirken hat ferner eine notwendige Beziehung auf das, worauf sich die Wirksamkeit richtet. Darum heißt, eine selbständige Kraft ohne einen Träger, von welchem sie ausgeht, setzen, soviel als das Nicht=seiende, Relative als Seiendes und zwar als Absolutes setzen. Diesen Widerspruch fühlend und durch die Thatsachen getrieben, behauptet darum auch die Mehrzahl der Naturforscher, daß die Kraft eine Thätigkeit der Atome selbst sei, nicht aber etwas Selbständiges neben ihnen.*) Indessen fehlt es auch nicht an solchen Naturforschern, welche glauben, von dem eigentlichen Wesen, dem Stoffe, den gewöhnlich vorausgesetzten Trägern der Kräfte, zur Erklärung der Natur absehen und alle Erscheinungen lediglich auf Kräfte zurückführen zu können. Allerdings müssen die Naturerscheinungen zunächst auf Kräfte bezogen werden, denn, wie schon bemerkt, alle Erscheinungen bestehen in einem Geschehen, in einer Wirkung, und weisen also auf eine Thätigkeit oder Kraft hin; auch die Grundbegriffe und Rechnungen der Mechanik würden sich bei dieser Hypothese festhalten lassen, denn dieselben betreffen ja ausschließlich nur räumliche Kraftverhältnisse. Der mathematischen Physik genügen allenfalls Kräfte, bei denen man von Trägern oder dem Substrate ganz absehen kann. Das Substrat als solches, als reales Wesen kommt hierbei gar nicht in Betracht, dieses hat hier keine andere Bedeutung, als einen Punkt, Ort anzugeben, von wo aus die Kräfte gehen; darum genügt es für die Statik und Mechanik, statt wirklicher Wesen nur centra activitatis anzunehmen, die umgeben sind von einer sphaera activitatis. Aber etwas ganz anderes ist es, zu fragen, sind denn nun auch diese Kräfte und deren Verhältnisse das eigentliche Wesen, das Seiende selbst, welches den Erscheinungen zu Grunde liegt? Kann man bei bloßen Kräften stehen bleiben, fordert das Gegebene nicht unabweisbar etwas Seiendes, bei welchem es sein Bewenden haben muß? Das können bloße Kräfte nicht sein, sondern der metaphysische Gedankengang fordert unbedingt die Annahme von absolut Seienden, denen Kräfte zukommen, von Wesen,

---

*) Eine dualistische Ansicht in dieser Hinsicht hegt noch Fechner in seiner physikalischen und philosophischen Atomenlehre. 1864. Vgl. dazu die Rec. von Cornelius in Zt. f. ex. Ph. V. 398.

die außerdem, daß sie wirken, auch noch sind, denen das Wirken nur zu=
fällig, d. h. hier nicht notwendig ist. Wer allein zur Erforschung gewisser
quantitativer Beziehungen auf dem Wege der Rechnung den einfachsten
Ausdruck für die gegebenen Erscheinungen sucht, dem genügt allenfalls jene
Annahme, wer aber darauf ausgeht, das Gegebene widerspruchsfrei zu
denken, und erforschen will, wie das in Wahrheit beschaffen ist, was den
Kräften zu Grunde liegt, der wird von der Annahme ursprünglicher, selb=
ständiger Kräfte zu den absolut seienden Wesen als Trägern der Kräfte
geführt werden. Wer aber dieser Nötigung des Denkens nicht folgen,
sondern nur bei dem Gegebenen stehen bleiben will, der muß sich sagen,
daß, streng genommen, nicht einmal die Kräfte gegeben sind. Gegeben sind
uns nur gewisse innere Zustände (Empfindungen, Vorstellungen); daß diese
eine Wirkung sind und diese von einer Kraft verursacht wird, das ist er=
schlossen. Diesem Schlusse liegt die Erkenntnis zu Grunde, daß ein Ge=
schehen, eine Wirkung ohne Ursache ein Widerspruch ist, welcher unbedingt
vermieden werden muß. Wenn ein Stück Eisen sich einem Magneten
nähert, so schreibt man diesem eine Anziehungskraft zu, als die Ur=
sache für die beobachtete Annäherung zwischen Eisen und Magnet. Ge=
geben sind eigentlich nur die einzelnen Bewegungserscheinungen. Ihnen
eine Kraft als Ursache zu Grunde zu legen, ist ein Schluß. Diese er=
schlossene Kraft soll nun noch ferner dem Magneten in einer gewissen Weise
als eine bleibende Eigenschaft innewohnen, also auch dann noch vorhanden
sein, wenn sie nicht wirkt, keine Wirkung von ihr beobachtet wird. Warum
begnügt man sich nicht mit dem, was lediglich Thatsache ist? Warum
nimmt man für die jedesmal einzeln auftretende Erscheinung eine Kraft
als Ursache an? Weil ein Geschehen ohne Ursache undenkbar ist. Geht
man nun nicht darauf aus, das Gegebene denkbar zu machen, d. h. so auf=
zufassen, daß unsere Auffassung keinen inneren Widerspruch in sich birgt,
so ist schon die Annahme innewohnender Kräfte nicht nötig. Es ist also
schon zu viel gesagt, wenn es bei Saint=Venant heißt: „man gestatte
mir, die ausgedehnten und unveränderlichen Atome zu leugnen und nur
Kräfte zuzugestehen, welche in die Ferne wirken, und Punkte, welche Sitze
dieser Kräfte sind und deren Bewegung auch die Veränderung des Mittel=
punktes bedingt, von dem aus die Kraft wirkt. Dies allein ist festgestellt
und entspricht allein der gesunden Regel aller Wissenschaft, daß man zur
Erklärung der Erscheinungen die einfachsten Ursachen aufsuchen muß, welche
zur Erklärung derselben hinreichen.*)" Wie bereits gesagt, dies ist nicht

---

*) Siehe J. Dastich, Metaphysik und exakte Naturforschung, in Zt. f. ex. Ph.
IV. 225 ff., 260.

schlechthin durch Thatsachen festgestellt, sondern vorausgesetzt zum Behufe
der Rechnung und nächsten Erklärung. Aber diese Erklärung bedarf noch
einer weiteren Erklärung, die Voraussetzungen, die sie macht, genügen der
Forschung nur innerhalb gewisser, enger Grenzen und können sicher nicht
als ein Letztes im strengen, metaphysischen Sinne angesehen werden. So
wie die einzelnen Wirkungen zu der Annahme von bleibenden, unveränderlichen Kräften, als den notwendigen Ergänzungsgedanken hinführen, so
bleibt der Begriff einer rein stofflosen Kraft, ohne alles Substrat, von demselben Widerspruche gedrückt, als ein Geschehen ohne Ursache. Wie zu der
allein gegebenen Wirkung die Kraft, so muß zu dieser ein Stoff als Träger
hinzugenommen werden. Dies fühlten die Physiker zumeist, wenn sie be-
haupteten, eine Kraft ohne Stoff sei undenkbar. Diese Annahme ist auch
im Sinne der Physiker keine Thatsache, denn das, was dieselben Stoff
nennen, ist ja selbst nur eine Wirkung, die auf unsere Sinne ausgeübt
wird und darauf hin wir erklären, hier sei etwas Greifbares und Sicht-
bares. Also jene Voraussetzung der Unzertrennlichkeit von Kraft und Stoff
ist nur ein Schluß, der gemacht werden muß, weil eine Kraft ohne Träger
undenkbar ist. Aus dem Nichts kann keine Kraft entstehen, sagt jeder
Naturforscher. So ist es denn innerhalb der Naturwissenschaft zu einem
fast allgemeinen Grundsatze geworden, keine Kraft ohne Stoff anzunehmen,
sondern vielmehr jene als diesem von Ewigkeit innewohnend und von ihm
unabtrennlich anzusehen.

34. Es ist nun die Frage, ob mit dieser Hypothese jenem Gedanken,
der bemüht ist, die Erscheinungen auf etwas Selbständiges, Bleibendes,
Unveränderliches zurückzuführen, genügt wird. Zunächst kann es so scheinen,
denn man hat nach dieser Ansicht als das die Erscheinungen Bewirkende
anzusehen: Wesen oder Atome, die in sich einfach und unveränderlich sind,
und denen bestimmte Kräfte innewohnen. Diese machen das Wesen der
Atome aus und sind also für sich gleichfalls unveränderlich. Der Wechsel
und die Mannigfaltigkeit der Erscheinungen hat demnach den Grund in
etwas sich selbst gleichbleibendem und einfachem.

Allein zuerst pflegt die Einfachheit jener Wesen nicht streng festgehalten
zu werden. Daß es bedenklich ist, mit den alten Atomikern den Atomen
verschiedene Gestalt oder auch nur überhaupt Ausdehnung zuzuschreiben, ist
bereits oben gesagt und wird später noch einmal zur Sprache kommen
(Nr. 52—57). Doch wird vielfach auch die innere, qualitative Einfachheit
der Wesen nicht gewahrt, denn es wird nicht selten jedem einzelnen jener
Wesen oder doch einer Art derselben anziehende und abstoßende Kraft zugleich beigelegt. So wird in der gewöhnlichen physikalischen Atomistik den

Grundatomen zwar, welche die Kernpunkte der Materie bilden, nur an=
ziehende Kraft zugeschrieben, die Ätheratome hingegen sollen sich zugleich
untereinander abstoßend und gegen die Grundatome anziehend verhalten.
Hier dringt Vielheit, und zwar Gegensatz, in den innersten Kern eines jeden
Ätheratoms. Dessen Wesen soll eben darin bestehen, daß es sich in strenger
Gleichzeitigkeit gegen das eine Atom anziehend, gegen das andere abstoßend
verhält und zwar — was wohl zu beachten ist — diese Wirkungsweise ist
eine ursprünglich ursachlose. Jedes einzelne Ätheratom, auch wenn es
nie auf andere Atome wirkte, hat von Haus aus als sein inneres Wesen
ausmachend zwei und zwar zwei entgegengesetzte Kräfte als ursprüngliche
Besitztümer. Daß hier, wo zwei entgegengesetzte Bestimmungen in ein und
dasselbe Subjekt hineingedacht werden, die vorausgesetzte Einfachheit des
Atoms aufgegeben wird, leuchtet ein. Daher macht sich auch immermehr
das Bestreben geltend, jedem der Atome nur eine Kraft, entweder eine,
die sich gegen alle Atome abstoßend, oder eine, die sich gegen alle an=
ziehend verhält, beizulegen, oder gar die Abstoßung nur als eine Folge
der Wechselwirkung in der Berührung anzusehen.*)

35. Jedoch auch damit wird der strengen Einheit und Selbständigkeit
der Atome noch nicht genügt. Wird nämlich das Atom als ursprüngliches
Kraftwesen angesehen, so daß diese Kraft ursachlos in demselben als von
Ewigkeit her innewohnende Eigenschaft betrachtet wird, so hört das Wesen
auf, absolut zu sein. Denn Anziehung und Abstoßung hat doch offenbar
nur Sinn und Bedeutung in Bezug auf andere Wesen, worauf diese
Kräfte gerichtet sind, und ursprüngliche Anziehung oder Abstoßung setzt
jene Beziehung gleichfalls als ursprünglich voraus. Auf die Frage, was ist
das Atom? Was ist es für sich, auch wenn es nicht auf anderes wirkt,
sondern ganz vereinzelt für sich gedacht wird? Hierauf kann nur geantwortet
werden, indem die Antwort nicht dieses allein, sondern auch andere Wesen
mit einschließt. Das Wesen der Atome kann also nur bestimmt werden,
indem es auf etwas ihm nicht=zugehöriges, sondern fremdes, welches ihm
gleichwohl wesentlich zugehören soll, bezogen wird. Kurz: es wird nicht
absolut, sondern nur relativ, d. h. in Relation zu anderen Atomen gesetzt.
Aber alles nur relativ setzen, sahen wir früher (Nr. 22), heißt nichts setzen.
Übrigens werden wir auch, so lange die Kraft als ursachlos oder ursprüng=
lich im Atom gedacht wird, den Widerspruch eines Geschehens ohne Ursache
nicht los. Mag immerhin die Kraft als unzertrennlich von dem Stoffe,

*) Vgl. G. Hansemann, Die Atome und ihre Bewegungen. 1871. Vgl. dazu
die Rec. in Zt. f. er. Ph. X. 63.

als ihrem Träger, angesehen werden, wenn es nicht möglich ist, das Atom selbst als die Ursache der Kraft zu begreifen, so wird man begrifflich ent=weder eine Thätigkeit neben dem Stoffe, wenn sie auch faktisch nicht von ihm zu trennen ist, haben, oder es wird das Atom selbst lediglich als Kraft bestimmt und damit der Gedanke einer Thätigkeit ohne Thätiges wieder aufgenommen. Allein dies geschieht auch im ersten Falle, denn hier besteht die Thätigkeit doch für sich, wenn auch faktisch nicht abtrennbar von dem Wesen selbst; sie ist nicht Folge oder Wirkung des Wesens, sondern ist für sich ein absolutes Geschehen. Gesetzt: das Seiende sei A und seine ihm wesentlich zugehörige Thätigkeit sei a, so soll zwar a nicht die Qualität des A ausmachen, denn sonst kämen wir wieder auf die vorige Annahme von Kräften ohne Träger zurück, sondern A habe seine besondere Qualität, nämlich A und außerdem die Kraft a, so aber, daß a ursprünglich und wesentlich zu A gehört. Auf die Frage also, was ist das Wesen A? er=hielte man die Antwort: A und a. Das widerspricht dem Begriffe des strengen intensiven Eins, welchen wir oben in Betreff des Seienden geltend machen mußten. Diesem Begriffe wird noch mehr widersprochen, wollte man dem A mehr als eine ursprüngliche Kraft, sei es gleichzeitig, sei es nacheinander, beilegen. Es kommt dadurch die Ungereimtheit in den Begriff des Seienden hinein: a ist nicht ohne A, doch das geht noch an, denn a soll ja nichts für sich allein sein. Aber man müßte eben so gut sagen: A ist nicht ohne a, denn a ist die notwendige und wesentliche Bestimmung von A, und doch ist a nur eine Kraft, ein Geschehen, welches sich auf andere Wesen bezieht. Das heißt aber, das Seiende zu etwas Bedingtem machen und zwar zu etwas, das bedingt wäre von einem Geschehen, also von etwas, das selbst nichts schlechthin Reales, sondern nur ein Bedingtes ist; und außerdem ist jenes Geschehen, die Bedingung des Seienden, sogar das Geschehen oder die Kraft eben dieses Seienden selbst. Es würde also nicht nur überhaupt das Thun zum Grunde des Seins, sondern das Thun des Seienden zur Ursache eben dieses Seienden selbst gemacht. In diese Widersprüche verwickeln sich konsequenter Weise alle diejenigen, welche die Kraft als das ursprüngliche, notwendige Eigentum des Wesens ansehen.

36.   So war es ein Grundsatz der Stoiker: seiend ist nur, was wirkt oder auf sich wirken läßt, und darum nehmen sie allein körperliche Substantialität an, weil thatsächlich das, was wirkt oder auf sich wirken läßt, uns überall als etwas Körperliches gegenüber tritt. Desgleichen setzen Des=Cartes und Spinoza das Wesen der Seele in das, was sie thut, in das Denken.*) Ebenso bestimmt Leibniz das Wesen der

---

*) S. Zt. f. ex. Ph. III. 130.

Subſtanz als Kraft.*) Schopenhauer macht wohl die richtige Be=
merkung, jedes Seiende müſſe eine ihm eigentümliche Natur haben, die
es ſtets behauptet, die abſolut ſein müſſe, aber als dieſe Natur wird ohne
weiteres das Wirken angegeben.**) Für die gewöhnliche neuere phyſikaliſche
Atomiſtik endlich iſt es gleichfalls charakteriſtiſch, daß ſie als das Weſen
der Atome die Kraft anſieht. Der Fehler derjenigen, welche das Weſen
des Seienden in die Kraft ſetzen, liegt darin, daß dadurch das Seiende
ſeine abgeſchloſſene innere Einheit und Abſolutheit verliert. Das Richtige
an dieſem Punkte ſcheinen die alten Megariker geahnt zu haben. Im
Gegenſatze zu Ariſtoteles verwerfen ſie eine dem Realen weſentlich und
notwendig innewohnende δύναμις, und meinen, man dürfe nur dann von
einer Kraft ſprechen, wenn ſie wirklich thätig ſei. Darin ſcheint die
Erkenntnis angedeutet, daß die Kraft nicht etwas dem Realen weſentlich
Zugehöriges iſt, ſondern etwas Zufälliges, d. h. was nur unter beſtimmten
Umſtänden auftritt.

37. Möge nun die Wirkſamkeit als das Weſen, als die Qualität
ſelbſt der Atome, oder als etwas Beſonderes, aber zum Weſen der Atome
notwendig Gehörendes angeſehen werden, daß man es in beiden Fällen
ſtreng genommen nur mit einer urſachloſen Kraft, einem abſoluten Werden
im Kleinen zu thun habe, zeigt ſich beſonders, wenn man erwägt, daß die
Kraft über das Weſen ſelbſt hinausgehen ſoll. Nach der gewöhnlichen
phyſikaliſchen Atomiſtik nämlich ſoll das Atom eine unmittelbare actio in
distans ausüben, alſo umgeben ſein von einer Kraftſphäre, deren Intenſität
mit wachſender Entfernung abnimmt. Das Atom ſoll demnach wirken,
wo es ſelbſt nicht iſt. Zu derartigen Gedanken hatte namentlich Newton's
Gravitationsgeſetz Veranlaſſung gegeben. Nach dieſem laſſen ſich die Be=
wegungserſcheinungen der Himmelskörper auf eine Kraft zurückführen,
welche im direkten Verhältniſſe der Maſſen und im umgekehrten des
Quadrates der Entfernungen je zweier Körper oder Körperteilchen wirkt.
Hierbei hebt nun Newton ausdrücklich hervor, daß damit keineswegs
eine unmittelbare Fernwirkung eines Körpers auf den andern durch den
abſolut leeren Raum gelehrt werde, er erklärt im Gegenteil dieſen Gedanken
für ungereimt und fordert zur Erklärung der gegebenen Fernwirkungen
ein vermittelndes Agens. Desgleichen wird der Gedanke an eine Wirkung
in die Ferne durch den abſolut leeren Raum verworfen von Leibniz,
Gaſſendi, Des=Cartes, Wolff, welch Letzterer auch die magnetiſche

---

*) S. Zt. f. ex. Ph. X. 9.
**) S. Zt. f. ex. Ph. VII. 308.

und elektrische Anziehung durch die Annahme erklärt, daß die Körper, welche einander anzuziehen scheinen, durch gewisse, unserer Wahrnehmung sich entziehende mechanische Ursachen gegeneinander getrieben werden. Ähnlich urteilen auch die vorzüglichsten Physiker jener Zeit, wie Mau=pertuis, Lejage, Biot, Arago u. a.

Aber allmählich gewöhnte man sich an den Gedanken an eine un=mittelbare Fernwirkung und trug kein Bedenken, derartige Kräfte den Weltkörpern als ursprüngliche Eigenschaften beizulegen. Von hieraus war es nur ein kleiner Schritt, das, was im Großen angenommen war, auch auf das Kleine und Kleinste zu übertragen und also jedes Atom sich zu denken als Träger von Kräften, welche über das Wesen selbst hinausreichen und wirken, wo dieses selbst nicht ist. Ja Kant meint sogar, ein jedes Ding im Raum wirke auf ein anderes nur an einem Orte, wo das Wirkende nicht ist.

Gegenwärtig fängt man wieder an, das Widersinnige im Gedanken der unmittelbaren Fernwirkungen zu fühlen und ist vielfach bemüht, die gegebenen Wirkungen in die Ferne auf eine Vermittelung zurückzuführen, so daß man fast sagen kann, die absolute Fernwirkung ist jetzt schon ein überwundener Gedanke.*)

Die Widersprüche in diesem Gedanken liegen einmal darin, daß der absolut leere Raum zum Träger eines Gesetzes gemacht wird. Denn die Wirkung der fernwirkenden Kraft soll geringer werden, je weiter sich die betreffenden Körper oder Atome von einander entfernen. Soll hier der leere Raum das Quantum der Wirkung vermindern? Soll das, was nichts Reales ist, einen Widerstand leisten können? Ginge die Kraft in der That durch den leeren Raum, so sollte die Wirkung überall gleich stark sein, es müßten die Atome oder Massen allgegenwärtig für einander sein.

Soll außerdem das Atom da wirken, wo es nicht ist, so verfällt man wieder in den bereits abgewiesenen Widerspruch, der im Begriff einer Thätigkeit ohne Thätiges liegt, denn eine solche Kraft, die über das Wesen selbst hinausgeht und im Leeren thätig ist, ist in der That nichts als eine freischwebende Kraft. Der Widerspruch wird nur scheinbar verdeckt, wenn gesagt wird, sie werde doch getragen von dem Atom, von welchem sie ausgeht. In Wahrheit ist die Kraft in allen Punkten, welche außer=halb des Wesens selbst liegen, eine Thätigkeit ohne Thätiges, ein Wirken,

---

*) O. Flügel: Die Seelenfrage. 1878. S. 61 ff., C. 5. Cornelius: Grundzüge einer Molekularphysik. 1866. S. 8 ff. Derselbe in Zt. f. ex. Ph. XII. 155 ff. u. Abhandlungen zur Naturwissenschaft und Psychologie. 1887. S. 35 ff. Kramár: Das Problem der Materie. 1871. S. 106 ff.

welches ganz im Leeren schwebt. Die Ungereimtheit, welche im Begriffe einer reinen Thätigkeit ohne realen Träger liegt, wird erst dann voll= ständig beseitigt, wenn man die Thätigkeit streng auf das Thätige beschränkt, jene nicht weiter als dieses reichen läßt.*) Allein auch so ist der Begriff einer ursachlosen, ursprünglichen Kraft und damit des Dualismus, welcher Stoff und Kraft jedes als etwas Selbständiges, wenn auch nicht von ein= ander zu trennendes betrachtet, noch nicht vermieden; dies ist erst dann der Fall, wenn es gelingt, die Kraft als eine Folge des Wesens selbst anzusehen. Wie ist es aber möglich, die Kraft als eine Folge des Atoms und dieses als die Ursache der Kraft zu denken, ohne den strengen Begriff des Seins, welcher doch vom Atome gelten muß, zu verletzen? Denkt man, daß es dem Atom wesentlich ist, Kraft zu erzeugen, so kommt man auf ein Produzieren, ein Wirken ohne Ursache zurück; denkt man, das Atom bestimme sich selbst zur Kraft, so wäre die Ursache der Kraft eben jene Bestimmung, diese aber ist selbst ein Geschehen, welches einer Ursache, eines tiefern Impulses bedarf u. s. w. Diese Reihe wird unendlich, ein Impuls wartet auf den andern, und so wird das ganze Geschehen hinfällig. Soviel ist ersichtlich, wenn die Kraft eine Folge des Wesens sein soll, so kann ein Wesen allein nicht Ursache der Kraft sein. Man versuche es also mit mehreren Wesen. Man denke zunächst zwei. Wenn ein Wesen isoliert nicht Kraft äußern kann, so werden natürlich zwei, ohne alle Beziehung zu einander, dies auch nicht vermögen, denn für jedes derselben ist es ja dann gerade so, als ob das andere gar nicht vor= handen wäre. Die beiden Wesen werden also in eine Beziehung zu ein= ander treten müssen. Aber können sie das? Jedes der beiden ist nach der Voraussetzung ein Seiendes im strengen Sinne, also absolut einfach, keines weiß von dem andern, keines hat eine Tendenz, das andere zu suchen. Soll also von einer Beziehung zweier absoluten Wesen die Rede sein, so muß dies eine solche Beziehung sein, die jedem der beiden Wesen zufällig ist, die, sie mag eintreten oder nicht, das Wesen selbst qualitativ läßt, wie es ist. Eine derartige Beziehung der Wesen zu einander kann

---

*) Wir erinnern noch einmal, daß hier immer nur die Rede ist von dem, was begrifflich denkbar ist. Für die Rechnung, welche allein die in gewissen räumlichen Beziehungen bestehenden Kraftverhältnisse festzustellen sucht, genügt, wie bereits gesagt, die Annahme von Kräften, die von gewissen Punkten aus nach einer Funktion der Entfernung wirken. Ob aber eine actio in distans durch den absolut leeren Raum hin stattfindet, kann gar nicht auf Grund von Thatsachen festgestellt werden, weil es sich nie wird ausmachen lassen, ob der betreffende Raum, den man gemeinhin für leer ansieht, auch wirklich absolut leer ist, oder nicht.

Flügel, Die Probleme der Philosophie.   5

nur eine äußere, ein räumliches Lagenverhältnis, oder ein Ortswechsel sein. In räumlicher Hinsicht nun können die verschiedenen Wesen entweder außereinander mit Zwischenraum, oder aneinander, oder ineinander sein. Es leuchtet ein, daß, wenn unvermittelte Fernwirkungen überhaupt unzulässig sind, Wesen, welche sich in der ersten Lage befinden, keinerlei Wirkung auf einander ausüben können. Ebensowenig, wenn sie nur aneinander sind, ohne daß etwas von ihnen in Durchdringung begriffen ist. Denn selbst, wenn man die Wesen als ursprüngliche Kraftwesen ansehen, aber die Kraft auf das Wesen selbst beschränken wollte, sodaß es nicht wirkt, wo es nicht ist, so bleiben zwei Wesen, welche sich im starren Außeinander befinden, einander völlig fremd und gleichgiltig, jedes nimmt eine besondere Stellung ein, jedes wirkt nur wo es ist, könnte also auf das andere nur wirken, wenn das andere in seine Wirkungssphäre, d. h. in das Wesen selbst wenigstens teilweise eindringt. Außerdem aber dürfen wir die Atome nicht als ursprüngliche Kraftwesen betrachten, wir gehen ja darauf aus, die Kraft selbst erst in ihrem Entstehen zu begreifen. Dazu gehören mindestens zwei Wesen, die in einer gegenseitigen Beziehung zu einander stehen. Diese Beziehung kann nur die äußere räumliche Lage betreffen. Da nun das Außereinander und auch das Aneinander nicht im stande ist, die Wesen einander wirklich zugänglich zu machen, so bleibt nichts weiter übrig, als das einzig noch mögliche Lagenverhältnis, das Ineinander oder die Durchdringung darauf hin anzusehen, ob auf diese Weise die Wesen in Umstände versetzt werden, in welchen sie Kraft äußern.

D. Sind die realen Wesen (Atome) für einander durchdringlich oder undurchdringlich?

38. Der Gedanke des Ineinander oder der Durchdringung zweier oder mehrerer Wesen macht zunächst den Eindruck eines Widerspruchs. Indessen man versuche diesen vermeintlichen Widerspruch genau zu formulieren, also zwei Glieder anzugeben, die einander kontradiktorisch entgegengesetzt sind und deren Identität behauptet wird. Man wird nicht im stande sein, dies anzugeben. Der Gedanke der Durchdringung bietet nichts in sich Widersprechendes dar, aber freilich stellt sich ein Widerspruch ein, wenn man die Undurchdringlichkeit als eine wesentliche Eigenschaft nicht allein der Körper, sondern überhaupt alles Realen ansieht. Bekanntlich ist dies vielfach die Ansicht der Atomiker von den Alten an bis auf unsere Zeit her gewesen, sie gründet sich auf die Thatsache, daß die Körper dem Eindringen eines andern einen Widerstand entgegensetzen.

Als Anaxagoras anfing, für die Materie letzte kleine Teilchen anzunehmen, so übertrug er ganz natürlich zunächst alle die wahrgenommenen
Eigenschaften der Materie, wie Wärme, Farbe, Gold, Fleisch u. s. w., auf
deren letzte Elemente, er wird also die Elemente des Kochsalzes als geruchlos,
salzig schmeckend u. s. w. bezeichnet haben.[*] Wir hingegen wissen, daß
die genannten Eigenschaften nicht Eigenschaften des Realen selbst für sich
sind, sondern nur in Relationen des Realen zum auffassenden Subjekte
oder zu anderen Wesen bestehen. Was indes jene sogenannten Eigenschaften
von Seiten des Realen selbst bewirkt, welche Bestimmtheit dem Realen an
sich ohne Rücksicht auf andere Wesen oder das Subjekt zukommt und den
von uns wahrgenommenen Eigenschaften objektiv zu Grunde liegt, das
wird ohne Zweifel etwas anderes sein, als was wir wahrnehmen. Man
darf also nicht ohne weiteres die Merkmale der sinnlich wahrnehmbaren
Materie auf deren letzte Bestandteile übertragen. Auf dieser höheren Stufe
der Atomistik stehen Leucipp und Democrit und die neueren Physiker.
Sie sehen die an der Materie wahrgenommenen Eigenschaften nicht als
qualitative Bestimmungen der Atome selbst an, sondern vielmehr als Folgen
der in Wechselwirkung unter einander und mit dem auffassenden Subjekt
begriffenen Atome. Nur in Beziehung auf eine Eigenschaft der Materie
wagt man es noch nicht, sie als eine ursprüngliche Bestimmung der Atome
selbst zu leugnen und sie wie alle anderen nur als eine Folge des gegenseitigen Verhaltens der Wesen zu einander anzusehen: nämlich die Undurchdringlichkeit. Unter den Alten sind es wohl nur die Stoiker,
welche ausdrücklich eine Durchdringlichkeit des Seienden lehren.[**] Sonst
aber werden in alter und neuer Zeit die Atome, als die letzten Bestandteile der Materie, mit Newton als solidae, firmae, durae, impenetrabiles,
mobiles beschrieben. Und Des-Cartes setzte in ähnlicher Weise das
Sein der Dinge in ihre Ausdehnung, sodaß sie durch ihr bloßes Sein
ihren Raum ausfüllten und anderen das Eindringen wehrten. Warum
trägt man so viel Bedenken, den Atomen die Undurchdringlichkeit ab-
zusprechen? Glaubt man etwa, sonst die thatsächlich gegebene Undurchdringlichkeit der Körper nicht erklären zu können? Dies kann der Grund

---

[*] Dem widerspricht auch nicht das bekannte Paradoxon des Anaxagoras,
der Schnee sei schwarz, denn, fügt er hinzu, der Schnee besteht aus Wasser und
dieses ist dunkler Art.

[**] Stob. ecl. I. 376 $\dot{\alpha}\rho\acute{\epsilon}\sigma\kappa\epsilon\iota$ $\gamma\dot{\alpha}\rho$ $\alpha\dot{\nu}\tau o\tilde{\iota}\varsigma$ $\sigma\tilde{\omega}\mu\alpha$ $\delta\iota\dot{\alpha}$ $\sigma\acute{\omega}\mu\alpha\tau o\varsigma$
$\dot{\alpha}\nu\tau\iota\pi\alpha\rho\acute{\eta}\kappa\epsilon\iota\nu$. Plut. adv. Stoik. 37, 45. Auch Wundt (Logik S. 362) erkennt
an, daß Undurchdringlichkeit und Unteilbarkeit nicht ohne weiteres als Eigenschaften
des letzten Substrates der Materie angesehen werden dürfen.

5*

wenigstens nicht allgemein sein, denn diejenigen Physiker, welche nur Kraft-
punkte annehmen, führen die Undurchdringlichkeit der Körper nicht auf die
der Atome zurück, sondern auf die den Punkten beigelegten abstoßenden
Kräfte. Desgleichen werden bei den Atomikern, welche undurchdringliche
Atome mit fernwirkenden Kräften der Anziehung und Abstoßung annehmen,
alle Erscheinungen und also auch die Undurchdringlichkeit auf die Wirkung
jener Kräfte zurückgeführt, sodaß die Wesen selbst einander nicht einmal
berühren. So ist hier die angenommene absolute Härte der Atome gar
nicht der Erklärungsgrund der thatsächlichen Undurchdringlichkeit der Körper.
Auch bei Leibniz liegt der Grund der thatsächlich gegebenen Undurchdringlichkeit nicht in dem Sein der Monaden, sondern in deren Wirken,
wiewohl ja bei ihm Sein und Wirken zusammenfällt (Nr. 36). Und
Kant erklärt: „Die Materie erfüllt einen Raum nicht durch ihre bloße
Existenz, sondern durch eine besondere bewegende Kraft.“ Darum erklärt
er auch die Durchdringlichkeit für möglich, wiewohl er keinen Gebrauch
davon macht (Nr. 37).

Trotz alledem pflegt dennoch ziemlich allgemein die Undurchdringlichkeit
den Atomen als wesentliche Eigenschaft beigelegt zu werden. Man hat
hierzu in Wahrheit keinen bessern Grund, als warum man etwa die Atome
des Salzes für sich und ohne Rücksicht auf ein empfindendes Subjekt salzig
schmeckend nennen wollte. Die Undurchdringlichkeit der Körper ist nicht
mehr als der Salzgeschmack eine wahrgenommene Eigenschaft der Materie;
es liegt aber durchaus kein zwingender Grund vor, diese Eigenschaften als
wesentliche Bestimmungen auf die letzten Elemente selbst zu übertragen.
Vielmehr wird die eine wie die andere Eigenschaft nichts anderes als eine
Folge der Wechselwirkung unter den Wesen sein. Für die Annahme
absoluter Härte für die Atome lassen sich allein subjektive Gründe geltend
machen; wir sind einmal gewöhnt, das, was wir Materie nennen, als
ausgedehnt und undurchdringlich aufzufassen, und so glauben viele, wenn
dem Realen die Ausdehnung oder die Undurchdringlichkeit genommen wird,
so bleibe vom Realen nichts mehr übrig, es selbst verschwinde. Hinsichtlich
der Ausdehnung nun ist man allmählich doch schon eher geneigt geworden,
zuzugeben, daß Ausdehnung und Existenz zweierlei und das räumlich Einfache nicht Nichts sei. Schwerer hält es vielfach noch, dasselbe in Bezug
auf die Undurchdringlichkeit zuzugestehen, aber der Gedanke ist ganz derselbe,
durchdringlich sein heißt nicht Nichts sein. Wenn es uns gelingt, die
Atome in ein solches Verhältnis zu einander zu setzen, daß sie anziehende
und abstoßende Kräfte äußern, dann brauchen wir die Annahme der absoluten Härte der Atome nicht mehr, denn dann leisten die abstoßenden

Kräfte das, was man etwa aus der Undurchdringlichkeit der Atome ableiten wollte. Der Widerstand, welchen ein Körper dem Eindringen eines anderen entgegensetzt, ist alsdann auf die abstoßenden Kräfte zurückzuführen, welche den letzten Teilchen des Körpers gerade in dieser Verknüpfung eigen sind.

39. Es ist weder begrifflich, noch auch zur Erklärung der Thatsachen unumgänglich notwendig, die Atome als undurchdringlich anzusehen, wie das z. B. auch Fries erkannt hat. Aber eine Frage ist es, ob denn die Annahme der Durchdringlichkeit der Atome notwendig ist. Wir haben sie bisher nur als möglich angenommen; liegt hier auch eine Notwendigkeit vor? Die bloßen Thatsachen allein entscheiden in diesem Punkte nicht. Die Zusammendrückbarkeit der Materie könnte scheinbar am ersten verwendet werden, um die Durchdringlichkeit zu beweisen, allein die Physiker pflegen diese Eigenschaft nicht auf eine Durchdringung der Wesen selbst, sondern nur auf deren Kraftsphären zu beziehen. Diese letzteren sollen in einander dringen, ohne daß doch die Atome selbst einander bis zur Berührung nahe kommen. Freilich dürfte die Annahme einer Durchdringung der Kraftsphären, welche doch auch nicht Nichts sind, sich dem Gedanken einer Durchdringung der realen Wesen selbst nähern. Die Frage, ob wirklich die Elemente einander durchdringen müssen oder nicht, kann nur auf dem Wege entschieden werden, welchen wir oben einschlugen zur Erforschung derjenigen Umstände, unter welchen die Elemente Kraft äußern. Wir hatten erkannt, erstens, daß das Sein nicht im Wirken besteht, vielmehr völlig absolut, ohne jede Beziehung auf andere Wesen ist. Dann kann aber auch aus dem bloßen Sein nicht die Undurchdringlichkeit gefolgert werden, denn diese setzt das Vorhandensein von abstoßenden Kräften, welche das Eindringen wehren, voraus. Wir hatten zweitens erkannt, daß als der allein mögliche Fall, in welchem eine Kraft sich in dem Seienden entwickeln kann, das Ineinander oder die Durchdringung verschiedener Wesen übrig bleibe, weil der Begriff der Kraft erfordert, ein Wesen könne nur da wirken, wo es auch wirklich ist. Da die Wirkungssphäre also nicht über das Wesen selbst hinaus reicht, so muß, wenn überhaupt das Einwirken eines Wesens auf das andere festgehalten und erklärt werden soll, das Ineinander oder die Durchdringung als die notwendige Voraussetzung, als etwas Denkbares und Wirkliches angenommen werden. Die Verwerfung einer Fernwirkung durch den absolut leeren Raum, und die Annahme der Durchdringlichkeit der Atome hängen auf das innigste zusammen. Leugnet man einmal eine Fernwirkung im obigen Sinne unter den Atomen, so muß man notwendig eine Durchdringlichkeit derselben voraussetzen, denn eine Fernwirkung bei unendlich kleinem Abstande bleibt noch immer eine

Fernwirkung und unterliegt denselben Bedenken, welche sich gegen eine Wirkung in die Ferne überhaupt geltend machen (Nr. 37). Wird also eine **actio in distans** durch den absolut leeren Raum aufgegeben, wie dies jetzt unter den Naturforschern immer allgemeiner wird, so ist der nächste Schritt, der notwendig weiter gethan werden muß, die Durchdringlichkeit der Atome zuzulassen. Man rufe sich jetzt die Gründe zurück, die uns verboten, vorauszusetzen, ein Atom könne für sich allein die Ursache der Kraft sein, es bedürfe vielmehr mindestens zweier Wesen, um das Entstehen der Kraft denkbar zu machen und zwar zweier Wesen, welche wenigstens teilweise sich an einem und demselben Orte befinden, also einander teilweise durchdringen.*) Ist hiermit die Entstehung von Kraft erklärt? Ohne Zweifel soll doch in dem Zusammen mehrerer einfachen Wesen der Entstehungsgrund der Kraft liegen. Folgt nun daraus das Wirken, oder muß man noch andere Voraussetzungen hinzunehmen? Offenbar kann die Wirksamkeit nur ein gegenseitiges reelles Verhalten der Atome selbst sein; ein reelles Verhalten aber ist die bloß räumliche Durchdringung nicht, diese bietet nur die äußere, formale Möglichkeit der Wirksamkeit. Das eigentliche reelle Verhalten kann nur etwas sein, was von den Wesen selbst als solchen, d. h. von ihrer Qualität ausgeht. Die Kraft wird also angesehen werden müssen als ein gegenseitiges, qualitatives Verhalten mehrerer Wesen im Zusammen. Da nun keine Möglichkeit vorhanden ist, die eigentliche Qualität der Atome an sich zu durchschauen, so sind über dieselbe und das qualitative Verhalten der Wesen zu einander nur formale Bestimmungen statthaft, wie die Frage, ob die Qualität der Wesen einfach ist, ob sie bei allen Wesen dieselbe oder zum Teil verschieden ist, im letzteren Falle, in welcher Weise sie verschieden ist. Über die Einfachheit der Qualität ist bereits gehandelt (Nr. 17). Wir treten daher an die Frage nach der Gleichheit oder Ungleichheit der Qualitäten heran.

E. Sind die realen Wesen (Atome) von gleicher oder verschiedener Qualität?

40. Die Annahme der qualitativen Gleichheit aller Atome dürfte wohl für die einfachere gelten, und wäre es möglich, unter Festhaltung dieser Voraussetzung das Gegebene zu erklären, so verdiente sie vielleicht eben als die einfachere den Vorzug vor der anderen. Dieser Weg wurde

---

*) Auch Kant lehrt in seiner vorkritischen Periode, daß kein Wesen für sich allein Prinzip einer Veränderung oder eines Geschehens sein könne, sondern daß dazu der Nexus mehrerer Wesen erforderlich sei.

von den alten Atomikern eingeschlagen, sie erklärten die Atome alle in
Rücksicht auf das, was sie sind, für einander gleich (bezw. gleichgiltig), verschieden nur an Gestalt, Größe und Bewegungen. Die neuere physikalische
Atomistik in der gewöhnlichen Fassung sieht meist auch von der Verschiedenheit an Größe und Gestalt ab und schreibt ihnen nur eine Verschiedenheit
der Bewegungskräfte (Anziehung und Abstoßung) zu. Im Übrigen sollen
die Atome untereinander völlig gleich sein, ja auf das, was sie sind, wird
gar keine Rücksicht genommen, dieses kommt als etwas völlig Gleichgiltiges
bei der Ableitung der Erscheinungen meist gar nicht in Betracht. Zur
Erklärung der thatsächlichen Mannigfaltigkeit der Naturerscheinungen wird
also von dieser Art der Atomistik dreierlei geltend gemacht: die Verschiedenheit der gegenseitigen Lage, der quantitativen Mischungsverhältnisse und
der Bewegungsvorgänge der Atome. Allein dabei ist die behauptete qualitative Gleichheit aller Atome, insofern ihnen verschiedene Bewegungskräfte
beigelegt werden, doch wieder aufgegeben (Nr. 34). Denn diese Bewegungskräfte hat man hier als die eigentliche Qualität der Atome anzusehen; denkt
man sich nämlich dieselben von einem Atom hinweg, so bleibt von ihm
nichts übrig; man nimmt also doch stillschweigend eine Art von qualitativer
Verschiedenheit unter den Atomen an, die eben darin besteht, daß die einen
anziehend, die anderen abstoßend wirken sollen. Doch ist diese Annahme,
abgesehen davon, daß sie uns in Widersprüche verwickelt, nicht im stande,
das thatsächlich Gegebene zu erklären. Denn es ist unmöglich, die gegebenen,
nicht auseinander zurückführbaren, chemischen Differenzen lediglich als verschiedene Bewegungs- und Gleichgewichtsverhältnisse zu begreifen. Und
etwas anderes als Bewegungs- und Gleichgewichtsverhältnisse hat die besprochene Fassung der Atomistik zur Erklärung des Thatsächlichen nicht zu
bieten. Wenn dieser Art der Atomistik schon viele chemischen Erscheinungen
unbegriffen gegenüberstehen, so noch viel mehr die geistigen Erscheinungen;
denn auch diese können nach ihr nichts anderes als lediglich Bewegungsvorgänge sein. Nun aber ist der elementarste geistige Akt, die Empfindung,
ein rein innerer Zustand von bestimmtem qualitativen Charakter, und es
ist demnach schlechterdings nicht abzusehen, wie eine Bewegung als solche,
als rein äußerer Vorgang, in einen inneren, qualitativ bestimmten um-
schlagen sollte. Die Einsicht in diese spezifische Verschiedenheit, welche
zwischen geistigen und Bewegungsvorgängen besteht, sprechen schon die Alten
aus, so setzt Plutarch (adv. Colot. 9 u. 10) an der Atomenlehre aus,
aus ihr lasse sich wohl Stoß, Druck und Bewegung ableiten, aber kein
innerer Zustand ($\pi\acute{\alpha}\vartheta o\varsigma$), kein geistiges Geschehen ($\alpha\check{\iota}\sigma\vartheta\eta\sigma\iota\varsigma$, $\nu o\tilde{\upsilon}\varsigma$,
$\varphi\rho\acute{o}\nu\eta\sigma\iota\varsigma$). Und diese Erkenntnis der Unvergleichbarkeit der geistigen Zu-

ſtände mit Bewegungsvorgängen bricht ſich auch in der Gegenwart immer mehr Bahn (Nr. 92). Geſetzt aber, es wäre die Empfindung nichts, als eine Bewegung eines Atomes oder eines Atomenkomplexes, ſo wäre die Thatſache des gleichzeitigen Auftretens mehrerer Empfindungen in einem Subjekte unmöglich. Denn dieſe verſchiedenen Empfindungen müßten doch auch wiederum verſchiedene Bewegungen eines Weſens ſein, verſchiedene Bewegungen eines Weſens aber ſetzen ſich zu einer reſultierenden Be= wegung zuſammen. Es würde demnach aus mehreren gleichzeitigen Empfindungen eine mittlere zuſammengeſetzte reſultieren, etwa aus rot und blau würde violet u. ſ. w. Dem widerſpricht jedoch die Erfahrung auf das beſtimmteſte, wir können recht gut mehrere verſchiedene Em= pfindungen, bezw. Empfindungsvorſtellungen, zu gleicher Zeit haben, ohne daß daraus eine mittlere reſultiert.*) Vielmehr behält jede einzelne ihren qualitativ beſtimmten Charakter. Die Annahme bloßer Bewegungskräfte genügt alſo weder dem ſtreng begriffsmäßigen Denken, noch der Erfahrung. Dieſe Hypotheſe aber hängt weſentlich damit zuſammen, daß man von der eigentlichen Qualität der Atome ganz abſieht. Wir gehen darum zurück zu dem, was wir bereits gefunden hatten. Es ſtand uns feſt, das Geſchehen oder die Kraft erwacht nur im Zuſammen mehrerer Weſen, ſie ſelbſt iſt ein innerer Vorgang, ein Wechſelwirken zweier oder mehrerer qualitativ beſtimmten Weſen. An dieſen allgemeinen Beſtimmungen darf nichts ge= ändert werden, wollen wir nicht wieder in die alten Schwierigkeiten und Widerſprüche verfallen; daran müßten wir feſthalten, ſelbſt wenn wir die Art und Weiſe, wie ſich die Weſen gegenſeitig zur Kraft beſtimmen, nicht angeben könnten. Soviel läßt ſich indes gar bald erkennen, daß dieſe Wechſelwirkung in einer qualitativen Verſchiedenheit der Atome be= gründet ſein muß. Denn ſetzen wir einmal die völlige qualitative Gleich= heit aller realen Weſen voraus und nehmen an, die formale Bedingung der Wechſelwirkung, nämlich das Zuſammen zweier oder mehrerer Weſen, ſei erfüllt: was können ſich Weſen, die einander völlig gleich ſind, anthun? was kann dieſes Zuſammen für eine reale Folge haben? Wenn Gleiches mit Gleichem zuſammengefaßt wird, ſo erhält man nichts neues. Von zwei oder mehreren völlig gleichen Weſen kann keines dem anderen etwas bieten, was dieſes nicht auch in ſich hat. Und geſetzt, es hätte das Zuſammen zweier völlig gleicher Atome einen realen Erfolg, es entſtände alſo, wenn A_1 und A_2 zuſammen wären, eine Kraft oder ein Zuſtand in A_1 und A_2,

---

*) S. Kramár, a. a. O. 89—99, und O. Flügel, Die Seelenfrage, 1878, Bewegung und Empfindung, S. 34 ff.

so müßte derselbe notwendig in beiden ganz gleich sein, denn er wäre die Wirkung völlig gleicher Ursachen. Es würde sich weiterhin durchaus nicht absehen lassen, wie jemals ein anderer Zustand (Kraft) entstehen könnte, wenn alle Atome einander qualitativ gleich wären. Höchstens könnte dieser Zustand intensiv stärker werden, je mehr Wesen von der Qualität A mit einander in Durchdringung begriffen wären, und es würde abermals der Versuch gemacht werden müssen, alle gegebene Mannigfaltigkeit nicht als eine spezifische Verschiedenheit, sondern nur als graduelle Steigerung oder Verminderung eines und desselben Zustandes oder einer Kraft aufzufassen. Und das ist eine unlösbare Aufgabe.*)

41. Geben wir also jene Annahme von der qualitativen Gleichheit aller Wesen auf und setzen qualitativ verschiedene voraus. Daran hindert uns ja nicht das Vorurteil, als käme dadurch in jedes einzelne Wesen eine Negation hinein, als wäre z. B. A, wenn es nicht B ist, etwas Negatives, als sei determinatio auch negatio (Nr. 20). Fragt man nun: wievielerlei verschiedene Qualitäten sind denn vorauszusetzen, so ist die vorläufige Ant= wort: sovielerlei, wie viel verschiedene aufeinander nicht zurückführbare Er= scheinungsqualitäten gegeben sind. Nachdem sich die vier verschiedenen Elemente des Empedocles als ungenügend erwiesen hatten, sprach Anaxagoras den Gedanken einer großen Vielheit und qualitativen Ver= schiedenheit der Elemente aus und ward damit der Erste, welcher an eine chemische Zerlegbarkeit der Materie dachte. Freilich können wir das, was er als ursprüngliche Qualität der Elemente ansah, nämlich die sinnfälligen Eigenschaften der Materie, nicht mehr für die eigentümlichen Qualitäten der Atome gelten lassen. Aber daran wird man festhalten müssen, daß die Elemente untereinander ursprünglich von verschiedener Qualität sind. Diese unsere Annahme unterscheidet sich von der Leibnizens dadurch, daß dieser wohl auch eine Mehrheit einfacher, qualitativ verschieden bestimmter Wesen voraussetzte, die Qualitäten der Wesen jedoch ohne weiteres als Kräfte ansehen lehrte, während wir die Kräfte erst als Folgen jener Qualitäten unter gewissen Bedingungen betrachten.

42. Mögen nun die ursprünglichen Qualitäten der realen Wesen auch noch so mannigfach sein, so kann vergleichsweise ihre Verschiedenheit doch nur von zweierlei Art sein: nämlich eine völlige Verschiedenheit oder eine nur teilweise. Als teilweis verschieden stehen die realen Wesen in einem konträren Gegensatze zu einander, sie bieten einander Gleiches und Entgegengesetztes; als völlig verschieden sind sie miteinander unvergleichbar,

*) Ausführlicheres darüber s. Zt. f. ex. Ph. XII. 307 ff.

ihre Verschiedenheit ist eine disparate. An einen rein kontradiktorischen Gegensatz unter realen Wesen darf man darum nicht denken, weil das hieße, ein Wesen sollte z. B. nur Non-A sein, sonst aber gar nichts weiter als Non-A. Das hieße aber, es ist ein rein negatives Wesen also kein Wesen. Dieser begriffliche Unterschied hat nun sachlich zur Erklärung des wirklichen Geschehens folgende Bedeutung. Kommen disparate Wesen zusammen, so werden sie sich ganz gleichgiltig zu einander verhalten, eines wird von dem anderen nicht im mindesten affiziert. Soll es zur Wirksamkeit kommen, so darf unter den Elementen weder völlige qualitative Gleichheit noch Disparatheit herrschen, sondern als unerläßliche Bedingung dazu ist erforderlich der qualitative Gegensatz. Dieser Fall ist uns von allen anderen als der einzig mögliche zur Erklärung des Geschehens übrig geblieben.

43. So sind wir denn zu der Annahme einer Vielheit von realen Wesen gelangt, welche in Betreff ihrer ursprünglichen Qualität teils einander gleich sind, teils in einem konträren Gegensatz zu einander stehen. Aus der Durchdringung solcher Wesen muß das, was man Kraft nennt, mit seinen verschiedenen Beziehungen insbesondere als Anziehung und Abstoßung hervorgehen. Die Kräfte sind also, um es noch einmal hervorzuheben, nichts den Wesen ursprünglich, d. h. ursachlos Anhaftendes, sondern sie entstehen erst in der unmittelbaren Berührung mehrerer qualitativ verschiedenen Wesen, und da die Wesen sich wechselseitig zu Kraftäußerungen bestimmen, so ergibt sich von selbst, daß die Art dieses Bestimmens und Bestimmtwerdens verschieden sein muß nach seinen Bedingungen, d. h. je nachdem das eine Wesen mit einem anderen von dieser oder einer anderen Qualität zusammen ist, oder je nach dem qualitativen Gegensatze, welcher unter den betreffenden Wesen besteht. Dabei ist festzuhalten, daß dies innere Bestimmtwerden oder Geschehen keine Veränderung der ursprünglichen Qualität eines Wesens bedeuten kann; ein solcher Gedanke ist begrifflich nicht denkbar und wird auch von der Erfahrung entschieden zurückgewiesen, welche lehrt, daß ein einfacher chemischer Grundstoff aus allen Verbindungen im wesentlichen als derselbe wieder ausscheidet. Mit dieser Unveränderlichkeit der ursprünglichen Qualität dessen, was als Reales den Naturerscheinungen zu Grunde liegt, steht die Festigkeit der Naturgesetze in unmittelbarem Zusammenhange. Obwohl nun die inneren Thätigkeitszustände der realen Wesen in Rücksicht ihrer qualitativen Bestimmtheit untereinander sehr verschieden sein können, so werden doch alle diese Zustände nach außen hin, d. h. in Bezug auf die Lagenverhältnisse der Wesen, nur als Bewegungsursachen, als Anziehung und Abstoßung sich geltend machen.

44. Man denke sich nun zwei reale Wesen A und B, zwischen deren Qualitäten ein gewisser conträrer Gegensatz besteht, so daß beide Qualitäten im Vergleich zu einander Gleiches und Entgegengesetztes darbieten. Beide Qualitäten mögen beziehungsweise durch a+b und a—b dargestellt sein. Hier soll a das in A und B Gleiche, +b und —b das in beiden Entgegengesetzte bedeuten, welches indes in beiden Ausdrücken völlig positiv zu denken ist. Wegen der durchaus relativen Bedeutung des Gegensatzes könnte man sich ebensogut A in a—b und B in a+b zerlegt denken. Man vergegenwärtige sich als Beispiel des Gegensatzes zwei einander entgegengesetzte Richtungen. Jede derselben ist als positiv anzusehen, doch kann in anbetracht ihres Gegensatzes die eine mit +, die andere mit — bezeichnet werden. Erinnert sei hier auch noch an die Mechanik, welcher es geläufig ist, eine einfache Kraft in mehrere Komponenten zu zerlegen und letztere wiederum zu einer Kraft zusammenzufassen. Weil derartige Zerlegungen je nach dem Bedürfnis auf zahllos verschiedene Weise möglich und der betreffenden Kraft in der Mechanik oder dem einfachen Wesen in der Metaphysik zufällig, d. h. nicht wesentlich zugehörig oder notwendig sind, so nannte Herbart jene Ausdrücke zufällige Ansichten. Zufällig sind sie nur dem Begriff, von welchem sie genommen werden, aber notwendig an dem Ort, wo sie vorkommen. Eine gegebene Kraft läßt sich in zwei Seitenkräfte zerlegen, welche im Zusammenwirken jener einzigen vollkommen gleich gelten. Die Seitenkräfte sind eine lediglich zufällige Ansicht, welche jedoch unter gewissen vorkommenden Umständen notwendig muß angewendet werden. Ebenso ist es mit den zufälligen Ansichten der einfachen Wesen, deren keines an und für sich gedacht zu einer Zerlegung seiner einfachen Qualität Anlaß gibt. Falls jedoch der Gang der Untersuchung hinsichtlich der Wechselwirkung solcher Wesen zu einem Vergleich ihrer Qualitäten auffordert, stellt sich die in Rede stehende ideelle Zerlegung als notwendig heraus. Die Qualität jedes einfachen Wesens ist schlechthin einfach, aber verglichen mit den Qualitäten verschiedener anderen einfachen Wesen kann dieselbe sehr wohl auf verschiedene Weise zerlegt gedacht werden in Gleiches und Entgegengesetztes. Die Glieder des betreffenden Ausdrucks, d. h. der zufälligen Ansicht, durch welche die Qualität eines Wesens im Vergleich zu anderen Wesen versinnlicht wird, sind keine selbständigen Glieder der Qualität, sondern haben zusammen die Bedeutung eines vollkommenen intensiven Eins, welches die Glieder der zufälligen Ansicht so in sich verschlingt, wie die Seitenkräfte von der Resultante verschlungen werden, in welcher man ihren Unterschied auf keine Weise mehr wahrnimmt.[*]

*) S. Herbart IV. 93 ff.

45. Faßt man nun die Ausdrücke (nicht die dadurch bezeichneten Wesen) a + b und a — b zusammen, so hebt sich + b und — b auf. Etwas anderes aber ist es, wenn die Wesen selbst in Wirklichkeit zusammenkommen, sich durchdringen; hier ist der Gedanke, daß sich das Entgegengesetzte aufhebt oder vernichtet, ausgeschlossen, denn a + b und a — b bedeutet jedes eine intensive Einheit, ein unauflösliches Eins, in welchem sich wohl beziehungsweise Gleiches und Entgegengesetztes in Ge= danken unterscheiden, aber in Wirklichkeit nicht trennen läßt. Gleichwohl ist nun des Gegensatzes willen ein wirklicher Grund zur Aufhebung des b vorhanden. Allein dem Versuche, welchen A in B und B in A macht, das ihm Entgegengesetzte aufzuheben und so das ganze Wesen zu stören, setzt jedes Wesen einen Widerstand entgegen, durch welchen es sich gegen die gedrohte Störung erhält als das, was es ist. Diese That, dieser Akt geht natürlich von dem ganzen Wesen aus und nicht etwa von den einzelnen in Gedanken unterschiedenen Teilen. Diesen Akt nennt Herbart die Selbsterhaltung des Wesens. Gegen diese Bezeichnung sind zwar mancherlei Einwände erhoben worden, und sie könnte ja auch durch andere Ausdrücke ersetzt werden, ganz bezeichnend wird keiner sein, da alle unsere dafür gebrauchten Wörter der bloßen Erscheinung entnommen sind, die Selbsterhaltung aber der einfachen Wesen sich jeder sinnlichen Vorstellung und Anschauung entzieht. Darum bleibt das Wort Selbsterhaltung immer noch die passendste Benennung für einen Akt, durch welchen weder eine Verminderung des Seins, noch eine Abänderung der Qualität bewirkt wird, und der doch zugleich eine wirkliche Thätigkeit, ein wirkliches Geschehen bezeichnet, welches nicht eintritt, wenn das betreffende Wesen sich selbst überlassen bleibt und nicht mit anderen von entgegengesetzter Qualität zu= sammenkommt. So bietet sich im Hinblick auf einen qualitativen Gegen= satz zwischen den realen Wesen die Möglichkeit dar, daß dieselben eben auf Grund dieses Gegensatzes mit einander in einen Konflikt geraten, worin jedes Wesen aggressiv und reaktiv zugleich ist, indem jedes das andere an= greift und ihm zugleich widerstrebt.

46. Es versteht sich nun fast von selbst, daß die qualitative Be= schaffenheit der innern Thätigkeitszustände, in welche sich die realen Wesen auf die bezeichnete Weise wechselseitig versetzen, eine verschiedene sein muß, je nachdem die Wesen in ihrer ursprünglichen Qualität von einander ver= schieden sind. A wird sich in verschiedener Weise gegen B, gegen C, gegen D u. s. w. verhalten, vorausgesetzt, daß B, C, D verschiedene Qualitäten bedeuten. Sei der qualitative Gegensatz zwischen A und B beziehungsweise bezeichnet mit a+b und a —b, zwischen A und C mit a+c und a—c, zwischen A und D mit a+d und a—d, so ist das Verhalten des A gegen B qualitativ bestimmt durch b, gegen C durch c, gegen D durch d. In allen Fällen erhält sich A als A, jedoch wegen der Verschiedenheit des qualitativen Gegensatzes in verschiedener Weise; wäre die Selbsterhaltung in allen Fällen die gleiche, so würde sich der Widerspruch einstellen, daß unter verschiedenen Bedingungen doch immer dieselbe Wirkung einträte (Nr. 96, Anm.). Ferner ist es begreiflich, daß die Intensität des innern Zustandes ungleich sein muß, je nachdem das eine Wesen dem andern mehr oder weniger entgegengesetzt ist. Der Grad der Thätigkeit richtet sich nach dem Grade des Gegensatzes. Auf diese Weise kann ein und dasselbe Wesen in Wechselwirkung mit anderen in sehr verschiedene qualitativ bestimmte Zustände mit sehr verschiedener Stärke geraten, indem es doch immer das nämliche, in seiner ursprünglichen Qualität unveränderte Wesen bleibt.

Diese innern Thätigkeitszustände der realen Wesen sind zugleich als attraktive und repulsive Bewegungsimpulse und demgemäß als Ursachen der äußern Lagen= und Bewegungsverhältnisse der betreffenden Wesen an= zusehen (Nr. 57—59). Doch bevor wir den Zusammenhang zwischen den innern und äußern Zuständen der realen Wesen näher ins Auge fassen, möge zugesehen werden, ob nicht schon durch die bis jetzt gewonnenen Ein= sichten gar vieles von dem begreiflich wird, auf dessen Erklärung die Meta= physik zunächst ausgeht. Was an dem Gegebenen, so wie wir es gewöhn= lich auffassen, unbegreiflich ist und also der Erklärung bedarf, läßt sich mit Herbart auf vier Punkte, Hauptprobleme, zurückführen. Vergegenwärtigen wir uns dieselben, gleichsam um die Probe zu machen, ob unter Voraus= setzung der oben entwickelten Prinzipien die Schwierigkeiten verschwinden, und die Erfahrung in ihren allgemeinen Formen begreiflich wird.

Die Grundprobleme der theoretischen Philosophie.

Wenn bei den nun darzustellenden Hauptproblemen von Widersprüchen in dem Gegebenen die Rede ist, so versteht es sich von selbst, daß damit nicht Widersprüche in dem Gegebenen gemeint sind, sofern es das Reale, oder wirklich Geschehende bedeutet, sondern sofern es von einem Subjekt aufgefaßt und vorgestellt wird. Gegeben im strengen Sinne sind uns nur unsere Vorstellungen, in diesen finden sich Schwierigkeiten und Widersprüche. Widersprüche im Gegebenen heißt also Widersprüche in der Art und Weise, wie das Wirkliche von uns aufgefaßt wird. Und zwar ist hier zunächst nur von der gemeinen, noch nicht wissenschaftlich geläuterten Auffassung die Rede. Denn geläutert und wissenschaftlich nennen wir die Auffassung des Wirklichen dann, wenn dieselbe von Unbegreiflichkeiten und Wider= sprüchen gereinigt ist. Die gemeine, unmittelbare Auffassung der Dinge, die sich jedem Menschen von selbst aufdrängt, enthält die Probleme. Ge= lingt es, diese zu lösen, die gemeine Auffassung also von Widersprüchen zu befreien, so gewinnt man die philosophische oder wissenschaftliche Ansicht der Dinge.*)

Das Problem der Inhärenz.

47. Dieses Problem betrifft die Thatsache, daß uns die Dinge in der Natur als Komplexionen von sinnlichen Merkmalen gegeben sind.

Verdeutlicht man sich den Begriff eines gegebenen Dinges noch ganz abgesehen von dem strengen Begriff des Seienden, so gibt jeder, der ein solches Ding vorstellt, zu, daß er es mit mehreren Merkmalen oder Eigenschaften denkt. Fragt man, warum sagen wir: hier ist Gold, so werden wir antworten: weil wir es sehen, tasten u. s. w. Auf diesen sinnlichen Wahrnehmungen beruhen die Merkmale des Goldes: es ist gelb, glänzend, von bestimmter Härte, von bestimmtem Klang u. s. w. Und zwar sind diese Wahrnehmungen oder Merkmale die einzige Veranlassung, von etwas Realem in diesem Falle zu reden. Und darum ist so oft Ver= anlassung vorhanden, etwas Reales zu setzen, als wieviele Merkmale uns gegeben sind. Sollte also hier ein strenger Ausdruck für das Gegebene gefunden werden, so müßte er lauten: hier ist Gelbes, hier ist Glänzendes u. s. w., und diese Merkmale alle gerade in dieser und keiner anderen Verbindung oder Form. Allein so spricht die gemeine Auffassung nicht, sondern sie sagt: Hier ist Gold. Die Merkmale werden nicht als seiend gesetzt, denn wo ist die Farbe im Dunkeln, wo der Klang im luftleeren Raum, wo die Härte im Feuer? Vielmehr das Ganze gilt als seiend. Man faßt alle die verschiedenen Merkmale in eine Vorstellung zusammen und statt den Begriff des Seins oder der Realität so oft anzuwenden, als wievielmal Veranlassung zu solcher Anwendung vorhanden ist, also wieviel verschiedene Merkmale gegeben sind, wird der Begriff des Seins nur einmal auf die ganze Komplexion angewendet. Die Komplexionseinheit nennt man die

---

*) Wobei zu bemerken ist, daß auch eine nicht geringe Anzahl von Philosophen der gewöhnlichen Ansicht der Dinge huldigt, ohne von den darin liegenden Wider= sprüchen sich gedrückt zu fühlen.

Substanz, die Merkmale heißen die Accidenzen, welche der ersteren inhärieren. Man vergesse jedoch nicht: gegeben sind nur die Merkmale (gelb, glänzend u. s. w.) und zwar in einer ganz bestimmten Form oder Verbindung, aber nicht gegeben ist die Substanz (Gold), und doch wird gerade von dieser gesagt, sie ist. Und zwar wird dieselbe nach der gemeinen Ansicht, welche sich im Sprachgebrauch kund gibt, als Eins angesehen (das Gold im Singular), und für den ganzen Komplex wird nur einmal der Begriff des Seins in Anwendung gebracht. Denkt man sich demnach die Substanz als Eins, in sich gleichartig, räumlich ausgedehnt oder nicht, so muß gefragt werden: wie kann ein solches Wesen, wie es die gemeine Ansicht voraussetzt, die Mannigfaltigkeit und Vielheit der Merkmale darbieten? Ja ließen sich die letztern in eine Einheit zusammenfassen, wären sie unter einander gleich, so widersprächen sie der vorausgesetzten einen Substanz nicht. Sie sind aber verschieden, disparat und nicht aufeinander zurückzuführen. So entsteht der Widerspruch, daß die Hindeutung auf das Sein, die in jedem einzelnen Merkmale liegt, gleich sein soll der einen Hindeutung aufs Sein, welche insofern vorhanden ist, als sich die einzelnen Merkmale zusammen wie ein Ding darstellen. Es steht also die Substanz in Widerspruch mit jedem einzelnen ihrer Merkmale, denn sie gleich sein sollte und doch nicht gleich ist; und ebenso steht jedes einzelne Merkmal mit jedem anderen disparaten Merkmale im Widerspruch, denn von ihnen sollte jedes einzelne der Substanz gleich und sie sollten damit untereinander gleich sein, während alle untereinander verschieden sind. Die gewöhnliche Auffassung des Dinges mit mehreren Merkmalen birgt also in sich den Widerspruch, das Eine als Vieles, und das Viele als Eins; das Eine als nicht Eins, und das Viele als nicht Vieles anzusehen.

48. Ein weiterer Widerspruch stellt sich ein, wenn man bedenkt: die angenommene Substanz soll nicht etwas neben oder außer den gegebenen Merkmalen sein, auch nicht die bloße Summe derselben, kurz nicht selbst ein bloßes Merkmal sein, sondern sie soll dieselben besitzen. Sie ist das Selbständige, den Merkmalen kommt kein esse, sondern nur ein inesse zu, sie inhärieren der Substanz als bloße Accidenzen. So tritt die Substanz den Accidenzen als das Selbständige dem Abhängigen, Unselbständigen gegenüber; sie soll den Sitz und Grund bieten für die Merkmale. Und zwar muß dieses Besitzen gerade dieser Merkmale in dieser besonderen Form etwas der Natur der Substanz Eigentümliches sein. Da nun die Merkmale allein gegeben sind und nur sie auf das Sein deuten, so entsteht der Widerspruch: die Substanz als das Selbständige soll ihren Accidenzen als dem Abhängigen gleich und auch wieder verschieden von ihnen sein.

Diese Widersprüche werden auch dadurch nicht vermieden, daß man
das gegebene Ding etwa räumlich teilt, denn jeder kleinste wahrnehmbare
Teil desselben fällt wieder unter den Begriff eines Dinges mit mehreren
Merkmalen; immer wieder wird dabei die Substanz als eine gedacht und
wenn gefragt wird, was ist sie, so kann immer nur mit einer Mehrheit
geantwortet werden, nämlich mit der Summe der Merkmale in einer bestimmten Form. Und wäre auch der Widerspruch zwischen dem Einen,
was Vieles sein soll, dann beseitigt, wenn von einer Substanz nur ein
Merkmal gegeben wäre, so bliebe immer noch der andere Widerspruch, daß
das Merkmal, als das Abhängige, darstellen soll das Wesen der Substanz
als eines Selbständigen. Diese Widersprüche stellen sich ein, wenn man
die gewöhnliche, vorwissenschaftliche Vorstellung eines Dinges mit mehreren
Merkmalen analysiert. Wendet man nun gar den oben (Nr. 16—19)
gewonnenen Begriff des absoluten Seins als eines streng einfachen Wesens
auf das Ding mit mehreren Merkmalen an, welches ja doch zunächst als
seiend gesetzt wird, dann werden die hier hervorgehobenen Widersprüche
noch viel härter, daß nämlich das, was als seiend zu setzen ist (das Ding
mit mehreren Merkmalen), zugleich als eine Vielheit, wie es das Gegebene verlangt, gedacht werde und zugleich als eine strenge Einheit, wie
es das Denken fordert, als etwas durchgängig Relatives, was doch verlangt, absolut gesetzt zu werden.*)

---

*) Trendelenburg erhebt gegen Herbart den Einwand, er mache den Be-
griff des Seienden zum Maßstabe der Widersprüche im Gegebenen; erst entwickele
er diesen Begriff ganz für sich, ohne Rücksicht auf das Gegebene, und hinterher finde
er, daß dieser Begriff zur Erfahrung nicht passe, sondern diese ihm widerspreche.
Das sei der Widerspruch, welchen Herbart in der Erfahrung finde, es sei in der
That nur ein Widerspruch zwischen dem, was gegeben ist, und dem, was Herbart
willkürlich als Erklärung der Erfahrung hinzubringe, darin liege die Weisung, nicht
daß die Erfahrung als solche begreiflich gemacht, sondern daß jene hinzugebrachten
Erklärungsgedanken, namentlich der Begriff des Seienden als etwas streng Einfachen
aufgegeben werden müßte.
    Allein dies ist eine schiefe Auffassung der Widersprüche im Gegebenen, die sich
ganz abgesehen von dem Begriffe des Seienden aufzeigen lassen. Diesen mag jemand
denken, wie er sonst will, jede Auffassung des Dinges mit mehreren Merkmalen, der
sich niemand entziehen kann, enthält, genau analysiert, den Widerspruch der Identität
des Vielen mit dem Einen, die Identität und Nichtidentität der Substanz und der
Accidenzen. Überdies ist der Begriff des Seienden, als des Einfachen, nicht willkürlich gemacht, sondern in notwendiger Gedankenfolge gewonnen. Vgl. zu diesem
Problem: Zt. f. ex. Ph. I. 235 ff. und Trendelenburgs Einwände betreffend:
W. Schacht: kritisch-philosophische Aufsätze. 1. Heft. Herbart und Trendelenburg, Aarau, 1868, und Zt. f. ex. Ph. VIII. 183, H. Günther, im Jahrbuche

Die Weisung, welche diese Widersprüche dem Denken geben, ist zuvörderst die, dasjenige zu verneinen, welches den Sitz des Widerspruches bildet, entweder also die Vielheit der Merkmale oder die Einheit der Substanz aufzugeben. Die Vielheit der Merkmale ist nun gegeben, sie läßt sich demnach nicht aufheben. Also muß die Einheit der Substanz geleugnet werden. Geschieht dies, dann muß auch sogleich das als unmöglich Erkannte hinzugenommen werden, nämlich die Erkenntnis, daß dasjenige, was wir Substanz nennen und als ein Eins anzusehen gewöhnt sind, nicht Eins ist, sondern eine Vielheit. Und zwar wird dem Gegebenen und dem logischen Denken nur dann Genüge geschehen, wenn es gelingt, eine Vielheit einfacher realer Wesen so zusammen zu denken, daß dieses Zusammen eine formale Einheit bildet. Nach unseren früheren Erörterungen heißt das: ein einzelnes reales Wesen kann nicht von sich selbst ohne Ursache Substanz d. h. Träger verschiedener Accidenzen sein, sondern nur in Gemeinschaft mit anderen realen Wesen. Steht aber ein Wesen in Wechselwirkung mit verschiedenen anderen, so wird dasselbe auch verschiedene Eigenschaften (Accidenzen) darbieten, indem es sich gegen die verschiedenen Wesen in verschiedener Weise verhält. Hiermit hat das Problem der Inhärenz im allgemeinen seine Lösung gefunden.

49. Für unser an naturwissenschaftlichen Erklärungen vielfach geübtes Denken verlieren die Widersprüche im Probleme der Inhärenz darum so leicht an Evidenz und erscheinen als bloße Spitzfindigkeiten, weil wir bereits die Lösung hinzubringen. Die Atomistik hat uns gewöhnt, ein Ding, welches insgemein als Eins angesehen wird, als Komplex einer Mehrheit von Atomen zu betrachten, also nicht als eine Einheit, sondern als eine Vielheit, deren verschiedene Glieder nur eine formale Einheit bezw. Verbindung bilden. Die Merkmale gelten uns nicht mehr für ursprüngliche Eigenschaften des einzelnen Realen, sondern nur als Ergebnisse der Wechselwirkung, in welcher die Atome eines Dinges untereinander, mit anderen, in letzter Linie mit uns selbst stehen. So ist die strenge Einheit, unter welcher man sonst ein Ding vorstellt, aufgehoben, und damit auch der Widerspruch des Einen und des Vielen gehoben. Man denke sich aber diese atomistische Auffassung hinweg und kehre zu der gewöhnlichen, unwissenschaftlichen Anschauung zurück, so stellen sich auch die besprochenen Widersprüche wieder ein und damit eben die Notwendigkeit, die Einheit

---

für wissenschaftliche Pädagogik (herausg. von Ziller), 1872, S. 286. Fichtes und Ulricis Zeitschrift für Philosophie und philosophische Kritik, Bd. 25—27. Zt. f. ex. Ph. I. 235 ff., XIV. 353 ff., XV. 274 ff.

Flügel, Die Probleme der Philosophie.　　　6

des Dinges aufzugeben und eine Mehrheit von Wesen anzunehmen, aus
deren Wechselwirkung die sogenannten Merkmale sich ergeben. So bietet
allerdings die atomistische Hypothese, welche sich auch abgesehen von der
deutlichen Einsicht in die Widersprüche der Inhärenz wissenschaftlich be=
gründen läßt, eine Lösung dieses Problems; allein diese Hypothese enthält
doch in ihrer gewöhnlichen physikalischen Fassung, wie oben (Nr. 33—42)
gezeigt ist, Widersprüche, die nur zu vermeiden sind, wenn man auf
die oben im Sinne Herbarts gegebenen Untersuchungen über Sein und
Geschehen eingeht. Denn jedes einzelne Atom, sofern es nicht als streng
einfach aufgefaßt, sondern etwa gedacht wird als behaftet mit einer Mehr=
heit von Kräften, Anlagen, Trieben, Vermögen u. s. w., fällt wieder unter
den Begriff der Inhärenz und verlangt, die Untersuchung soweit fort=
zusetzen, bis man auf etwas absolut Einfaches gekommen ist und jede
Vielheit ansieht als eine Folge der Wechselwirkung unter mehreren ein=
fachen Wesen. Erst damit ist die volle Lösung des Problems der Inhärenz
gegeben, und zwar im strengen Sinne, indem dann die Möglichkeit vorliegt,
selbst in dem absolut Einfachen eine Mehrheit von Zuständen bezw. Eigen=
schaften zu denken, nämlich als Ergebnis der Wechselwirkung mehrerer
Seienden (Nr. 42).

50. Hinsichtlich der Geschichte dieses Problems ist zu bemerken, daß
eigentlich erst von Locke die Schwierigkeiten gefühlt wurden. Ihm fällt
es auf, daß die einzelnen Merkmale, durch welche wir die Dinge denken,
untereinander keinen Zusammenhang haben, daß niemand im stande sein
würde, aus der Farbe eines Dinges seinen Klang zu weissagen. Also,
schließt Locke, ist die Einheit aller dieser Merkmale, vermöge deren sie
ein Ding darstellen, schlechthin zufällig, und das Eine, die Substanz, bleibt
unbekannt, da sie durch jenes lose Aggregat von Merkmalen, die nur
unsere Vorstellungen sind, nicht bestimmt werden kann. Nach Kant ist
jenes Band unter den einzelnen Merkmalen zwar nicht gegeben, weder für
sich allein, noch in und mit den Merkmalen, gleichwohl fordert das Ge=
gebene, diese Verbindung zu denken, denn die Merkmale sind nicht ver=
einzelt gegeben, auch ist es nicht möglich, sie aus ihren Gruppierungen
heraustreten und andere Verbindungen eingehen zu lassen, wenn man nicht
überhaupt die Anschauung gerade dieses Dinges, dessen Merkmale man
auffaßt, aufgeben will. Wir sind also an die Synthese oder eine strenge
Verbindung der Merkmale gebunden. Hier macht sich nun aber bei Kant
eine Übereilung geltend, wenn er weiter schließt, der Grund dieser so be=
stimmten Gruppierungen von Merkmalen kann lediglich in dem auffassenden
Subjekte liegen. Der Begriff der Substanz als des Beharrenden hat hier

nur Bedeutung für die Erscheinung. Nach Herbart ist hingegen jene Verbindung unter den Merkmalen begründet in bestimmten Verbindungen der Wesen selbst, welche die betreffenden Merkmale erzeugen durch ihre Wechselwirkung unter einander und mit dem Subjekt d. h. der menschlichen Seele (Nr. 82).

Das Problem der Veränderung.

51. Das Problem der Veränderung oder des Werdens läßt sich als ein besonderer Fall des Problems der Inhärenz auffassen, indem die Vielheit der Merkmale an der einen Substanz hier gleichzeitig (simultan), dort nach einander (successiv) gedacht wird. Die Schwierigkeiten, welche im Begriff der Veränderung liegen, sind am ersten erkannt worden, und der größte Teil des bisher Besprochenen behandelt dieselben. Diese liegen darin, daß der Begriff des Werdens die Identität des Seins und des Nicht-Seins, sowie die Identität des einen bestimmten Was und seines Gegenteils verlangt. Um diese Widersprüche zu verdeutlichen, stellt Herbart folgendes Trilemma auf: die Veränderung oder das Werden oder das Geschehen hat entweder eine Ursache oder sie hat keine. Die letztere Annahme haben wir bereits (Nr. 4—9) unter dem Namen des absoluten Werdens hinlänglich behandelt und ihre Ungereimtheiten erkannt. Also die Veränderung hat eine Ursache: entweder eine innere oder eine äußere. Im ersten Falle soll das, was sich verändert, sich selbst zur Veränderung bestimmen. Allein dieser Akt des Sich-selbst-bestimmens ist schon eine Veränderung, die von der Wirkung, welche Folge der Selbstbestimmung ist, unterschieden werden muß. So erhebt sich nun die Frage nach der Ursache der Veränderung, welche bereits in der Thätigkeit des Sich-selbst-bestimmens liegt. Da äußere Ursachen ausgeschlossen sind, so muß für den Akt des Sich-selbst-bestimmens eine tiefer liegende innere Ursache, also abermals ein Sich-selbst-bestimmen angenommen werden. Von dieser Selbstbestimmung gilt dasselbe, was von der vorigen, sie kann gleichfalls ohne Ursache d. h. ohne eine andere tiefer liegende Selbstbestimmung nicht vorhanden sein, u. s. w. Im Grunde genommen läuft auch die Art, wie Hume und Kant den Kausalbegriff überhaupt umgehen und auf die bloße Erscheinung beschränken, hinsichtlich der Veränderung in der Erscheinung auf innere Ursachen oder auch auf absolutes Werden hinaus. Nach Hume ist es nicht möglich zu entscheiden, ob die sinnlichen Eindrücke von Objekten oder von der schöpferischen Macht unseres Gemütes oder von dem Ur-

6*

heber unieres Daseins herrühren. Desgleichen hat nach Kant die Vor=
stellung von Ursache und Wirkung nur subjektive Bedeutung, und die ge=
gebene Veränderung der Erscheinungen kann auch nur einen subjektiven
Grund in uns haben. Die Annahme rein innerer Ursachen führt aber
zu einer unendlichen Reihe von Selbstbestimmungen d. h. es kommt auf
diese Weise überhaupt zu keinem Geschehen. Soll aber das Hervortreten
einer derartigen Selbstbestimmung irgendwo absolut, d. h. ohne Ursache ge=
schehen, so ist man wieder auf den Begriff des absoluten Werdens zurück=
gekommen. Es bleibt demnach nur noch die Annahme einer äußeren Ur=
sache übrig. Gegen diese Vorstellungsart, welche gemeinhin als influxus
physicus bezeichnet wurde, macht zunächst Des=Cartes, der dabei nur
die Wechselwirkung zwischen Leib und Seele behandelt, folgendes geltend.
Der Leib ist etwas Zusammengesetztes, die Seele etwas Einfaches: soll
zwischen diesen eine Einwirkung stattfinden, so muß sich entweder etwas
von der Seele trennen und auf den Leib übergehen, das ist aber undenk=
bar, denn die Seele ist einfach, oder es muß sich etwas vom Leibe trennen
und auf die Seele übergehen, was gleichfalls deren Einfachheit aufheben
würde. Außerdem wäre im ersten Falle der Leib, im zweiten die Seele
genötigt, sich mit etwas Fremdartigem zu einer Einheit zu verbinden. Aus
diesen Gründen verwirft Des=Cartes den influxus physicus, wenigstens
zwischen Leib und Seele, und es wird von ihm und noch mehr von seinen
Nachfolgern die Hypothese des Occasionalismus erfunden und ausgebildet.*)

Mit ähnlichen Gründen bekämpft Leibniz den influxus physicus
seiner Zeit. Er meint (Nr. 7 der Monadologie): Hat man einmal einfache
Wesen oder Monaden, so läßt sich von der einen Monade nichts auf eine
andere übertragen, so daß die Quantität der einen vermindert und die der
zweiten vermehrt würde, denn sie sind einfach; man darf hinzusetzen, durch
eine derartige bloße Verminderung oder Vergrößerung wäre auch keine Ver=
änderung im Inneren gewonnen. Ebensowenig, fährt er fort, ist eine Ver=

---

*) Über den Occasionalismus bei Des=Cartes vgl. Thilo: Über die Religions=
philosophie des Des=Cartes in Zt. f. er. Ph. III. 166, und derselbe: Über Male=
branches religionsphilosophische Ansichten, ebenda IV. 193 und Gesch. d. Philos. II.
38, 38. Der eigentümliche Gedanke des Occasionalismus besteht darin, daß alle
Kräfte der Natur nur als der immer wirksame Wille Gottes angesehen werden.
Setzt nach der gewöhnlichen Meinung z. B. eine rollende Kugel durch Stoß eine andere
Kugel in Bewegung, so ist nach der Lehre des Occasionalismus nicht die erste Kugel
Ursache, daß die zweite sich bewegte, sondern der Zusammenstoß ist die Veranlassung,
daß Gott der zweiten einen Bewegungsimpuls erteilt. Oder: hebe ich absichtlich
meinen Arm, so ist nicht der Wille die direkte Ursache der Bewegung, sondern mein
Wille, den Arm zu heben, ist die Veranlassung (Ursache), daß Gott meinen Arm hebt.

schiebung oder Vertauschung der einzelnen Teile einer Substanz denkbar, denn die Monaden haben keine Teile, und wir setzen wieder hinzu, auch eine derartige Verschiebung, wenn sie denkbar wäre, wäre noch keine eigentliche qualitative Veränderung. Endlich, heißt es, die Accidenzen können sich von ihrer Substanz nicht ablösen, aus ihr heraus spazieren und in der Luft schweben, wie die Schemen der Scholastiker herumflatterten. Zwischen Leib und Seele insbesondere sei auch darum eine Wechselwirkung unmöglich, weil beide toto genere verschieden seien. Leibniz schließt hieraus, daß überhaupt eine causa transiens undenkbar sei, und gelangt zu der Vorstellung der harmonia praestabilita.*) Wir geben ihm Recht in der Art, wie er den influxus physicus seiner Zeit bekämpfte, aber es ist die Frage, ob damit die causa transiens in jeder nur denkbaren Form abgewiesen ist, ob unter allen Umständen das, was von außen die Veranlassung zum Wirken gibt, selbst wieder ein Wirken sein muß und als solches selbst einer äußeren Ursache bedarf, was zu einer unendlichen Reihe führen würde. Wir haben früher (Nr. 42) gesehen, daß dies nicht unter allen Umständen gilt. Bei den Betrachtungen über die Wechselwirkung der realen Wesen zeigte sich uns die Möglichkeit, den Begriff einer äußeren Ursache oder, wenn man will, eines influxus physicus festzuhalten, ohne in eine unendliche Reihe oder in die Vorstellungsarten zu geraten, welche Des-Cartes und Leibniz mit Recht verwerfen.

Die Lösung, welche durch die Untersuchungen im Sinne Herbarts dem Probleme der Veränderung gegeben wird, besteht in der Zurückführung der erfahrungsmäßig gegebenen qualitativen Veränderungen auf eine wechselnde Gemeinschaft der verschiedenen realen Wesen und der aus ihnen zusammengesetzten Gebilde, bei welcher die eigentliche Qualität der Wesen unverändert bleibt, während deren Zustände auf eine gewisse Weise wechseln und sich nach außen hin als Kräfte der Bewegung geltend machen.

Das Problem der Materie.

52. Unter Materie wird hier die gegebene raumerfüllende Materie verstanden. Es liegt uns jetzt die Aufgabe vor, aus der Wechselwirkung der realen Wesen die erfahrungsmäßig gegebene Materie in ihren verschiedenen Formen abzuleiten. Indessen, noch abgesehen von den Besonder-

---

*) Über die prästabilierte Harmonie s. Thilo: Über Leibniz's Religionsphilosophie in Zt. f. ex. Ph. V. 182 u. X. 7 ff., s. auch die Anmerkung zu Nr. 17.

heiten dieses Problems, stellt sich bei Lösung desselben sofort eine Schwierigkeit eigentümlicher Art heraus, wenn man die realen Wesen als völlig
unräumlich oder punktuell betrachtet, denn das Einfache als bloße Summe
gedacht gibt noch keine Ausdehnung. Denn, so bemerkt bereits der Eleat
Zeno, was selbst keine Größe hat, kann, wenn es zu einem anderen hinzugesetzt wird, diesem keine Größe geben.

Hat man die letzten realen Wesen der Natur, wenn man nicht in
Widersprüche verfallen will, nicht allein in qualitativer, sondern auch in
räumlicher Hinsicht als schlechthin einfach aufzufassen, so muß man wohl
bei dieser Annahme beharren, wenn schon es nicht vollständig gelingen sollte,
aus derartigen Elementen die raumerfüllende Materie mit Evidenz zu
konstruieren. Dabei ist vor allem nicht außer Acht zu lassen, daß diese
Materie doch zunächst nur Erscheinung ist, hervorgegangen aus der Wechselwirkung eines Subjektes und eines Objektes. Als die letzten objektiven
Ursachen aller Erscheinungen haben wir die einfachen Wesen gefunden. Auf
die Frage, wie diese Wesen zu denken sind, antworteten uns die bisherigen
Untersuchungen über Sein und Geschehen. Die beiden Punkte, welche uns
an dem Gegebenen vorzugsweise beschäftigten, waren die Mannigfaltigkeit
und die Veränderung. Es stellte sich heraus, den mannigfaltigen Erscheinungen muß ein mannigfaltiges Sein, d. h. eine Mehrheit und Verschiedenheit von Seienden, der Veränderung ein objektives Geschehen in den
Realen entsprechen. Jetzt treten wir an die gegebenen räumlichen Verhältnisse heran und fragen: setzen diese auch gewisse räumliche Verhältnisse
unter den realen Wesen selbst voraus? Sicher müssen den gegebenen
räumlichen und zeitlichen Ordnungen und Gruppen auch gewisse Ordnungen
und Gruppierungen unter den letzten Elementen entsprechen. Die Frage
kann nur die sein, ob diese Ordnungen unter den Realen selbst auch räumlicher Art in der Form der Ausdehnung (des Außereinander) sind oder
nicht? Bejahen wir zunächst die Frage und gehen auf die Versuche ein,
welche namentlich innerhalb der Schule Herbarts gemacht sind, die räumlichen Beziehungen der gegebenen Materie aus räumlichen Beziehungen der
einfachen Elemente untereinander abzuleiten.

53. Hinsichtlich einer Vielheit selbständiger, von einander unabhängiger
Wesen bietet sich der Gedanke des Zusammen und des Nicht-Zusammen
dar: zwei Wesen können zusammen oder nicht zusammen sein. Das Problem
der Inhärenz erfordert zu seiner Lösung die Annahme eines Zusammen
und einer damit gesetzten Wechselwirkung der einfachen Wesen. Das Problem
der Veränderung macht die Annahme eines Wechsels des Zusammen und
Nicht-Zusammen, bezw. des Wirkens und Nicht-Wirkens der betreffenden

Realen oder der aus ihnen zusammengesetzten Gebilde nötig. Was nun die Raumerfüllung dieser Gebilde oder der uns sinnlich gegebenen Materie anlangt, so beruht diese bei Herbart auf dem Begriffe des unvollkommenen Zusammen oder der partialen Durchdringung zweier oder mehrerer einfachen Wesen.

Denken wir uns zwei solche Wesen völlig außereinander, aber ohne Distanz, so sind sie aneinander und stehen in einer gewissen räumlichen Beziehung zu einander; jedes hat in Bezug auf das andere eine gewisse Stelle, bezw. Ort, welcher allerdings völlig einfach ist, wie das Wesen selbst. Das Aneinander zweier Punkte als einfacher Ort der einfachen Wesen führt auf die nämliche Weise, fortgesetzt oder wiederholt, zu einer geraden, starren Linie. Mit Zugrundelegung dieser starren Linie entwickelt nun Herbart weiter den Begriff der kontinuierlichen Linie und der Kontinuität überhaupt, im Gegensatz zur Kontiguität.*) Hierbei stellt sich in einem notwendigen Gedankenfortschritt der Begriff des unvollkommenen Zusammen ein, welches eine solche Lage zweier einfachen Wesen oder zweier Punkte bezeichnet, worin dieselben nur teilweise ineinander sind, so daß beide in dieser Lage einen größeren oder kleineren Bruchteil des Aneinander zweier Punkte ein= nehmen. Kommen also mehrere Wesen infolge ihrer Wechselwirkung und der damit zusammenhängenden Anziehung und Abstoßung in die Lage der partialen Durchdringung, die je nach Umständen größer oder kleiner sein kann, so müssen dieselben notwendiger Weise raumerfüllende Materie bilden.

In dem Begriff des unvollkommenen Zusammen zweier Punkte ist der Begriff einer ideellen Teilbarkeit des Punktes eingeschlossen, ein Gedanke, welchen Herbart selbst als widersprechend erkannte,**) dessen man aber als einer Fiktion nicht entraten könne, wenn es darauf ankomme, begreif= lich zu machen, wie räumlich ausgedehnte Materie aus den einfachen Wesen entsteht. Überdies beziehen sich diese Begriffe nicht auf das Reale oder das wirkliche Geschehen als solches, sondern lediglich auf die räumlichen Lagen= verhältnisse der Wesen. Dieselben Widersprüche liegen auch im Begriff der Bewegung, insbesondere der Geschwindigkeit, und hängen wesentlich mit dem Begriffe der Kontinuität zusammen, der in Ansehung der Raum= verhältnisse nicht zu umgehen ist.

Gibt man einmal das Aneinander zweier Punkte als ein Auseinander zu, so folgt das unvollkommene Zusammen als ein teilweises Ineinander zweier Punkte mit Notwendigkeit. Daß zwei Punkte auch als aneinander

---

*) Herbart IV. 147 ff.
**) Vgl. auch Zt. f. ex. Ph. V. 142 ff.

gedacht werden können, ohne zusammenzufallen, ist übrigens auch von ver=
schiedenen Mathematikern und Physikern festgehalten worden, so von Fischer
und Langsdorf, und in der Wolff'schen Schule galt der Satz allgemein:
extensio lineae ex numero punctorum, quibus constat, determinatur.[*])

Dieser Lösung des Problems der Materie sind Hartenstein,[**])
Taute,[***]) Cornelius[†]) und Kramár[††]) gefolgt, wie denn auch ver=
schiedene andere, z. B. Schacht, erklären, keinen Anstoß an dem unvoll=
kommenen Zusammen zu nehmen.[†††])

54. Sollen die Schwierigkeiten, welche man in dem Begriffe des
unvollkommenen Zusammen einfacher Wesen finden kann, vermieden werden,
so ist zweierlei möglich: entweder die bisher nur fingierte Ausdehnung der
Elemente wird als wirkliche Ausdehnung genommen, oder es wird jede
auch fingierte Ausdehnung der Elemente und damit das unvollkommene
Zusammen überhaupt aufgegeben.

Das erstere hat Drobisch versucht.[*†]) Er bezieht die Einfachheit der
Elemente lediglich auf deren Qualität, sieht aber im übrigen die Realen
als wirklich ausgedehnt an; sie nehmen nach ihm einen zwar außerordent=
lich kleinen, aber immerhin doch einen endlichen Raum ein. Dann ver=
schwindet allerdings jene Schwierigkeit der Bildung der Materie aus den
letzten Elementen. Die partiale Durchdringung oder das unvollkommene
Zusammen hat hier nicht bloß als Fiktion, sondern in Wirklichkeit statt;
dies hat hier keine Schwierigkeit, da die Wesen selbst als kleine, bestimmt
begrenzte Kontinua aufgefaßt werden.

Nun ist es sicher, die Begriffe der Realität und der Ausdehnung sind
nicht solche, die notwendig mit einander verbunden sein müssen. Das
Reale muß nicht als solches auch ausgedehnt sein. Das gibt auch Drobisch
zu; aber kann das Reale als solches nicht auch ausgedehnt sein? Das ist
es, was Drobisch abweichend von Herbart bejaht. Um diesen Punkt
dreht sich die Frage, ob man die letzten Elemente als streng einfache,

---

*) S. Herbart XII. 528.
**) Hartenstein: Probleme und Grundlegung der allgemeinen Metaphysik,
1836, S. 289 ff.
***) Taute: Religionsphilosophie I. 520 ff.
†) Zt. f. ex. Ph. I. 257, allerdings mit Hinweisung auf einen Versuch, die
Bildung der Materie aus den einfachen Elementen ohne den Begriff des unvoll=
kommenen Zusammen abzuleiten.
††) Kramár: Problem der Materie, 1871, S. 182 ff.
†††) Zt. f. ex. Ph. VIII. 180.
*†) Zt. f. ex. Ph. V. 155 ff., vgl. dazu VI. 11 ff.

punktuelle Wesen ansehen muß und also genötigt ist, die Materie aus solchen Wesen gebildet zu denken, oder ob die Widersprüche, welche Herbart im Begriff des realen Kontinuum aufzeigt,*) nicht völlig stichhaltig sind, so daß es begrifflich erlaubt ist, die letzten Elemente als kleine reale Kontinua zu betrachten.

55. Soll nun jedoch das Kontinuum in jeder Gestalt vermieden, also die strenge räumliche Einfachheit der Realen festgehalten und deren Aus= dehnung nicht einmal als Fiktion zugelassen werden, so muß man auch den Begriff der partialen Durchdringung aufgeben.

Es werde angenommen: zwei qualitativ gleiche Wesen B und B' sind in einem ihnen entgegengesetzten A zusammen, so muß hier Abstoßung ein= treten, wenn der Gegensatz zwischen A und B gleich ist (Nr. 58). Beide B müssen demnach aus A heraustreten und zwar völlig heraus, da die Wesen hier räumlich streng einfach, punktuell gedacht werden. In demselben Augenblicke aber, wo die Abstoßung eintritt, ist auch Attraktion, d. h. das Streben der B, in A zu verharren und damit eine Bewegungstendenz in gerade entgegengesetzter Richtung (nach A hin) vorhanden. Die Folge davon wird sein, daß die Bewegung der B von A hinweg verlangsamt wird, bis sie Null ist, wo dann jenes Streben als rückgängige Bewegung sich geltend macht. Diese führt wieder zum Ineinander, und es müssen sich dieselben Vorgänge wiederholen. Hieraus läßt sich nun in Anbetracht einer größeren Anzahl realer Wesen zeigen, wie es zu bestimmten mittleren Abständen zwischen gewissen Wesen kommt, indem diese um bestimmte Punkte fortwährend oszillieren und so innerhalb gewisser Grenzen den Raum er= füllen. Hinsichtlich der Begriffe des Seins und wirklichen Geschehens wird hier an den früheren Auseinandersetzungen nichts geändert.

Diese eben besprochene Ableitung der Ausdehnung aus den Schwingungen der einfachen Wesen hat Cornelius versucht und weiter ausgeführt.**)

Das Hauptbedenken gegen diese Ansicht scheint uns das zu sein, ob die Annahme gestattet ist, B behalte seine Tendenz nach A hin, welche ihm auf Grund des im Zusammen mit A gewonnenen inneren Zustandes eigen ist, auch dann noch, wenn es völlig aus A herausgetreten ist. Es liegt hier der Gedanke nahe, daß die betreffenden Wesen mit derselben Ge= schwindigkeit, die sie beim Auseinandertreten erlangt hatten, sich immer

---

*) Über diese Widersprüche vgl. Herbart IV. 147 ff., auch Zt. f. ex. Ph. VI. 32 f., und Kramár, a. a. O. 72 ff. u. 189 ff.

**) C. S. Cornelius: Über die Bildung der Materie aus ihren einfachen Elementen, oder das Problem der Materie nach ihren chemischen und physikalischen Beziehungen, mit Rücksicht auf die sog. Imponderabilien, Leipzig, 1856.

weiter von einander entfernen müssen. Freilich ist dabei zu bedenken, daß auch in dem Falle, wo man sich die realen Wesen, sei es in Wahrheit, sei es in der Fiktion, als ausgedehnt denkt, die aus der Abstoßung entstehende Bewegung der beiden B aus A rückgängig wird infolge der inneren Zustände, welche beide B im Zusammen mit A gewonnen haben. Jedes B bleibt vermöge des inneren Zustandes bestrebt, in A einzudringen, und behält diese Tendenz auch, wenn es genötigt ist, aus A zu weichen. Diese bleibende Tendenz wird die Bewegung von A weg anfangs verlangsamen und dann überwiegen, d. h. die B werden von neuem in A eindringen u. s. f. Da es also die inneren Zustände sind, welche hier die Lagen= und Be= wegungsverhältnisse bedingen, so bietet sich allerdings die Möglichkeit dar, anzunehmen, daß auch, abgesehen von jeder räumlichen Ausdehnung der Atome, die infolge eines vorausgegangenen Zusammens der Wesen vor= handenen Zustände die Ursache jener oszillierenden Bewegung sind.

Indessen sind auch noch einige andere Möglichkeiten vorhanden hin= sichtlich der Art und Weise, wie aus einer Wechselwirkung punktuell ge= dachter realen Wesen die Erscheinung der räumlich bestimmten Materie hervorgehen kann.[*]

56. Endlich ist noch ein vierter Versuch möglich. Man könnte näm= lich das Prädikat der Ausdehnung nicht allein den Realen als solchen, sondern auch allen aus ihnen zusammengesetzten Gebilden, also der Materie überhaupt, absprechen. Als Erscheinungen, welche thatsächlich an der Materie gegeben sind, lassen sich natürlich Ausdehnung und räumliche Bewegung nicht leugnen. Aber nicht unmittelbar einleuchtend ist es, daß diesen Er= scheinungen gerade etwas Räumliches, ein Außereinander der einfachen Wesen selbst, entsprechen muß. Freilich müssen sich diese Erscheinungen auf etwas gründen und beziehen, was ein Vorgang unter den Realen selbst ist, und zwar müssen den räumlichen und zeitlichen Erscheinungen gewisse formale Beziehungen, Ordnungen und Gruppierungen unter den letzten Elementen entsprechen; aber die Frage ist hier die, ob dies nicht möglichen Falls rein intensive Ordnungen und Gruppierungen sein könnten, wie solche die Psychologie unter den rein inneren, intensiven Zuständen der Seele kennt.

Nehmen wir an, daß alle die Welt bildenden Wesen in voller Durch= dringung begriffen sind, und sehen wir von aller Ausdehnung und räum= lichen Bewegung ab, so werden infolge dieses Zusammen in allen Wesen

---

[*] E. S. Cornelius: Abhandlungen zur Naturwissenschaft und Psychologie, 1887, S. 53 ff.

innere Reaktionszustände der mannigfaltigsten Art vorhanden sein, von denen uns allein die unserer Seele angehörigen bekannt sind. Wie hätte man sich nun hier die Entstehung der zeitlichen und räumlichen Formen zu denken? Auf die Beantwortung dieser Frage kommt es an, wenn die Erfahrung, wie sie sich darbietet, unter der gemachten Voraussetzung wirklich begriffen werden soll.

Nach unserer bisherigen Anschauung ist die Wechselwirkung bedingt durch das Zusammen der Wesen, eine Anschauung, welche hier beibehalten wird, aber das Nicht-Wirken war nach dem bisher Vorgetragenen an das Nicht-Zusammen der Wesen geknüpft. Diese räumliche Beziehung fällt nun bei der allgemeinen Durchdringung weg, was würde also hier diesem Nicht-Zusammen entsprechen? Wir nehmen die Dinge der Welt in verschiedener Entfernung wahr und bemerken, daß die Wesen, wenn sie aufeinander, wie bei der chemischen Aktion, wirken sollen, einander bis zur Berührung nahe kommen müssen, während wiederum andere, die in einem bestimmten Kausalnexus stehen, bis zu einem gewissen Maße auseinander gebracht werden müssen, damit sie aufhören, in der bisherigen Weise aufeinander zu wirken. Lediglich als subjektiver Schein, der auf gar keinem Vorgang in der objektiven Welt des Seins und Geschehens begründet wäre, dürfen diese räumlichen Formen, insbesondere das Außereinander, nicht gefaßt werden. Irgendwelche Vorgänge unter den Realen müssen ihnen entsprechen. Jedenfalls haben wir es hier mit gewissen formalen Bestimmungen zu thun, welche mit dem wirklichen Geschehen unter den Elementen selbst im Zusammenhange stehen. Kommen z. B. zwei Stoffe, die bisher in keiner chemischen Aktion standen, einander bis zur Berührung nahe, und gehen sie nun eine Verbindung ein, so haben wir einen Unterschied in Ansehung des Wirkens und Nicht-Wirkens; ersteres ist in der Anschauung vom Zusammen, letzteres vom Nicht-Zusammen begleitet. Auf Grund unserer Wahrnehmung bezeichnen wir das Zusammen als äußere, formale Bedingung des Wirkens und das Nicht-Zusammen als die des Nicht-Wirkens. Diesem Unterschiede in der Erscheinung muß notwendigerweise auch ein Unterschied, und zwar ein formaler, in dem objektiven Verhalten der Realen entsprechen, denn sonst könnte er auch nicht einmal als subjektiver Schein entstehen. Man könnte im Hinblick auf die obige Voraussetzung denken, das Nicht-Wirken der beiden Wesen sei bedingt durch ein drittes, durch welches etwa die Thätigkeit derselben gebunden wäre, so daß sie trotz ihres wirklichen Zusammens doch nicht aufeinander wirken könnten. Das dritte müßte also erst unwirksam werden, damit jene beiden Wesen gegen einander thätig zu werden vermöchten. Das, was wir bisher das Zusammen oder die äußere

Bedingung des Wirkens nannten, wäre hiernach in einem freien Zustande der Wesen zu suchen, in welchem sie für einander zugänglich sind; dem Nicht-Zusammen, als der äußeren Bedingung des Nicht-Wirkens, entspräche der gebundene Zustand eines oder beider Wesen, welcher sie trotz ihres Zusammens eben für einander unzugänglich macht; die Ursache, daß sie für einander unzugänglich sind, welche wir sonst in der räumlichen Trennung sahen, wäre hier eben jenes dritte; der Bewegung oder dem Übergange des Nicht-Zusammens, als des Zustandes des Nicht-Wirkens, in das Zusammen, als den Zustand des Wirkens, entspräche hier das allmähliche Unwirksam-werden des dritten, welches bisher das Wirken der beiden Wesen auseinander verhinderte.

Allein hiermit ist doch die Schwierigkeit noch nicht gehoben, denn jenes dritte dürfte kein reales Wesen, sondern dürfte nur ein formales Hindernis sein, welches eben auf analoge Weise völlig verschwände, wie der Raum zwischen zwei Dingen verschwindet, die sich bis zur Berührung nähern.

Es scheint nicht gelingen zu wollen, in dem objektiven Geschehen rein formale Vorgänge zu finden, wenn von dem räumlichen Auseinander ausdrücklich abgesehen werden soll. Nur ganz im allgemeinen könnte man sagen: an räumlichen Vorstellungsgebilden kann es bei dem Zusammen aller Wesen in der Seele nicht fehlen, denn in ihr ist eine Fülle von Vorstellungen vorhanden, die infolge von Hemmungen in abgestufter Klarheit gegeben, zu einer einheitlichen Anschauung zusammengefaßt werden müssen. Hingegen würde man sich bei der Erklärung der einzelnen Raum-formen mit den allgemeinen Bemerkungen begnügen müssen, sie seien eben solche und keine anderen, weil die sie bedingenden intensiven Ordnungen und Gruppierungen der einfachen Wesen gerade solche und keine anderen wären. Welcherlei indes diese sind, darüber würde sich kaum etwas näheres bestimmen lassen. Man sollte überdies meinen, daß mit der allgemeinen Durchdringung auch die völlige Gleichzeitigkeit sämtlicher Ursachen zu allen Empfindungen und Erscheinungen gegeben wäre; und es möchte schwer anzugeben sein, woher der Schein der Succession über-haupt komme.

Wenn man nun auch die eben vorgetragene Ansicht als eine immerhin mögliche zugeben wollte, so würde man doch bei der genaueren Erklärung der einzelnen Erscheinungen nicht umhin können, die betreffenden Wesen mindestens in der Fiktion in räumliche Beziehungen zu bringen. Die begriffliche Auseinandersetzung würde in Gedanken auch die räumliche nötig machen.

Wir sind daher der Meinung, daß es kaum thunlich sein wird, die räumlichen und zeitlichen Formen der uns gegebenen Erscheinungswelt zu erklären ohne die Annahme, daß wirklich räumliche und zeitliche Beziehungen unter den letzten Elementen selbst bestehen. Wie man sich diese Beziehungen denken könne, ist im Vorstehenden angedeutet. Völlig genügt freilich keiner der gemachten Versuche, allein es ist doch gezeigt, wie man auf verschiedenen Wegen hoffen kann, sich der Lösung des Problems voll-ständiger zu bemächtigen. Vielleicht indessen stehen wir hier an der Grenze des Begreiflichen, wie schon Leibniz meinte und Drobisch,*) Corne-lius**) und Thilo***) gleichfalls bekennen.

57. Mag man sich nun für die eine oder die andere der (Nr. 53 bis 56) hervorgehobenen möglichen Ansichten entscheiden, jedenfalls ist zur Ableitung des wirklichen Geschehens eine Vielheit von realen Wesen nötig, welche vermöge ihres Gegensatzes einander zur Wirksamkeit bestimmen. Um sich einigermaßen vorstellbar zu machen, wie die Thätigkeit, welche wir bisher als eine rein innerliche, in den einzelnen Wesen eingeschlossene kennen gelernt haben, zugleich als eine äußere Kraft sich geltend macht, also die Lagen- und Bewegungsverhältnisse der realen Wesen bestimmt, oder wie innere und äußere Zustände einander genau entsprechen müssen, denke man sich die einfachen Wesen als kleine Kügelchen, was als Fiktion jedenfalls gestattet ist. Die Kugelform ist die einzige, die man in An-betracht der einfachen Qualität eines jeden realen Wesens denselben zu-schreiben darf. Dächte man die realen Wesen anders, so würde die Verschiedenheit der Lage der ideellen Teilchen eines Wesens auch die Frage nach einem Grunde dieser Verschiedenheit rege machen. Zu einer ver-schiedenen Anordnung aber der ideellen Teilchen ist bei einem streng ein-fachen Wesen durchaus kein Grund vorhanden. Aus demselben Grunde ist jedes Wesen in allen Punkten seiner Ausdehnung als vollkommen gleichbeschaffen zu denken.†) Kommen nun zwei qualitativ einander ent-gegengesetzte, für einander durchdringliche Wesen zusammen, so wird mit dem Beginn des Eindringens jedes vermöge des zwischen ihnen bestehenden Gegensatzes das andere zu stören suchen, aber auch jedes sich gegen das andere in seiner Qualität erhalten.††) Dieser Thätigkeitszustand ist vor-

---

*) Zt. f. ex. Ph. V. 140.

**) Zt. f. ex. Ph. VI. 30.

***) Kurze pragmatische Geschichte der neueren Philosophie, 1874, S. 379.

†) Über einige von Langenbeck hiergegen erhobene Bedenken s. Zt. f. ex. Ph. VIII. 168.

††) Hinsichtlich des Zusammenkommens der Wesen läßt sich, wenn man von dem gegebenen Weltzusammenhange absieht, an eine ursprüngliche Bewegung denken (Nr. 32).

handen nicht allein in den Teilen des Wesens, welche bereits faktisch durchdrungen sind, sondern, da jedes Wesen ein intensives Eins ist,[*]) auch in den Teilen, welche noch nicht durchdrungen sind. So ist also Störung und Selbsterhaltung schon im ersten Momente des Eindringens in allen Teilen beider Wesen zumal vorhanden. Die Störung, welche jedes Wesen in dem anderen hervorzubringen sucht, läßt sich mit Herbart einem wechselseitigen Drucke, die gegen die Störung gerichtete Selbst= erhaltung einem Gegendrucke vergleichen. Beide Wesen werden völlig ineinander eindringen und jedem Versuche, sie zu trennen, einen bestimmten Widerstand entgegensetzen. Im Momente der vollen Durchdringung erreicht die Selbsterhaltung ihre größte Intensität. Da der Antrieb zu tieferem Eindringen bis zu dem Augenblicke des vollkommenen Ineinander fort= dauert, so muß die Geschwindigkeit der beiden Wesen stetig zunehmen und in dem bezeichneten Momente am größten sein; daher werden beide Wesen infolge der einmal erlangten Geschwindigkeit über den Punkt der vollen Durchdringung hinaus nach entgegengesetzten Richtungen auseinander weichen oder sich durcheinander hindurch bewegen. Die Geschwindigkeit dieser Be= wegung vermindert sich indes fortwährend, weil beide Wesen vermöge ihres Gegensatzes in die Lage des vollkommenen Zusammen zurückstreben, es erfolgt demnach eine rückläufige Bewegung, falls die Geschwindigkeit früher Null wird, ehe sich die Wesen völlig getrennt haben. Indem nun beide Wesen mit beschleunigter Bewegung wiederum zur vollen Durch= dringung gelangen, findet auch von neuem jene Oszillation statt, für deren Aufhören, so lange man bloß zwei solche Wesen ins Auge faßt, keine Gründe vorliegen. Man kann nun das Streben beider Wesen, völlig in einander einzudringen, wenn sie sich einmal in der Lage des unvollkommenen Zusammens (der partialen Durchdringung) befinden, Anziehung nennen. Diese wird um so stärker sein, je stärker der Gegen= satz zwischen den beiden Wesen ist.

58. Denke man jetzt an drei reale Wesen, B und B, beide einander völlig gleich, und ein ihnen qualitativ entgegengesetztes A. Der Gegensatz zwischen A und B sei gleich, d. h. so beschaffen, daß je ein Wesen von der Art A und je eins von der Art B sich gegenseitig zu einem gewissen Maximum der Selbsterhaltung bringen können, falls sie vollständig zu= sammen (ineinander) sind. Berühren nun die beiden qualitativ gleichen B das ihnen im gleichen Maße entgegengesetzte Wesen A an verschiedenen

---

[*]) Oder wie man im Hinblick auf die gemachte Fiktion sagen kann: da die Teile eines jeden Wesens vollkommen stetig zusammenhängen.

Seiten, so werden sie vermöge ihrer Wechselwirkung mit A tiefer in dieses eindringen. Letzteres, von beiden B in Anspruch genommen, hat sich gegen beide in seiner Qualität zu erhalten. Sollten nun beide B in A völlig eindringen, so müßte A eine doppelt so starke Selbsterhaltung leisten, als jedes einzelne B. Einer solchen Steigerung ist indes die Selbsterhaltung nicht fähig, mehr als vollständig kann sie nicht sein. Das Streben der beiden B, völlig in A einzudringen, kann nicht vollständig realisiert werden, weil A bereits durch teilweises Eindringen der beiden B zum Maximum der Selbsterhaltung gelangt. Dieses Maximum könnte schon ein B hervorbringen, wenn es mit A völlig zusammen wäre; beide B brauchen zu diesem Behufe nur zur Hälfte in A einzudringen. Einem tieferen Eindringen der B über diese Grenze hinaus wird A einen Widerstand — eine Abstoßung — entgegensetzen, indem es einer Erhöhung seiner Selbsterhaltung über das betreffende Maximum hinaus nicht fähig ist.*) Außerdem liegt noch die Möglichkeit vor, daß die beiden qualitativ gleichen B selbst während ihres Eindringens in A in eine repulsive Thätigkeit widereinander geraten, was jedoch noch keine Trennung zur Folge haben wird, falls der Gegensatz und somit auch die Attraktion zwischen ihnen und A hinreichend stark ist. So werden die drei Wesen B, A, B, durch Attraktion mit einander verknüpft, durch Repulsion aber an einer völligen gegenseitigen Durchdringung verhindert, bereits ein räumliches Gebilde in linearer Form darstellen. Auf ganz analoge Weise werden vier qualitativ gleiche Wesen ein Quadrat und acht einen Kubus um ein ihnen entgegengesetztes Wesen bilden, da die ersteren wegen des gleichen Gegensatzes gleich tief und in gleichmäßiger Anordnung in das ihnen entgegengesetzte Wesen eindringen müssen.

59. Bisher handelte es sich nur um Wesen, welche in gleichem Gegensatze zu einander stehen, so daß also zwei Wesen, zwischen denen ein solcher Gegensatz obwaltet, sich gegenseitig zum Maximum der Selbsterhaltung bringen können. Es sind indessen auch noch andere Annahmen möglich. Der Gegensatz unter den letzten Elementen der Natur kann nämlich sein: 1) stark und gleich, 2) stark und ungleich, 3) schwach und gleich, 4) schwach und ungleich. Wir wollen hier nur noch den zweiten Fall ins Auge fassen, d. h. Wesen annehmen, von welchen eine relativ große Anzahl erforderlich ist, um eines von einer bestimmten anderen Art zur vollen Selbsterhaltung zu bestimmen. Demgemäß wird dieses letztere,

---

*) Bezüglich einer untriftigen Einwendung von Langenbeck gegen die von Herbart gegebene Ableitung der Anziehung und Abstoßung s. Zt. f. ex. Ph. VIII. 168.

welches mit A bezeichnet sei, sich mit einer relativ großen Anzahl der ersteren (C) verbinden können, ehe ihnen von Seiten desselben (A) eine Repulsion entgegentritt. Sobald jedoch eine gewisse Anzahl der eindringenden Wesen C überschritten wird, muß A abstoßend wirken. Jene Wesen müssen dann gleichmäßig aus A heraustreten, aber doch noch in teilweiser Durch= dringung mit A beharren und daher eine kugelförmige Schicht um dasselbe bilden.*) Mittels der diese Schicht bildenden Wesen, welche sich in einem durch A bestimmten Thätigkeitszustande befinden, kann dieses auf andere Wesen von derselben Art C, falls sie mit der betreffenden Schicht in Berührung sind, eine Anziehung ausüben und sie zur Herstellung einer zweiten Schicht nötigen, um welche sich ebenfalls eine dritte u. s. w. bilden kann. Doch wird mit der Entfernung von dem Wesen A die teilweise Durchdringung je zwei aufeinander folgender Schichten immer geringer werden.

Alle Wesen nun, welche eine relativ große Anzahl gewisser anderer sphärenartig um sich gruppieren können, nennt man Grundatome, Kern= punkte der wägbaren Materie, die anderen Ätheratome.

60. Kommen zwei Grundatome A und B, jedes mit einer Äther= sphäre umgeben, einander bis zu einer gewissen Distanz nahe, so wird vermöge einer durch den Äther vermittelten Anziehung - eine weitere An= näherung der Grundatome bewirkt werden. Die zu A gehörigen Äther= atome sind nämlich in Thätigkeit gegen A begriffen, die zu B gehörigen in Reaktion gegen B. Mögen nun auch die beiderseitigen Ätheratome selbst in betreff ihrer ursprünglichen Qualität einander gleich sein, so finden doch die zu A gehörigen Ätheratome in den zu B gehörigen einen Reaktionszustand gegen B und diese in jenen einen Reaktionszustand gegen A vor. Die zu B gehörigen Ätheratome repräsentieren den zu A gehörigen B und diese jenen A. Infolge dieses übertragenen Gegen= satzes werden sich die in Durchdringung begriffenen Ätheratome der beiden Sphären so verhalten, wie sich A und B in unmittelbarer Berührung zu einander verhalten würden, nur in schwächerem Maße. Auf diese Weise wird begreiflich, wie ein Grundatom vermöge des übertragenen Gegensatzes auch da wirken kann, wo er selbst nicht ist, wie also eine Wirkung in die Ferne möglich ist, nicht durch den absolut leeren Raum hindurch, sondern vermittelt durch eine Reihe realer Wesen (Äther), welche

---

*) Eine von dieser Auseinandersetzung etwas abweichende, jedoch im wesent= lichen zu demselben Resultate führende Ansicht über die Repulsion hat Kramár a. a. O. 150 aufgestellt; vgl. eine Besprechung derselben in Zt. f. ex. Ph. XI. 45.

in einer gewissen Verbindung mit dem Wesen stehen, von welchem die
Wirkung ausgeht. Es ist ersichtlich, daß Atome, welche von Ätherspären
umgeben sind, dem Resultate nach dasselbe leisten können, was die Atome
der gewöhnlichen physikalischen Ansicht, nach welcher die Atome als ursprüng=
liche Kraftwesen aufgefaßt werden und soweit in die Ferne wirken sollen,
als eben ihre Kraftspäre reicht. Im Laufe der weiteren Ableitung der
Naturerscheinungen*) berühren sich beide Anschauungen in mehreren Punkten.
Gewisse, als Atome bezeichnete Wesen wirken hier wie da nach einer
Funktion ihres Abstandes. Sodann kommt hinsichtlich beider Ansichten die
Verschiedenheit von qualitativen Mischungsverhältnissen, von Lagen= und
Bewegungsverhältnissen der Atome in Betracht. Was also die gewöhnliche
physikalische Atomistik in der Naturerklärung leistet, wird die hier in ihren
Grundzügen dargelegte in nahezu gleicher Weise leisten. Die letztere bietet
ferner auch das dar, was die theoretische Chemie nicht selten noch als ein
besonderes Erklärungsmoment hinzubringt, nämlich die Verschiedenheit der
ursprünglichen Qualitäten der Stoffe. Endlich aber hat sie noch im Zu=
sammenhange ihrer Begriffsentwickelungen die Theorie der inneren Zustände
gewonnen, durch welche erst eine Einsicht in die eigentliche Bedeutung der
qualitativen Verschiedenheit der Stoffe, bezw. der Atome in Anbetracht der
chemischen, physiologischen und schließlich der psychischen Vorgänge möglich
wird. Zu einer näheren Erörterung der geistigen Zustände führt uns das
idealistische Problem.

Das Problem des Ich.

61. Nur sehr allmählich hat sich das Problem des Ich oder des
Idealismus als solches herausgestellt. Die ganze alte Philosophie hat es
kaum vorbereitet, während es seit Des=Cartes gewissermaßen das Haupt=
problem der Philosophie geworden ist. Hinsichtlich der geschichtlichen Ent=
wickelung dieses Problems sind namentlich drei Stufen zu beachten. Zuerst
regten sich Zweifel an der Sicherheit unserer Erkenntnis der Dinge und

---

*) Darüber vgl. Cornelius: Grundzüge einer Molekularphysik. Halle, 1666,
und dazu die Rec. in Zt. f. ex. Ph. VII. 287 ff., vgl. auch Zt. f. ex. Ph. II. 113 ff.
Über die Wechselwirkung der Grundatome vermittelst des Äthers, sowie über freien
und gebundenen Äther vgl. noch besonders: Cornelius, Zur Molekularphysik,
Halle, 1875, und Zt. f. ex. Ph. XII. Über das Problem der Materie, unter Bezug=
nahme auf die neuere betreffende Litteratur. Derselbe: Abhandlungen zur Natur=
wissenschaft und Psychologie. 1887.

Flügel, Die Probleme der Philosophie.　　7

führten zu dem negativen Resultat, daß unsere Wahrnehmungen und Erkenntnisse uns das eigentliche Wesen der Dinge nicht bekannt machen.
Sodann wurde die Existenz von Dingen außer uns überhaupt zunächst
bezweifelt und dann geleugnet. Endlich versuchte man auf Grund der gegebenen Wahrnehmungen den reinen Idealismus, welcher das Vorhandensein
der Dinge außer uns in Abrede stellt, zu verlassen und zu einem Realismus
zurückzukehren, der die Existenz einer Außenwelt nicht ohne weiteres voraussetzt, sondern zu beweisen bestrebt ist.

Die Alten erkannten, daß, was wir von den Dingen überhaupt wissen,
wir durch unsere Sinne wissen. Allein was die Sinne uns von den
Dingen lehren, ist von der Art, daß die Erkenntnis sich nicht dabei beruhigen kann. Als das wahre Wesen der Dinge sehen vielmehr sämtliche
alte Metaphysiker etwas an, was als solches nicht sinnlich wahrgenommen
wird, aber doch der letzte Grund alles Vorhandenen, Wahrnehmbaren ist.
Stellte es sich nun aber heraus, daß es unmöglich ist, wie die Eleaten und
Heraklit erkannten, aus dem angenommenen Prinzip das folgerecht abzuleiten, was die Sinne uns darbieten, so mußte entweder die Spekulation
falsch sein oder die Sinne mußten trügen. Hinsichtlich der Spekulation
glaubte man sorgfältig genug verfahren zu sein, die Schuld also davon,
daß die Wahrnehmung die Dinge nicht so fand, wie die Spekulation es
erforderte, mußte den Sinnen zugeschrieben werden. Diese sind falsche
Zeugen dessen, was ist und geschieht. Darin stimmten die Eleaten und
Heraklit überein. Von den ersteren suchte Zeno noch besonders das
Widersinnige in den gegebenen Erscheinungen, namentlich der Bewegung,
nachzuweisen.

Allein, wenn die Sinne falsche und gleichwohl die einzigen Zeugen
der Dinge sind, wird nicht alle Erkenntnis, die sich auf sinnliche Wahrnehmungen stützt, völlig unsicher? Es ist ein gemeinsames Merkmal der
Spekulation bei Sokrates, Plato und Aristoteles, daß sie dieser
Frage nicht Raum geben, sondern unerschütterlich fest an dem Glauben an
die Wahrheit, an die Zuverläßigkeit ihres Denkens halten. Freilich sind
es nicht zum wenigsten sittliche Motive, welche sie bestimmen, die Wahrheit
der Erkenntnis gegenüber den Sophisten zu vertreten, welche eine Sicherheit der menschlichen Erkenntnis teils bezweifelten, teils leugneten. Und
doch konnten jene Männer von ihrem Standpunkte aus gewisse Bedenken
der Sophisten gar nicht widerlegen, oft nicht einmal würdigen. .

62. Die Sophistik schloß sich an die Zweifel teils der Eleaten,
teils des Heraklit an. Als Vertreter der ersten Richtung ist besonders
Gorgias, als der der zweiten Protagoras bekannt: jener mit der

Behauptung, es gibt kein Wissen, sondern alles ist Irrtum, dieser mit der Behauptung, es gibt keinen Irrtum, sondern jeder Gedanke ist ein besonders erzeugter Zustand des ewigen Flusses, des eigentlichen wahren Wesens der Dinge und darum Wahrheit, mögen wir ihn falsch oder wahr nennen. Protagoras ist für die Entwickelung des idealistischen Problems noch besonders dadurch wichtig, weil hier deutlich der Gedanke der Relativität alles Gegebenen zu Tage tritt, wovon sich bereits bei Anaxagoras und den Atomikern Andeutungen finden. Er unterscheidet nämlich das Wahrnehmbare oder Wahrgenommene von der Wahrnehmung selbst und erkennt, daß das Wahrnehmbare nur insofern Bedeutung hat, als es eben wahrgenommen wird, als es für uns, die Wahrnehmenden, da ist. Es kann also niemand von irgend etwas sagen, daß es und was es an sich, d. h. ohne Rücksicht auf den Wahrnehmenden, ist, sondern nur, wie es wahrgenommen wird. Daher der Satz: der Mensch ist das Maß aller Dinge. Es wird hier nach unserer Ausdrucksweise der objektive Faktor ($\varphi\acute{v}\sigma\iota\varsigma$) der Erscheinungen von dem subjektiven ($v\acute{o}\mu o\varsigma$) unterschieden und bemerkt, daß der erstere als solcher uns völlig unzugänglich ist. Auch die Akademie und die späteren Skeptiker haben diese Betrachtungen im Grunde genommen nicht weitergeführt, wenn sie dieselben auch bedeutend verschärft haben. Ihre Hauptargumente richten sich gegen die Annahme eines untrüglichen Kennzeichens der Wahrheit, wie ein solches von dem Dogmatismus, namentlich der Stoiker, festgehalten wurde. Ein solches Kriterium der Wahrheit, so argumentieren die Skeptiker, besitzen wir weder in der Wahrnehmung, noch in dem Verstande. In dem letzteren nicht, weil jeder Satz eines Beweises bedarf und so ins Unendliche zurückführt, außerdem aber jeder Beweis doch nur eine subjektive Bewegung unseres Geistes ist. Besonderes Interesse aber haben die Argumente gegen die Wahrheit der sinnlichen Wahrnehmung. Nimmt man die zehn Tropen des Änesidemus, welche sich nach Sextus Empiricus in den einen Grundgedanken der Relativität aller unserer Vorstellungen vereinigen lassen, und was dieser sonst noch anführt, zusammen,*) so erhalten wir ungefähr die Ansicht,

---

*) Die Akademie wurde namentlich durch Arcesilaos und Karneades nahe an den Skeptizismus geführt, indem ihnen jede Gewißheit, sowohl des Beweises als der Wahrnehmung, zweifelhaft war, und nur eine gewisse Wahrscheinlichkeit für die Behandlung und den Gebrauch der Dinge des gewöhnlichen Lebens als möglich übrig blieb. Der Sache nach nehmen die Skeptiker diese Argumente gegen die Wahrheit der Erkenntnis wieder auf, wenn sie es auch nicht Wort haben wollen, und schließen sich an den Pyrrho an. Was der gesamte Skeptizismus geleistet hat, hat Sextus Empiricus zusammengefaßt. Besondere Wichtigkeit für uns haben

7*

welche heutzutage Gemeingut der philosophischen und naturwissenschaftlichen
Anschauung geworden ist, daß wir nämlich in uns nur unsere subjektiven
Zustände wahrnehmen, welche auf irgend eine (nicht näher zu bestimmende)
Art von außen angeregt sind. Eben darum können unsere Wahrnehmungen
uns nicht mit den Dingen selbst außer uns bekannt machen.

---

die zehn Tropen des Änesidemus, welche alsdann bald zu fünf, bald zu zwei
Tropen zusammengezogen werden.

1. Der erste Tropus beweist die Unsicherheit der Erfahrung aus der Thatsache,
daß sich derselbe Gegenstand bei verschiedenen Tieren in der Wahrnehmung verschieden
darstellt. Die Tiere haben verschiedenen Ursprung, haben verschieden gebaute
Augen u. s. w., also müssen auch ihre Empfindungen verschieden sein.

2. Die gleiche Verschiedenheit, wie bei den Tieren, herrscht bei den Menschen:
der Gelbsüchtige sieht für gelb an, was anderen weiß, für grün an, was anderen
blau erscheint u. s. w.

3. Nicht einmal der einzelne ist überall mit sich eins, indem die verschiedenen
Sinne Verschiedenes und nicht selten Entgegengesetztes über die Dinge aussagen: auf
der gemalten Tafel erscheint dem Auge z. B. etwas erhaben, dem Gefühl aber nicht.
Ferner wissen wir gar nicht, ob wir mit weiteren, anderen Sinnen nicht noch viele
andere verborgene Eigenschaften an den Dingen entdeckten.

4. Die körperlichen und geistigen Zustände, wie Gesundheit, Krankheit, Jugend,
Alter, Schlaf, Wachen, Nüchternheit, Trunkenheit, Ruhe, Bewegung, Neigung, Abneigung wirken auf unsere Ansicht von Dingen bestimmend ein. An was soll man
erkennen, welcher Zustand derjenige ist, in welchem man die Dinge richtig erkennt?

5. Es zeigen sich Verschiedenheiten, welche sich für die Beobachtung durch die
Umstände ergeben, unter welchen sie geschieht (Entfernung, Beleuchtung, Lage u. s. w.).

6. Wir nehmen alles durch ein Medium wahr, anders erscheint etwas, wenn
wir es durch die Luft, anders, wenn wir es durch das Wasser sehen. Gerüche sind
im Sonnenschein stärker u. s. w. Wir können aber nicht berechnen, welchen Einfluß
diese besonderen Umstände auf die Beobachtung selbst haben.

7. Dasselbe erscheint bei verschiedenen Maßverhältnissen verschieden: derselbe
Gegenstand erscheint zerkleinert weiß, als Masse schwarz oder gelb; ein einzelnes
Sandkorn fühlt sich hart, ein Sandhaufen weich an. Derselbe Stoff bringt, in ver-
schiedenen Quantitäten genossen, ganz entgegengesetzte Wirkungen im Körper hervor.

8. Alle Prädikate, welche wir den Dingen beilegen, sind nur Relationen der
Dinge zu uns, z. B. ob etwas rechts oder links steht. Wir können das Relative nie
trennen von dem andern, worauf es sich bezieht, und darum nicht wissen, was es
an sich selbst ist.

9. Das Ungewohnte macht einen stärkeren Eindruck als das Gewohnte. Die
Eindrücke also, von denen unsere Vorstellungen ausgehen, sind subjektiv.

10. Durch die Verschiedenheit der Lebensweise, der Gesetze, des Herkommens,
der Meinung wird die Entscheidung über das Wahre, Gute, Naturgemäße schwankend.
Alle diese Tropen faßt Sextus Empiricus in den Grundgedanken der
Relativität der Erscheinungen zusammen: οἱ οὗτοι τρόποι ἀνάγονται εἰς τὸ
πρός τι.

117

Dagegen tritt uns noch nicht der Unterschied zwischen dem Inhalt und der Form des Gegebenen entgegen und ebensowenig der Zweifel, ob denn überhaupt noch etwas von uns Abhängiges außer uns existiert oder nicht. Dies letztere hängt wieder damit zusammen, daß, soviel auch gegen die Giltigkeit der Kausalität gesagt wird, doch der eigentliche Punkt, nämlich, ob die Kausalität nur eine subjektive Vorstellungsart ist oder objektive Bedeutung hat, von den Alten so gut als gar nicht berührt wird.

63. An diesem Sachverhalt haben auch die skeptischen Bedeutungen der englischen Philosophen Hobbes und Locke nicht viel geändert, sie führen nicht weiter, als bis dahin: die sogenannten Eigenschaften der Dinge sind nichts anderes, als unsere subjektiven Empfindungen.*)

Hingegen ist wohl Des-Cartes der erste,**) welcher den Zweifel an der Existenz von etwas Objektivem außer uns rege macht. Ihm ist es nicht genug, die Möglichkeit hinzustellen, es könne dem Inhalt und der Form unserer Empfindungen nicht das entsprechen, als was wir die Dinge gewöhnlich ansehen, sondern er spricht auch den Gedanken aus, es könnte vielleicht überhaupt nichts Objektives den Vorstellungen zu Grunde liegen, es könnte sich vielmehr mit denselben ebenso verhalten, wie mit den Einbildungen eines Träumenden, die reine Phantasiegebilde ohne alle Objektivität und Realität sind. Nimmt man noch den anderen Satz des Des-Cartes hinzu, daß nämlich zwischen der Materie, also der Außenwelt, und dem Geiste keinerlei Kausalität besteht, ein Satz, dem auch

---

*) über Hobbes s. Zt. f. ex. Ph. IX. 351 und 357, über Locke IX. 367 und VIII. 313.

**) Unter den alten Philosophen war Plotin schon fast ganz in den Idealismus hineingeraten, ohne aber die Tragweite seiner Gedanken zu sehen. Er bemerkt, daß das Denken das wahrhaft Seiende ist, alles Leben ist ein Denken, alles Wirken ist ein Schauen, da es das Wirken einer Seele ist, und alles geschieht nur um des Schauens willen, wie ja auch der Mensch nur darum handelt, um zum vollendeten Schauen zu gelangen. Ferner hatte der Kirchenvater Augustinus in vielen Schriften zerstreut die Richtung auf das Ich genommen und dieses als das einzig Gewisse bei allem Zweifelhaften festgehalten: wenn alles zweifelhaft ist, heißt es z. B. de trinit. lib. X. 14, so doch nicht, daß ich lebe, bin, denke und zweifle. Denn wenn jemand zweifelt, lebt er; wenn er zweifelt, erinnert er sich dessen, woran er zweifelt; wenn jemand zweifelt, erkennt er, daß er zweifelt; wenn jemand zweifelt, will er Gewißheit haben; wenn er zweifelt, denkt er; wenn er zweifelt, weiß er, daß er sich in Ungewißheit befindet; wenn er zweifelt, urteilt er, daß er nicht ohne Grund beistimmen dürfe. Wer daher an irgend etwas anderem zweifelt, darf an allen diesen Vorgängen nicht zweifeln, denn wenn diese nicht wären, würde er überhaupt an nichts zweifeln können. Vgl. auch de vita beata 7, de trinit. XV. 21, de libero arbitrio II. 7; Soliloq II. 1.

Spinoza zustimmt und den Leibniz auf alle Wesen ausdehnt, so sind bereits hier für den vollen Idealismus alle Voraussetzungen vorhanden. Konsequent wäre es für alle diese Philosophen allein gewesen, zu bekennen, daß wir in der That die Außenwelt nicht nur nicht kennen, sondern daß wir nicht einmal wissen, ob eine solche vorhanden, ob nicht etwa unser Geist das einzige Reale ist. Denn wie soll von einer Kenntnis der Außenwelt die Rede sein, wo eine Einwirkung derselben auf den Erkennenden, ja wo überhaupt jeder Kausalnerus zwischen zwei Dingen geleugnet wird? Allein teils sah man diese Konsequenz nicht, teils suchte man dieselbe durch andere Annahmen zu vermeiden, von denen bald die Rede sein soll. Auch Kant, geleitet von dem Satze Humes, daß Kausalität in Wirklichkeit nicht bestehe, sondern nur eine subjektive Notwendigkeit unseres Geistes sei, spricht der Außenwelt oder den Dingen an sich alle Kausalität und damit die Fähigkeit, auf unseren Geist zu wirken, ab. Seinem transcendentalen Idealismus fehlte es nur, wie J. H. Jacobi mit Recht bemerkt, an Konsequenz, um in den vollen Idealismus überzugehen, für welchen bei Kant alle Voraussetzungen vorhanden waren (Nr. 72).*)

———

*) S. Zt. f. ex. Ph. I. 10 f. Diese Inkonsequenz bei Kant bemerkten nicht allein seine Gegner, sondern auch seine Anhänger. So heißt es z. B. bei G. E. Schulze: „Wenn man mit Kant annimmt, daß die Kategorien der Ursache und Wirkung nur auf Erfahrungsgegenstände angewandt werden dürfen, so kann man nicht behaupten, daß die Wirkung von Dingen, welche außer unserer Vorstellung existieren, den Inhalt der Vorstellungen hervorbringen. Wollen wir auch zugeben, daß wir uns einen bestimmten Grund unserer Erfahrungserkenntnisse denken müssen, so wäre doch immer erst zu erweisen, daß dieser Gegenstand außer uns selbst liegt, daß unser Gemüt nicht die alleinige Ursache unserer Vorstellungen sein könne." „Eines Stoffes, bemerkt Salomon Maimon, bedürfen wir freilich für unser Denken, denn das Denken ist Beziehung einer Form auf eine Materie, und dieser Stoff muß uns als das allem bewußten Denken Vorangehende gegeben sein. Damit aber ist noch nicht gesagt, daß er von Dingen außer uns herrühren müsse; das ist vielmehr eine widersinnige Annahme, denn wie kann das, was außer uns ist, als Stoff unserer Vorstellungen in uns sein? Sondern ein Gegebenes ist das, dessen Ursprung uns unbekannt ist; das, was wir in Gedanken nicht auflösen können, das Irrationale, das Noumenon bezeichnet nur die Grenze unseres Erkennens." Ebenso hebt Beck hervor, „daß die Vorstellung auch nach Inhalt und nicht allein nach ihrer Form auf ein ursprüngliches Vorstellen und nicht auf Dinge-an-sich zurückgeführt werden müßte." Aber diesem ursprünglichen Vorstellen, welches Anlaß gibt, daß wir Dinge nach Form und Inhalt denken, hatte noch niemand genauer nachgeforscht. Die positive Antwort darauf gab erst Fichte, indem er das Ich ansah als die alleinige Quelle alles Vorstellens, und zwar geschah dies in der Meinung, damit erst die Ansicht Kants recht zu verstehen und auszusprechen.

Denn wo die Kausalität aufgehoben wird, muß sich konsequenter Weise auch stets der volle Idealismus einstellen.

64. Am weitesten ausgebildet zeigt sich der volle Idealismus bei Berkeley und Fichte. Ersterer geht von Lockes Resultat aus, daß wir die Dinge selbst nicht erkennen, und behauptet, das Wesen der Dinge ist überhaupt nichts weiter, als Wahrgenommen-werden, ihnen als solchen liegt nichts Selbständiges, Reales zu Grunde; unter den sogenannten äußeren Dingen oder richtiger Ideen besteht keinerlei Kausalität, vielmehr ist alles, was darauf hinzudeuten scheint, nur eine für unseren Geist fest- stehende Aufeinanderfolge. Hingegen hielt er die Kausalität in Bezug auf die Entstehung der Ideen fest. Deren unmittelbare Ursache sei in Gott zu suchen. Auf diese Weise wird eigentlich die gewöhnliche Meinung, daß unseren Wahrnehmungen etwas als Ursache und zwar eine äußere von uns unabhängige Ursache zu Grunde liegt, nicht aufgegeben. Der Unterschied liegt nur in dem, was man als die Ursache unserer Ideen ansieht, hier nimmt der gewöhnliche Realismus die äußeren Dinge als diese Ursache an, nach Berkeley ist diese Ursache Gott, der Urheber aller Geister und aller Erscheinungen, welche die unmittelbaren Wirkungen Gottes auf unseren Geist sind. Die äußere Ursache der Erscheinungen in jeglicher Gestalt gab erst Fichte auf, und sein Idealismus ist eben darum die letzte Konsequenz der idealistischen Voraussetzungen. Nach Fichte besteht auch das Wesen der Dinge, wie bei Berkeley, in der bloßen Vorstellung; er geht aber dadurch noch über Berkeley hinaus, daß er nicht mehr nach einer äußeren Entstehungsursache dieser Vorstellungen sucht, sondern, von einer solchen ausdrücklich absehend, unseren Geist selbst als den alleinigen Urheber alles dessen ansieht, was er äußerlich wahrzunehmen glaubt. Nach dem ihm innewohnenden Gesetze des absoluten Werdens erzeugt das Ich seine Ideen, von denen einige mit dem Schein der Äußerlichkeit behaftet sind. Das Fichte'sche Ich hat somit die größte Ähnlichkeit mit einer Leibniz'schen Monade, welche auch aus eigenem Fond ihre Vorstellungen ohne alle äußere Anregung erzeugt. Nur hat Fichte auch den Gedanken aufgegeben, als müsse diesen Vorstellungen etwas Objektives in der Außen- welt entsprechen. Eine Inkonsequenz dieses vollen Idealismus kann man nur etwa an zwei Punkten finden, nämlich die Reden vom „unbegreiflichen Anstoße" schienen auf eine vom Ich unabhängige Ursache zu deuten, welche gleichwohl wiederum vom Ich gesetzt war (Nr. 9); sodann fühlte sich Fichte aus moralischen Gründen bewogen, nicht sein eigenes Ich als das allein Existierende anzusehen — wie es die äußerste Konsequenz gefordert hätte*) — sondern, wie auch Berkeley that, die Existenz anderer vernünftiger Wesen, nicht zu bezweifeln.

65. So hatte sich das Ich als das, was uns allein gegeben ist, erst am Ende einer langen Reihe von Denkversuchen über die Erkenntnis heraus= gestellt. Mochte es indessen auch aus psychologischen Gründen unmöglich sein, daß die geschichtliche Entwickelung der Metaphysik mit dem Problem des Ich begann, so ist es doch jetzt das uns zunächst liegende Problem, welches füglich zum Ausgangspunkt der metaphysischen Spekulation gemacht werden kann. Denn es leuchtet ein, daß alles, was gegeben ist, nur unser Vorgestelltes ist und nur insofern gegeben ist, als es vorgestellt wird. Äußere Dinge, welche unseren Vorstellungen entsprechen, sind nicht gegeben und können als solche nicht gegeben sein, ihre Annahme beruht zunächst nur auf Gewöhnung. Für den heutigen Standpunkt der Metaphysik ist daher nicht der Idealismus, sondern der Realismus das zu beweisende System.

Versuche, aus dem Idealismus zu dem Realismus zurückzukehren.

66. Der gewöhnliche Mensch vermag es nicht zu begreifen, wie jemand an der Existenz von etwas zweifeln kann, was man doch sieht, hört, tastet u. s. w., und glaubt, die Zumutung, alle unsere sinnlichen Empfindungen nur eben als unsere Empfindungen oder Vorstellungen und als nichts weiter anzusehen, dadurch abweisen zu können, daß er sich auf die Gewiß= heit der Empfindung und die herrschende Anschauung, die Empfindungen nach außen als Eigenschaften von Dingen zu versetzen, beruft. Da muß doch etwas sein, sagt selbst Schleiden, wo ich mir die Nase blutig stoße. Wer in Gedanken, spricht Autenrieth, den Kopf heftig gegen eine Thüre rennt, wird sich plötzlich überzeugt fühlen, daß das Nicht=Ich schon ander= wärts müsse gesetzt sein und daß das Setzen oder Nicht=Setzen des Nicht= Ich durch das Ich eines Philosophen zum Dasein oder Nicht=Dasein der Dinge außer uns auf der Welt nichts beitrage. Dergleichen Gründe gegen den Idealismus sind bekanntlich Berkeley und Fichte im gemeinen Leben

---

*) Die Ansicht, daß der Denkende allein existiere und sonst überhaupt nichts, heißt Solipsismus oder theoretischer Egoismus. Ob diese Meinung je im Ernste Anhänger gehabt hat, wird man bezweifeln müssen. Wolff berichtet: fuit paucis abhinc annis assecla quidam Malebranchii Parisiis, qui Egoismum professus (quod mirum videri poterat) asseclas et ipse nactus est. (Psychologia rationalis, 1740, S. 38.)

oft genug vorgehalten und von ihnen ebenso oft treffend durch die Er=
innerung widerlegt worden, daß ja im obigen Falle die Thüre, der Kopf
und der Schmerz eben nur unsere Vorstellungen sind. Auf demselben
Standpunkte des naiven Realismus, ohne die Konsequenzen seiner Leugnung
der Kausalität zwischen Leib und Seele zu sehen, steht Spinoza mit der
Erklärung: nos corpus quoddam multis modis affici, *sentimus**) und
der anderen: ordo et connexio idearum idem est ac ordo connexio
rerum. Auch der Realismus von Krug, Bouterweck, Schulze,
Schleiermacher, Jacobi**) hat in nichts anderem seinen Grund, als
in der Berufung auf das thatsächliche Gegebensein unserer Empfindungen,
bezw. auf das Bestimmtwerden unseres Ich von einer Außenwelt. Wie
hier überall ohne alles Bedenken die Existenz einer objektiven Außenwelt
vorausgesetzt wird, so auch in den meisten materialistischen Reden unserer
Tage, und der Materialismus muß sich darum jetzt oft den Vorwurf eines
naiven Realismus***) machen lassen, ohne diesen Vorwurf zurückweisen
zu können.

Im Grunde genommen wird auch da kein anderes Argument gegen
den Idealismus vorgebracht, wo man eine höhere Anschauung geltend
macht. Schon gegen den Skeptizismus der Alten wußten sich die Neu=
pythagoreer und Neuplatoniker nicht anders zu helfen, als daß sie
sich auf eine höhere Anschauung, eine unmittelbare Erfassung des Göttlichen
und damit alles Wesenhaften beriefen. Diese Intuition sollte leisten, was
dem diskursiven Denken versagt war. Etwas Ähnliches versuchte zu ähn=
lichem Zwecke Schelling, indem er einer intellektuellen Anschauung zu=
mutete, über jene Kluft vom eigenen Ich zu anderen Existenzen hinüber
zu führen. Für die Natur begeistert, wie er war, vermochte er die Anni=
hilation derselben nicht zu ertragen, wie sie aus Fichtes System folgt, und
meinte, die Annahme einer Natur außer uns habe dann nichts Bedenkliches,
wenn nur festgehalten werde, daß dieselbe auch geistig oder ideal sei, und diese
letztere Erkenntnis liefere eben die intellektuelle Anschauung. Damit beweist

---

*) S. Zt. f. ex. Ph. VII. 64.
**) S. Zt. f. ex. Ph. VII. 122 f.
***) Z. B. von A. Fick, s. darüber Zt. f. ex. Ph. X. 346. Hierher gehört noch
eine nicht geringe Anzahl neuerer Philosophen, welche auch durch die Berufung auf
die Thatsache der Vorstellung von äußeren Dingen die letzteren über allen Zweifel
als real und außer uns glauben dargethan zu haben. Eine Zusammenstellung dieser
Meinungen findet sich bei E. L. Fischer: Die Grundlagen der Erkenntnistheorie,
1887, S. 311 ff. Der Verfasser selbst freilich weiß auch nichts anderes für den
Realismus vorzubringen, als eben die Thatsache, daß wir die Dinge als äußere
vorstellen. Vgl. auch Zt. f. ex. Ph. XIV. 441 und 455; XVI.

Schelling freilich, wie wenig er den ursprünglichen Gedanken Fichtes gefaßt habe, daß die Natur ideal und nichts anderes sei, als das Produkt unseres Geistes; denn ob man berechtigt ist, überhaupt etwas von uns Unabhängiges oder eine Natur außer uns anzunehmen, das ist die Frage Fichtes, nicht, wie jenes außer uns Existierende, wenn man ein solches annimmt, beschaffen sei. Und gesetzt, jene sogenannte höhere Anschauung schaute wirklich etwas, so wäre man immer wieder auf die Frage zurückgeworfen, ob dieses Geschaute auch für sich Existenz habe und nicht bloß eine Einbildung der Anschauung sei. Hegel gibt zwar das Wort höhere Anschauung auf, allein auch er hat den eigentlichen Fragepunkt bei Fichte nicht hinreichend erwogen, geschweige denn dessen Idealismus widerlegt. Er redet gerade so, als dürfe man gar nicht daran zweifeln, daß der einzelne Denker nicht das einzige Existierende sei. Zwar ist nach ihm alles, was man wahrnimmt, nur ein Gedachtes, aber nicht ein von dem Individuum Gedachtes, sondern ein Moment der absoluten Idee oder des absoluten Denkens und hat insofern doch eine gewisse Realität. Die Frage, ob außer dem denkenden Individuum noch ein derartiger Prozeß der absoluten Idee anzunehmen sei, das ist nicht weiter Gegenstand der Untersuchung, sondern wird nach der Weise des naiven Realismus vorausgesetzt. Und um diesen Punkt dreht sich doch die Entscheidung über den Realismus. Freilich hatte bereits Fichte selbst Veranlassung zu der Hegel'schen Auffassung gegeben, indem er von einem absoluten Ich als der Ursache und dem Träger der individuellen Persön= lichkeiten sprach.

67. So ist denn auch hier noch nicht der naturwüchsige Realismus überwunden, ja das Bedenkliche, was er an sich hat, wird nicht einmal recht gefühlt. Wir haben wohl einen absoluten Idealismus, aber nicht den ursprünglich subjektiven Fichtes, sondern Systeme, welche ohne weiteres außer dem Denkenden nicht allein andere Intelligenzen, sondern auch andere Existenzen überhaupt voraussetzen. Und wenn nun auch hinzugefügt wird, daß diese Existenzen nur ein ideales Dasein haben, d. h. Momente eines ewigen, absoluten, geistigen Prozesses sind, so ändert dies doch die Sache nicht.

Außerdem aber ist durch den Idealismus, namentlich der konsequenteren Formen, bei Berkeley und Fichte der alte, von den Skeptikern, sowie von Locke, Kant, Herbart und der neueren Physiologie vertretene Satz, daß das Wesen der Dinge uns völlig unbekannt sei, umgekehrt in den, daß sie uns völlig bekannt sind: sie sind ja nichts anderes, denn das, als was wir sie denken: der Gedanke ist selbst das Ding, welches er denkt.

Übrigens war eigentlich Fichte schon zu weit gegangen, wenn er positiv die Nicht=Existenz der Natur behauptete. Es ist wahr, nach seiner

Denkweise ist es nicht möglich, sich von der Existenz von Dingen außer uns zu überzeugen, aber ebenso wenig möglich ist es, uns von der Nicht-Existenz derselben zu überzeugen. Denn der Gedanke bleibt immer möglich, daß Dinge außer uns vorhanden wären, aber wir könnten nie etwas von ihnen und ihrer Existenz erfahren.

68. Die ersten eigentlichen Versuche, die Annahme einer Außenwelt begrifflich zu beweisen, machen Des-Cartes, Geulinx und Leibniz, indem sie den Gedanken Gottes zu Hilfe nehmen. Der Begriff Gottes ist nach Des-Cartes dem menschlichen Bewußtsein unmittelbar gegeben und zwar so, daß daraus die Existenz und die Vollkommenheit Gottes ohne weiteres folgt. Muß man nun von Gott, dem absoluten Urheber von allem, annehmen, daß von ihm auch unsere Ideen herrühren, und liegt es im Begriff Gottes, daß er selbst nicht täuschen kann, so muß unseren Wahrnehmungen auch etwas außer uns entsprechen, welches wahrgenommen wird und welches wenigstens hinsichtlich der Haupteigenschaft der Ausdehnung so ist, wie es wahrgenommen wird, nämlich ausgedehnt und bewegt. Wäre dem nicht also, so täuschten uns unsere Ideen und durch diese Gott selbst.

In diesem Beweise für die Existenz der Außenwelt ist indes kein Satz stichhaltig: denn erstens darf man nicht zugeben, daß uns der Begriff Gottes unmittelbar gegeben ist, noch, wenn dies der Fall wäre, daß damit ohne weiteres die Existenz und die Vollkommenheit Gottes erwiesen ist, noch endlich, daß aus der Wahrhaftigkeit Gottes folge, daß unsere Sinne uns nicht täuschen können. Allein nicht einmal für Des-Cartes kann dieses Argument volle überzeugende Kraft haben, denn nach seinen Voraus-setzungen müßte er es für möglich halten, daß ein täuschender Gott den menschlichen Geist so eingerichtet hat, daß der Mensch meint, einen wahr-haftigen Gott klar zu erkennen, während diese Erkenntnis irrig ist und der summus deceptor doch mit dem Menschen sein Spiel treibt.*)

Einen besseren Weg, um die Existenz einer realen Außenwelt zu be-weisen, schlägt A. Geulinx, ein Schüler des Des-Cartes, ein. Er stützt sich dabei auf den richtigen Satz, daß das Ich (sollte besser heißen die Seele) etwas schlechthin Einfaches und gleichwohl thatsächlich der Träger vieler verschiedener Gedanken sei. Ein Einfaches könne aber nie von sich selber zu einer inneren Vielheit werden, also müsse dieselbe unter Mit-wirkung von Dingen zu stande gekommen sein, welche ihrer Existenz nach unabhängig vom Ich sind.**)

*) S. Thilo: Über die Religionsphilosophie des Des-Cartes, in Zl. f. er. Ph. III. 131.

**) S. Thilo: Geschichte der neueren Philosophie, 59.

Wo Leibniz inne zu werden scheint, daß bei der Verwerfung jeder causa transiens sich ein rein subjektiver Idealismus einstellen müßte, macht er zum Beweise der Existenz anderer Wesen, die von unserer Seele verschieden sind und sie auch nicht im geringsten affizieren können, die Bemerkung: es ist Gottes würdiger, viel als wenig zu schaffen. Diesem Beweis gegenüber genügt es wohl schon, eine Gegenbemerkung Berkeleys anzuführen: Dinge, die einander nichts angehen, von denen nie eins von dem anderen weiß oder Nutzen hat, noch überhaupt affiziert werden kann — wie die Monaden Leibniz' sind —, solche unnütze Dinge wird Gott nicht geschaffen haben.*) Außerdem trifft die Bemerkung von Leibniz den Fragepunkt auch darum nicht, weil er die Existenz Gottes selbst erst vornehmlich aus dem System der prästabilierten Harmonie ableitet. Diese setzt voraus, daß man wenigstens einen Teil der Glieder in der Harmonie übersieht, setzt also die Existenz von mehreren Wesen bereits voraus. In einem System, welches nur innere Ursachen kennt, ist der Idealismus durchaus nicht zu überwinden. Wird, wie bei Des=Cartes und Leibniz, geleugnet, daß die Außenwelt auf den Geist wirken kann, wird ferner die Qualität des letzteren als etwas angesehen, dessen Natur es ist, ursprünglich zu wirken und durch seine eigene Thätigkeit Ideen zu erzeugen, so ist der Realismus für immer verloren und auch jeder Weg, zu einem solchen zurückzukehren, völlig abgeschnitten.

Außerdem wird es für unser Denken immer etwas Befremdendes haben, zum Behufe der Annahme einer Außenwelt den Gottesbegriff zu Hilfe zu nehmen.

69. Ein anderer Weg, den Idealismus zu verlassen, wird von den neueren Kantianern eingeschlagen. Die Kategorie der Kausalität soll nach ihnen die Existenz einer Außenwelt verlangen. Da dieses Verfahren gegenwärtig sehr verbreitet ist, so mögen die betreffenden Gedanken etwas ausführlicher erörtert werden.

Die erste Aufstellung und eingehendere Behandlung der Kategorien rührt von Aristoteles her. Er betrachtet dieselben lediglich als Klassenbegriffe, welche auf das Allgemeinste angeben sollen, was unser Vorgestelltes sei; ein jeder Begriff, den wir haben, bezeichnet entweder ein Ding, oder eine Qualität, oder eine Quantität, oder eine Relation, oder ein Wo, oder ein Wann, oder eine Modalität (wie Thun, Leiden, Haben u. s. w.). Mit diesen Kategorien verband Aristoteles zunächst noch nichts Metaphysisches, sie sollten Bezeichnungen der allgemeinsten Erfahrungsformen sein, wie sie

---

*) S. Thilo: in Zt. f. ex. Ph. V. 164 und IX. 379.

sich in der Sprache des gemeinen Lebens vorfinden. Ob die Reihe der genannten Kategorien vollständig aufgestellt ist, ob sie uns angeboren sind, ob wir durch sie die Dinge erkennen, davon ist hier noch keine Rede. Das geschah später von den Stoikern und Plotin. Von den Rhetoren werden sie gern gebraucht zur bequemen Anordnung irgend eines Gedanken= stoffes nach den verschiedenen Gesichtspunkten. Als man sich darauf an den Gebrauch dieser Begriffe gewöhnt hatte, mit ihnen, wie mit vielen anderen abstrakten Begriffen, als mit den allerbekanntesten umging und mit ihrer Hilfe untersuchte, mußte sich auch die Frage erheben: wie sind sie entstanden? Jeder Mensch hatte sie, aber niemand konnte deren Ur= sprung so nachweisen, daß die Nachweisung allgemein überzeugt hätte. In der äußeren Erfahrung waren sie als solche, d. h. in ihrer Abstraktheit, nicht gegeben, denn die Erfahrung zeigt sie nur in konkreter Gestalt. So entstand denn die Frage: besitzen die allgemeinen Begriffe überhaupt, also auch die genannten Kategorien, Selbständigkeit für sich, oder sind sie nur gewonnen in der vergleichenden Betrachtung der wirklichen Objekte?

70. Die erstere Meinung hatte das Beispiel Platos und zum Teil auch des Aristoteles für sich. Nach Plato existieren die Ideen, die ja im Grunde nichts als Abstraktionen der Wirklichkeit sind, als selbständige Vorbilder der Einzeldinge, eine Ansicht, welche der mittelalterliche Realismus in die Worte faßte: universalia ante rem. Ein gemäßigter Realismus schloß sich an Aristoteles an, nach welchem die Ideen oder die Formen das in den Dingen wirkende Prinzip sind und ihnen Halt und Inhalt geben; formuliert wird diese Meinung: universalia in re. Diesem logi= schen Realismus, oder, wie wir uns ausdrücken würden, Idealismus, bald in seiner gemäßigteren, bald in seiner strengeren Fassung, folgen im allgemeinen sämtliche monistische (pantheistische) Systeme, deren Charakteristi= sches ja darin besteht, das Einzelne aus dem Ganzen, das Besondere aus dem begrifflich oder zeitlich vorausgehenden Allgemeinen abzuleiten. Gegen= über diesem Realismus, vertreten von fast sämtlichen Autoritäten des Mittelalters, behauptet der von Anfang an mit dem Vorwurf der Heterodoxie belastete Nominalismus: universalia post rem; die Allgemeinbegriffe stammen aus der Erfahrung, sind nur im Denken gewonnene Abstraktionen der Einzeldinge und haben außer in Gedanken und Worten keinerlei Realität. (Roscellin. Occam.) Fortgesetzt wurde dieser Streit unter dem Namen des Spiritualismus und Sensualismus. Letzterer wurde vornehmlich von Locke, ersterer von Leibniz vertreten, doch geschah beides nur unter sehr erheblichen Einschränkungen. Der Streitpunkt wurde namentlich in die Frage verlegt, ob es angeborene Ideen gibt oder nicht.

71. Mit Kant treten diese Betrachtungen in ein neues Stadium. Im wesentlichen steht Kant in dieser Beziehung auf der Seite des logischen Realismus oder des späteren Spiritualismus,*) doch beschränkt er seine Betrachtungen in dieser Richtung lediglich auf diejenigen allgemeinen Begriffe, welche seit Aristoteles unter dem Namen der Kategorien bekannt waren. Kant unterscheidet zunächst den Inhalt und die Form eines Vorstellungsobjektes. Gegeben, sagt er, sind allein die einzelnen qualitativen Empfindungen, wie rot, hart, sauer u. s. w., also der Inhalt, nicht gegeben aber ist die Form, in welcher der Inhalt wahrgenommen wird, nicht gegeben sind also die Unterschiede des zeitlichen Nacheinander und des räumlichen Nebeneinander. So wertvoll diese Unterscheidung ist, so ist sie doch nicht richtig ausgedrückt, wenn sie als ein Gegensatz von Gegebenem und Nicht-Gegebenem hingestellt wird. Es ist nicht richtig, daß die Form nicht gegeben sei. Ebenso, wie ich in der Empfindung an die Qualitäten rot, hart, sauer u. s. w. gebunden bin, durchaus nicht weniger auch an die Auffassung dieses Vierecks, Kreises, Rhythmus u. s. w. So wenig ich die ersteren in der Anschauung willkürlich ändern kann, so wenig auch die letztere. Kant meint offenbar etwas anderes; er will sagen: die besondere Verknüpfung (Form) der einzelnen Merkmale oder Empfindungsqualitäten liegt nicht unmittelbar und notwendig in diesen Merkmalen selbst; es liegt nicht in dem Rot als solchem, daß es stets in dieser oder jener Form (Viereck, Kreis ꝛc.) angeschaut wird. Zwischen Inhalt und Form ist in dieser Beziehung kein notwendiger Zusammenhang, wie bereits Locke nachdrücklich genug betont hat. Diesen Unterschied erläuternd, fügt Herbart hinzu: hätten wir ganz andere Sinne und durch dieselben ganz andere Klassen von Empfindungen, so jedoch, daß die Verhältnisse unter den Empfindungen ganz dieselben wären, als jetzt, so würden die nämlichen Formen samt allen in ihnen möglichen Konstruktionen zum Vorschein kommen; unsere Erfahrung würde einen ganz anderen Inhalt, aber die nämliche Form haben, wie jetzt, und die hinzukommende Reflexion würde ganz die nämlichen Kategorien daraus absondern, wie jetzt. Außerdem stellt sich nicht allein das sinnlich Gegebene räumlich dar, auch die abstraktesten Gedankenreihen, die rein aus dem Inneren kommen, nehmen zuweilen die Form des Räumlichen an, wie ja die meisten Ausdrücke der Logik räumlichen Vorstellungsarten entlehnt sind.**) Die Unterscheidung zwischen

---

*) Zwar verwahrt sich Kant gegen die Annahme angeborener Ideen und setzt dafür das allerdings völlig gleichbedeutende Wort: ursprünglich erworben, s. darüber Zt. f. ex. Ph. II. 5 f.

**) Zt. f. ex. Ph. X. 252.

Inhalt und Form ist also wohl festzuhalten. Zwischen Inhalt und Form besteht kein notwendiger Zusammenhang dergestalt, daß der Inhalt aus der Form oder die Form aus dem Inhalt geschlossen werden könnte, oder eines mit dem anderen notwendig mitgesetzt wäre. Eine außerordentlich ver= hängnisvolle Übereilung war es, als Kant aus diesen Betrachtungen schloß: die Form ist überhaupt nicht gegeben, sondern kommt aus unserem Inneren, als dem Inventarium bereitliegender Formen hinzu. An die andere Möglichkeit, daß die Form veranlaßt sein könne, wenn auch nicht von den Empfindungsqualitäten als solchen, aber doch durch gewisse gegebene Beziehungen derselben untereinander, hat er gar nicht gedacht. Kants Ansicht der Erkenntnis ist demnach folgende: der Stoff, die sinnlichen Empfindungen, werden dem erkennenden Subjekte von außen gegeben, Ur= sache dieser Empfindungen sind im letzten Grunde die von uns unabhängig bestehenden Dinge=an=sich. Aufgefaßt werden diese Eindrücke von der nicht von außen stammenden Sinnlichkeit, der Rezeptivität in der Form des Neben= und Nacheinander (Raum und Zeit). Der Verstand, als das Ver= mögen, das Mannigfaltige der Anschauung in die Einheit des Begriffs zu verknüpfen, enthält die sogenannten Kategorien der Quantität, Qualität, Relation (darunter der Kausalität) und Modalität. Der Vernunft, als dem Vermögen der Prinzipien, wurde die Idee des Unbedingten, Absoluten; der Urteilskraft die Zweckmäßigkeit; dem Willen oder der praktischen Vernunft der kategorische Imperativ zugeschrieben. Indem so Kant die überkommene Seelenvermögenstheorie völlig unkritisch aufnahm, überredete er sich gleich= wohl, die menschliche Erkenntnis vollständig ausgemessen zu haben,[*] und gewann als Grundansicht, zur Erkenntnis gehören zwei Stücke: erstlich der Begriff, wodurch überhaupt ein Gegenstand gedacht wird, und zweitens die Anschauung, wodurch er gegeben ist. Dabei ist festzuhalten, daß die Begriffe als apriorische Funktionen der Seele nur Formen ohne allen Inhalt sind.

72. Auf diese Weise wird alle Erkenntnis ganz subjektiv, sie hat Giltigkeit nur für den menschlichen Verstand, ein anderer könnte mit anderen Kategorien ausgestattet sein und also ganz andere Erkenntnisse haben, ohne daß je entschieden werden könnte, welche Erkenntnisse die wahren sind. Ganz in unser Inneres eingeschlossen, gewinnen wir nur durch die Sinnes= empfindungen eine Kunde von der Außenwelt, aber nicht von deren Qualität, noch von den Formen und Gesetzen, sondern nur von deren Existenz.

---

[*] Über die Kategorien vgl. Antibarbarus logicus. 2. Aufl. Otto Schulze, Cöthen. S. 39 ff.

Allein, wie von Heinrich Jacobi zuerst richtig bemerkt worden ist, auch die Erkenntnis von der Existenz einer Außenwelt oder von den Dingen= an=sich beruht für Kant auf einer Erschleichung. Da Kant auch die Kausalität zu den Kategorien a priori rechnet und behauptet, jede Kategorie, auch die der Kausalität, sei nur für Erscheinungen, nicht für die Dinge= an=sich giltig, so folgt, daß letztere nicht die Ursachen unserer Empfindungen sein können, daß also für Kant durchaus kein Grund vorliegt, neben den Phänomenen noch Roumene als deren Ursachen anzunehmen. Kants halber, transcendentaler Idealismus mußte bei einiger Konsequenz in den vollen oder absoluten Idealismus übergehen (Nr. 63).

73. Für die weitere Entwickelung der Philosophie sind die Kant'= schen Begriffe von der Zeit, dem Raum, der Kausalität und Zweckmäßig= keit am wichtigsten geworden.*) Namentlich die drei ersteren haben meist durch Vermittelung Schopenhauers eine weite Verbreitung gefunden.**) Doch ist gegenwärtig der Sinn und der Gebrauch dieser Kategorien nicht mehr ganz der Kantische. Man glaubt nämlich, mittelst der Kategorie der Kausalität die Existenz einer Außenwelt beweisen und mit Hilfe der Raum= und Zeitform die räumlichen und zeitlichen Ordnungen der Außen= welt erklären zu können. Schopenhauer schwankt noch, ob durch die Kausalität die Existenz einer Außenwelt verbürgt ist; bei ihm ist die Er= innerung daran, daß die Kausalität sich lediglich auf Erscheinungen beziehe, noch zu lebendig, darum erklärt er den Idealismus für eine uneinnehmbare Festung; anderwärts aber argumentiert er wieder: die Empfindungen sind etwas in uns, nicht von uns selbst, sondern von etwas außer uns Be= wirktes, also muß es eine Außenwelt geben.

74. Bei Beurteilung dieser Anschauung ist zunächst festzuhalten, daß wir es hier nicht mit einer Thatsache, sondern mit einer Hypothese zu thun haben, und zwar mit einer Hypothese, die sehr nahe liegt. Denn hat man die Einsicht gewonnen, daß alle unsere Vorstellungen nur innere Zustände in uns sind, so muß die Frage entstehen, wie kommt es, daß wir eine Außenwelt wahrzunehmen glauben? Zu den einzelnen Empfindungen

---

*) Für die Entwickelung der Theologie zum sogen. Rationalismus ist besonders wichtig geworden: Die Vernunft als Vermögen der Prinzipien. Die Vernunft mit ihrem Inhalt: Gott, Freiheit und Unsterblichkeit wurde zur Quelle und zum Maßstab aller Religion. Vgl. Flügel: Das Wunder und die Erkennbarkeit Gottes. Leipzig, 1869. S. 127 ff.

**) Über die Kritik, welche in dieser Beziehung Schopenhauer an Kant übt, s. in Zillers Jahrbuch des Vereins für wissenschaftliche Pädagogik eine Ab= handlung von Hermann Günther. 1872, IV. 116.

liegt es durchaus nicht, daß sie nach außen verlegt werden müssen, es muß also wohl etwas im Inneren, im Verstande des Menschen vorhanden sein, was da bewirkt, daß die Empfindungen als von außen her kommend an= geschaut werden. Das nun, was der Verstand hinzubringt und welches erst die Anschauung einer Außenwelt möglich macht, kommt in seinem Resultate einem Schlusse gleich, welcher die Empfindungen als von außen bewirkt auf eine äußere Ursache zurückführt. Das Kausalgesetz, sagt man, muß also bereits vorhanden sein, ehe die Anschauung einer Außenwelt zu stande kommt, denn es macht Erfahrung (nämlich äußere) erst möglich. Werden nun die Empfindungen als von außen kommend angeschaut, so zugleich in bestimmten Formen, es läßt sich gar nicht denken, daß wir äußere Wahrnehmungen haben, ohne daß dieselben uns in bestimmter Form gegeben wären. Tritt hierzu die Erkenntnis, daß Form und Inhalt in der Wahrnehmung nicht notwendig zusammengehören, so liegt die Versuchung nahe, auch die Form als etwas anzusehen, was erst der Verstand hinzu= bringe, und in welches der von außen kommende Stoff (die Empfindungen) gefaßt werde. Macht die Kausalität überhaupt äußere Erfahrung möglich, so machen die Formen der Sinnlichkeit (die Raum= und Zeitformen) erst die besondere, wirkliche, uns als räumlich und zeitlich geordnet gegebene Erfahrung möglich. Entweder also man nimmt die letzteren Formen als neben der Kausalität wirksam in dem Verstande an, oder man faßt den Begriff der Kausalität so, daß jene Anschauungsformen mit darin liegen.

75. Auf solche Weise ist auch Kant zu seiner Ansicht in dieser Be= ziehung gekommen. Der erste Beweis, welchen er dafür vorbringt, beruht darauf, daß er sagt: die Formen der Erscheinungen können deshalb nicht gegeben sein, weil sie sonst wieder Empfindungen sein würden. Dieser Beweis setzt aber offenbar das zu Beweisende voraus, denn er gründet sich darauf, daß das, was gegeben ist, nur Empfindung sein kann, daß, wenn also Formen gegeben wären, sie Empfindungen in dem Sinne wie blau, hart u. s. w. sein müßten. Da die Formen aber unabhängig sind von deren Inhalt und etwas ganz anderes als dieser, so können sie nicht gegeben sein. Bündigkeit hat dieser Schluß nur für den, welcher bereits voraussetzt, ledig= lich die Empfindung kann gegeben sein.

Der andere Beweis Kants lautet: die Erfahrung lehrt nie das Not= wendige, sondern nur Zufälliges; Raum und Zeit aber und die darauf bezüglichen mathematischen Sätze sind notwendig, folglich können sie nicht durch die Erfahrung gegeben sein. Mit anderen Worten, deren sich z. B. A. Fick bedient: „Alle Gegenstände der Welt kann man wegdenken, nur nicht Raum und Zeit. Daraus geht klar hervor, daß sie nicht Dingen außer uns entsprechen, denn was ich absolut nicht wegdenken kann, muß zum denkenden Subjekt selbst gehören".*)

Das ist abermals ein Fehlschluß, eine Tautologie, wie der vorher-gehende Beweis. Im Begriffe eines Körpers liegt es, daß er räumlich, im Begriffe eines Ereignisses, daß es zeitlich angeschaut wird. Wer einen Körper oder ein Ereignis denkt, hat auch die Vorstellung von etwas Räum-lichem und von etwas Zeitlichem. Hat man nun Körper gesehen und Er-eignisse erlebt, so kann man sie einmal hinwegdenken; dann bleibt die Er-innerung davon zurück, und damit die Erinnerung an etwas Räumliches und Zeitliches. Und denkt man alle Körper und alle Ereignisse hinweg, so versteht es sich von selbst, daß, nachdem einmal die Wirklichkeit der Körper und Begebenheiten wahrgenommen ist, es der Gipfel der Ungereimt-heit sein würde, diese Wirklichkeit (mit ihren räumlichen und zeitlichen Be-stimmungen) für unmöglich zu erklären. Nachdem die Erfahrung irgend ein Wirkliches gezeigt hat, wird allemal der Ausdruck der bloßen Möglichkeit dieses Wirklichen ein notwendiger Gedanke.**) Man beachte dieses „Nach-dem". Nachdem Räumliches und Zeitliches wahrgenommen ist, kann es nicht unmöglich, sondern muß es möglich sein, Räumliches und Zeitliches wahrzunehmen. Die Möglichkeit aber, daß es ausgedehnte, so oder so ge-formte Körper und aufeinander folgende Ereignisse gibt: das ist eben der allgemeine Gedanke des Raumes und der Zeit. Nun erhebt sich die Frage, ob erst das einzelne Räumliche und dann der allgemeine Raum oder um-gekehrt, ob erst der Raum im allgemeinen und dann das einzelne Räum-liche vorgestellt wird. Es ist also mit jener Betrachtung noch gar nichts entschieden, es läuft immer wieder darauf hinaus: was ich als notwendig vorstelle, ist eine Vorstellung a priori. Freilich läßt schon die Analogie mit der Erklärung aller anderen allgemeinen Begriffe vermuten, es werden erst das Räumliche und Zeitliche, d. h. die einzelnen Raumformen an-geschaut und daraus das abstrakte Bild des allgemeinen Raumes gewonnen, aber nicht umgekehrt.***)

---

*) Fick: Die Welt als Vorstellung, 1870, vgl. dazu: O. Flügel: Die Welt als Vorstellung, in Zt. f. ex. Ph. X. 245 ff.

**) Vgl. Herbart VI 308 u. I. 505, wo also fortgefahren wird: Man denke einmal alles Hörbare hinweg. Das kann man, aber die Möglichkeit, daß Töne gehört werden könnten, kann man nicht leugnen. Folglich bleiben auch alle Regeln der Musik gerade so unwandelbar stehen, wie die Geometrie ohne Körperwelt. Das Ver-hältnis der Terzen steht fest a priori, ob nun in diesem Augenblicke wirklich Saiten und Ohren vorhanden sind oder nicht . . . u. f. w.

***) Über die betreffenden Beweise Kants vgl. außerdem: Herbart VI. 807 ff. Drobisch: Logik, 1863, S. 117, ferner in Zt. f. ex. Ph. I. 15 ff., V. 392 ff., X. 38 u. 253.

76. So sind die Gründe beschaffen, welche mit kaum bemerkbarer Verschiedenheit in gleicher Weise von Kant, Schopenhauer und einigen neueren Physiologen vorgebracht werden, um die Apriorität gewisser Begriffe zu beweisen. Es leuchtet ein, daß es sich hier nur um eine sehr naheliegende Hypothese handelt. Der Umstand, daß in diesem Punkte, in der Lehre von den Kategorien, namentlich der Kausalität, die spekulative Philosophie Kants und Schopenhauers mit den Ansichten eines Teiles der Vertreter der empirischen Naturforschung zusammenstimmt, wird zuweilen benutzt,*) um die Richtigkeit dieser Anschauung zu erhärten. Es wird gesagt, von zwei ganz entgegengesetzten Seiten, auf ganz verschiedenen Wegen ist man zu einem und demselben Resultate gekommen: was von der Spekulation deduktiv bewiesen ist, das hat die induktive Naturforschung empirisch bestätigt gefunden. Allein, so verhält sich die Sache keineswegs. Erstens haben wir es hier, wie bereits hervorgehoben, nicht mit einer Thatsache, sondern mit einer Hypothese zu thun, die sich als solche nicht empirisch feststellen läßt; zweitens ist man zu dieser Hypothese nicht auf zwei verschiedenen, am allerwenigsten entgegengesetzten Wegen gelangt, sondern auf ganz dem nämlichen Wege. Wie es nichts seltenes ist, daß zwei Personen, unabhängig von einander, ganz dasselbe Experiment anstellen, so ist es durchaus nichts Wunderbares, daß, wenn die Wissenschaften gewisse Probleme in ein besonders helles Licht gestellt haben, mehrere Personen ganz unabhängig von einander auf dem nämlichen Wege dasselbe zu lösen suchen. So haben hier jene Philosophen und Physiologen an demselben Punkte ganz den nämlichen Weg zur Lösung des betreffenden Problems eingeschlagen. Die Übereinstimmung in diesem Punkte ist nicht ein Beweis für die Richtigkeit der in Rede stehenden Ansicht, sondern nur dafür, wie natürlich der Gedanke sich einstellt, das für angeboren zu halten, was erst erklärt werden soll und um dessen Erklärung man in Verlegenheit ist, wie es ja fast immer im Anfang einer Wissenschaft zu geschehen pflegt, das für angeboren zuhalten, was man sonst nicht zu erklären vermag. Eine Verlegenheit stellt sich an diesem Punkte ganz unvermeidlich ein, denn wo eine richtige Psychologie nicht vorhanden ist, welche zeigt, daß aus der Verbindung, bezw. Trennung der einzelnen elementaren Vorstellungen sich die höheren psychischen Gebilde erzeugen müssen, da liegt es sehr nahe, zu der rezeptiven Sinnlichkeit, welche nur die äußeren Eindrücke auffaßt, noch ursprüngliche, innere höhere Vermögen anzunehmen, welche die gegebenen Empfindungen

---

*) Z. B. von Czermack in den Sitzungsber. d. K. K. Akad. b. Wiff. zu Wien. Bd. LXII. 1870.

8*

ordnen. Wenn es feststeht, daß der kausale Zusammenhang zwischen zwei
Ereignissen nicht gegeben ist, daß ferner kein notwendiger Zusammenhang
zwischen der Form und dem Inhalte der Wahrnehmungen besteht, wenn
ferner unsere geistige Thätigkeit doch nur entweder von innen oder von
außen her stammen kann, dann kommt man natürlicherweise auf den Ge=
danken, das, was scheinbar nicht von außen durch die Sinne gegeben ist,
als eine Wirkung gewisser, im Gemüte bereitliegender Formen oder Ver=
mögen anzusehen. Gibt man einmal diesem Gedanken Raum, dann macht
sich auch jene Verlegenheit gar nicht als eine Schwierigkeit fühlbar, sondern
das Problem scheint gelöst zu sein, ehe man es noch recht bemerkt hat.

77. Nachdem nun gezeigt ist, daß die in Rede stehende Hypothese
wohl sehr nahe liegt, aber keineswegs erwiesen ist, so möge jetzt auf deren
begrifflichen Widersinn aufmerksam gemacht werden. Nach der bezeichneten
Ansicht existieren gewisse Formen, namentlich die des Kausalitätsgesetzes,
des Raumes und der Zeit, welche in keiner Beziehung mit der äußeren
Erfahrung gegeben sind, sondern lediglich von innen zu dem Vorstellungs=
inhalt hinzugebracht werden. Man wird also nicht umhin können, zu sagen,
diese Formen sind angeboren, sind der Seele, dem Gemüt, dem Intellekt,
der grauen Hirnsubstanz,*) oder wie man sonst das Denkende in uns
nennen möge, ursprünglich, sie sind dem Verstande eines neugeborenen
Kindes, wie Liebmann sagt,**) sogar dem eines noch ungeborenen, wie
Fick behauptet, eigen. Da diese Formen in keiner Weise von außen ent=
stehen können, so können sie auch nicht durch äußere Veranlassungen aus=
gebildet werden, sondern man muß ein Inventarium fix und fertig liegender
Formen annehmen. In dieser Annahme liegt, was man freilich nicht zu=
geben will, daß sämtliche räumliche und zeitliche Formen, sowohl die, an
welche wir uns beim Wahrnehmen der äußeren Erfahrung gebunden finden,
als auch diejenigen, welche wir uns willkürlich vorstellen können, bereits
vorhanden sind; und zwar liegen sie ursprünglich vor aller Erfahrung —
jede einzelne mit ihrem individuellen Charakter präformiert in uns, nur
fehlt diesen Formen der Inhalt, und darum können sie nicht zum Bewußt=
sein gebracht werden. Die Seele könnte man einem Briefe vergleichen,
welcher mit sympathetischer Tinte geschrieben ist und also erst gelesen werden
kann, wenn er etwa gegen ein Licht gehalten wird.

Daß dies ein absurder Gedanke ist, die ganze Erfahrung mit allen
ihren Besonderheiten auf solche Weise der Form nach in der Seele prä=

---

*) Meier: Zur Seelenfrage, 1866, rezensiert in Zt. f. ex. Ph. VII. 318.
**) Liebmann: Über den objektiven Anblick. Vgl. dazu die Rez. in Zt. f. ex.
Ph. IX. 431.

formiert zu denken, fühlt man recht wohl, daher ist ein Bestreben vorhanden, möglichst wenig Formen a priori anzunehmen. Am verbreitetsten ist es, die Annahme auf Raum, Zeit und Kausalität zu beschränken. O. Liebmann und Wolff[*]) glauben an der Kausalität und Substantialität genug zu haben, Du Bois-Reymond[**]) und zuweilen auch Helmholtz[***]) meinten, gleichfalls Raum- und Zeitform entbehren zu können und die Kausalität als die einzige Kategorie a priori ansehen zu dürfen. Aber indem die Zahl der Kategorien beschränkt wird, erweitert man nicht selten deren Funktion. So wird häufig der Wirksamkeit der Kausalität zugleich die Raum- und Zeitanschauung zugeschrieben. Überhaupt ist ein großes Schwanken der Ansicht oft bei einem und demselben Schriftsteller in dieser Beziehung zu bemerken. Wird im allgemeinen von Kausalität, Raum und Zeit gesprochen, so wird deren Apriorität ohne weiteres behauptet; geht man aber daran, in einem bestimmten einzelnen Falle etwa eine besondere räumliche Vorstellung zu erklären, so wird dabei empiristisch verfahren, und man gibt wohl auch zu, daß etwas nativistisch zu erklären soviel heißt, als es nicht erklären; nur an gewissen Punkten meint man mit der empiristischen Theorie nicht auskommen zu können und nimmt zur nativistischen seine Zuflucht, welche man, so sehr sie auch beschränkt wird, doch nicht glaubt ganz aufgeben zu können.[†] —

---

*) Wolff: Die metaphysische Anschauung Kants u. s. w., 1870, vgl. dazu die Rez. in Zt. f. ex. Ph. IX. 414.

**) Du Bois-Reymond: Leibnizische Gedanken in der neueren Naturwissenschaft, 1871, vgl. dazu die Rez. in Zt. f. ex. Ph. X. 279 ff.

***) Helmholtz: Physiologische Optik, Über das Sehen des Menschen, Thatsachen der Wahrnehmung, vgl. dazu Zt. f. ex. Ph. XII. 242.

†) Wir gebrauchen hier und späterhin die Ausdrücke empiristisch und nativistisch, weil man ihnen gegenwärtig im Gebiete der neueren Physiologie häufig begegnet. Der Physiolog Hering findet diese Bezeichnungen nicht zutreffend (Bericht der Wiener Akademie Bd. 65, Abt. III., S. 5), da sie einen ganz unwesentlichen Punkt zur Hauptsache machten. Zwischen Nativismus und Empirismus besteht nach ihm kein eigentlicher Gegensatz, sondern nur ein gradweiser Unterschied. Wenn uns die Organe angeboren sind, sagt er, so sind es in gewissem Grade auch ihre Funktionen. Das müssen selbst die strengsten Empiristen zugeben, und andererseits hat es nie einen Nativisten gegeben, der den gewaltigen Einfluß geleugnet hätte, welchen Gebrauch und Übung auf die Funktionen unserer Organe, insbesondere der Sinnesorgane, haben. Der nativistische Physiolog ist insofern auch empiristisch, als er dasjenige, was der jetzt sogenannte Empirismus als einen Erwerb des individuellen Lebens ansieht, als einen Erwerb des Lebens aller jener zahllosen Individuen betrachtet, mit welchen das jetzt lebende Individuum in absteigender Linie verwandt ist, und von welchen es das ihm Angeborene geerbt hat. Dagegen liegt zwischen

78. Allein, ob eine Kategorie mehr oder weniger angenommen, ob deren Begriff etwas enger oder weiter gefaßt wird, macht im Grunde nicht viel aus, da die ganze Vorstellungsart in sich widersprechend ist. Denn was ist eine Form ohne Inhalt? Man denke eine Melodie ohne Töne: was bleibt davon? man wird sagen: der Rhythmus bleibt; aber ist es möglich, eine bestimmte Reihe und Ordnung von Nichts zu denken, ist nicht die Ordnung von Nichts eben Nichts, ein irgendwie real gedachtes Nichts aber ein Widerspruch? Jenes Gleichnis von der sympathetischen Tinte hinkte, denn die mit solcher Tinte geschriebenen Buchstaben sind nicht Nichts. Oder was ist ein Dreieck ohne jede bestimmte, vorstellbare Linie? Man wird sagen: Das ist eben der Begriff, die bloße Form des Dreiecks. Aber

---

spiritualistischer und nativistischer Methode eine tiefe Kluft, denn es ist ein grund-sätzlicher Unterschied, ob man die Gesetze der Regungen des Bewußtseins aus den Gesetzen der Bewegungen des organischen Stoffes abzuleiten sucht, oder ob man sich diese Mühe erspart und kurzweg sagt: jene Gesetze seien eben eine Eigentümlichkeit des Geistes oder der Seele.

Was hier Hering als spiritualistische Ansicht bezeichnet, ist nach dem gegen-wärtigen Sprachgebrauch unter den Physiologen nicht spiritualistisch, sondern im Hinblick auf die thatsächlich gegebenen geistigen Formen wie des Raumes und der Zeit entschieden nativistisch zu nennen. Es ist eben das Charakteristische des nati-vistischen Verfahrens, daß man sich die Mühe einer Ableitung der Entstehung des Bewußtseins erspart und dasselbe namentlich die sogen. Kategorien ohne weiteres als ursprüngliche, bezw. angeborene Eigentümlichkeiten des Geistes oder der Seele betrachtet. Hingegen ist es empiristisch, wenn man dieselben als ein Gewordenes ansieht, wobei vorläufig noch allenfalls von der Frage abgesehen werden kann, ob für die psychischen Erscheinungen ein selbständiges Substrat (Seele) anzunehmen ist, oder ob sie lediglich aus den Bewegungen des organischen Stoffes abzuleiten sind. Da nun aber in jedem Falle das Entstehen der geistigen Formen an die Existenz gewisser leiblicher Organe gebunden ist, so ist freilich jede Ansicht über den Ursprung jener Formen auch insofern nativistisch, als eben diese Organe mit dem betreffenden Individuum gegeben oder ihm angeboren sind. In diesem Sinne wird indes der Ausdruck nativistisch nicht gebraucht. Aber auch die Bezeichnung spiritualistisch wird von Hering hier nicht historisch richtig angewendet. Die Existenz einer selbständigen Seele muß auf Grund einer Analyse des psychischen Thatbestandes angenommen werden. Dieser Seele inhärieren jedoch keine ursprünglichen Formen irgend welcher Art, dieselben gewinnt sie (Nr. 97—98) erst infolge ihrer Wechselwirkung mit den betreffenden leiblichen Organen. Will man diese Ansicht, welche sich zur Annahme eines selbständigen Seelenwesens genötigt sieht, Spiritualismus nennen, so darf man nicht vergessen, daß man historisch unter Spiritualismus etwas ganz anderes versteht, nämlich die Ansicht, nach welcher der Leib ganz und gar oder doch seiner organischen Form nach als ein Produkt des Geistes betrachtet wird. (Vgl. über Spiritualismus: Volkmann v. Volkmar, Lehrbuch der Psychologie, Cöthen, § 20.)

diese Form als eine wirklich in der Seele existierende Form ist ein Unding. Was ist ein Kausalnexus ohne Inhalt? Die Vorstellung des Zusammen= hangs von Ursache und Wirkung. Man lasse aus dieser Vorstellung jedes bestimmte Ereignis als Ursache oder Wirkung weg, so bleibt der Zu= sammenhang von zwei Nichtsen übrig, ein abstrakter Begriff, aber durchaus nichts Reelles, auch nichts Vorstellbares; denn rein abstrakte Begriffe als solche können nicht faktisch gedacht werden.*) Einen Gattungsbegriff soll man frei denken von den spezifischen Differenzen, welche zur Bestimmung des ihm Untergeordneten dienen und daher in den Inhalt des Gattungs= begriffs nicht gehören. Allein dieser Forderung wird, obwohl man sie an= erkannt, niemals in Wirklichkeit vollkommen Genüge geleistet. So schließt der allgemeine Begriff des Kreises einen bestimmten Radius aus, aber faktisch hat das Bild des Kreises in jedem Augenblick für uns seinen be= stimmten Radius. Ebenso wird niemals wirklich eine Linie ohne alle Dicke vorgestellt. Die allgemeinen Begriffe sind lediglich logische Ideale, denen sich unser wirkliches Denken nur in einer gewissen Weise mehr und mehr nähern kann (Nr. 99). Wir können bei Feststellung solcher Begriffe unsere Reflexion oder Aufmerksamkeit bis zu einem Grade von diesem oder jenem, was wirklich vorgestellt wird, abziehen, indem es für unwesentlich (nicht zugehörig) erklärt wird; aber wirklich rein ohne alles Unwesentliche wird ein Allgemeinbegriff nie gedacht, noch vielweniger kann er als solcher für und fertig angeboren sein.

Die Übereilung Kants, von einem Denken ohne Gedachtes, einem Begriff ohne Inhalt als von etwas Möglichem und Wirklichem zu reden, ist für die Entwickelung der Philosophie sehr verhängnisvoll geworden, denn daher ist es gekommen, daß später zum Behufe einer wissenschaftlichen Erkenntnis der Dinge leere, aus ihren ursprünglichen und notwendigen Beziehungen herausgerissene Begriffe vorausgeschickt wurden. Hierin liegt die ganze Reihe von Versuchen apriorischer Weltkonstruktionen des Idealismus begründet.

79. Doch nehmen wir einmal an, die real gedachten leeren Formen lägen präformiert im Intellekt, so ist durch die Voraussetzung des Angeboren= seins oder der Apriorität eigentlich die Frage abgeschnitten, wie der Intellekt sie erworben hat. Man muß annehmen: entweder daß der Intellekt die= selbe vermöge eines spontanen Aktes in sich selbst erzeugt hat, oder daß sie eben die Qualität des Intellektes selbst ausmachen oder doch wesentliche Bestandteile desselben sind.

---

*) Vgl. auch Kramár, a. a. O. 30.

Gebe man sich diesem Gedanken hin und frage, hat man in diesen An=
nahmen ein Mittel zur Erklärung unserer räumlichen und zeitlichen Vor=
stellungen gewonnen? Wir wollen noch nicht fragen, kann die erfahrungs=
mäßig gegebene Welt im einzelnen daraus erklärt werden, sondern nur,
ob überhaupt irgend etwas auf diese Weise wissenschaftlich erklärt werden
kann? Diese Frage ist entschieden zu verneinen, da hierbei das Zu=erklärende
bereits vorausgesetzt wird. Fragt man z. B.: warum werden zwei leuchtende
Punkte nicht als einer vorgestellt, so ist die Antwort: das Raumvermögen
hält sie auseinander. Fragt man: warum sehen wir mit zwei Augen nur
einfach? dieselbe Antwort: das Raumvermögen hat diese Funktion. Alle
die schwierigen Probleme des räumlichen und zeitlichen Vorstellens werden
auf diese Weise ungelöst gelassen, gleichwohl aber als gelöst und selbst=
verständlich behandelt. Wo indes wirklich versucht wird, das Einzelne
wissenschaftlich zu erklären, da wird auch alsbald die nativistische Hypothese
bei Seite gelassen und die empiristische angewendet. Daher Cornelius
mit Recht erklärt, daß durch die erstere der psychologische Untersuchungsgeist
gelähmt und von einer tieferen Forschung abgelenkt werde. Auch die
Darwinianer gehen hier empiristisch zu Werke. Nach ihnen sind die
geistigen Anlagen, wie die Raumvorstellung, anfangs entstanden, dann
erst vererbt und im Laufe der Zeit ausgebildet.*)

80. Reflektiert man auf den Kausalbegriff und fragt: warum setzen
wir bei Ereignissen Ursachen derselben voraus, so wird jene Ansicht von
den angeborenen Kategorien antworten: weil uns die Kausalität a priori
innewohnt, eine innere Nötigung uns zur Annahme von Ursachen treibt.
Dieser inneren Nötigung aber wird nicht weiter nachgespürt. Überhaupt
liegt es auf der Hand, eine Erscheinung dadurch erklären zu wollen, daß
man ohne weiteres ein Vermögen annimmt, welches die fragliche Erscheinung
hervorbringen soll, heißt auf Erklärung verzichten.**) Die angeborenen
Formen des Intellekts spielen gegenwärtig bei vielen Psychologen eine ähn=

---

*) Flügel: Das Seelenleben der Tiere. 2. Aufl. 1886. S. 104.

**) Eine Thatsache aus einem besonderem Vermögen erklären wollen, mißbilligt
Leibniz. Er sagt, nach seinem Sinne sei es keine sehr schöne Erklärung einer Er=
scheinung, wenn man ihr ein besonderes Prinzip zuweise, dem Bösen ein principium
maleficum, dem Kalten ein primum frigidum; es gäbe nichts, das leichter, aber
auch platter wäre; und er verspottet die Scholastiker wegen ihrer erdichteten
qualitates und facultates occultae, die man sich wie kleine Dämonen oder Kobolde
dächte, welche ohne weiteres thun könnten, was man wünschte, als wenn die Taschen=
uhren die Stunden durch eine faculté horodeictique anzeigten, ohne Räder nötig
zu haben (Nr. 103). Ebenso sprechen sich Spinoza und Locke gegen die Annahme
realer Seelenvermögen aus.

Rolle, wie früher die Lebenskraft in der Physiologie. Was man im Organismus nicht erklären konnte, schrieb man dieser Kraft zu: sie sollte noch etwas anderes, von den einzelnen Elementen des Organismus ganz Verschiedenes sein, über ihnen und ihren Verbindungen schwebend, sie be= herrschend und nach vernünftigen Ideen, Typen, zwecksetzenden Intentionen ordnend. Desgleichen soll jetzt der Intellekt mit seinen Formen noch etwas außer und neben den einzelnen Vorstellungen sein, was sie zusammenfaßt, nach Formen und Kategorien ordnet und gruppiert. Allein der Intellekt in diesem Sinne wird auch gleiches Schicksal mit der Annahme einer be= sonderen Lebenskraft haben. Man wird erkennen, daß durch beide Hypo= thesen nicht nur nichts erklärt, sondern daß eine exakte Erklärung sogar durch dieselben verhindert wird, weil dadurch der Schein entsteht, als ver= stehe sich das von selbst, was eben einer Erklärung bedarf. Man legt, nach Liebigs Ausdrucke, dem, was gegeben und nicht sofort begreiflich ist, ein Wort unter, nennt dies die Ursache und mit einem durchaus unbegreif= lichen, unbestimmten, durch klare Vorstellungen nicht begrenzbaren Etwas erklärt man, was uns nicht gleich begreiflich ist. Es wird sich aber heraus= stellen, sowie die Lebenskraft nichts außer den physikalischen und chemischen Kräften des Organismus ist, sondern ganz und gar auf diesen und deren besonderen Kombinationen beruht, so auch der Intellekt mit seinen Formen eine Wirkung der einzelnen Vorstellungen, ihrer Verbindungen und Reihen, nicht aber die Ursache der ersten Ordnung unter ihnen ist. Die psycho= logische Erklärung wird eben darin bestehen, zu zeigen, daß die einzelnen Vorstellungen in ihren verschiedenen Kombinationen das leisten, was von gewissen Physiologen jetzt ohne weiteres der Thätigkeit des Intellekts zu= geschrieben wird.

Doch wir wollen einmal jene Erklärung mit Hilfe der Kategorien im allgemeinen gelten lassen und weiter fragen, sind denn die gemachten Voraus= setzungen geeignet, das zu erklären, was durch sie erklärt werden soll, nämlich das Einzelne der Erfahrung begreiflich zu machen.

Erfahrungsmäßige Thatsache ist es zunächst, daß wir die Vorstellung einer Außenwelt in uns als gegeben vorfinden. Soll man hier denken, daß wir, wie Helmholtz sagt, aus der Welt unserer Empfindungen zu der Vorstellung von einer Außenwelt niemals kommen, als durch einen Schluß von der wechselnden Empfindung auf äußere Objekte, als die Ur= sache dieses Wechsels? Soll man glauben, daß Tiere und neugeborene Kinder zur Anschauung der Außenwelt so gelangen, daß sie die Empfindungen in sich als etwas Bewirktes ansehen, sodann vermöge des angeborenen Kausalgesetzes zu dem Bewirkten die Ursache suchen und diese endlich in der Außenwelt finden? Wenn hierbei gesagt wird, daß alles geschehe eben ohne alle Reflexion, unbewußt, instinktartig, so ist dies allerdings Thatsache; aber von unbewußten Schlüssen aus der Wirkung auf die Ursache, anstatt von bloßer Association und Reproduktion der Empfindungen und Vor= stellungen zu reden, das ist offenbar nur ein Notbehelf, welcher die Ver= legenheit kaum notdürftig verdeckt. Ohne Zweifel ist die hier versuchte Erklärung des Entstehens der Anschauung von einer Außenwelt zum wenigsten sehr gezwungen und unwahrscheinlich. Wir werden hierauf weiterhin (Nr. 87—90) noch einmal zurückkommen.

81. Die Erfahrung zeigt ferner, daß das räumliche und zeitliche Vorstellen und das Denken nach dem Kausalgesetz sehr allmählich sich ausbildet. Diese Thatsache bleibt aber nach der besprochenen Theorie völlig unbegreiflich. Es ist durchaus nicht abzusehen, warum erst noch eine gewisse Zeit verfließen sollte, ehe die Empfindungen in die richtigen Formen ge= bracht werden. Sobald alle Bedingungen eines Ereignisses vorhanden sind, muß ohne Zaudern der betreffende Effekt hervortreten. Der Effekt ist in unserem Falle die Anschauung der räumlich und zeitlich geordneten Welt, die Bedingungen sind einmal die Empfindungsqualitäten und sodann die im Gemüt bereitliegenden, leeren Formen. Letztere sind nicht allmäh= lich entstanden, auf ihre Ausbildung hat die äußere Erfahrung durchaus keinen Einfluß, sie liegen allezeit fix und fertig bereit; kommen also die Empfindungsqualitäten von außen hinzu, so muß ohne weiteres die räum= liche und zeitliche Anschauung hervortreten, und zwar nicht weniger voll= kommen in dem neugeborenen Kinde, als in dem ausgebildeten Manne. Darum sagt Herbart mit Recht: „Bei den falschen psychologischen Hypo= thesen des Kantianismus sind Kinder und Tiere vergessen worden, daher sollte es nun freilich der Hypothese zu Gefallen keine allmähliche intellektuelle Ausbildung geben, die sich jedoch nicht wegleugnen läßt.*) Diese wird auch nicht geleugnet, sondern Liebmann und Preyer**) erwähnen die be= kannten Fälle von glücklich operierten Blindgeborenen und mehrere andere Erfahrungen, welche unzweideutig auf eine allmähliche Ausbildung des räumlichen und zeitlichen Vorstellens, wenigstens im menschlichen Individuum, hinweisen, ohne zu bemerken, wie wenig dies mit der Annahme der Apriorität der Raumvorstellungen zusammenstimmt. Hingegen sind die genannten

---

*) Herbart XII. 374. Die Stelle möge im Zusammenhang nachgelesen werden, s. auch Zt. f. ex. Ph. III. 297 ff.

**) Preyer: Die fünf Sinne des Menschen, 1870. Vgl. dazu: Die Auffassung der Kausalität als eines Begriffs a priori, in Zt. f. ex. Ph. X. 35. Preyer: Die Seele des Kindes, 1882. S. dazu Flügel: Seelenleben der Tiere, 1886. S. 104.

Erfahrungen so, wie sie erwartet werden müssen, wenn die Formen der Sinnlichkeit nicht angeboren, sondern erst nach und nach zugleich mit den Empfindungsqualitäten erworben werden.*)

82. Die Erfahrung zeigt drittens eine große Mannigfaltigkeit von ganz bestimmten, individuell charakterisierten Formen. Hier ist die Haupt= schwierigkeit, an welcher jeder Versuch, dieselben durch angeborene Formen erklären zu wollen, scheitern muß. Denken wir die Seele der Voraussetzung gemäß ausgestattet mit einem Inventar aller möglichen Formen: wie wird die Seele diese Formen anwenden? Entweder nach bloßer Willkür, oder nach bestimmten Gesetzen. Nach Willkür geschieht dies nicht, denn wir sind an die Formen der Objekte im Anschauen gebunden und sind z. B. nicht im stande, dieses viereckige Blatt Papier als rund anzusehen. Also die Anwendung jener Formen wird nach bestimmten Gesetzen vor sich gehen. Diese liegen entweder in der Seele oder in den Objekten. Im ersteren Falle kann es jedenfalls nicht ein Gesetz sein, denn sonst müßte erwartet werden, daß die Seele zu gewissen Zeiten ihren Stempel allen Objekten ohne Unterschied aufprägte: also z. B. heute alles rund, morgen alles vier= eckig u. s. w. anschaute. Unter der Voraussetzung aber einer großen Mannigfaltigkeit von besonderen gesetzlichen Aufeinanderfolgen in der An= wendung der Formen müßte man für jedes Objekt eine Periodizität er= warten, in welcher es eine Reihe von Formen konstant durchliefe; dann hätte man aber wieder Schwierigkeit, in dem Wechsel der Formen deren Beharren zu erklären. Kurz, man müßte eben gerade soviel verschiedene Gesetze annehmen, wie viel verschiedene Formen angeschaut werden, d. h. man müßte auf jede Erklärung verzichten und dabei stehen bleiben, zu sagen: die Seele hat eben die unbewußte Funktion, hier so und dort so und nicht anders die Form zur Anwendung zu bringen. Gesetzt endlich, die Objekte selbst wären es, die je nach ihrer Eigentümlichkeit bald diese, bald eine andere der in der Seele bereitliegenden Formen auslösten, so könnten unter dieser Eigentümlichkeit entweder die Empfindungsqualitäten als solche oder deren besondere Beziehungen zu einander, Gruppierungen, Ordnungen ver= standen werden. Der erste Fall ist unannehmbar, denn thatsächlich besteht kein notwendiger Zusammenhang zwischen der Empfindungsqualität und deren Form (Nr. 71). Sonst müßte z. B. jede besondere Farbe immer in einer bestimmten räumlichen Form angeschaut werden; thatsächlich aber zeigt sich dieselbe Form an verschiedenen Empfindungsqualitäten, und wiederum zeigt sich dieselbe Empfindungsqualität in ganz verschiedenen Formen. Die

---

*) 3t. f. ex. Ph. X. 47 f.

empfindbaren Eigenschaften also können nicht den Unterschied begründen, daß jetzt diese, dann eine andere Form ausgelöst wird; auch wird man nicht sagen, daß die Objekte nach Belieben, Willkür sich bald diese, bald eine andere Form wählen, dem würde die gesetzliche Konstanz widersprechen.*) Folglich bleibt nichts anderes übrig, als den verschiedenen Objekten verschiedene formale Eigenheiten beizulegen und diese Verschiedenheit als den Grund zu betrachten, daß das eine Objekt die Raumanschauung zu der, das andere zu einer anderen Form veranlaßt. Man müßte also sagen: das Subjekt allein gibt dem Objekt nicht die Form der Anschauung, sondern das Subjekt empfängt vom Objekt die Veranlassung, diese bestimmte Form vorzustellen. Ist man einmal so weit gekommen, zuzugeben: die Objekte selbst müssen gewisse formale Bestimmungen an sich haben, denen zufolge erst die subjektiv vorgestellten Raumformen entstehen, dann muß man einen Schritt weiter gehen. Denn was soll hier noch das abstrakte Raumvermögen? Es bedeutet nichts anderes, als die leere Möglichkeit, daß wir überhaupt des räumlichen Vorstellens fähig sind. Man mag es nur ganz fallen lassen und sagen: die Art und Weise, wie die Empfindungen infolge der Wechselwirkung des betreffenden Organs und der Objekte erzeugt werden, ist der Grund des Vorstellens bestimmter räumlicher Gebilde; die Seele muß die Vorstellung des Räumlichen erzeugen, weil die Objekte räumlich geordnet sind. Damit ist jedoch nicht gesagt, daß unsere Vorstellungen ein genaues Abbild der Außenwelt sind. Die Seele ist nicht der passive Spiegel, welcher das Weltbild in sich ohne weiteres aufnimmt, sondern es kommt hier auf eine Wechselwirkung, eine Relation zwischen Objekt und Subjekt an.**) Diese muß jedoch nach den obigen Erörterungen dergestalt gedacht werden, daß bereits in den Objekten an sich eine bestimmte Gruppierung oder eine räumliche, bezw. zeitliche Anordnung als die Veranlassung der subjektiven räumlichen und zeitlichen Anschauungen vorhanden ist.

83. Es ist alsdann Aufgabe der Psychologie, zu zeigen, daß die Empfindungen in der Art, wie sie gegeben werden und wie sie sich gegen-

---

*) Vgl. Kramár, a. a. O. S. 30 ff. Herbart I. 258.

**) Zwar wird auch von den Vertretern der Kategorien gesagt, es komme hierbei auf eine Relation zwischen Objekt und Subjekt an. Dies hat nun wohl für sie Sinn, wenn es heißt, die gesamte räumliche und zeitliche Anschauung sei Folge einer Relation zwischen Subjekt und Objekt, indem ersteres die Form, letzteres den Inhalt liefere. Keinen Sinn aber hat in jener Ansicht eine Relation zwischen Subjekt und Objekt, wenn es sich lediglich um Entstehung und Ausbildung der Formen handelt, denn darin würde liegen, daß auch die Form von außen, von der Erfahrung veranlaßt wäre , bezw. ausgebildet würde; damit würde die Behauptung des a priori aufgegeben.

seitig in dem Subjekt zu einander verhalten, uns zum Vorstellen des Räum=
lichen nötigen. Hierbei wird man nicht sagen können, daß ja auch bei
dieser Ansicht die subjektiven Ursachen (Bedingungen) zur Erzeugung des
räumlichen Vorstellens von Anfang an alle vorhanden sind, und daß,
sobald die Objekte, wie sie sich mit ihren räumlichen Bestimmtheiten dar=
bieten, überhaupt perzipiert werden, auch die Vorstellung der räumlichen
Form nicht zögern dürfe, sondern sofort, wenn das Kind die Augen auf=
schlage, vollkommen vorhanden sein müsse. Dies trifft nicht zu, denn schon
die Auffassung der einzelnen Teile der Objekte mit dem Auge und dem
Tastsinn erfordert Zeit, ferner aber kann die Art und Weise, wie die ver=
schiedenen einzelnen Vorstellungen, um das räumliche Vorstellen zu stande
zu bringen, assoziiert, reproduziert und gehemmt werden müssen, nur durch
häufige Wiederholung und Übung geschehen, so daß nach dieser Ansicht,
wonach die Formen nicht bereit liegen, erwartet werden muß, daß die
Raumauffassung, namentlich die feinere, nur allmählich gebildet und aus=
gebildet werden kann, wie denn die Erfahrung dies auf das Schlagendste zeigt.

Ähnliches gilt vom Zeitlichen.*)

84. In dem Vorstehenden haben wir zu erweisen versucht, daß die
Annahme von in der Seele bereitliegenden Formen erstens keine Thatsache,
sondern nur eine Hypothese ist; zweitens, daß diese Hypothese in sich wider=
sprechend sei, da eine Form ohne jeglichen Inhalt ein unmöglicher Gedanke
ist; drittens, daß die Erklärungen, welche im Sinne dieser Hypothese ge=
geben werden, keine Erklärungen sind, sondern das Zu=erklärende bereits
als bekannt voraussetzen; viertens, daß, wenn man jene Erklärung im
allgemeinen gelten läßt, dies doch nicht eine Erklärung der wirklich ge=
gebenen, besonderen Formen ist. Wo im einzelnen bestimmte Raumformen
erklärt werden sollen, muß man notwendig diese Hypothese gänzlich auf=
geben und kann nur im Sinne der empiristischen Hypothese hoffen, die
Probleme des räumlichen und zeitlichen Vorstellens zu lösen. Jede Psycho=
logie stellt sich mit der Annahme von angeborenen Begriffen immer ein
Armutszeugnis aus, indem sie das als unentstanden betrachtet, dessen Ent=
stehung sie nicht zu erklären vermag. Eben darum kann man im all=
gemeinen sagen, daß der Umfang, in dem eine psychologische Theorie von
der Annahme angeborener Begriffe Gebrauch macht, den Maßstab für das
Vertrauen abgibt, das sie zu ihrer eigenen Leistungsfähigkeit hegt.**)

---

*) Zt. f. ex. Ph. X. 48 ff.
**) Volkmann v. Volkmar, a. a. O. § 123.

85. Doch die Hauptfrage bleibt noch zurück, nämlich ob durch jene Hypothese die Existenz einer Außenwelt erwiesen ist. Dies wird uns zugleich auf eine nähere Erörterung des Kausalbegriffs führen.

Fast gleichlautend wird die Existenz einer Außenwelt bei Schopenhauer, Helmholtz, Fick und anderen in folgender Weise erwiesen: der Kategorie der Kausalität gemäß wird der Verstand des empfindenden Subjekts a priori genötigt sein, das Eintreten irgend welcher Empfindungen der Sinne sofort als Wirkung irgend welcher (äußerer) Ursachen aufzufassen (Schopenhauer). Es ist klar, daß wir aus der Welt unserer Empfindungen zu der Vorstellung einer Außenwelt niemals kommen können, als durch einen Schluß von der wechselnden Empfindung auf äußere Objekte als die Ursachen des Wechsels (Helmholtz). Die Empfindungen kommen und gehen, wechseln ohne unser Zuthun, aber sie sind auch der einzige Inhalt unseres Bewußtseins, welcher sich so verhält. Die Empfindungen kündigen sich demgemäß als etwas nicht durch das Bewußtsein selbst Geschaffenes, sondern ihm Aufgedrungenes an. Das Bewußtsein setzt daher ein äußeres Objekt oder einen äußeren Gegenstand, dessen Gegenwart oder besser Einwirkung auf das Subjekt die Empfindungen bedingt*) (Fick). Dabei ist noch zu bemerken, daß von allen nachdrücklich betont wird, diese Schlüsse seien „unbewußte Schlüsse".**) Vorsichtiger drückt sich zuweilen Helmholtz aus, wenn er sagt, diese Operation der Seele kommt in ihrem Resultate einem Schlusse gleich. Handelte es sich hierbei allein um die Entstehung

---

*) Übersichtlich neben einander gestellt finden sich die Äußerungen von Schopenhauer und Helmholtz bei Zöllner: Über die Natur der Kometen. Beiträge zur Geschichte und Theorie der Erkenntnis. 1872. S. 342 ff. Ähnliche Gedanken f. bei Baumann: Philosophie als Orientierung in der Welt. 1872. Vgl. dazu die Rez. in Zt. f. ex. Ph. XI. 181, und Schupp: Das menschliche Denken. 1870. Vgl. dazu die Rez. in Zt. f. ex. Ph. X. 275. Hiergegen läßt sich bereits eine Bemerkung Antenrieths geltend machen. Er meint, wenn alles das, was in uns ohne oder wider unseren Willen geschieht, auf äußere Ursachen zurückgeführt werden muß, so müßte dies auch der Fall sein bei allen uns unangenehmen Gedanken, Gefühlen, Stimmungen, die man gerne los sein möchte, wider welche man kämpft und die doch ohne unser Zuthun, ja wider unseren Willen kommen und gehen oder beharren. Und Irre führen ja dergleichen auch auf äußere Ursachen zurück, indem sie sich als besessen ansehen. Vgl. dazu Zt. f. ex. Ph. XII. 244.

**) Über unbewußte Schlüsse vgl. Wundt: Vorlesungen über Menschen- und Tierseele. 1862. Drobisch: Über den neuesten Versuch, die Psychologie naturwissenschaftlich zu begründen, in Zt. f. ex. Ph. IV. 313; ferner: J. Dastich: Über die neueren physiologisch-psychologischen Forschungen im Gebiet der menschlichen Sinne, Prag, 1864, und von demselben: Über einen Fall von Rotblindheit. 1867. (Verlag der K. böhmischen Gesellschaft der Wissenschaften.)

der subjektiven Annahme einer Außenwelt, wie sie uns allen eigen ist, so würde es im Grunde nur ein Wortstreit sein, wenn wir dies auf un= bewußte Association, jene es auf unbewußte Schlüsse zurückführen. Aber man beachte wohl, wie willkommen vielen die Zweideutigkeit des Ausdruckes „unbewußter Schluß" sein mag. Handelt es sich um die bloße subjektive Anschauung einer Außenwelt, dann betonen sie „unbewußt", handelt es sich aber um einen wissenschaftlichen Beweis für die unabhängige Existenz einer Außenwelt, dann betonen sie „Schluß", dann wird jener unbewußte Schluß zu einem bewußten, zu einem wissenschaftlichen Beweise. Nur als solcher hat er einen Sinn, wenn er wirklich etwas objektiv beweisen soll. Gesetzt, es wäre ein unbewußter, instinktartiger Schluß, das Vermögen der Kausalität schlösse also auf eine Außenwelt, so erhebt sich sogleich die Frage: sind wir nicht vielleicht in einer Selbsttäuschung befangen, wenn wir glauben, wir selbst sind nicht Urheber unserer Empfindungen? Viel= leicht sind wir dennoch die Ursache, nur unbewußt, wie wir es sicherlich bei Halluzinationen sind. Hierbei glaubt der Mensch auch, so lange er die Täuschung nicht als solche erkennt, nicht er selbst, das Subjekt, sondern die Außenwelt sei die Ursache der Erscheinung, und doch sagen wir, er täuscht sich. Könnten nicht alle unsere Vorstellungen nur Halluzinationen sein, denen nichts Objektives entspräche? Die Kausalität würde hier immer auf äußere Ursachen schließen, aber sie würde sich stets täuschen. Dieselbe Täuschung hat statt, wenn der Mensch noch Schmerz in einem amputierten Gliede empfindet.

86. Durch unbewußte Schlüsse, bei denen die Kausalität wie ein innerer blinder Trieb wirkt, könnte allenfalls der Schein, nie aber die objektive Gewißheit einer Außenwelt bewiesen werden, denn die Kategorien, also auch die Kausalität, können nach der in Rede stehenden Ansicht nur subjektive Einrichtungen des menschlichen Verstandes sein, die bei anderen Wesen vielleicht anders sind. Demnach ist es möglicherweise nur eine menschliche Beschränktheit, daß wir zu einem Geschehen (hier zu einer Empfindung) eine Ursache anzunehmen genötigt sind; in Wirklichkeit könnte es sich ganz anders verhalten. Die Kategorie der Kausalität möchte also immerhin nicht anders können, als auf eine Außenwelt schließen, allein, sie irrte jedesmal dabei, wenigstens böte sie uns niemals die Bürgschaft für die Wahrheit ihrer Aussprüche; sie tritt auf, wie ein Orakel, dessen selbst= verständliche Autorität für die Gewißheit seiner Aussprüche steht. Oder will man noch ein anderes Vermögen annehmen, welches die Wahrheit des Schlusses der Kausalität verbürgt u. s. f.? Bei alledem würde man niemals rechtmäßig über das Subjekt hinauskommen.

87. Doch sehen wir davon ab, daß es ein unbewußter Schluß sein soll; behandeln wir ihn als das, was er nach seiner Leistung sein muß, als einen bewußten Schluß, als einen wissenschaftlichen Beweis: beweist er das, was er beweisen soll?

Der Nerv dieses Beweises beruht einmal darauf, daß gesagt wird: jedes Wechselnde, wie z. B. unsere Vorstellungen, allgemein: alles Geschehen muß eine Ursache haben, und zweitens, diese Ursache muß im letzten Grunde eine äußere sein.

Worauf beruht es nun, daß alles Geschehen, jede Veränderung eine Ursache haben muß? Versteht sich dieser Satz von selbst, oder beruht er bloß auf einer Gewöhnung von unserer Seite, oder ist es ein innerer Instinkt, genannt Kategorie, welche Wirkung und Ursache aneinander knüpft, oder endlich, läßt er sich beweisen? Diesen Fragen sind die Physiologen in der Regel ausgewichen, haben aber eben damit ihrem Beweis für die Existenz der Außenwelt die Schärfe genommen. Beruhte dieser Satz auf bloßer Gewöhnung oder auf einer besonderen Einrichtung des menschlichen Gemüts, so liegt auf der Hand, daß damit keine objektive Erkenntnis gewonnen werden kann. Es kommt demnach darauf an, zu zeigen, daß der Schluß von einem Geschehen auf eine Ursache nicht ein unbewußter, sondern ein wissenschaftlich berechtigter ist. Hier erinnere man sich nun an das, was oben über ein Geschehen ohne Ursache oder — was dasselbe ist — über das absolute Werden gesagt wurde (Nr. 4—7). Weil das absolute Werden Widersprüche enthält, mit welchen das Sein und Geschehen nie behaftet sein darf, so ist ein solches Werden unmöglich, und ein Geschehen nur denkbar, wenn es auf eine Ursache bezogen wird. Die Erkenntnis des Widerspruchs im Begriff des absoluten Werdens fehlt den genannten Physiologen, um ihrem Beweis für die Existenz der Außenwelt die notwendige Schärfe zu geben und eine richtige Einsicht in die Kausalität zu gewinnen. Man denke sich die Erkenntnis hinweg, daß ein absolutes Werden unmöglich sei, halte also für möglich, daß die Seele vermöge eines spontanen Aktes alle Vorstellungen und Formen aus sich selbst erzeugt, so hat man den Standpunkt Fichtes; ihn zu widerlegen, ist völlig unmöglich, ohne die Widersprüche aufzudecken, welche im Begriff einer ursachlosen Thätigkeit liegen.*)

---

*) Übrigens wäre selbst mit der Zulassung des absoluten Werdens nicht ohne weiteres die Erscheinung des Bewußtseins erklärt. Denn, wie oben (Nr. 9—11) gezeigt ist, verlangt der Begriff des absoluten Werdens ein völlig gleichmäßiges Tempo des Fortschreitens; um die Annahme des absoluten Werdens also der Erfahrung einigermaßen anzupassen, müßte man der Seele das Vermögen beilegen, unzählig

88. Zum anderen gibt die Erkenntnis der Widersprüche im absoluten Werden zugleich eine Einsicht in die Notwendigkeit des Kausalzusammen= hanges. Bei den meisten Menschen, besonders den weniger Gebildeten, hat die Kausalität kaum eine andere Bedeutung, als die gewohnte zeitliche Aufeinanderfolge von Ereignissen. Das eine Ereignis gilt als Vorzeichen des anderen. In diesem Sinne hat auch Stuart Mill recht, wenn er den Kausalbegriff für nichts anderes erklärt, als für eine unvollständige Induktion. Erst die Erkenntnis, daß ein Geschehen ohne Ursache einen Widerspruch in sich enthält, und daß dieser nur dadurch aus unserem Denken hinweggeschafft wird, wenn eine Ursache als Bewirkendes hinzugenommen wird, zeigt, daß dem Kausalbegriff nicht allein eine subjektive Notwendigkeit des Nicht=anders= könnens, sondern eine objektive Notwendigkeit und Allgemeingiltigkeit zu= kommt. Jener Widerspruch drängt sich auch wohl dem in dieser Beziehung weniger im Denken Geübten auf, wenn schon nur in der Form eines dunkeln Gefühls, indem es ihm nicht gelingt, die sich widersprechenden Glieder auf eine exakte Weise auseinanderzusetzen.*) Geleitet von diesem dunkeln Triebe, fühlt man sich veranlaßt, eine Ursache auch da anzunehmen, wo sonst die äußeren Umstände noch gar nicht auf eine solche hindeuten. Und eben darin liegt auch der Schein, als gehe die Kausalität aller Erfahrung voraus, mache dieselbe erst möglich, sei ein angeborener Trieb unseres Inneren. Doch mit einem solchen dunkeln Gefühle darf sich die exakte Wissenschaft nicht begnügen.

89. Der zweite Umstand, welcher gehörig ins Licht gesetzt sein muß, um dem Beweise für die Existenz einer Außenwelt Bündigkeit zu geben, ist die Frage nach den inneren Ursachen. Denn offenbar ist es ein Sprung, wenn gesagt wird: das innere Geschehen deutet auf eine Ursache, folglich ist diese Ursache in einer Außenwelt zu suchen. Diesem Schlusse würde Leibniz sein System der rein innerlichen Ursachen entgegensetzen. Es muß also erst gezeigt sein, wie oben geschehen ist, daß das System bloß innerer Ursachen entweder zu einer unendlichen Reihe, d. h. zu gar keinem Anfang eines Geschehens, oder zum absoluten Werden führt (Nr. 5—9, 17).

---

viele verschiedene Vorstellungen in sich zu erzeugen, jede nach einem besonderen Gesetze sich entfaltend und auf andere wirksam und dennoch alle Vermögen zu einer Einheit verbunden. Freilich würde mit der Annahme, daß die Vorstellungen aufeinander wirkten und zwar nach verschiedenen Gesetzen, die Annahme eines absoluten, also eines ursachlosen Wirkens wieder aufgegeben. Vgl. Kramár, a. a. O. S. 24 ff.

*) Vgl. Cornelius: Über die Bedeutung des Kausalbegriffs in der Natur= wissenschaft. Halle, 1867. S. 16 ff.

90. Hierbei ist nicht unbemerkt zu lassen, daß die Widersprüche im absoluten Werden und im System rein innerlicher Ursachen nie vollständig erwogen werden können, ohne daß man auf den Begriff des absolut Seienden, als etwas streng Einfachen, eingeht. Nur auf diese Weise wird einleuchtend, daß jedes Geschehen in einer Ursache und zwar in einer äußeren Ursache wurzelt. So liegen allerdings gerade die dornenvollsten Begriffe der Metaphysik, nämlich die des Seins und Geschehens, auf dem Wege, der allein rechtmäßig aus dem Idealismus zum Realismus führt. Als ein Versuch, diesen Weg zu gehen, indem man jene Begriffe beiseite läßt, kann der in Rede stehende Beweis der Physiologen dienen, zugleich aber auch als ein Beweis, daß ein derartiges Verfahren nicht zum Ziele führt. Die Art und Weise, wie die Kantianer zur Annahme einer Außenwelt gelangen, hat nur dann Überzeugungskraft, wenn sie in der besprochenen Weise ergänzt wird. Freilich führt dann der Weg auch noch etwas weiter, als die Kantianer ihn verfolgen. Denn sind unsere Vor= stellungen von außen bewirkt, so müssen, nach der Verschiedenheit der Wirkung zu schließen, auch verschiedene, also mehrere und mannigfaltige Ursachen vor= handen sein. Diese Ursachen müssen in letzter Linie auf etwas Seiendes, also auf verschiedene Wesen zurückgeführt werden. Wenn endlich selbst die An= schauungsformen in gewisser Hinsicht von außen stammen, so müssen die letzten absoluten Wesen in bestimmten formalen Beziehungen zu einander stehen.

91. Dieses ist die Art, wie Herbart seinen Realismus begründet hat. Die Keime dazu liegen freilich auch bei Kant vereinzelt vor. Einmal der richtige Begriff des Seins (Nr. 14), sodann die Erkenntnis, daß eine einfache Substanz ohne allen Nexus mit anderen völlig unveränderlich sei (Nr. 39), ferner die Verwerfung des absoluten Werdens (Nr. 6), endlich die Unterscheidung des Ich von der Seelensubstanz (Nr. 91). Bei Fest= haltung dieser Punkte hätte sich ein gesicherter Realismus ergeben müssen. Aber Kant war weit entfernt, hieraus die nötigen Folgerungen zu ziehen. Das geschah erst von Herbart. Man erinnere sich an den Begriff des Seienden als eines streng Einfachen und Unveränderlichen. Zeigt nun die Erfahrung in unserem Ich eine Mehrheit von Empfindungen und Vor= stellungen, welche miteinander zu einer Einheit im Bewußtsein zusammen= gefaßt werden, so ist das Ich dem bereits (Nr. 47, 48) besprochenen Problem der Inhärenz zu subsumieren und nicht anders zu lösen, als durch die Annahme mehrerer selbständiger Wesen, die mit unserer Seele in Wechselwirkung stehen. Ferner zeigt sich im Ich eine beständige Veränderung, indem die Vorstellungen kommen und gehen: es muß also auch das Problem der Veränderung (Nr. 51) auf das Ich angewendet und demnach gleichfalls eine Mehrheit von Realen gesetzt werden, aus deren Wechselwirkung die Zustände und deren Veränderungen im Ich sich ergeben. So ist hier auf streng wissenschaftliche Weise die Existenz von Wesen erwiesen, die ihrem Sein nach unabhängig von unserem Intellekt sind. Aber man beachte wohl, daß, um diesen Schlüssen Beweiskraft zu geben, vorher die Begriffe des Seins und des Geschehens erwogen sein, und namentlich die Begriffe des absoluten Geschehens, der rein innerlichen Ursachen und einer ursprüng = lichen Vielheit in einem einfachen Wesen als in = sich = widersprechend ab= gewiesen sein müssen.*)

Wie bereits oben (Nr. 56) hervorgehoben wurde, liegt es eigentlich am nächsten, die metaphysischen Betrachtungen, welche vom unmittelbar Gegebenen ausgehen, sofort mit dem Probleme des Ich zu beginnen, weil die Vorstellungen für uns das einzig Gegebene sind. Auf diesem Wege ist auch Herbart selbst zu seinem Realismus gelangt. Es sind zumeist Rücksichten auf die Leser und die Bequemlichkeit des Vortrags, was einen anderen Gang der Untersuchung empfiehlt, namentlich im Anfang den ge= meinen Realismus vorauszusetzen.

Beginnt man aber mit dem Probleme des Ich, so ist doch das Resultat und auch der eigentliche Gang der Spekulation derselbe. Das Ich zeigt eine Vielheit in der Einheit. Kann also das Ich ein Reales im strengen Sinne sein? Es müßten demnach hier die Untersuchungen über Sein und Seiendes geführt werden. Daraus würde folgen, was bereits Locke und Kant hervorhoben, daß das Ich selbst nicht die reale Seelensubstanz ist, sondern daß das Ich als eine Vielheit und ein Geschehen einem Wesen inhäriert. Nun erhebt sich die Frage nach dem Geschehen. Ist das absolute Werden und die Reihe rein innerlicher Ursachen abgewiesen, so ergibt sich, daß das Geschehen im Ich im letzten Grunde durch äußere Ursachen bewirkt ist. Wie sind diese äußeren Ursachen beschaffen? Sie müssen herrühren von Wesen, auf welche der Begriff des absoluten Sein anzuwenden ist und welche, nach ihrer Wirkung zu schließen, untereinander qualitativ verschieden sein müssen. So wäre man bei dem von uns entwickelten Realismus angelangt. Auch die einzelnen Probleme behielten im allgemeinen ihren bisherigen Gang und ihre Bedeutung. Gegeben sind im Ich gewisse

---

*) Ist dies geschehen, dann ist ein Einwand Berkeleys hinfällig: so wie im Traume, sagt er, dem Geiste Dinge als wirklich erscheinen, die in Wahrheit nicht vorhanden sind, so kann es sich auch mit den Vorstellungen des Wachenden verhalten. Nach den von uns hervorgehobenen Prinzipien aber ist auch ein solcher Traum nur möglich, nachdem bereits eine Wechselwirkung zwischen unserer Seele und anderen Wesen stattgefunden hat.

9*

Komplexionen von Vorstellungen. Wir selbst aber sind weder die alleinige Ursache der Vorstellungen, noch von deren Verbindungen und Gruppierungen, das verbietet der Begriff des Seins. Wie sind also die Ursachen beschaffen, welche die Vorstellung des Dinges mit mehreren Merkmalen zur Folge haben? Ferner, wie sind die Ursachen beschaffen, von welchen die Vor= stellungen der Veränderung und der Ausdehnung in uns erzeugt werden? Die Beantwortung dieser Fragen wird eben jene Gedankenbewegungen hervorrufen, die wir im Vorstehenden entwickelt haben.

Übrigens hat Herbart in den Hauptpunkten der Metaphysik die Darstellung der Probleme so allgemein gehalten, daß man sie recht wohl gleich von vornherein im Sinne des idealistischen Standpunktes verstehen kann.

92. Fassen wir nun zusammen, was sich uns aus der Betrachtung des Problems des Ich ergeben hat, um daraus eine eingehendere Erkenntnis der psychischen Erscheinungen zu gewinnen. Zunächst erhellt, daß man ein selbständiges Wesen als Träger der geistigen Zustände anzunehmen hat. Der erste Satz, auf welchem diese Annahme beruht, ist der, daß geistige Zustände nicht Bewegungszustände sein können (Nr. 40). Wie schon gewisse Vorgänge, welche Gegenstände der organischen Chemie und Physiologie sind, sich nur sehr gezwungen auf bloße Bewegungs= zustände zurückführen lassen, so fordern ganz unabweislich die psychischen Erscheinungen, auch die einfachsten, wie die Farben= oder Tonempfindungen mit ihrem bestimmten qualitativen Charakter, die Annahme noch anderer, als Bewegungsvorgänge, nämlich innerer Zustände, wie wir solche oben (Nr. 45) als innere Reaktionszustände der Atome gefunden haben und wie sie Leibniz in allen Monaden annahm. Diese Erkenntnis kann leicht getrübt und der Unterschied, welcher zwischen äußeren und inneren Vor= gängen besteht, leicht verwischt werden, wenn man sich vorzugsweise mit den Vorgängen der äußeren Natur beschäftigt hat und sich dann den inneren Erscheinungen zuwendet. Da begegnet es Naturforschern, welche es vorzugsweise mit äußeren Zuständen, Gruppierungen und Bewegungs= verhältnissen der Atome und deren Gebilden zu thun haben, nicht selten, daß sie den besonderen Charakter der geistigen Zustände als innerer Vor= gänge, deren wir uns bewußt sind, übersehen. Das Psychische, wie schon die einfachste Empfindung, gehört in das Bereich des inneren Geschehens, nicht des äußeren; letzteres betrifft allein die Lagen= und Bewegungs= verhältnisse der Körper oder der sie konstituierenden Atome. Das innere Geschehen hingegen ist eben ein Vorgang in den Realen (Atomen) selbst, welcher allerdings mit den äußeren Vorgängen an den Realen in Beziehung steht (Nr. 40). Jedoch läßt sich bemerken, daß die Einsicht in die Un=

vergleichbarkeit der geistigen Vorgänge mit Bewegungszuständen allgemeiner wird und sich selbst solchen Forschern aufdrängt, welche gleichwohl nicht die nächsten Konsequenzen aus dieser Erkenntnis ziehen.*)

93. Der zweite Satz, welcher zur Annahme eines selbständigen Seelenwesens führt, ist der: die geistigen Zustände eines gewissen Indivi= duums können nur Zustände eines, nicht mehrerer Wesen sein. Diese Erkenntnis lag vielleicht schon der alten pythagoreischen Meinung von der Seele als einer Harmonie zu Grunde. Viel deutlicher spricht sie Aristoteles aus, welcher bemerkt, wenn die eine Person den Obersatz eines Schlusses denke, eine andere Person den Untersatz, ohne daß eine von der anderen und ihrem Denken weiß, so kann weder die eine, noch die andere zu einem Schlusse daraus kommen. Und gerade so wie verschiedene Personen würden sich verschiedene selbständige reale Wesen, wenn auch Teile desselben Gehirns, verhalten, falls nicht die Zustände des einen auf das andere übergehend gedacht würden, also eines der Träger aller Zustände wäre. Und noch weit einfachere geistige Zustände würden bei der Annahme einer Verteilung der geistigen Vorgänge an verschiedene Wesen unerklärlich bleiben, wie z. B. die Vorstellung eines Dinges mit mehreren Merkmalen. Denn wäre etwa ein Wesen Träger der Ton=, ein anderes Träger der Farbenempfindungen, so wäre es unmöglich, in einem einheit= lichen Akte Farben und Töne als Merkmale einem und demselben Dinge zuzuschreiben. „Wenn die Seele, so bemerkt auch Plotin, ein Ding als ein Ganzes wahrnehmen soll, so müssen die Wahrnehmungen der ver= schiedenen Sinnesorgane in ein Zentrum zusammenlaufen. Wäre das nicht der Fall, so würde es so sein, als wenn wir, ich die eine und du die andere Wahrnehmung hätten; dann aber würde keiner von uns die Wahrnehmung des Ganzen haben. Daraus folgt, daß die Seele ein un= teilbares Eins ist, also kein Körper, und daß sie unauflösbar, mithin un= sterblich ist.**) Namentlich wurde in der Leibniz=Wolff'schen Schule die Einheit des Bewußtseins vielfach hervorgehoben zum Beweise der Einfach= heit der Seele. Leibniz selbst vergleicht die Annahme einer Verteilung der Bewußtseinszustände an verschiedene Träger und die daraus sich ergebende formale Einheit mit der Einheit eines Bienenstockes oder einer Maschine.***)

---

*) Zt. f. ex. Ph. X. 413 und XII. 246 ff. und Cornelius: Abhandlungen zur Naturwissenschaft und Psychologie. 1887. S. 102 ff.

**) Enneade IV. 7, 2, 5, 6, wobei freilich die Einheit des Bewußtseins mit dem Lebensprozeß als einerlei gesetzt wird.

***) Monadologie 17. „Übrigens muß man bekennen, daß die Vorstellung und das, was davon abhängt, durch mechanische Ursachen, d. h. durch Gestalt und Be=

Auch dieser Satz, daß sämtliche geistige Zustände eines Individuums in einem einzigen unteilbaren Wesen, als dessen Kräfte oder Zustände beisammen sein müssen, wird, wie es scheint, immer mehr anerkannt und ergibt sich mit voller Schärfe aus einer gehörigen Besinnung auf den wirklichen geistigen Thatbestand.

94. Aus dieser Erkenntnis folgt, daß weder das Gehirn, noch ein Teil desselben Träger der geistigen Zustände sein kann, eben weil alle Materie, also auch das Gehirn, zusammengesetzt ist aus einer Vielheit einfacher Atome. Nur ein streng einfaches Wesen (Atom, Monade) kann Träger der geistigen Erscheinungen sein. Dasselbe muß allerdings mit dem Gehirn in der innigsten Wechselwirkung stehen, kann aber gleichwohl nicht selbst eines der die Gehirnmasse bildenden Atome sein, sondern, da thatsächlich die in der ersten Kindheit gewonnenen geistigen Zustände noch im späten Alter vorhanden sind, so muß man annehmen, daß der Träger der geistigen Vorgänge nicht in den beständigen Stoffwechsel des Gehirns eingeht.

Diese Betrachtungen nötigen unumgänglich zur Annahme eines selbständigen Seelenwesens als des Trägers der geistigen Erscheinungen.*)

wegung unerklärlich ist. Machen wir einmal die Fiktion, es gäbe eine Maschine, deren Bau denken, fühlen, vorstellen mache. Diese Maschine wird man im vergrößerten Maßstabe unter Beibehaltung derselben Verhältnisse denken können, so daß man in sie hineingehen könne, wie in eine Mühle. Dies angenommen, wird man bei der innerlichen Besichtigung nur Teile finden, die einander stoßen, allein nie etwas, woraus man eine Vorstellung erklären könnte. Folglich muß man die Vorstellung in der einfachen Substanz suchen, nicht in dem Zusammengesetzten oder in der Maschine. Auch läßt sich in der einfachen Substanz eben nur dies finden, nämlich Vorstellungen und ihre Veränderungen. Darin allein müssen alle inneren Thätigkeiten der einfachen Substanzen bestehen." Unter den Anhängern der Leibniz'schen Philosophie haben sich ausführlicher über diesen Punkt geäußert z. B. Tetens: Versuch über die menschliche Natur. 1772. S. 182—210. H. S. Reimarus: Von den vornehmsten Wahrheiten der natürlichen Religion. 1791. 937 ff. J. A. H. Reimarus: Darstellung der Unmöglichkeit bleibender körperlicher, örtlicher Gedächtniseindrücke. 1812. S. 45 ff. Mendelssohns Werke II. 207 ff. u s. w. Vgl. hierüber Volkmann v. Volkmar: Lehrbuch der Psychologie, § 11 und Zt. f. ex. Ph. XIV. 63 ff.

*) Vgl. O. Flügel: Der Materialismus vom Standpunkte der atomistisch-mechanischen Naturforschung. Leipzig, 1865. Derselbe: Die Seelenfrage. 1878.

Es bedarf wohl kaum der Bemerkung, daß man unter dem, was soeben als Seele bezeichnet worden ist, nicht ein sogenanntes Lebensprinzip zu verstehen hat. Nach der vorgetragenen Ansicht ist das organische Leben bedingt durch die unzähligen Kräfte der einzelnen, den Leib bildenden Atome und deren Kombinationen, nicht aber durch die Thätigkeit eines besonderen, selbständigen Lebensprinzips. Zur Annahme

95. Dieses Seelenwesen ist immateriell, wie jedes einfache Wesen (Atom) für sich genommen nicht unter den Begriff der wahrnehmbaren Materie fällt, welche letztere ja erst aus der Wechselwirkung einer Mehrheit solcher einfachen Wesen resultiert. Vor den die Materie bildenden Wesen hat es zunächst nur dies voraus, daß es vermöge seiner besonderen Qualität

---

eines Seelenwesens führt uns die Analyse lediglich der psychischen Erscheinungen, nicht der vitalen, und demgemäß ist auch die Seele nur als Trägerin der geistigen Erscheinungen anzusehen.

Allerdings ist eine Identifizierung der Seele und des Lebensprinzips im Organismus eine sehr alte und weitverbreitete Meinung. Die ionischen Physiologen, ferner Heraclit, Empedocles, die Atomiker sehen alle das Geistige zugleich als das den Leib Belebende an und betrachten die geistigen Erscheinungen als eine besondere Art der materiellen. Sie sind Materialisten, wie dies besonders bei Empedocles und den Atomikern hervortritt. Schon Empedocles huldigt dem Satze, daß Gleiches nur von Gleichem erkannt werden kann, und darum muß nach ihm die Seele aus allen vier Elementen (Nr. 29) bestehen, damit sie alles erkennen kann. Von den Atomikern wird die Seele als ein Aggregat von runden Feueratomen gedacht, welche wie ein feiner Strom den porösen Leib überall gleichsam in Form eines zweiten Leibes durchziehen und bewegen und sich durch Aus = und Einatmen so lange erneuern, bis das letztere aufhört. Dabei wird eine Verschiedenheit von Lebensprinzip und Seele (Geist), Denken und Empfinden ausdrücklich verneint. Die Empfindung soll ihren Grund darin haben, daß sich bei der Wahrnehmung gewisse Bildchen von den äußeren Dingen ablösen und in die Seele eindringen, welche sich deren bewußt wird. Auch Plato und Aristoteles halten im allgemeinen noch daran fest, daß das Erkennende und das Belebende ein Prinzip sei; hingegen macht sich hier immer mehr ein Unterschied, ja ein Gegensatz von Leben (oder Seele) und Leib (oder Materie) geltend. Nach Plato, der hier wahrscheinlich an Pythagoras anknüpft, besteht die Seele aus zwei Teilen: einem edleren (der Vernunft) und einem unedleren, welcher wieder in Mut und Begehrung zerfällt. Die Vernunft soll im Kopfe, der Mut in der Brust, die Begehrung im Unterleibe ihren Sitz haben. Zugleich aber ist die Seele das Lebensprinzip des Leibes, ja in dieser Voraussetzung findet er einen Hauptbeweis für die Unsterblichkeit der Seele. Sind Seele und Leben ein und dasselbe, so ist es ebenso unmöglich, daß die Seele sterben kann, als daß das Eis brennt. Die Seele ist Leben, sie kann nicht vergehen, wie sie auch nicht entstanden ist, und darum scheint die Ansicht Platos von der Präexistenz der Seele und der damit zusammenhängenden Lehre von der Wiedererinnerung an einen früheren Zustand, da sie die Ideen unmittelbar schaute, nicht bloß mythisch, sondern ernstlich gemeint zu sein. Demnach scheint der Leib, wie auch bei den Pythagoreern, für Plato nur den Zweck eines Läuterungsmittels für die Seele zu haben. Nach Aristoteles sind Ernährung, Erzeugung nicht weniger als Wahrnehmen und Gedächtnis Funktionen der Seele, und im Tode vergänglich. Verschieden davon ist der νοῦς, aber auch dieser, sofern er wahrnimmt, begehrt, kurz, vom Leibe beeinflußt wird oder auf denselben wirkt, ist mit dem Leibe so verwachsen, daß er im Tode dessen Schicksal teilt. Nur der νοῦς ποιητικός als abstrakte Vernunft, als Kraft

nicht in die gewöhnlichen chemischen Prozesse mit den Bestandteilen des Gehirns eingeht. Nicht aber darum heißt die Seele ein immaterielles Wesen, weil sie in keiner gesetzlich notwendigen Verbindung mit dem Organismus stände, oder weil in der Seele selbst etwas geschähe, was dem allgemeinen Kausalnexus enthoben wäre. Vielmehr, was zwischen Leib

zum höchsten Erkennen, welches mit den Einzelnen und also den Einzelindividualitäten schlechthin nichts zu thun hat, ist göttlich und unsterblich. Eine individuelle Unsterb= lichkeit hingegen für den Einzelnen ist ausgeschlossen. Freilich lassen sich derartige Ansichten leicht deuten, je nachdem sie jemand verstehen will; es liegt hier eine Zwei= deutigkeit vor, welche hinsichtlich der Unsterblichkeit sehr oft wiederkehrt. So spricht z. B. auch Spinoza von einer vom Leibe unabhängigen Dauer der Seele, obgleich nach ihm doch die Seele ganz identisch mit dem Leibe ist, nur verschieden angeschaut, das eine unter dem Begriff des Denkens, das andere unter dem Begriff der Aus= dehnung. Aber auch abgesehen davon lehrt Spinoza noch ausdrücklich, daß die Seele im Tode alles Vorstellen, Gedächtnis und infolge davon das darauf beruhende Selbstbewußtsein verliert. Eine andere Ansicht gestattet auch der neuere Idealismus nicht: nach ihm ist zwischen dem lebendigen Leib und der denkenden Seele kein wesent= licher Unterschied, sondern das eine ist nur die andere Seite des anderen, der Leib die Äußerlichkeit der Seele und die Seele die Innerlichkeit des Leibes. Darum unterliegt notwendig die Seele, welche sich unmittelbar auf den Leib bezieht oder das Prädizierende desselben ist, der gleichen Nichtigkeit mit diesem; ebenso auch die Seele, sofern sie das Prinzip des Verstandes ist, weil auch dieser sich unmittelbar durch die erste auf das Endliche bezieht; das wahre An=sich oder Wesen der bloß erscheinenden Seele ist die Idee oder der ewige Begriff von ihr, der in Gott, und welcher, ihr vereinigt, das Prinzip der ewigen Erkenntnis ist: daß nun dieses ewig ist, ist sogar nur ein identischer Satz; das zeitliche Dasein ändert in dem Vorbilde nichts, und wie es nicht realer wird dadurch, daß das ihm entsprechende Endliche existiert, so kann es auch durch die Vernichtung desselben nicht weniger real werden oder auf= hören, real zu sein (Schelling). Der Begriff selbst ist unsterblich, aber das in seiner Teilung aus ihm Heraustretende ist der Veränderung und dem Rückgange in seine allgemeine Natur unterworfen (Hegel). Und die Menschen sollten die einzige Gelegenheit ergreifen, die ihnen der Tod bietet, um über die Schranken der Persönlichkeit hinaus zu kommen (Schleiermacher). Freilich läßt die Zweideutig= keit im Ausdruck für solche, welche dem Idealismus nicht bis auf den Grund zu sehen vermögen, die Möglichkeit zu, von einer Unsterblichkeit der Seele zu reden, ja eine Unsterblichkeit der einzelnen Personen zu behaupten, sofern ja die absolute Idee sich immer in bestimmten Personen geistiges Dasein gibt; aber nicht dieselben Personen dauern, sondern immer andere, neue treten an deren Stelle. In dieser Beziehung ist es ein Vorzug des Idealismus Schopenhauers und der sogenannten Jung= hegelianer, daß sie jene Zweideutigkeiten verschmähen und die Vernichtung des Individuums rückhaltlos lehren. S. O. Flügel: Die spekulative Theologie der Gegenwart. 1881 und 1888. S. 68 ff.

Die Identifizierung des materiellen Lebens mit der Seele ist aber nicht allein dem bezeichneten metaphysischen Idealismus eigen, sondern ist ebenso die herrschende

und Seele*) oder in dieser selbst**) vorgeht, trägt den bestimmten Charakter der Notwendigkeit und Gesetzlichkeit wie alle übrigen Erscheinungen der Natur.

96. Das Geschehen in der Seele bietet im allgemeinen nicht mehr Schwierigkeit als das Geschehen in irgend einem anderen einfachen Wesen. Denken wir uns ein Wesen A in Verbindung mit B, C, D u. f. w., so hat jedes dieser Wesen, also auch A, eine Mehrheit von Reaktions= zuständen, zwischen welchen eine qualitative Verschiedenheit besteht, falls eine solche unter den Wesen B, C, D u. f. w. vorhanden ist. Hätte eine solche nicht statt, wären also B, C, D qualitativ einander gleich, so auch die Zustände, welche A in Wechselwirkung mit B, C, D gewinnt. Diese inneren Zustände könnten nicht von einander unterschieden werden, wenn sonst nichts hinzukäme. Qualitativ gleiche Zustände verschmelzen zu einem ungeteilten Akte von größerer Intensität. Gesetzt aber, B, C, D sind von verschiedener Qualität, so müssen auch die Zustände, welche A aus der Wechselwirkung mit ihnen gewinnt, von verschiedener Qualität sein, indem sich der Gegensatz zwischen B, C, D in den durch sie in A bewirkten Zu=

Ansicht des Materialismus. Auch ihm gelten die geistigen Erscheinungen nur für gewisse Lebenserscheinungen. Und da nun der Materialismus die Annahme eines besonderen Lebensprinzips außer den Atomen mit Recht aufgegeben hat, so sind ihm die geistigen Vorgänge notwendig materielle Zustände (Bewegungs=Erscheinungen) oder Funktionen des materiellen Gehirns. In seiner Bestreitung der Annahme eines Seelenwesens pflegt er freilich irre zu gehen, da er meint, die Argumente gegen eine besondere Lebenskraft träfen zugleich die Annahme eines besonderen Trägers der geistigen Erscheinungen. Die Voraussetzungen der Seele und der Lebenkraft stehen und fallen seiner Meinung nach mit einander. Dieses ist jedoch keineswegs der Fall. Wir stimmen dem Materialismus vollkommen zu in seiner Polemik gegen ein be= sonderes Lebensprinzip, hingegen nötigt eine sorgfältige Analyse der geistigen Er= scheinungen dazu, diese nicht als materielle oder Bewegungsvorgänge, sondern als innere Zustände anzusehen, die in Rücksicht eines jeden Individuums ein Wesen als Träger erfordern, welches mit dem Leibe in der innigsten Wechselwirkung steht. Unter den alten Philosophen war es Anaxagoras, bei welchem sich zuerst eine Scheidung des Geistigen von dem Materiellen findet; und doch ward der einmal ge= setzte Unterschied wieder verwischt, indem alle Kraft (also auch die materielle) auf Seiten des νοῦς gestellt ward.

*) Vgl. C. S. Cornelius: Über die Wechselwirkung zwischen Leib und Seele. Halle, 1871. S. auch Zt. f. ex. Ph. IV. 97.

**) Gegen den Versuch Schleidens, nachzuweisen, daß die Seelenthätigkeit bestimmten Gesetzen nicht unterworfen sei f. Cornelius: Zur Theorie des Sehens ꝛc. in Zt. f. ex. Ph. III. 1.

ständen (b, c, d) kundgibt.*) Diese Zustände b, c, d als Zustände eines unteilbaren Wesens können unmöglich gleichgiltig neben einander beharren, sondern werden sich teils hemmen, teils mit einander verbinden. Betrachten wir beispielsweise die Zustände b und c. Da sie herrühren von den beiden im konträren Gegensatze stehenden Wesen B und C, so werden auch b und c einander konträr entgegengesetzt sein; ein Zustand wird also dem anderen Gleiches und Entgegengesetztes darbieten. Das Gleiche in beiden Zuständen sollte unmittelbar zu einem nicht unterscheidbaren Akte verschmelzen; dieses Gleiche aber ist nicht zu trennen von dem Entgegengesetzten. Wiederum sollte das Entgegengesetzte einander aufheben, es ist aber nicht abtrennbar von dem Gleichen. So ist hier ein Konflikt zwischen b und c vorhanden, in welchem jeder der beiden Zustände des anderen in einem Akte angreift und ihm widerstrebt und so sich in seiner besonderen qualitativen Beschaffenheit behauptet. Indem jeder Zustand den anderen angreift und ihm zugleich widerstrebt, macht sich jeder als eine Kraft geltend. Beide Zustände werden sich auf Grund des bestehenden Gegensatzes gegenseitig bis zu einem gewissen Maße hemmen und dadurch an freier Wirksamkeit verlieren. Da indes jeder Zustand der ihm durch den Gegensatz auferlegten Hemmung

---

*) Sicherlich muß die qualitative Beschaffenheit der inneren Reaktionszustände eines Wesens A abhängig sein, sowohl von seiner eigenen ursprünglichen Qualität als auch von den Qualitäten der anderen Wesen, gegen welche es in Reaktion begriffen ist. So sind die inneren Zustände b, c, d, welche A in Wechselwirkung mit B, C, D gewinnt, alle charakterisiert durch die ursprüngliche Qualität des A, aber auch durch die Qualitäten von B, C, D. A wird von B anders als von C oder D erregt, zur Thätigkeit bestimmt werden. Denn man halte fest, daß ja A keine ursprüngliche Kraft hat, welche es in gleicher Weise gegen B, C, D kehren könnte, sondern A wird erst zur Kraft bestimmt durch B, C, D; und dieses Bestimmt werden wird eben charakterisiert teils durch die Qualität dessen, welches reagiert, teils dessen, gegen welches die Reaktion gerichtet ist. Daher müssen denn auch die Reaktionen von A gegen B, C, D in bestimmter Weise verschieden sein (Nr. 46), falls zwischen B, C, D gewisse qualitative Gegensätze bestehen (Zt. f. ex. Ph. XII. 248). Übrigens ist bei etwaigen Schwierigkeiten, welche man in betreff der Kausalität zwischen den qualitativ verschiedenen Wesen finden könnte, doch die Mannigfaltigkeit qualitativ innerer Zustände in der einfachen, einem bestimmten Individuum zugehörigen Seele als Faktum festzuhalten, welches auch Leibniz ausdrücklich betont (Nr. 17). Denn qualitativ verschiedene innere, geistige Zustände sind uns thatsächlich gegeben, solcher sind wir uns bewußt. Diese Zustände aber dürfen bezüglich eines Individuums nicht an verschiedene Wesen verteilt gedacht werden (Nr. 92), sondern sind die Zustände eines Wesens. Auch darf diese Mannigfaltigkeit nicht als ein ursprüngliches Besitztum der betreffenden Seele angesehen werden, sondern eben nur als Folge eines Kausalverhältnisses zwischen der Seele und anderen Wesen von verschiedener Qualität.

widerſtrebt und zwar umſomehr, je größer ſeine urſprüngliche Intenſität
iſt, ſo ſtrebt er auch, ſoweit er gehemmut iſt, ſich von der Hemmung zu
befreien. Dieſes Streben wird Erfolg haben, alſo der betreffende Zuſtand
wird an freier Wirkſamkeit gewinnen in dem Maße, als die Hemmung,
welche er von dem anderen erfährt, durch eine ſtärkere Hemmung eben
dieſes anderen infolge des Hinzutritts eines oder mehrerer neuen Zuſtände
vermindert wird. Die inneren Zuſtände endlich, ſofern ſie der Hemmung
nicht unterliegen, müſſen ſich als Akte eines und desſelben Weſens mit
einander verbinden. Auf dieſen inneren Zuſtänden und deren Wechſel=
wirkung beruht nun im letzten Grunde alle Kraft, namentlich auch die
organiſche*) und die geiſtige.

97. Wir ſetzen jetzt an die Stelle des A ein Seelenweſen, d. h. ein
einfaches Weſen, welches ſeiner urſprünglichen Qualität nach ſehr verſchieden
von den übrigen, den Leib bildenden Stoffen ſein mag und eben darum
nicht in die gewöhnlichen chemiſchen Verbindungen eingeht, ſondern beharrt,
während die anderen Stoffe kommen und gehen. An die Stelle von B,
C, D u. ſ. w. ſetzen wir die den Organismus, zunächſt die das Gehirn
bildenden Weſen. Das Seelenweſen hat alſo vor den anderen Weſen
dreierlei voraus. Einmal die unterſcheidende Qualität, wie ja überhaupt
zwiſchen den letzten realen Weſen verſchiedene qualitative Gegenſätze an=
zunehmen ſind. Zweitens, da die qualitative Beſchaffenheit der inneren
Zuſtände eines Weſens abhängig iſt nicht allein von der Qualität der=
jenigen Weſen, mit welchen es in Wechſelwirkung ſteht, ſondern ebenſoſehr
von der eigenen Qualität des betreffenden Weſens ſelbſt, ſo müſſen auch
die inneren Zuſtände der Seele in qualitativer Hinſicht abweichen von
denen der anderen Weſen, durch welche ihre Zuſtände bedingt ſind.
Drittens kommt der Seele eine zentrale Stellung im Leibe zu, vermöge
deren ſie in einer beſonderen Art von Wechſelwirkung mit den Organen
des Leibes ſteht.**)

*) S. Cornelius: Das Gedächtnis eine Eigenſchaft der Materie, in Zt. f.
ex. Ph. XIV. 129.
**) Von einem Dualismus im gewöhnlichen Sinne iſt daher hier keine Rede.
Der Dualismus (ſ. darüber Volkmann: Pſychologie. Cöthen, 1875. I. 134 ff.)
ſteigert die Verſchiedenheit von Leib und Seele zu einem abſoluten Gegenſatz von der
Art, daß eine Wechſelwirkung zwiſchen beiden undenkbar iſt. Uns iſt die Seele ein
einfaches Weſen, wie jedes andere Atom, ſie beſitzt keine urſprüngliche Mannigfaltig=
keit von inneren Zuſtänden, ſondern gewinnt dieſe erſt durch ihre Wechſelwirkung
mit anderen Atomen. Die Wechſelwirkung zwiſchen Leib und Seele iſt demnach im
allgemeinen denſelben Geſetzen unterworfen, wie die Wechſelwirkung zwiſchen irgend
welchen anderen Atomen. Die Gegenſätze alſo, deren ſich der Dualismus zur Be=

98. Infolge dieser Wechselwirkung muß sich in der Seele eine große
Menge von inneren Zuständen befinden, zwischen welchen auch mancherlei
Gegensätze bestehen werden, daher es auch unter diesen Umständen der
Seele an mancherlei Hemmungen und gegenseitigen Bindungen nicht fehlen
kann. Aus dem anfänglich chaotischen Gemenge von inneren Zuständen,
welches in der Seele vermöge ihrer Wechselwirkung mit dem Gehirne be=
steht, werden nun durch die äußeren Einwirkungen vermittels der Sinnes=
organe gewisse Zustände ausgelöst, d. h. vor anderen besonders bis zu einem
gewissen Grade der Klarheit hervorgehoben. Diese so von außen her er=
weckten Zustände (Sinnesempfindungen) müssen sich untereinander in der
oben im allgemeinen angegebenen Weise teils hemmen, teils zu größeren
oder kleineren Gruppen verbinden.*)

Der Hemmung wird hier in Ansehung von Empfindungen, bezw.
Empfindungsvorstellungen eine Verminderung des Klarheitsgrades, ein
Verdunkelt= oder Vergessen=werden entsprechen. Die Wiedererweckung
(Reproduktion) verdunkelter oder vergessener Seelenzustände, sowie im

---

zeichnung der Verschiedenheit von Leib und Seele bedient, z. B. einfach und zusammen=
gesetzt, übersinnlich und sinnlich, unbedingt und bedingt u. f. w. haben teils keine, teils
nur eine relative Bedeutung, denn, wie schon bemerkt, die Seele ist, wie jedes andere
Atom einfach, der Leib zusammengesetzt, ein Aggregat aus einfachen Atomen;
übersinnlich ist die Seele, wie jedes andere Atom, sofern sie als ein einfaches Wesen
nicht Gegenstand unmittelbarer Wahrnehmung sein kann; unbedingt ist die Seele,
wie jedes andere Atom dem Sein nach, bedingt, wie jedes andere Atom, hinsichtlich
des Wirkens.

*) Da sich alle unsere Erkenntnis der Außenwelt allein auf die Sinnes=
wahrnehmungen gründet, so leuchtet ein, daß wir niemals die Dinge=an=sich, oder
das eigentliche Wesen, die Qualität der Dinge durchschauen können. Unsere Erkenntnis
der Außenwelt ist immer nur eine relative, gewonnen aus der Relation der Dinge
zu unseren Sinnesorganen und dieser zu unserer Seele. Was uns zum Bewußtsein
kommt, was wir wahrnehmen, sind nicht die Qualitäten der realen Wesen außer uns,
noch die Qualität der Seelensubstanz als solcher, noch das Verhalten dieser Wesen
zu einander, sondern lediglich die inneren Zustände, die wir Empfindungen nennen
und welche aus der durch die Sinnesorgane vermittelten Wechselwirkung der Seele
mit den Außendingen resultieren. Diese Empfindungsqualitäten sind der einzige
Inhalt unseres Wissens im psychologischen Sinne, aber von einem Abgebildet=werden
der Beschaffenheit der äußeren Welt durch die Empfindungen kann keine Rede sein.
Daher Helmholtz mit Recht sagt: die Sinnesempfindungen sind nur Symbole für
die Gegenstände der Außenwelt und entsprechen diesen etwa so, wie der Schriftzug
und Wortlaut dem dadurch bezeichneten Dinge. Sie geben uns zwar Nachricht von
den Eigentümlichkeiten der Außenwelt, aber nicht besser, als wir einem Blinden durch
Wortbeschreibungen von der Farbe geben. Ausführlicher s. darüber Herbart IV.
311 ff. und auch Zt. f. ex. Ph. X. 266.

weiteren alle Erscheinungen des Gedächtnisses finden ihre Erklärung im
Beharren und Widerstreben jedes Seelenzustandes gegen die ihm von
anderen widerfahrene Hemmung. Jede einfache Vorstellung sucht sich als
solche im Konflikte mit entgegenstehenden anderen zu behaupten, widerstrebt
der Hemmung, indem sie derselben nachgibt, so daß die durch die Hemmung
herbeigeführte Gebundenheit zugleich verknüpft ist mit dem Aufstreben zu
freier Wirksamkeit, wie sie ohne Hemmung vorhanden sein würde. So
steigt also die gehemmte Vorstellung vermöge ihrer eigenen Spannkraft zu
einem höheren Klarheitsgrade empor, wenn die Zustände, welche ihre
Hemmung (Verdunkelung) bewirken, nun ihrerseits durch andere stärker
in Anspruch genommen und selbst bezüglich ihrer freien Wirksamkeit gehemmt (gebunden) werden. Gewinnt also eine einfache Vorstellung infolge
ihrer eigenen Kraft, womit sie auch im völlig gebundenen, gehemmten Zustande als verdunkelte gegen die Hemmung aufstrebt, bei Verminderung der
letzteren, einen höheren Stand im Bewußtsein, einen höheren Klarheitsgrad,
so hat man hier die unmittelbare Reproduktion. Die mittelbare
Reproduktion beruht auf der Verbindung der Vorstellungen untereinander.
Die Vorstellungen als Zustände eines ungeteilten Wesens müssen sich notwendig auf bestimmte Weise mit einander verbinden. Dies gilt auch von
entgegengesetzten Vorstellungen, soweit sie von der Hemmung verschont
bleiben. Qualitativ gleiche Zustände verschmelzen zu einem einzigen Zustande; entgegengesetzte hemmen sich je nach ihren Gegensatzgraden und
Intensitätsverhältnissen mehr oder weniger und verbinden sich nach Maßgabe der ihnen bei der Hemmung übrig gebliebenen freien Wirksamkeit.
Soweit nun eine Vorstellung mit einer anderen verbunden ist, soweit sucht
sie auch, wenn sie nach eingetretener Verdunkelung wiedererweckt wird, die
andere mit ihr verbundene ins Bewußtsein emporzuziehen. Die mittelbare
Reproduktion betrifft nun eben alle Fälle, wo eine Vorstellung oder Vorstellungsgruppe durch eine oder mehrere mit ihr verknüpften von der
Hemmung befreit wird und damit einen gewissen Grad der Klarheit
gewinnt.*)

Über die weiteren Folgen der Wechselwirkung der Vorstellungen untereinander mögen jetzt noch einige Andeutungen gegeben werden, welche für
die Geschichte der Philosophie besonders wichtig sind. Wir rechnen hierher
namentlich die Bildung der Begriffe, die Gefühle und Begehrungen, und
das Selbstbewußtsein oder das Ich.

--- --- --- ---

*) Bezüglich verschiedener Einwendungen und deren Erläuterungen s. Zt. s. ex.
Ph. VIII. 159 ff., IX. 276 u. 390, XV. 307 f.

99. Die Bildung der Begriffe ist eine unmittelbare Folge der gegen=
seitigen Verbindung und Hemmung der Vorstellungen untereinander.
Werden zu verschiedenen Zeiten die Vorstellungsgruppen ab, ac, ad, ae u. s. w.
gegeben, so wird stets die Vorstellung a verstärkt, indem sich die a aus
den verschiedenen Gruppen zu einer Vorstellung vereinigen, während b,
c, d, e als mehr oder weniger einander entgegengesetzte Vorstellungen sich
gegenseitig hemmen und somit verdunkeln. So wird a allmählich infolge
der Hemmung der b, c, d, e untereinander eine hervorragende Stellung
im Bewußtsein gewinnen. Dies ist das einfachste Schema für die Ent=
stehung sowohl der individuellen als der abstrakten Begriffe.*) Das Kind
sieht den Vater sitzend, liegend, stehend, gehend, redend, schweigend, freund=
lich, ernst, in mannigfaltigen Kleidungen u. s. w.; die verschiedenen
Situationen, in welchen dieselbe Person erblickt wird, hemmen sich allmählich
gegenseitig, und was zurückbleibt als Gesamteindruck, als Totalvorstellung,
ist der Begriff, welcher hervortritt, sobald der Vater erwartet oder sein
Name genannt wird. Oder es bieten sich dem Anblick nacheinander oder
zu gleicher Zeit Hunde von verschiedenen Arten dar, so wird das Gemein=
same, das Ähnliche dieser Anschauungen ohne weiteres zu einem Totalakt
verschmelzen; das Verschiedene, wodurch die einzelnen Hunde sich von ein=
ander unterscheiden, wird sich hemmen, und es bildet sich das Allgemein=
bild des Hundes. So beruht zunächst auf der Verschmelzung des Gemein=
samen und der gegenseitigen Hemmung des Entgegengesetzten die Bildung
der logischen Begriffe. Die Hemmung unter den einander entgegengesetzten
Merkmalen ist übrigens niemals eine vollständige, das Gesamtbild tritt
vielmehr bald mit diesem, bald mit einem anderen besonderen Merkmal,
bald mit dem dunkeln Gesamteindruck aller verbunden in das Bewußtsein.
Außerdem aber wird auch das Gemeinsame als mit dem Besonderen ver=
knüpft mit in die Hemmung hineingezogen, behält jedoch durch die Ver=
bindung der zahlreichen Vorstellungen ähnlichen Inhalts das Übergewicht
über die Hemmung. Die Folge davon ist, daß die logischen Begriffe in
Wirklichkeit niemals fertige, abgeschlossene Vorstellungen sind (Nr. 78),
sondern mehr Forderungen an das Denken, logische Ideale, welche, je höher
die Abstraktion getrieben wird, dem Denken umsomehr Zwang auferlegen.
Endlich beachte man, daß das Streben der Vorstellungen zum Allgemeinen

---

*) Das Faktum, daß besondere Empfindungen in Allgemeinbegriffe zusammen=
gefaßt werden, und diese sich aus jenen bilden, bekundet wiederum die Einheit des
Bewußtseins, und fordert, daß alle Vorstellungen in einem Wesen beisammen sind
(Nr. 94).

vermöge der unvermeidlichen Hemmung unter entgegengesetzten ein not= wendiges, unwillkürliches und meist unbewußtes Ereignis ist.

So wurzelt die Entstehung der allgemeinen Begriffe ganz und gar in den einzelnen Vorstellungen, gleichwohl kann man den Allgemeinbegriff als solchen von jedem einzelnen Gliede der Gruppe, aus welcher er sich gebildet hat, sehr wohl unterscheiden.

100. An diese Vorgänge haben sich nun viele und zwar sehr ver= hängnisvolle metaphysische und psychologische Irrtümer angeschlossen. Blicken wir zunächst auf die ersteren.

a) Gegenüber den wechselnden, unstäten Vorstellungen, die mit Wesent= lichem und Unwesentlichem verbunden in das Bewußtsein treten, eignet dem Begriff der Charakter der Ruhe, des Sich=gleichbleibens und Not= wendigen. Diese letzteren Prädikate hat der Begriff mit dem Seienden gemein (Nr. 13, 14). Für ein weniger genaues Denken bekommt er da= durch eine gewisse Verwandtschaft mit dem Seienden, welchem die logischen Begriffe näher zu stehen scheinen, als die empirischen Vorstellungen.

b) Logisch betrachtet ist jeder Begriff ewig und nur einmal vorhanden. Wie viel Menschen auch den Begriff des Kreises denken mögen, der Begriff ist in allen und zu jeder Zeit derselbe; selbst wenn jemand diesen Begriff falsch auffaßt und alsdann sein Denken berichtigt, ist doch nicht der objektve Begriff des Kreises, sondern nur dessen subjektive Auffassung berichtigt worden. Der Begriff selbst, als solcher gedacht, ist ewig und immer der= selbe. Das schien ihn abermals in eine gewisse Nähe zu dem ewig sich gleichbleibenden Seienden zu rücken. So kann es nicht befremden, daß Plato die logischen Begriffe geradezu als das Seiende betrachtete (Nr. 27), und daß der neuere Idealismus von einer Identität des Seins und Denkens sprach.

c) Von je mehr besonderen Merkmalen man abstrahiert, um so all= gemeiner und um so einfacher werden die Begriffe. Die höchste Abstraktion wird zuletzt gar keinen oder doch nur einen sehr unbestimmten Inhalt haben, wie den des „Etwas". Ahnte man nun, daß auch das absolut Seiende einfach sein müsse, so lag es nahe, in dem abstraktesten einfachsten Begriffe des Etwas oder der Indifferenz, das absolut Seiende, das ens realissimum zu sehen (Nr. 16).

d) Jetzt begreift man auch, wie sich hier der Monismus notwendig einstellen muß. Logisch betrachtet fallen zwei absolut gleiche Begriffe zu= sammen; das heißt eigentlich, wie oft ein Begriff auch in Wirklichkeit ge= dacht werden mag, immer ist es doch der nämliche Begriff. Aber der Spinozismus deutete dies als einen Beweis für die Einzigkeit des

absolut Seienden. Dieses als die höchste Abstraktion, welche alles Besondere in sich enthält, kann nur einmal vorhanden sein, wäre noch ein
zweites oder drittes solches Wesen außer dem ersten vorhanden, so wäre
jenes nicht das höchste, d. h. die höchste allgemeinste Abstraktion. Hierin
wurzelt der Satz: determinatio est negatio (Nr. 20).

e) In Wahrheit hat sich zwar der allgemeine Begriff erst aus den
besonderen Vorstellungen gebildet, ist er aber einmal vorhanden, dann
scheint er von den besonderen unabhängig und selbständig zu sein; hingegen
scheinen diese in einem Abhängigkeitsverhältnis zu dem allgemeinen zu
stehen, denn der allgemeine Begriff ist wohl in den besonderen, diese aber
sind nicht in jenem zu finden. War man nun einmal im Zuge, die logischen
Verhältnisse unter den Begriffen ohne weiteres auf das Seiende zu übertragen, so glaubte man in der scheinbaren Abhängigkeit der besonderen
Begriffe von den allgemeinen und in der scheinbaren Selbständigkeit der
letzteren den richtigen Begriff der Kausalität zu haben, als ob das Besondere
eine Wirkung des Allgemeinen sei.

Hier hat man die Grundzüge eines jeden Monismus, namentlich des
logischen Pantheismus eines Plotin, Spinoza und Hegel beisammen.
Je allgemeiner, um so näher dem absoluten Sein; je höher die Abstraktion
getrieben wird, um so mehr vereinfachen sich die Begriffe. Die höchste
Abstraktion ist der einfachste Begriff (Indifferenz), ist das ens realissimum,
nur einmal vorhanden und die alleinige Ursache alles Besonderen.

101. Ferner knüpfen sich an das Verhältnis der allgemeinen zu den
besonderen Begriffen gewisse bedeutsame psychologische Irrtümer. Die
rohen Allgemeinbegriffe als Gesamteindrücke äußerer Dinge bilden sich, wie
bereits gesagt, infolge der Hemmung des Verschiedenen und der Verbindung
des Gemeinsamen ganz von selbst, mechanisch, ohne daß man darum weiß.
Kommt nun der Mensch zur Betrachtung seiner selbst, so findet er in sich
eine große Menge von abstrakten Begriffen in ihren ersten, rohen Umrissen
vor, auch schon mit besonderen Namen benannt und unterschieden von den
empirischen Vorstellungen. So gewinnt es den Anschein, als existierten
die allgemeinen Begriffe noch außer und neben den konkreten Vorstellungen.
Aber nicht allein außer und neben denselben scheinen jene zu existieren,
sondern ihnen auch der Zeit nach vorauszugehen und die Auffassung des
Einzelnen erst möglich zu machen. Reflektiert man namentlich auf die
Abstraktionen, welche zu den höchsten gehören, deren Umfang am weitesten
ist, und welche fast auf jeden geistigen Akt Anwendung finden, so erhält
man die bekannten Kategorien (wie Quantität, Qualität u. s. w.), in welchen
der Denker alles Gedachte auffaßt. Auch diese bilden sich in ihren ersten

Umrissen infolge der Wechselwirkung der Vorstellungen untereinander ganz
ebenso mechanisch und unbewußt, wie alle allgemeinen Begriffe; im weiteren
werden sie dann durch das wissenschaftliche Denken, namentlich durch Urteile
von allem Nebensächlichen gereinigt. Sind nun aber die Kategorien, wenn
auch noch unvollständig und nicht völlig ausgebildet, einmal vorhanden, so
muß sich der Denkende sagen, er könnte gar nicht denken, nichts auffassen,
noch untersuchen, wenn er die Kategorien und die Formen des Raumes
und der Zeit nicht überall zur Anwendung bringen sollte, oder wenn er
sie gar nicht hätte. Denn es kann kaum einen geistigen Akt geben, in
welchem man sich nicht der Kategorien bediente, in welchem sie nicht als
in einem besonderen Falle mitgedacht werden. Ich kann z. B. die Sonne
nicht vorstellen, ohne zugleich etwas Rundes vorzustellen, wohl aber kann
ich etwas Rundes denken, was nicht die Sonne zu sein braucht. Bei der
besonderen Vorstellung der Sonne ist zugleich der allgemeine Gedanke des
Runden mitgedacht. So schien es, als ob die allgemeinen Begriffe den
besonderen vorangingen und die Auffassung der besonderen Erscheinungen
erst möglich machten, als ob erst der Begriff des Raumes vorhanden sein
müßte, ehe man irgend ein besonderes Räumliches anschauen könnte, oder
als müßte man erst die Kategorie der Kausalität haben, ehe man in einem
bestimmten Falle ein Ereignis als abhängig von einem anderen ansehen
könnte (Nr. 71).

102. Die allgemeinen Begriffe endlich schienen überhaupt nicht erworben zu sein, weil ihnen als solchen in der Wirklichkeit nichts entspricht;
es gibt nach dem bekannten Beispiele kein Obst, welches nicht ein Apfel,
oder eine Pflaume u. s. w. wäre. Woher sollen also die allgemeinen Begriffe gekommen sein? Von außen nicht, denn dann müßten ihnen, wie
den besonderen Vorstellungen, äußere Objekte als deren Ursachen entsprechen.
Wenn nicht von außen, so lag es am nächsten, zu sagen: von innen; denn
die dritte Möglichkeit, nämlich sie anzusehen als entstanden aus der Wechselwirkung der von außen gewonnenen Einzelvorstellungen, liegt der gewöhnlichen Auffassung zu fern, da ja die Bildung der Begriffe anfänglich ganz
unbewußt geschieht. So kam es, daß die allgemeinen Begriffe als angeboren oder doch nicht durch die Erfahrung erworben, sondern dieser
vorausgehend angesehen wurden. In Wahrheit nun erklärt sich alles, was
die allgemeinen Begriffe angeht, in der oben angedeuteten Weise sehr leicht:
der Begriff ist das Bewußtwerden des einer Mehrheit verschmolzener Vorstellungen Gemeinsamen. In analoger Weise, wie sich überhaupt allgemeine
Begriffe aus den konkreten Vorstellungen bilden, verhält es sich auch mit
der Entstehung der allgemeinen Raum- und Zeitanschauung aus den

individuellen räumlichen und zeitlichen Formen. Diese Auffassung beruht auf der Art und Weise, wie die verschiedenen Sinnesempfindungen durch die betreffenden Organe in der Seele hervortreten und hier sich reihenförmig verweben.*)

103. Außer dem Vorstellen und Denken gibt es noch zwei andere Gruppen von psychischen Erscheinungen, das Fühlen und Begehren. Bekanntlich sind bis auf die neueste Zeit zur Erklärung dieser, wie überhaupt aller geistigen Vorgänge meistens besondere Seelenvermögen angenommen. Als man anfing, auf die geistigen Zustände näher zu achten und sie von einander zu unterscheiden, mußten sich gar bald gewisse, von einander verschiedene Klassen von Erscheinungen herausstellen, welche mit besonderen Namen bezeichnet wurden. Am natürlichsten war es, die geistigen Vorgänge in Denken (Vorstellen), Fühlen und Begehren einzuteilen, wie bereits Plato der Seele die drei Teile Vernunft, Mut, Begehren zuschrieb (Nr. 94, Anm.). Alsdann bemächtigte sich die Spekulation dieser logischen Einteilung und schloß: was wirklich ist, das muß auch möglich sein; ehe der Mensch also in Wirklichkeit denkt, fühlt und begehrt, muß er die Möglichkeit oder die Fähigkeit haben zu denken, zu fühlen und zu begehren. Aus der bloßen Möglichkeit machte man sodann ein reales Vermögen, und die bloß logischen Klassenbegriffe der geistigen Thätigkeiten verwandelten sich in reale Seelenkräfte, welche eben Denken, Fühlen und Begehren bewirken sollten. Logische Allgemeinbegriffe wurden nach Herbarts Ausdruck erst hypostasiert, dann zu mythologischen Wesen. Dabei wurde das Gefühl von den Alten und der Scholastik meist dem Begehrungsvermögen, von Des-Cartes an dem Vorstellungsvermögen angeschlossen und erst von Kant als ein besonderes Vermögen behandelt.

Diese Art der Psychologie beginnt bereits mit Aristoteles,**) ihm folgen die Stoiker und die Scholastiker. Diese Lehre wird dann besonders ausgebildet von Wolff und ohne weiteres beibehalten von Kant***) und seiner Schule (Nr. 71). Auch die deduktive Art der

---

*) Darüber vgl. die Nr. 112 genannten psychologischen Werke, außerdem noch namentlich C. S. Cornelius: Theorie des Sehens und des räumlichen Vorstellens. Halle, 1861. Und von demselben: Zur Theorie des Sehens. Halle, 1864.

**) Hartenstein: de psychologiae vulgaris origine ab *Aristotele* repetenda. Lipsiae, 1840.

***) Über Wolff und Kant in dieser Beziehung s. Schilling in Zt. f. ex. Ph. III. 275. Eine ausführliche Kritik der Seelenvermögenstheorie s. in Zt. f. ex. Ph. II. 33 ff. von W. Volkmann, auch bei Waitz: Lehrbuch der Psychologie als Naturwissenschaft. 1849. Ferner: W. Volkmann Ritter v. Volkmar: Lehrbuch der Psychologie. Cöthen, § 4. Drobisch: Empirische Psychologie. S. 29.

Psychologie des absoluten Idealismus benutzt die alten Seelenvermögen; diese werden als besondere Phasen bezeichnet, welche das bis zum Geist entwickelte Absolute vermöge des ihm innewohnenden absoluten Werdens durchlaufen muß.*) Ebenso hat die Psychologie Benekes**) und auch die Theorie der Kategorien bei einigen neueren Physiologen gewisse abstrakte Vermögen des Intellekts zur Erklärung bestimmter geistiger Erscheinungen zur Voraussetzung. Daß derartige Vermögen unnötig, in-sich-widersprechend und zu einer wissenschaftlichen Erklärung völlig untauglich sind, ist (Nr. 69 bis 90) an der Theorie der Kategorien, als einem besonderen Beispiel, nachgewiesen worden. Ein nicht geringes Verdienst Herbarts um eine wissenschaftliche Psychologie besteht eben in der gründlichen Widerlegung der Seelenvermögentheorie. Es ist (Nr. 99) angedeutet, wie Erscheinungen, welche man sonst auf ein besonderes Abstraktionsvermögen, auf Verstand, Gedächtnis, auf ein Vermögen der Synthese, d. h. Vorstellungen mit einander zu verbinden, zurückführte, aus der Wechselwirkung der einzelnen Vorstellungen unter einander zu erklären sind. Mit dieser Wechselwirkung sind ferner nicht bloß verschiedene Grade der Klarheit und Verdunkelung der Vorstellungen gegeben, sondern es machen sich dabei auch noch besondere Nebenzustände in der Seele geltend, welche sich nicht anders, denn als Fühlen und Begehren bezeichnen lassen.

104. Man denke sich eine Vorstellung a gleichzeitig mit den Vorstellungen β und α im Bewußtsein, von welchen β dem a entgegengesetzt ist und dieses zu hemmen und zu verdunkeln sucht, α aber dem a ähnlich ist und dasselbe zu einem höheren Klarheitsgrade zu heben bestrebt ist. Hat nun weder das Streben von β, noch das von α Erfolg, weil sie beide sich das Gleichgewicht halten, so beharrt in diesem Falle a auf einem gewissen Klarheitsgrade, trotz der Hemmung und trotz der Förderung. Hinsichtlich des bloßen Vorstellens ist hier kein Unterschied, ob a ungefochten oder ob es, gleichzeitig von α gehoben und von β niedergedrückt, denselben Klarheitsgrad im Bewußtsein behauptet. Aber die Art und Weise, wie a diesen Klarheitsgrad behauptet, ist in beiden Fällen ganz verschieden. Man hat es hier nicht zu thun mit einem bloßen Heller- oder Dunklerwerden, nicht mit dem bloßen Vorstellen im engeren Sinne, sondern mit einem besonderen Zustande, in welchem sich eine Vorstellung anderen gegenüber

---

*) Exner: Die Psychologie der Hegel'schen Schule. 1843 u. 1844.
**) Die Wissenschaftlichkeit der Beneke'schen Psychologie von Nahlowsky in Zt. f. ex. Ph. III. 30; ebenda IV. 63 von Ballauff. Weber: Kritik der Psychologie von Beneke. Weimar, 1872.

10*

befindet, und welcher natürlich zugleich auch ein Zustand der Seele*) ist.
So verhält es sich bei allen Gefühlen der Beklemmung, welche eben da=
durch charakterisiert sind, daß an einer Vorstellung, bez. Vorstellungsgruppe
zwei andere, eine emportreibende und eine deprimierende sich mehr oder
weniger das Gleichgewicht halten.

Der eben hervorgehobene Fall bietet zugleich die Erscheinung des
Begehrens dar. Wenn nämlich die von β zurückgetriebene Vorstellung
a infolge ihrer Verbindung mit α sich nicht allein gegen die Hemmung im
Bewußtsein behauptet, sondern auch zu einem höheren Grade von Klarheit
aufstrebt, so ist die Begierde auf das durch a Vorgestellte gerichtet. Die
Befreiung der gegen Hindernisse sich emporarbeitenden Vorstellung des
Begehrten von der bisherigen Hemmung und Spannung führt wiederum
einen besonderen Zustand, der nicht innerhalb des Bereiches des bloßen
Vorstellens und des Begehrens liegt, mit sich, nämlich das Gefühl der
Befriedigung. Endlich muß es einen Unterschied ausmachen, ob eine Vor=
stellung steigt nur mit soviel Kraft, als hinreicht, sie zu einem bestimmten
höheren Klarheitsgrade zu bringen, oder ob sie soviel Förderung durch
andere Vorstellungen empfängt, daß sie mit einem Überschusse von Kraft
zu dem höheren Klarheitsgrade emporgetrieben wird, so daß nicht einmal
alle mit ihr verbundenen und sie fördernden Vorstellungen zur Wirksamkeit
gelangen, sondern mit ihrem Streben den hier statthabenden Prozeß nicht
sowohl unterstützten, als vielmehr nur begleiten. Dies ist wieder ein Fall,
wo der geistige Prozeß nicht in ein bloßes Klarerwerden von gewissen Vor=
stellungen aufgeht, sondern wo sich noch besondere Nebenzustände geltend
machen, auf welchen die Gefühle der Lust, der Freude an leichtgelingender
Thätigkeit beruhen.

105. So sind Gefühle und Begehrungen nicht anzusehen als Seelen=
zustände, welche unabhängig von den Vorstellungen beständen, sondern sie
haben ihren Grund in ganz besonderen Lagenverhältnissen und Verhaltungs=
weisen der Vorstellungen in der Seele. Daß Denken, Fühlen und Begehren
nicht getrennte Vermögen der Seele sind, sondern innig mit einander ver=
bunden sein müssen, wie sie ja bereits Leibniz auf eine Grundkraft der
Seele zurückführen wollte,**) lehrt auch schon die Erfahrung: denn jedesmal

---

*) Über einen hiergegen erhobenen Einwand Lotzes vgl. Volkmann: Grundriß
der Psychologie. 1856. S. 302; s. auch Zt. f. ex. Ph. VIII. 177 u. 236, IX. 411.
XV. 310.

**) Über einen ähnlichen Versuch schon bei Aristoteles s. Siebeck: Quaestiones
duae de philosophia Graecorum. 1872. I. Auch die Stoifer versuchten die
Seelenkräfte auf den $\nu o \tilde{\nu} \varsigma$ als das $\dot{\eta} \gamma \varepsilon \mu o \nu \iota \varkappa \acute{o} \nu$ zurückzuführen.

indem wir begehren, fühlen wir auch die Entbehrung und haben dasjenige in Gedanken, was wir begehren, sowie jedesmal indem wir denken eine Thätigkeit wirksam ist, die, wenn sie aufgehalten würde, alsbald sich als ein Begehren, den Gedanken hervorzurufen, verraten würde.*)

106. Was schließlich das Ich insbesondere angeht, so erhellt unmittelbar aus den bisher angestellten Betrachtungen, daß dasselbe keine Substanz, kein wirkliches Wesen in oder neben der Seele, auch nicht, wie Kant bereits hervorhob, die Seele selbst ist, sondern daß es nur auf einem Geschehen in der Seele beruhen kann. Aber das Ich darf auch nicht als ein ursprüngliches Geschehen aufgefaßt werden in der Weise von Fichte, oder als sei dasselbe ein integrierender Bestandteil, eine angeborene Mitgift der menschlichen Seele, ja als bedürfe dasselbe überhaupt keiner Substanz als eines Trägers. Vielmehr setzt das Ich, wie jedes Geschehen einmal eine Substanz, hier ein selbständiges Seelenwesen voraus und sodann eine Mehrheit von Bedingungen. Diese Bedingungen können nur die einfachen Empfindungen und die aus deren mannigfaltiger Wechselwirkung sich ergebenden Folgen sein.

107. Auf ähnliche Weise, wie der Mensch zur räumlichen Auffassung äußerer Objekte kommt, gewinnt er auch durch die Sinnesempfindungen, namentlich des Gesichts- und Tastsinnes, eine Vorstellung des eigenen Leibes als eines räumlichen Objektes. Diese Vorstellung des eigenen Leibes muß bald eine ausgezeichnete Stellung unter den Vorstellungen der Dinge einnehmen. Zunächst bedingt es einen Unterschied in den Empfindungen und Vorstellungen, ob Außendinge aneinander oder an den eigenen Leib stoßend wahrgenommen werden, ob die Hand äußere Objekte oder den eigenen Leib berührt. Mit der durch den Tast- und Gesichtssinn herbeigeführten Vorstellung des eigenen Leibes verknüpfen sich auch innig die sinnlichen Gefühle und Begehrungen, welche in den wechselnden Zuständen desselben begründet sind. Allmählich scheidet sich die Vorstellung des eigenen Leibes vermöge gewisser Hemmungsverhältnisse immer bestimmter von den Vorstellungen der Außendinge, womit diese als Äußeres, Objektives, der Auffassung des eigenen Leibes als des Subjektiven, Inneren entgegentreten. So erscheint der eigene Leib allmählich als ein räumliches, empfindendes Ding neben anderen Dingen und als der bewegliche Ausgangspunkt aller Ortsbestimmungen, wie auch ferner als Sammelplatz von Vorstellungen. Eine gegebene Sinnesempfindung wird nämlich, indem sie nach außen projiziert wird, nicht sowohl als unser Zustand, sondern vielmehr als Eigenschaft

---

*) Herbart VI. 70.

eines Außendinges angesehen. Anders verhält es sich mit reproduzierten Vorstellungen: sie werden sehr wohl unterschieden von den unmittelbaren Sinneswahrnehmungen, sie kommen nicht unmittelbar von außen, werden auch nicht wie jene nach außen verlegt, bewegen sich aber zugleich mit dem eigenen Leibe, mit dessen Vorstellung sie beharrlich verknüpft sind. Dieser wird also auch als Sammelplatz der Vorstellungen im engeren Sinne und ebenso als Träger der Gefühle und Begehrungen angesehen.

108. Die Begehrungen ferner gehen nach außen, setzen anfangs unwillkürlich gewisse Gliedmaßen in Bewegung und rufen dadurch Veränderungen in der Außenwelt hervor, welche gleichfalls wahrgenommen werden. Von dieser Reihe: Begehrung, eigene Bewegung, äußere Veränderung bekommt der Mensch gar bald die eigene Bewegung in seine Gewalt und wird inne, daß er nach Willkür gewisse Veränderungen in der Außenwelt verursachen kann. Der Mensch lernt sich so als thätiges Prinzip, als Macht kennen. Die auf diese Weise hervorgerufenen Veränderungen wirken in vielen Fällen wieder rückwärts auf den eigenen Leib, den Ausgangspunkt jener Bewegungen; indem z. B. der Hungrige die Speise begehrt, sich zu ihr hinbewegt, sie zum Munde führt und genießt, stellt sich heraus, daß der Ausgangs- und Endpunkt der Begehrung derselbe ist, dem sowohl die Begehrung als die Befriedigung innewohnt. Es bahnt sich durch derartig in sich zurücklaufende Reihen die Vorstellung des eigenen Selbst an.

109. Im Laufe des Lebens werden der Vorstellungen, Gefühle und Begehrungen immer mehr, sie erleiden auch mannigfache Veränderungen, so jedoch, daß das Vorausgegangene wieder reproduziert werden kann; und das Ich ist schließlich das Ergebnis der ganzen Lebensgeschichte eines jeden. Von dem überaus reichen Materiale aber, welches der Bildung des Ich zu Grunde liegt, kann freilich wegen der Hemmung der verschiedenen Vorstellungsgruppen untereinander jedesmal nur ein verhältnismäßig kleiner Teil im Bewußtsein gegenwärtig sein. Auch verlieren einzelne sinnliche Vorstellungen und Begehrungen infolge der abnehmenden Empfänglichkeit mehr und mehr an Bedeutung. Erfahrungen an der eigenen Person und an anderen (wie etwa Amputation eines Gliedes) lassen verschiedene einzelne Teile des Leibes in Betreff des Ich als unwesentlich erscheinen, so daß dieses sich allmählich mehr und mehr von der Vorstellung des eigenen Leibes ablöst, und als ein geistiges, vorstellendes, fühlendes, begehrendes Wesen angesehen wird. Indem ferner die mannigfaltigen Vorstellungen, Gefühle und Begehrungen immer mehr nur nach ihren allgemeinen Zügen in abstrakten Begriffen aufgefaßt werden, sagt sich der Mensch wohl, daß für sein Ich

keine bestimmte Vorstellung, Begehrung oder Gefühlsweise wesentlich sei.
Es scheint, als könnten alle besonderen geistigen Zustände schwinden un=
beschadet des Fortbestandes vom Ich. Auch die Abstraktionen: Denken,
Fühlen und Begehren führen zu einer noch weiteren Abstraktion des
Wissens und so zum Begriff vom Wissen des Wissens, und da hier der
Inhalt des Wissens und des Gewußten der nämliche ist, so wird das Ich
schließlich als eine vollkommene Identität des Wissens und Gewußten,
des Subjekts und des Objekts, als reines Ich definiert. Dieser letzte
Begriff vom Ich ist ausschließlich das Werk der Spekulation, in Wirklichkeit
ist das Ich, das sogenannte empirische Ich im Gegensatz zu dem reinen
Ich allezeit als charakterisiert durch besondere Bestimmungen (Vorstellungen,
Begehrungen, Gefühle) gegeben.

110. So bildet sich das Selbstbewußtsein oder das Ich allmählich
aus den einzelnen Vorstellungen und deren Wechselwirkung und zwar
anfänglich ganz unbewußt, wie die allgemeinen Begriffe. Darum hatte
es dann auch in der Spekulation gleiches Schicksal mit diesen: es erschien
als etwas Ursprüngliches, Selbständiges neben und außer den besonderen
Vorstellungen und allen geistigen Operationen, nicht als das Resultat
des geistigen Lebens, sondern als die von Anfang an im Keime vorhandene
Ursache aller psychischen Entwickelung. Allerdings wird das Ich auch
zur Ursache der geistigen Bildung, zum Grundstock, an welchem sich die
weiteren Seelenzustände ansetzen, aber erst nachdem es in verhältnismäßig
frühen Jahren sich aus dem ersten Vorstellungsmaterial zu bilden begonnen
hat. Ist jedoch dessen Bildung und Ausbildung einmal eingeleitet, so
muß dasselbe auch, wie leicht ersichtlich ist, vermöge seiner engen Ver=
knüpfung mit dem ganzen Gedankenkreise eine immer größere Herrschaft
über diesen gewinnen, womit dann die Selbstbeherrschung oder Freiheit
des Willens Hand in Hand geht. Diese wird übrigens dadurch, daß in
der Seele alles streng gesetzmäßig geschieht, weder aufgehoben noch beein=
trächtigt, sondern vielmehr gefördert*) (Nr. 199).

111. Eine derartige Psychologie, von welcher wir nur einige An=
deutungen gegeben haben, ist eine konsequente Durchführung des em=
piristischen Prinzips; alle nativistischen Erklärungen sind hier aus=
geschlossen. Alles, was man sonst der Seele oder dem Intellekt als

---

*) Drobisch: Die moralische Statistik und die menschliche Willensfreiheit. 1867.
O. Flügel: Von der Freiheit des Willens. In Zt. f. ex. Ph. X. 128 ff.
Weitere Litteratur s. bei Volkmann v. Volkmar, Psychologie 1885. II.
S. 448.

unmittelbar angeboren, oder, was dasselbe ist, als ursprünglich erworben zuschreibt, ist nach den dargelegten Prinzipien ausnahmslos entstanden aus der Wechselwirkung der einfachen Vorstellungen untereinander. Obschon nun alle Vorstellungen und mit ihnen die auf ihnen beruhende ganze geistige Ausbildung im letzten Grunde hervorgegangen sind aus der Wechselwirkung der Seele mit dem Organismus und durch denselben mit der Außenwelt, so folgt doch keineswegs daraus, daß die inneren Zustände der Seele auch zugleich mit Wegfall dieser Bedingungen verschwinden müßten. Die Seelensubstanz zunächst kann natürlich in ihrem Sein nicht vernichtet werden, wie es ja überhaupt vom Sein zum Nicht=Sein keinen Übergang gibt. Die inneren Zustände ferner beharren thatsächlich, trotz= dem die Elemente des Leibes, unter deren Mitwirkung die Empfindungen entstanden sind, bei dem unausgesetzten Stoffwechsel ausscheiden. Außerdem beruht jeder innere Zustand auf einem wirklichen Geschehen; was aber geschehen ist, kann nicht ungeschehen gemacht werden. Verschwinden also die formalen Bedingungen der Entstehung eines inneren Zustandes, so ist noch gar nicht einleuchtend, warum er selbst verschwinden sollte.*) Übrigens läßt sich die Annahme von dem Beharren der inneren Zustände recht wohl dem Prinzip von der Erhaltung der Kraft subsumieren. Aus diesen Er= wägungen ergibt sich die Unsterblichkeit der Seele und zwar nicht bloß der Seelensubstanz, sondern ebenso sehr die Fortdauer des individuellen geistigen Lebens, auch nachdem die Verbindung der Seele mit dem Leibe aufgehört hat.**)

112. Endlich ist ersichtlich, daß die angedeutete Psychologie ganz in der Weise der Naturwissenschaft sowohl hinsichtlich der Prinzipien als der Methode entworfen und durchgeführt ist. Die zur Erklärung verwandten Prinzipien sind hier ebendieselben, welche auch bei der Erklärung der materiellen Erscheinungen zur Anwendung kommen, nämlich das Prinzip der Atomistik und die geläuterten Begriffe von Kraft und Stoff. Die Methode zum anderen geht von den einzelnen gegebenen geistigen Er= scheinungen und deren Analyse aus und erklärt weiterhin das Zusammen= gesetztere aus dem Einfacheren, nicht aber schickt sie abstrakte Gattungsbegriffe als Vermögen oder Stammbegriffe voraus, aus welchen das Einzelne, Be= sondere abgeleitet werden soll. Es wird ferner alles Geschehen, sowohl zwischen der Seele und dem Leibe, als auch in der Seele selbst angesehen als folgend

---

*) Vgl. Zt. f. ex. Ph. VIII. 180 und XI. 47. XIII. 184.

**) S. Cornelius: Ueber die Wechselwirkung zwischen Leib und Seele. Halle 1871. 114 ff. und O. Flügel: Über die persönliche Unsterblichkeit. 1886.

bestimmten, notwendigen Gesetzen, welche zum Teil sogar bereits auf einen genauen mathematischen Ausdruck gebracht sind.*)

So haben wir es hier keineswegs mit einem Dualismus, sondern mit einer streng in sich zusammenhängenden Naturanschauung zu thun.**)

---

*) Eine mathematische Entwickelung der Gesetze, nach welchen die Wechsel= wirkung der Vorstellungen erfolgt, gab Herbart in der Schrift: Psychologie als Wissenschaft neu gegründet auf Erfahrung, Metaphysik und Mathematik. Werke V. 316. Hierauf folgten mathematisch=psychologische Untersuchungen über die Ver= hältnisse der Töne und über das Zeitmaß, sodann über freisteigende Vorstellungen W. VII. 182; 356. Ueber die Möglichkeit und Notwendigkeit, Mathematik auf Psychologie anzuwenden. VII. 129.

Drobisch: Quaestionum mathematico-psychologicarum specimina I.—V. 1836—1839. Derselbe: Erste Grundlinien der mathematischen Psychologie. Leipzig 1850. Taute: Religionsphilosophie I. 1840. S. 552 ff.

Zu A. Lange: Die Grundlegung der mathematischen Psychologie. Ein Versuch der Nachweisung des fundamentalen Fehlers bei Herbart und Drobisch. Vgl. die Nachweisung der Grundlosigkeit dieser Einwände in der Rezension von Cornelius in Zt. f. ex. Ph. VI. 323 u. 451.

Wittstein: Zur Grundlegung der mathematischen Psychologie in Zt. f. ex. Ph. VIII. 341.

**) Hinsichtlich der Darstellung der Psychologie im Sinne Herbart's verweisen wir auf folgende Schriften:

Drobisch: Empirische Psychologie nach naturwissenschftl. Methode. Leipzig 1842.

Waitz: Grundlegung der Psychologie. 1846.

Derselbe: Lehrbuch der Psychologie als Naturwissenschaft. Braunschweig 1849.

Schilling: Lehrbuch der Psychologie. Leipzig 1851.

Derselbe: Die Reform der Psychologie durch Herbart. In Zt. f. ex. Ph. III. 273 u. V. 1.

W. Volkmann: Grundriß der Psychologie. Halle 1856.

Derselbe: Lehrbuch der Psychologie vom Standpunkte des Realismus und nach genetischer Methode. Des Grundrisses der Psychologie zweite sehr vermehrte Auflage, 2 Bände. Cöthen bei Otto Schulze 1875, 1876 und 1885.

Lindner: Lehrbuch der empirischen Psychologie als induktiver Wissenschaft. Wien 1858, in mehreren Auflagen.

Drbal: Empirische Psychologie. Wien 1868, in mehreren Auflagen.

Strümpell: Grundriß der Psychologie. Leipzig 1884.

Mich: Grundriß der Seelenlehre. Wien 1877.

Helm: Grundzüge der empirischen Psychologie. Bamberg 1852.

Zimmermann: Philosophische Propädeutik. S. 183: Empirische Psychologie. Wien 1867.

Olawsky: Die Vorstellungen im Geiste des Menschen. Berlin 1868.

Nahlowsky: Gefühlsleben. Leipzig 1862.

Pokorny: Die Hauptpunkte der Lehre von den Gefühlen bei Herbart und seiner Schule. In Zt. f. ex. Ph. VIII. 117 u. 229.

Lazarus: Das Leben der Seele in Monographien. Berlin 1886, in mehreren Aufl.

Das teleologische Problem.

113. Was Anlaß gibt, von einem teleologischen Problem zu reden, ist die Thatsache, daß in der Natur Beziehungen vorhanden sind, welche allem Anscheine nach auf einer absichtlichen Anordnung beruhen. Dieser Umstand wird zu einem Problem, weil den betreffenden Dingen jene Beziehungen nicht wesentlich und notwendig zugehören, die Dinge aber dieselben auch nicht mit eigener Absicht eingegangen sein können. Die Schwierigkeit, oder wenn man will, der Widerspruch, welcher hier vorliegt, ließe sich als „bewußtlose Zweckmäßigkeit" aussprechen. Damit soll gesagt sein: Gewisse Thatsachen deuten einmal auf Zweckmäßigkeit, zugleich aber zeigen sie an, daß die Dinge selbst, woran sich diese zeigt, nicht die Urheber derselben sind, sondern daß es eine ihnen unbewußte ist. Zweckmäßigkeit jedoch setzt Bewußtsein, Absicht, Willen voraus, und Bewußtlosigkeit schließt Absicht und eine zwecksetzende Thätigkeit aus. Man könnte also in ähnlicher Weise, wie bei den anderen Problemen sagen: die Zweckmäßigkeit der Natur, wie sie gegeben ist, nämlich als bewußtlose, ist logisch nicht denkbar, wie sie aber allein denkbar ist, nämlich als bewußte, ist sie, wenigstens in den meisten Fällen, nicht gegeben. Diese Schwierigkeit wird gelöst, wenn man über das Gegebene hinausgeht und ein bewußtes, zwecksetzendes Prinzip als Urheber der betreffenden Formen annimmt. Allein eine derartige Behandlung dieses Problems, sowie eine Gleichstellung desselben mit den anderen metaphysischen Problemen hat darum ihr Bedenken, weil das Absichtliche in den sogenannten Zweckformen als solches nicht in gleicher Weise gegeben ist, noch gegeben sein kann, als wie z. B. die Veränderung, noch auch eine allgemeine Erscheinung der Natur ist. Dessen ungeachtet aber würde an der Sache selbst nichts Wesentliches geändert, wenn die Annahme der Absichtlichkeit auf einem notwendigen Schlusse vom Gegebenen beruhte. Allein es wird sich zeigen, daß sich diese Annahme nur auf eine Wahrscheinlichkeit, wenn auch auf die höchste Wahrscheinlichkeit bringen läßt. Dadurch hört dieses Problem auf, ein Problem ganz in demselben Sinne zu sein, wie die anderen metaphysischen Probleme es sind. Die Verwerfung der Absichtlichkeit führt nicht unmittelbar zu einem Widerspruche.

Bei Behandlung der Teleologie in der Natur werden nun folgende Punkte zu beachten sein:

1) Die Beziehungen selbst, welche auf einen Zweck hindeuten, sind gegeben,

2) Sind diese Beziehungen überhaupt zeitlich entstanden oder bestehen
sie von Ewigkeit her ursprünglich?

3) Wenn sie entstanden sind, sind sie das Werk des Zufalls oder einer
absichtlichen Thätigkeit?

4) Wenn Absichtlichkeit anzunehmen ist, wem ist dieselbe zuzuschreiben:
den Dingen selbst, an welchen jene Beziehungen zu Tage treten, oder
einem anderen Prinzip?

114. 1) Am augenfälligsten zeigen sich die sogenannten Zweckformen
in der organischen Welt. Man beachte ein einzelnes Organ: es ist ge=
bildet im letzten Grunde aus einer unzählbaren Menge von Atomen.
Diese sind an sich selbständige Wesen, keins weist auf das andere hin, und
doch müssen sie gerade in derjenigen Beziehung zu einander stehen, wie
sie jedes einzelne Organ zeigt, wenn es seine ihm zugehörige Funktion
ausüben soll. Jedes einzelne Organ hat ferner in der Regel wiederum
gewisse Schutzorgane. Alle Glieder des Organismus stimmen dann wieder
zu einander; Systeme, die an sich selbständig sind, wie Zähne, Klauen,
Verdauungswerkzeuge, dazu die geistigen Triebe unterstützen sich gegen=
seitig. Die Beziehung des ganzen Organismus zu einem anderen selb=
ständigen Organismus vermöge des Geschlechtsunterschieds zeigt, daß der eine
auf den anderen angelegt ist. Endlich stehen ganze Tiergeschlechter in
einer solchen Beziehung zu einander, daß eines zum Bestehen der anderen
notwendig ist, wie denn bekanntlich auch die Existenz der Tierwelt an die
Pflanzenwelt gebunden ist.

Derartige Beziehungen von an sich selbständigen Atomengruppen,
Gliedern, Systemen, Geschlechtern zu einander gehören in der organischen
Welt nicht zu den Seltenheiten, sondern finden sich durchweg. Thatsache
ist das durchgängige Vorhandensein solcher Beziehungen. Ebenso gewiß
aber ist, daß dieselben den betreffenden Gliedern dieser Verhältnisse zufällig
sind, das heißt hier, daß dieselben nicht notwendig aus der Natur jedes
einzelnen folgen, diesem nicht wesentlich zugehören; am allerwenigsten
liegen derartige Beziehungen in den Atomen selbst von Haus aus, vermöge
deren sie etwa mit innerer Notwendigkeit in jene Beziehungen eintreten
müßten.

115. 2) Man könnte nun aber sagen: Diese Beziehungen sind
allerdings nicht ursprünglich, sofern man damit eine zum Wesen der Atome
gehörende Bestimmung meint, sie sind allerdings nicht ursachlos, aber sie
können recht wohl ursprünglich im zeitlichen Sinne sein. Es bestanden
eben von Ewigkeit her dieselben Bedingungen, wie jetzt, und daraus mußten

auch von Ewigkeit her dieselben Wirkungen, wie jetzt, hervorgehen. Zu diesem Sinne dürfte dann der Zeit nach von jenen Beziehungen als von ewigen oder ursprünglichen, aber nicht ursachlosen die Rede sein.

Hierbei sind wiederum drei Fragepunkte zu unterscheiden: a, nach der Ewigkeit des Stoffes oder der Atome im allgemeinen. b, ob eine reale Beziehung oder ein Geschehen überhaupt unter den einzelnen Atomen von Ewigkeit her möglich ist. c, ob die uns gegebenen Beziehungen, namentlich die sogenannten Zweckformen in der organischen Welt als ewige und ursprüngliche zu betrachten sind.

a. Die Frage nach der Ewigkeit der Atome oder des Seienden an sich ist für die gegenwärtige Betrachtung nicht von Belang. Überhaupt genügt es der Philosophie wie der Naturwissenschaft, die Beziehungen im Gegebenen soweit zu verfolgen, bis sie widerspruchsfrei zu denken sind, das ist erreicht, wenn man bis zur Annahme von letzten einfachen Wesen in unserem Sinne gelangt ist. Deren Vorhandensein versteht sich von selbst. Sie sind absolut seiend, darin liegt, daß hier keinerlei Veranlassung mehr vorhanden ist zu fragen, woher sie sind. Sie sind die letzten Träger der Erscheinungen, hinsichtlich des Seins über sie hinaus zu gehen, hat die Naturforschung durchaus kein Bedürfnis. Daher ist in philo=sophischen Systemen fast durchweg die Ewigkeit des Stoffes, gewöhnlich in der Form eines Chaos, angenommen worden. Nur die pantheistischen Systeme reden häufig so, als sei die Materie auch in Bezug auf das ihr zu Grunde liegende Reale geschaffen; in Wahrheit jedoch wird gleichwohl deren Ewigkeit behauptet, indem das eigentliche Wesen der Welt in der Substanz Gottes selbst eingeschlossen und mitgesetzt ist.

b. Die andere Frage, ob auch gewisse Beziehungen unter den einzelnen Wesen ursprünglich der Zeit nach denkbar sind, hat nur Bedeutung in einem pluralistischen Realismus. Die ersten Vertreter desselben dachten darüber verschieden. Empedocles lehrte, daß die vier Elemente vor Beginn der Weltbildung ungemischt aber doch verbunden von der φιλία in einer Kugelform zusammengehalten wurden, daß alsdann der Streit (νεῖκος) von außen her eingedrungen sei und die gegenwärtige Sonderung hervorgebracht habe; zwischen beiden Zuständen, dem der Mischung und Sonderung, bestehe eine ewige periodische Abwechselung. Nach Anaxagoras lagen die der Zahl und Kleinheit nach unendlichen Elemente so zusammen, daß jede Art ganz mit allen anderen völlig gemischt war und deshalb nichts unterscheidbar sein konnte; diesem Chaos machte der νοῦς ein Ende und führte durch Sonderung den jetzigen Weltzustand herbei. Doch auch nach der Entmischung sind in jedem Dinge alle Elemente vorhanden, nur bei den verschiedenen Dingen in verschiedener Mischung, und werden nach dem unterschieden und benannt, was in seiner Mischung vorwiegt. Daher jedes Ding eine πανσπερμία ist. Die alten Atomiker Demokrit und Leucipp scheinen hingegen die Atome ursprünglich isoliert von einander gedacht zu haben, so daß sie erst in Folge ihrer Bewegungen auf einander getroffen sind.

Aus der Natur der letzten Elemente in unserem Sinne folgt weder das eine, noch das andere, es ist dem Begriffe nach möglich, daß die Elemente ohne alle Beziehung zu einander vorhanden waren, es hindert aber auch nichts anzunehmen, daß sie oder wenigstens ein Teil derselben der Zeit nach ursprünglich in gewissen Beziehungen, d. h. in einer gewissen Wechselwirkung zu einander standen. Denn fordert auch der Begriff des Seienden, es ohne alle inneren realen Beziehungen zu denken, so heißt dies nur soviel, daß keinerlei Geschehen ohne Ursache oder spontan an= zunehmen ist. Damit ist aber nicht gesagt, daß es historisch einen Zeitpunkt gegeben haben müsse,*) wo wirklich jedes einzelne Wesen isoliert und relationslos war, „zeitlose Ewigkeit ist für eine chemische Verbindung ebenso denkbar als für die Elemente.“**) Es könnten also gewisse Elemente ursprünglich zusammen oder ursprünglich miteinander verbunden sein.

c. Hiermit ist jedoch die eigentliche Frage noch gar nicht berührt, um welche es sich in dieser Hinsicht beim Problem der Teleologie handelt, nämlich ob die besonderen gegebenen Formen, namentlich die Organismen, ohne zeitlichen Anfang von Ewigkeit her vorhanden sein konnten. Nicht um ein Geschehen im allgemeinen handelt es sich, sondern um das be= sondere zweckmäßige Geschehen. Gibt man auch die Möglichkeit eines ursprünglichen Geschehens überhaupt zu, so ist damit über die besonderen Formen des Geschehens, um welche es sich hier handelt, noch gar nichts entschieden.

Die natürlichste Vorstellungsart ist die, daß die Welt, wie sie jetzt ist, einen zeitlichen Anfang gehabt habe, und alle Kosmogonien von Alters her setzen ohne weiteres einen solchen voraus, sowie auch die erste Spekulation zunächst hierbei stehen blieb. Allein es traten doch schon frühzeitig Meinungen hervor, welche die Anfangslosigkeit unserer Welt aussprachen. Für die Eleaten verstand sich die Ewigkeit und Unveränderlichkeit des

---

*) Wie Hendewerk und Kramár a. a. O. 230 f. annehmen, vgl. dazu Zt. f. ex. Ph. IX. 163 ff, XIV. 52.

**) Herbart III. 24.

Seins und damit der Welt, wie sie im Grunde ist, von selbst; auch der
Heraklitische Fluß war von Ewigkeit her stets sich verändernd in Be=
wegung, welcher allmählich zu einer Verbrennung durch Feuer führt, dann
aber wieder von neuem seinen Kreislauf beginnt u. s. w. Der Gedanke
einer periodischen Weltvernichtung und Weltentstehung ist überhaupt dem
Altertum ziemlich geläufig. Am ausführlichsten hat Aristoteles diese
Meinung behandelt, und sie scheint auch aus seinen Prinzipien mit Not=
wendigkeit zu folgen. Wenn man von anderen Argumenten absieht, so
ist zunächst die Grundlage aller Erscheinungen nach Aristoteles die
Materie, sie ist es, aus welcher alles wird. Sollte sie selbst wieder ent=
standen sein, so müßte sie auch aus etwas, d. h. aus einer Materie ge=
worden sein, und dies würde ins Unendliche führen. Weil indes
Aristoteles erkennt, daß die Materie eigentlich das nur der Möglichkeit
nach Seiende, das $\mu\eta$ ὄν, ist, so trägt er Bedenken, der Materie das
positive Prädikat der Ewigkeit zu geben. Soll aus der Materie etwas
Wirkliches entstehen, so ist noch das andere Prinzip, die Form, erforderlich.
Hinsichtlich derselben könnte es zunächst scheinen, als müsse das bloße
Vermögen zu wirken ($\delta\acute{v}\nu\alpha\mu\iota\varsigma$) zeitlich eher sein, als die wirkliche That
($\acute{\epsilon}\nu\acute{\epsilon}\rho\gamma\epsilon\iota\alpha$); allein so ist es nicht. Damit ein Mensch werde, heißt es,
muß schon ein Mensch sein, wäre also nicht zuerst das Geschehen wirklich,
so käme es überhaupt zu keinem Geschehen. Es muß demnach auch das
andere Prinzip, die Form, von Ewigkeit her aktiv gewesen sein; und da
Gleiches von der Bewegung behauptet werden muß, welche beide Prinzipien
zusammenführt, so ist die Welt, wie sie ist, von Ewigkeit her so gewesen,
weil von Ewigkeit her dieselben Bedingungen bestanden. Am wandel=
barsten ist die Erde als der vom Fixsternhimmel entfernteste Teil des
Universums, doch auch hier herrscht eine periodische Wiederkehr derselben
Staatenentwickelungen, Menschen, Gedankenbewegungen u. s. w.*) Dieser
letztere Gedanke einer periodischen Wiederkehr ganz derselben Erscheinungen
und deren Vernichtung u. s. f. ist später ein Lieblingssatz der Stoiker
geworden. Die neueren Annahmen von der Ewigkeit der Welt, insbesondere
auch der Organismen gleichen dem allgemeinen Resultate nach im ganzen
der alten Lehre von einem ewigen Bestehen oder einem fortwährenden
Kreislauf der Dinge, sie unterscheiden sich indes von jenen namentlich in
zwei Punkten. Einmal sind natürlich die falschen Begriffe der alten
Physik, z. B. die Ursprünglichkeit und Einfachheit der Kreisbewegungen

---

*) Vgl. Siebeck: Aristoteles über die Ewigkeit der Welt. In Zt. f. ex. Ph.
IX. 1 u. 131. Derselbe: Untersuchungen zur Geschichte der Griechen. Halle 1873. III.

aufgegeben (Nr. 12); statt dessen beruft man sich hauptsächlich auf die
Ergebnisse der neueren Naturwissenschaft. Sobann werden diese Auf=
fassungen in der Überzeugung entwickelt, daß damit die teleologischen
Betrachtungen hinfällig, weil überflüssig werden. Es scheint nämlich auf der
Hand zu liegen, daß, wenn überhaupt ein zeitlicher Ursprung der Welt=
formen im großen geleugnet wird, auch ein zweckmäßiger Ursprung insbesondere
und damit die Annahme eines Urhebers der Zweckmäßigkeit ausgeschlossen
ist. Allein dies folgt noch nicht. Wenn einmal gewisse Formen als
Zweckformen anerkannt werden und deren ewiges Bestehen behauptet wird,
so liegt die Annahme nahe, daß auch ein zwecksetzendes Prinzip als von
Ewigkeit her in der Welt thätig gewesen ist. Selbst zugegeben, die Welt
sei wesentlich so, wie sie ist, von Ewigkeit her gewesen, so verträgt sich
damit recht wohl der Gedanke, daß auch ein zwecksetzendes Prinzip von
Ewigkeit her wirksam gewesen ist. Dies ist die Meinung des Aristoteles.
Er gibt der teleologischen Betrachtung die Notwendigkeit des Schlusses auf
eine zwecksetzende Intelligenz zu, behauptet aber, daß die Thätigkeit der=
selben in Betreff der Welt eine ewige und kontinuierliche sei und der
Natur selbst innewohne und nicht von dem νοῦς ausgehe.

Die Frage nach der Ewigkeit der Welt und der Organismen ins=
besondere ist also für die teleologische Betrachtung und deren Richtigkeit
wohl von Belang, aber nicht entscheidend. Auf der anderen Seite deuten
jedoch die naturwissenschaftlichen Thatsachen entschieden auf einen zeitlichen
Anfang unseres Sonnensystems und namentlich der belebten Wesen hin,
welche den Charakter der Zweckmäßigkeit am auffallendsten an sich tragen.*)
Man steht immer wieder vor der Frage: weisen die sogenannten Zweck=
formen wirklich auf Zwecke, Absichten und also auf ein geistiges Prinzip hin?

116. 3) Es liegt in der Natur des Zweckes, daß derselbe als solcher
nicht thatsächlich gegeben sein kann, oder doch nur für den allein, welcher
sich selbst den Zweck setzt. Wenn ich eine Reibung vornehme, um Wärme
zu erzeugen, so ist mir allein die erzielte Wärme als etwas einem Zwecke
entsprechendes gegeben, für jeden anderen liegt nur die Thatsache vor,
daß auf Reibung Wärme gefolgt ist. Selbst wenn der andere beobachtet
hätte, wie ich die Reibung vornahm, konnte er doch nicht ohne weiteres
meine Absicht erraten, ich konnte ja auch etwas anderes, z. B. Elektrizität
bewirken wollen, ich konnte auch gar keine Absicht dabei haben. Also auch
in dem Falle, daß eine Intelligenz zwei Ereignisse als Mittel und Zweck

---

*) Bergl. zu dieser Frage: Cornelius: die Entstehung der Welt u. s. w.
Halle 1870 und Zt. f. ex. Ph. X. 177 ff.

verbunden hat, ist doch diese absichtliche Verbindung als absichtliche nur dem Zwecksetzenden allein thatsächlich gegeben, für alle anderen ist sie nur erschlossen. Anders verhält es sich auch mit den sogenannten Zweckformen der Organismen nicht. Wenn wir als Zweck die Erhaltung des Individuums und der Gattung voraussetzen, so ist die Einrichtung der Organismen allerdings höchst zweckmäßig. Aber die Frage ist die, ob man berechtigt ist, jene Effekte der besonderen Organisation als Zweck anzusehen. Gegeben als solcher ist er nicht und kann es nicht sein.

Gesetzt aber, es wäre unumstößlich sicher, daß jener Effekt Zweck sei, so hätte doch die erklärende Naturwissenschaft mit diesem Gedanken durchaus nichts gewonnen. Wenn ich auch weiß, daß jemand durch Reibung Wärme erzielen will und erzielt hat, so ist mir der Vorgang, wie Reibung die Wärme verursacht, um nichts klarer, als wenn ich jene Absicht nicht kenne. Die erklärende Naturforschung geht darauf aus, für eine Erscheinung deren Ursachen aufzusuchen; ist ihr dies gelungen, hat sie die betreffende Erscheinung als den notwendigen Effekt auf gewisse Bedingungen zurückgeführt, so hat sie die Erscheinung erklärt. Bei diesen Untersuchungen wird die Frage in Betreff des Zweckes gar nicht angeregt. Denn ob der betreffende Erfolg als Zweck angesehen wird oder nicht, das vermehrt weder, noch vermindert es die Anzahl der Bedingungen, wie überhaupt die Annahme oder Verwerfung des Zweckes an dem Verhältnis zwischen den Bedingungen und deren Wirkungen durchaus nichts ändert. Es ist freilich der Zweck nicht selten selbst als eine der wirkenden Ursachen, ja als die einzige wirkende Ursache aufgefaßt worden, und man hat geglaubt, wenn eine Erscheinung nicht sofort auf ihre Bedingungen zurückgeführt werden konnte, sich beruhigen zu können mit der Annahme, das betreffende Organ sei eben zum Zwecke der Hervorbringung jener fraglichen Erscheinung geschaffen. Dies ist die Anschauung Platos und zum Teil von Aristoteles.*)

*) Hierbei möge an eine Bemerkung Thilos (Geschichte der griechischen Philosophie. Cöthen 1876 S. 67) erinnert werden, welche sich auf die Naturphilosophie fast aller Zeiten übertragen läßt: Es stehen sich zwei verschiedene Weltansichten gegenüber. Die eine sucht das Geschehen in der Welt auf rein mechanischem Wege zu erklären, indem sie dasselbe auf Bewegungen der Atome zurückführt und diese Bewegungen nicht von einer vernünftigen Ursache ableitet. Die andere (anhebend mit Pythagoras) dagegen achtet auf das Zweckmäßige, Schöne, Geordnete in dem Geschehen und rekurriert zur Erklärung desselben zuletzt auf eine weltschöpferische Intelligenz. Die erstere, die physikalische, wird innerhalb der griechischen Philosophie von der zweiten, der ästhetisch-teleologischen, Naturanschauung hauptsächlich durch den Einfluß Platos in eine untergeordnete Stellung zurückgedrängt.

Gegen eine derartige Auffassung der Teleologie richtet Spinoza seine Bestreitung der Zweckursachen in der Natur*) und will von einem Durchbrechen der Kette der natürlichen Ursachen nichts wissen. Gegen diese Vorstellung des Zweckes gelten die Worte Bacons von Verulam, die erforschende Vernunft werde dadurch in der Auffindung der wirkenden Ursachen träge gemacht. Und ein großer Theil der modernen Natur= forscher hat gleichfalls nur diese fehlerhafte Fassung der Zweckmäßigkeit im Auge, wenn dagegen u. a. geltend gemacht wird, ein zukünftiger Zu= stand, wie der Zweck ist, kann nicht auf den gegenwärtigen Zustand Ein= fluß haben.

Derartigen Bekämpfungen der Zweckursachen in der Natur wird man vollkommen Recht geben müssen, Unrecht haben sie nur darin, daß sie meinen, damit die teleologischen Betrachtungen überhaupt getroffen zu haben. Weil die Meinung so allgemein verbreitet ist, die Teleologie wolle an die Stelle der erforschten oder noch zu erforschenden wirkenden Ursachen die Zweckursachen setzen, wird es von einigen Naturforschern sogar als Aufgabe der Wissenschaft hingestellt, die Zweckursachen aus der Natur zu verbannen.

117. Wie gesagt, es beruht dies alles auf jener mangelhaften Auf= fassung der Zweckursachen. „Wer die Endursachen durch die wirkenden Ursachen verdrängt glaubt, irrt ebenso sehr, als wer durch Endursachen die Aufsuchung der wirkenden Ursachen entbehrlich machen will. Denn wo etwas absichtlich veranstaltet wird, da werden wirkende Ursachen in den Dienst der Endursachen genommen; sie wirken aber dabei nach ihren

---

Sie verdiente es insofern, als sie die Entstehung der gegebenen Welt auf den Zufall zurückführte, im Materialismus stecken blieb und die ästhetische Weltbetrachtung ver= nachlässigte. Auf der anderen Seite aber mußte bei der einseitig ästhetisch= teleologischen Ansicht die eigentliche Naturerklärung verkümmern. Ihrer allgemeinen Natur nach sind beide Ansichten nicht unvereinbar, da das Zweckmäßige auch nach Naturgesetzen, wenn auch nach einer eigentümlichen Kombinierung derselben geschieht. Unvereinbar werden sie nur dann, wenn die physikalische Ansicht zum Materialismus wird, weil dann die Annahme einer schöpferischen Intelligenz unmöglich wird. Dem reinen Zufall aber jene eigentümliche Kombinierung, auf welcher das Zweckmäßige beruht, zuzuschreiben, erscheint als Thorheit und Ungebildetheit. Aus diesem Grunde stehen die theistischen und pantheistischen Systeme, weil sie beide eine weltbildende Vernunft annehmen, der materialistischen Ansicht gegenüber und fühlen sich durch diesen gemeinschaftlichen Gegensatz miteinander verwandt, obwohl der Pantheismus in konsequenter Entwickelung ebensowohl zuletzt auf ein nicht vernünftiges Prinzip hinausläuft, wie der Materialismus, freilich nicht auf den Zufall, sondern auf die blinde Heimarmene des absoluten Werdens.

*) Zt. f. ex. Ph. VI. 403 ff.

Flügel, Die Probleme der Philosophie. 11

eigenen Gesetzen, als ob keine Endursache sie an den Platz gestellt hätte,
so daß der Physiker alle Naturzwecke gar wohl ignorieren, aber darum sie
keineswegs leugnen darf."*) Wenn, um noch einmal das obige Gleichnis
zu gebrauchen, auf Reibung Wärme folgt, so genügt es dem Physiker, die
Reibung als die Ursache der Wärme und letztere als die notwendige Folge
der Reibung anzusehen; daß jemand bei der Reibung die Absicht gehabt
hat, Wärme zu erzeugen, ändert an dem Causalverhältnis nicht das
Geringste. Und so versteht es sich durchweg ganz von selbst, daß, wenn
vorausgesetzt wird, alle Bedingungen zu einem Ereignisse, also etwa zur
Entstehung eines Organismus seien vorhanden, auch das Ereignis als
der notwendige Effekt ohne Zögern eintreten muß. Daran ist durchaus
nichts Wunderbares. Auch hinsichtlich der Methode der exakten Naturforschung, welche die bewirkende Ursache sucht, hat man vom Zwecke zu
reden keine Veranlassung; obgleich andererseits doch nicht zu leugnen ist,
daß selbst zur Auffindung der wirkenden Ursache die Voraussetzung eines
bestimmten Zweckes als heuristisches Prinzip nicht selten von Bedeutung
gewesen ist.

Hat es nun also auch durchaus nichts Wunderbares an sich, sondern
ist es vielmehr völlig erklärlich und notwendig, daß gewisse Bedingungen
bestimmte Ereignisse zur Folge haben, so muß man sich doch im höchsten
Grade verwundern, daß in unzähligen Fällen eine außerordentlich große
Anzahl von besonderen Bedingungen in der Weise kombiniert vorhanden
ist, daß deren notwendige Zusammenwirkung gerade eine solche ist, aus
welcher der betreffende Organismus zu seiner und der Gattung Erhaltung
den größten Nutzen zieht. Aristoteles bewundert z. B., daß alle Gelenke
so eingerichtet sind, daß sie die Bewegung nach vorn zur Folge haben,
dahin, wohin auch der Blick des Auges gerichtet ist. Jedes Gelenk ist
von der Art, daß eine gewisse Anzahl von Bewegungen ausgeführt werden
kann; Ursache dieser Bewegungen ist eben die besondere Einrichtung des
Gelenkes, nicht aber etwa das Auge. Ebensowenig sind die Gelenke Ursache des Sehens überhaupt. Gewiß aber ist, daß das Sehen außerordentlich unterstützt wird durch die Beweglichkeit der Gelenke nach vorn,
und ebenso wieder die Kunstfertigkeit der Gelenke durch den Blick des
Auges nach vorn. Oder man analysiere sich andere Fälle und man thue
dies unter Zugrundelegung der Atomistik, so wird die Kompliziertheit, die
hier in einem jeden einzelnen Falle vorliegt, noch einleuchtender. Nun erhebt sich die Frage, wenn es eine Zeit gab, wo die Atome als die letzten

---

*) Herbart I. 6.

Ursachen der Erscheinung noch nicht in der Weise beisammen waren, wie sie sich in der organischen Welt finden, wo also auch die betreffende Wirkung noch nicht eintreten konnte: was war es, was jene gradezu un= zähligen Atome gerade so ordnete, daß eine solche Wirkung herauskam, welche nicht bloß als höchst zweckmäßig erscheint, sondern wirklich auch zweckmäßig ist in Bezug auf eine bestimmte Leistung des Organs? Unter den unzähligen Atomen waren unzählige Kombinationen möglich, von ihnen allen durfte nur eine wirklich werden, in allen anderen Fällen wäre etwas Unzweckmäßiges, wenn schon in vielen Fällen etwas vielleicht Lebens= und Fortpflanzungsfähiges zu Tage getreten. Die Frage nach dem Ursprung der Zweckformen, sahen wir, wird allerdings da überflüssig, wo ein solcher überhaupt geleugnet wird, obwohl die Annahme eines zwecksetzenden Prinzips nicht damit abgewiesen ist. Völlig überflüssig jedoch werden dergleichen Betrachtungen, wenn Zweckformen überhaupt nicht anerkannt werden. Gewisse neuere Naturforscher setzen, um die Bewunderung der Zweckmäßigkeit in der Natur abzuschwächen, derselben die augenscheinlichen Unzweckmäßigkeiten entgegen. Allein unter diesen letzteren verstehen sie entweder besondere Abnormitäten, die im Vergleich zu den herrschenden Fällen nur vereinzelte Ausnahmen sind, oder man rechnet alles das zu den Unzweckmäßigkeiten, was dem Menschen schadet, und wählt also ein= seitig das äußerliche Wohl des Menschen zum Gesichtspunkt. Man kann dies alles zugeben, immerhin bleibt noch eine außerordentliche Fülle von Zweckmäßigkeit übrig, die notwendig stets wieder auf ein zwecksetzendes Prinzip deutet. Radikaler verfuhr Kant, indem er den Begriff der Zweckmäßigkeit als eine nur menschliche Anschauungsweise ansah, der als solcher in der Natur selbst nichts entspräche. So wie wir nach Kant Räumliches sehen, während doch die Dinge der Natur in Wahrheit nicht räumlich geordnet sind, so erblicken wir auch Zweckmäßigkeit, wo ein derartiger Zusammenhang in der realen Welt gar nicht besteht. Wir sind es, die nach der eigentümlichen Einrichtung unseres Geistes Räumliches, Zeitliches, Kausales, Zweckmäßiges u. s. w. in die Natur hineintragen. In= dessen unterliegt diese Anschauungsweise denselben Bedenken, als die An= nahme der Kategorien (im Kant'schen Sinne) überhaupt, und zwar in noch höherem Grade, da die Raumanschauung überall in der Natur an= gewendet, Zweckmäßigkeit hingegen nur in einzelnen Fällen bemerkt wird.*) So wie es uns nicht möglich ist, überall in der Natur einen Zusammen=

*) Die Natur müßte uns unter jener Voraussetzung durchweg zweckmäßig er= scheinen.

11*

hang von Ursache und Wirkung zu sehen, so ist es uns ebenso unmöglich, überall Zweckmäßigkeit zu erblicken. In gewissen Beziehungen vermögen wir solche zu entdecken, in anderen nicht. Wir müssen demnach denselben Schluß, wie bei dem Räumlichen, Zeitlichen und Kausalen machen, näm= lich es muß dem, was uns räumlich und was uns zweckmäßig erscheint, auch etwas besonders Geordnetes in der objektiven Welt entsprechen.

118. Wir werden also wieder auf jene Frage nach dem Ursprung der besonderen Kombinationen unzähliger Atome, die nicht von einander abhängen, getrieben, und zwar stellt sich nun hier die Frage rein heraus: war es Zufall oder Absicht, was jene Atome zu den betreffenden Kombinationen zusammenführte?

Zunächst die Frage: waren denn jene Kombinationen aus bloßem Zufall möglich? Die abstrakte Möglichkeit läßt sich nicht leugnen. Eine Unmöglichkeit liegt nicht in den einzelnen Qualitäten der Elemente, läge sie hierin, so hätte auch keine noch so mächtige Intelligenz die gegen= wärtige Welt mit ihren Zweckformen hervorbringen können, denn es würde dabei eben vorausgesetzt, daß eine solche Welt in ihrem Begriffe unmöglich sei. Auch in den äußeren Lagenverhältnissen der letzten Elemente kann eine Unmöglichkeit nicht liegen, denn es läßt sich immerhin ohne Widerspruch denken, daß jedes Element gerade die Lage oder Bewegung zufällig hatte, die es haben mußte, wenn die Bildung der Welt von selbst zu stande kommen sollte. Man behauptet also nicht gerade etwas In= sich=widersprechendes, wenn man die zufällige Bildung der Welt an= nimmt, sowenig der etwas geradezu Unmögliches oder Widersprechendes behauptet, der aus einer zufälligen Aneinanderreihung und Wiederholung der 24 Buchstaben die Gedichte Homers ableiten wollte. Das eine ist ebenso abstrakt möglich, aber ebenso unwahrscheinlich als das andere.

Wenn die alten Atomiker, Leucipp, Democrit und Epikur, die Entstehung der Welt aus dem zufälligen Zusammentreffen von Atomen lehren, so hatte eine solche Annahme für sie nicht das Ungeheuerliche wie für uns. Jene ahnten nicht von ferne die große Kompliziertheit der Be= dingungen für die gemeinsten organischen Vorgänge, sie waren naiv genug, wie Lucretius, die Bildung gewisser ausgebildeter Tiere aus Schlamm nicht nur zu glauben, sondern zu meinen, sie mit eigenen Augen gesehen zu haben. Unter den Neueren ist es namentlich Darwin und mehr noch seine Anhänger, welche den Versuch machen, die Entstehung der Organismen aus reinem Zufalle abzuleiten. Bei diesem Versuche wird nicht angenommen, daß die Elemente von vorn herein einzig und allein diejenige Lage oder Bewegung gehabt hätten, welche die Entstehung der

Zweckformen zur Folge haben mußten, sondern daß von unzählig möglichen Bildungen auch unzählige wirklich wurden, daß aber von diesen nur wenige lebens= und entwickelungsfähig waren, weil natürlich nur bei einer ver= hältnismäßig sehr kleinen Anzahl von Fällen alle Umstände günstig waren. Die weniger vom Zufall begünstigten Formen gingen unter, und so ent= steht der Schein, als ob überhaupt nur Zweckmäßiges geschaffen sei. Von den vielen Gegengründen gegen diese Lehre möge hier abgesehen werden,*) nur das sei hervorgehoben, daß der Versuch Darwins, die Bildung der Welt aus dem Zufalle abzuleiten, keineswegs rein ist; vielmehr kann er zum Beweis dienen, daß doch immer auf die eine oder andere Weise ein zwecksetzendes Prinzip eingeführt werden muß. So tritt hier die sogenannte natürliche Zuchtwahl fast wie ein intelligentes Prinzip auf, welches stets auf das Beste seiner Geschöpfe bedacht ist und jeden kleinsten Vorteil zu benutzen weiß.

Ist nun der bloße Zufall bei Entstehung der Organismen aus= geschlossen, so bleibt nur die Annahme von dessen Gegenteil, nämlich einer absichtlichen Bildung übrig.

119. 4) Als der erste unter den namhaften Philosophen, welcher ein geistiges Prinzip annahm, um daraus die Entstehung der Welt ab= zuleiten, wird Anaxagoras genannt. Von ihm heißt es, er erscheine mit dieser seiner Ansicht als ein Wachender unter Träumenden. Von Sokrates, Plato und namentlich Aristoteles wird alsdann so nach= drücklich auf die Zweckmäßigkeit in der Natur aufmerksam gemacht, daß die Teleologie seitdem der Philosophie niemals wieder ganz abhanden ge= kommen ist.

Anaxagoras nahm als zwecksetzendes Prinzip ein von der übrigen Welt substantiell verschiedenes Wesen, νοῦς, an. Plato, Aristoteles und Neuere machen ihm zum Vorwurf, er habe sich nicht näher darüber ausgelassen, wie er sich die Wirksamkeit des νοῦς denke, ja er erscheine seinen sonstigen Ansichten nach überflüssig, weil doch überall der Versuch gemacht werde, die Erscheinungen auf physikalische Ursachen zurückzuführen. Indessen dürften die Tadler einen weniger richtigen Zweckbegriff haben, als ihn vielleicht Anaxagoras hatte; denn der Zweck oder ein zweck= setzendes Prinzip soll ja doch nicht selbst die alleinige Ursache des Ereignisses selbst sein oder ohne Mittelursachen wirken und so die eigentlichen

---

*) Vgl. dazu Cornelius: Entstehung der Welt u. s. w. 1870. S. 147 ff. und Ballauff: Zur Religionsphilosophie in Zillers Jahrbuch des Vereins für wissen= schaftliche Pädagogik. 1873. B. 90. O. Flügel: Das Seelenleben der Thiere. 1886. S. 71 ff.

physikalischen Ursachen ersetzen, sondern diese werden nur in den Dienst einer Endursache genommen. Bei Anaxagoras wird allerdings der νοῦς zugleich zur einzigen wirkenden Ursache, weil er denselben als die Quelle aller Kraft betrachtet, und damit mag es weiter zusammenhängen, wenn die Alten dem Anaxagoras vorwerfen, er rufe nur da den νοῦς herbei, wo er mit den physikalischen Ursachen nicht ausgereicht habe. Im übrigen denkt er die schöpferische Intelligenz als schlechthin vom Stoffe gesondert, mit keinem Dinge vermischt, für sich bestehend, freiwaltend, allbeherrschend, selbstbewußt und zweckmäßig handelnd. Diese verhältnismäßig klaren und richtigen Gedanken hat Aristoteles bei seinen eigenen Auseinandersetzungen wieder verwirrt. Bei ihm wird es nie recht klar, wem er die Absicht zuschreibt. Dem νοῦς scheint er nicht die Zwecke, sondern den Ursprung der Bewegung zuzuschreiben, zuweilen scheinen die Formen der Zweck zu sein, und also die Dinge selbst schon mit einem gewissen Charakter des Intelligenten behaftet. Jedenfalls kommt Aristoteles mit seinen teleologischen Betrachtungen durchaus nicht zu Ende, sein Gottesbegriff löst sich nirgends klar ab von den Begriffen der Welt oder einer Weltordnung. Auf dieser Stufe der teleologischen Betrachtung stehen auch die Stoiker; die Bewunderung der Zweckmäßigkeit, der Weisheit, die sich in der Natur kundgibt, ist ihnen sehr geläufig. Mit dem Gedanken aber der Weisheit und Vernunft Ernst zu machen und auf die Existenz eines intelligenten Urhebers der Welt zu schließen, hindert sie namentlich ihre pantheistische Weltanschauung, von der später die Rede sein soll. Auch sie erheben sich nicht über den allgemeinen Gedanken eines λόγος σπερματικός oder eines mundus ratione praeditus. Mit diesen nebelhaften Begriffen von der Zweckmäßigkeit in der Natur hängen noch einige andere Reden zusammen, die gleichfalls von Aristoteles stammen und bis jetzt die teleologischen Betrachtungen vielfach verdorben haben, nämlich die Meinung, als gehe bei den organischen Formen das Ganze den Teilen, die Wirkung der Ursache voraus. Doch ist bei Aristoteles noch der richtige Sinn dieser Worte erkennbar. Wie sein ganzes Denken auf einer mangelhaften Verallgemeinerung gewisser empirischer Vorgänge beruht, so denkt er sich hier einen Künstler, der Material vor sich hat, um ein Haus zu bauen. Der Künstler hat dabei einen Zweck, nämlich, das Haus zu bewohnen. Nach diesem Zwecke entwirft er einen Plan oder eine Idee des Hauses, nun schickt er sich an, das Material nach dieser Idee zu formen, darauf wird das Haus bewohnt. Ehe also das Haus gebaut wurde, war es schon fertig (nämlich in dem Gedanken des Meisters), oder mit anderen Worten, das Ganze ging (in Gedanken) den Teilen, die erst nach der

Idee gebildet und zusammengesetzt wurden, voraus. Ferner die Ursache, daß das Haus gebaut wurde, war der Zweck, die Bewohnung desselben, ohne diesen wäre es nicht gebaut worden. In Wirklichkeit erfolgt aber das Bewohnen erst, wenn das Haus fertig ist. So ist der Zweck, die Bewohnung, die Ursache oder das Motiv und zugleich die Wirkung (in Wirklichkeit) des Hauses; oder man kann auch sagen, der Zweck, das Künftige, das Bewirkte (nämlich die Bewohnung als Motiv gedacht) geht der Ursache, dem wirklichen Bauen voraus. Diesem trivialen Gedanken gibt Aristoteles dadurch einen besonderen Schein, daß er von dem einzelnen Falle absieht und dann bloß mit den abstrakten Begriffen operiert. Bei den organischen Gebilden schien es nicht mehr erlaubt zu sein, von einem Künstler, der einen bestimmten Zweck realisieren will, zu reden, und so bekam der Gedanke des Zweckes eine gewisse Selbständigkeit, der sich selbst zu verwirklichen strebt und in den Organismus selbst hineingedacht werden muß. So werden denn jene Reden, daß das Ganze den Teilen, die Wirkung der Ursache vorangeht, auf das eigentliche Sein und Geschehen übertragen und führen immer tiefer in widerspruchsvolle Verwickelungen. Es ist bemerkenswert, daß auch Kant sich nicht allein aus diesen Wider= sprüchen nicht herausfand*), sondern sogar tiefer in sie hineingeriet, als er in der Kritik der Urteilskraft von der Natur als einem sich selbst organisierenden Ganzen, von den Organismen als von Gebilden, die von sich selbst Ursache und Wirkung und nicht nach bloßen Naturgesetzen mög= lich sind, von einem anschauenden Verstande sprach, welcher in der Natur wohl Zweckmäßigkeit sieht, aber nicht der Annahme einer zwecksetzenden Intelligenz bedürfe. Hiermit ist die Lehre des absoluten Idealismus von einer erd Natur immanenten und wesentlich zugehörigen Zweckmäßigkeit schon völlig vorbereitet. Der Idealismus im Sinne von Schelling und Hegel ver= kennt das Zweckmäßige und Kunstvolle in der Natur keineswegs, weiß auch, daß dergleichen auf Intelligenz hinweist, diese Intelligenz aber wird den Dingen selbst zugeschrieben. Alles Sein und Geschehen ist nur eine Manifestation der allgemeinen Idee oder Vernunft (sogenannte immanente Teleologie). Was Wunder also, wenn sich in der Natur Vernunft und Weisheit kundgibt.**)

120. Gleiche Übereilungen lassen sich gewisse Naturforscher zu schulden kommen, indem sie die Annahme einer schöpferischen, selbständigen Intelligenz durch die Reden von einer besonderen Lebenskraft oder formbildenden

---

*) Über Kant vgl. in dieser Beziehung Herbart III. 135.
**) Vgl. dazu Zt. f. ex. Ph. X. 234.

Ideen und Typen vermeiden wollen, oder wenn sie, die Natur im großen
personifizierend, von deren Gedanken und Plänen sprechen, als könne man
die Natur als natura naturans ihren Werken als einer natura naturata
gegenüberstellen.*) Wenn ferner von einer der Natur immanenten un=
bewußten Zweckmäßigkeit geredet wird, so ist damit wohl das Problem,
nicht aber dessen Lösung hingestellt. Denn das ist richtig, wenn überhaupt
Zweckmäßigkeit in der Natur gefunden wird, so ist diese eine unbewußte,
d. h. man kann sie den Wesen, an welchen sie sich kundthut, nicht als
eine Folge ihrer eigenen Vernunft zuschreiben. An sich aber ist der Begriff
einer unbewußten Vernunft oder Zweckmäßigkeit ein Widerspruch.**) Soll
derselbe vermieden werden, so muß die Intelligenz, auf welche die Zweck=
mäßigkeit notwendig deutet, entweder der Natur selbst, d. h. im letzten
Grunde den Atomen, oder einem Prinzip, welches von der Natur ver=
schieden ist, beigelegt werden. Im ersten Falle kommt man zu dem absurden
Gedanken, daß die Atome selbst intelligente Wesen sind, die begabt mit
organisatorischen Talenten nach vernünftiger Überlegung zu Organismen
zusammengetreten seien. Das ist die Ansicht z. B. von Droßbach, nach
ihm ist jedes einzelne Atom gleichsam ein zwecksetzender Gott und die ganze
Natur eine Göttergesellschaft.***) Oder reflektiert man, immer noch diese
diese Anschauung im Prinzip festhaltend, speziell auf die Kunsttriebe der
Tiere, so sind es notwendig diese selbst, welche bewußter Weise sich höchst
vernünftige Zwecke setzen und sie mit ganz übermenschlicher Weisheit aus=
führen.†) Geht man hier besonnen zu Werke, faßt also die Natur im
Sinne der Atomistik auf, sieht das Wirken der Atome untereinander als
vollkommen blindes und streng gesetzliches an und hält fest, daß jedes
einzelne Atom ein einfaches Wesen ist ohne ursprüngliche innere Vielheit
(ohne Vernunft), ohne ursprüngliche immanente Relationen oder Triebe zu
anderen hin, so wird man nach naturwissenschaftlicher Methode zu einem
von der Natur selbst verschiedenen, selbstbewußten, zwecksetzenden Prinzip oder
zu einem persönlichen Schöpfer als Urheber zunächst der gegebenen Zweck=
formen geführt.††) Das ist der Weg, auf welchem Herbart den Glauben

---

*) Vgl. dazu Flügel: Der Materialismus u. s. w. Leipzig 1865. S. 62 ff.
**) Die logische Unhaltbarkeit eines unbewußten (immanenten) Zwecks, d. h. einer
intelligenzlosen Intelligenz hat auch Krönig erkannt: „Das Dasein Gottes und das
Glück des Menschen, materialistisch-erfahrungs-philosophische Studien. Berlin 1874.
***) S. Zt. f. ex. Ph. I. 221 u. X. 203.
†) Gegen dergleichen s. O. Flügel: Das Seelenleben der Thiere. 1886.
††) Das hat auch Baco von Verulam erkannt. Bei ihm Sermones
fideles XVI. do atheismo heißt es: „Gerade jene philosophische Schule des Leucipp,

an eine schöpferische Intelligenz für begründet ansieht. Mit Recht hat er jedoch das teleologische Problem nicht mit in die Reihe der anderen Probleme der allgemeinen Metaphysik aufgenommen, einmal darum nicht, weil die Zweckformen als beabsichtigte nicht gegeben sind, noch gegeben werden können, und zum anderen, weil daraus nicht rein begriffsmäßig eine weitere Erkenntnis abgeleitet werden kann, da, wie wir schon andeuteten, der Schluß auf einen persönlichen Urheber der Natur nicht auf einem in strengem Sinne notwendigen Gedankenfortschritt beruht, sondern auf einer Wahrscheinlichkeit, die allerdings so hoch gebracht werden kann, daß eine Sicherheit der Überzeugung daraus folgt, wie man sie vernünftiger Weise bei dergleichen Dingen nicht anders verlangen kann. Hingegen glaubten wir ein volles Recht zu haben, das Problem der Zweckmäßigkeit in den Umkreis der Hauptprobleme der Philosophie überhaupt mit aufzunehmen, namentlich wenn dieselben historisch-kritisch behandelt werden.*)

Democrit und Epicur, die vor allen anderen des Atheismus beschuldigt wird, gibt, näher beleuchtet, den klarsten Beweis für die Religion, denn es ist immer wahrscheinlicher, daß die vier veränderlichen und ein fünftes unveränderliches Element (nach Aristoteles), die von Ewigkeit so genau zusammenhangen, keines Gottes bedürfen, als daß die zahllosen Atome und Keime, die ohne Ordnung umherirren, diese Ordnung und Schönheit des Weltalls ohne einen göttlichen Baumeister hätten hervorbringen können."

*) Weiteres darüber s. Cornelius: Teleologische Grundgedanken in Zt. f. ex. Ph. I. 413. Drobisch: Religionsphilosophie. 1840. 120.

Zweiter Teil.

Die Probleme der praktischen Philosophie

und ihre Lösungen (Ethik).

121. Die Dinge und Ereignisse gestatten eine doppelte Betrachtung, eine theoretische und eine praktische. Die erste ist gerichtet auf das, was ist und geschieht und wie dieses widerspruchsfrei zu erklären ist, die andere hat es mit einer Beurteilung zu thun. Ihr gilt es als solcher gleichviel, ob dasjenige, was der Beurteilung vorliegt, wirklich ist; oder nur vorgestellt wird, ob es widerspruchsfrei erklärt ist, oder nicht; sie be= trachtet es nur gerade so, wie es unmittelbar gegeben ist und vorgestellt wird, und fragt darnach, welchen Wert das auffassende Subjekt demselben beilegt. Gewisse Dinge und Ereignisse erhalten nämlich im Geiste dessen, der sie vorstellt, noch einen Zusatz des Vorziehens oder Verwerfens. Mit diesem Zusatze des Vorziehens und Verwerfens oder mit den Urteilen des Lobes und des Tadels hat es die praktische Philosophie zu thun.

Da sich das Folgende allein auf das Ethische beziehen soll, so wird dabei als Objekt der praktischen Beurteilung das Wollen und Thun der Menschen oder allgemein der Vernunftwesen in Betracht zu ziehen sein. Denn die Ethik soll feststellen, welches Verhalten gut und welches böse ist. Die praktische Philosophie geht also wie die theoretische zunächst vom Ge= gebenen aus. Gegeben ist ihr jener Zusatz, welchen die Objekte im Geiste des Vorstellenden erhalten, und welcher sich in den Urteilen des Gefallens oder Mißfallens kundgibt. Diese Urteile sind thatsächlich gegeben; es fragt sich hier aber nicht, wie sie entstehen oder wie sie zu erklären sind, — das ist eine theoretische Frage — sondern vielmehr, welche von diesen Urteilen zutreffend sind, oder welcher Mensch bez. welches Verhalten des= selben in Wahrheit gut oder schlecht genannt zu werden verdient. Darauf hat es im Grunde genommen von jeher nur zweierlei Antworten gegeben, die eine: gut ist, was nützt; die andere: gut ist, was absolut gefällt. Der Nutzen bezieht sich immer auf etwas, dem es nützt, und hat ohne solche Beziehung keine Bedeutung. Das absolut Wohlgefällige hingegen kennt keinen solchen äußeren Beziehungspunkt, um deswillen es gelobt wird; das soll durch die nähere Bestimmung „absolut" ausgeschlossen werden:

es gefällt um sein selbst willen. Es ist auch nicht die Frage: wem es gefällt? Geantwortet könnte nur werden: jedem, der es rein vorzustellen vermag.

Das Feld der Geschichte der Ethik oder der Untersuchungen über das Gute teilt sich uns hiernach in zwei Teile. Von dem einen zahlreicheren Teile der Ethiker wird das Gute als etwas Relatives betrachtet, und einem Dinge, hier einem bestimmten (menschlichen) Verhalten, nur Wert beigelegt in Bezug auf etwas, was das Objekt der Beurteilung selbst nicht ist. Von dem anderen Teile der Ethiker wird der Weg der absoluten Wertschätzung eingeschlagen, welche eben von einem derartigen Beziehungspunkte absieht. Im allgemeinen kann man dabei bemerken, daß Systeme, welche im Theoretischen als das eigentliche Wesen der Dinge nur etwas Relatives, wie z. B. das Werden kennen, auch in der praktischen Beurteilung den relativen Standpunkt einnehmen; daß hingegen Systeme, welche das Seiende als absolut auffassen, auch im Praktischen meist die absolute Wertschätzung zum Prinzip erheben.

I. Systeme der relativen Wertschätzung.

122. Diese Systeme antworten sämtlich auf die Frage nach dem Guten: gut ist, was nützt oder was begehrt wird. Je nachdem nun der Beziehungspunkt, weswegen der Wille gelobt bez. getadelt wird, der Mensch, oder die Gottheit, oder der gesamte Weltzusammenhang ist, zerfallen diese Systeme wiederum in solche, welche vom anthropologischen, theologischen, kosmologischen Standpunkte aus entworfen sind.

A. Der anthropologische Standpunkt.

123. Wie bereits gesagt, auch die praktische Philosophie geht vom Gegebenen aus, von den thatsächlichen Urteilen über gut und böse. An diesen Urteilen, als den Thatsachen der Ethik, fehlt es im allgemeinen keinem Menschen noch Volke. Aber ethische Untersuchungen beginnen erst da, wo diese Urteile zum Gegenstande weiteren Nachdenkens gemacht werden, und diese Untersuchungen nehmen wiederum erst da einen eigentlichen wissenschaftlichen Charakter an, wo man nach dem letzten Grunde bez. Beziehungspunkte forscht, um deswillen etwas gelobt oder getadelt wird.

Sehr lebhaft wurde darüber unter den Griechen zur Zeit der Sophisten verhandelt; es ist wahr, längst vorher gab es hier, wie unter

anderen Völkern treffliche Menschen, Sitten, Gesetze, Sittensprüche, diese
letzteren wohl auch zu einer Art System zusammengefügt, das Gute war
gekannt, gelobt, empfohlen, dargestellt, es war darüber gezweifelt und ge=
stritten worden. Aber die eigentliche Frage nach dem letzten Beziehungs=
punkte, sowie die verschiedenen Antworten darauf treten uns erst zur Zeit
der griechischen Sophisten entgegen. Das Bedürfnis, über das, was gut
ist, zur Klarheit zu kommen, machte sich um so mehr geltend, als damals
die einzelnen Staaten immer reicher an inneren und äußeren Beziehungen
wurden und mit ihren verschiedenen Verfassungen und Rechtsbestimmungen
einander näher gerückt waren. Der Einzelne konnte also Vergleiche an=
stellen, es wird ihm nicht immer gerade das Heimische als das Beste er=
schienen sein, es mußte sich in mancher Hinsicht ein gewisser Zwiespalt in
dem Einzelnen zwischen dem individuellen und dem Gemeindebewußtsein
herausstellen, ein Zwiespalt, der durch die Verschiedenheit der Ansichten
einzelner hervorragenden Persönlichkeiten über das Gute genährt und be=
festigt wurde. Richtete sich also die Aufmerksamkeit darauf, wie verschieden
ein und dasselbe von verschiedenen Menschen, Parteien, Staaten, Völkern
beurteilt wurde, so war es ganz natürlich, daß eine Ansicht Platz griff,
welche das Sittliche oder das Gute nicht als etwas Festes, Allgemein=
giltiges, sondern als etwas Schwankendes, Relaltives betrachtete; herrschten
doch auch in der theoretischen Philosophie nicht minder unausgeglichene Gegen=
sätze. Fand man also feste Normen weder in der Natur, noch im Menschen=
leben, so war es natürlich, alle Entscheidung ganz von der eigenen
Subjektivität abhängig zu denken. Das Gute beruht nicht auf der Natur,
($\varphi \acute{v} \sigma \varepsilon \iota$), sondern auf dem Übereinkommen ($\nu \acute{o} \mu \omega$), hatte bereits Democrit
gelehrt; es kann daher durch die Kunst der Rede bald dies, bald etwas
anderes zum Guten gemacht werden, und für den einen wird dies, für
den anderen jenes gut sein. Dies ist der Grundzug der Ethik bei den
Sophisten. Was sie vortrugen, war nichts Neues, nichts von ihnen
Erfundenes, sie sprachen nur in mehr oder minder bestimmten Sätzen aus
und brachten zum Bewußtsein, was ganze große Schichten der Gesellschaft längst
gefühlt und unbestimmt gedacht hatten. Sie befanden sich mit dem öffent=
lichen Leben in einem Niveau. Aber ihren Zeitgenossen erschien oft als
etwas Neues, was in einer konsequenteren Weise des Vortrags aus den
Voraussetzungen, die fast allgemein ohne weiteres zugegeben wurden, ge=
folgert ward.*) So geht es ja in der Regel dem gemeinen Verstande,

---

*) Vgl. Strümpell, Geschichte der praktischen Philosophie der Griechen. 1861.
S. 27 ff. u. 74 ff. und Thilo: Geschichte der Philosophie I. 52. f.

wenn er auf die nächsten oder weiteren Konsequenzen seiner Voraussetzungen aufmerksam gemacht wird.

Gut ist, so wurde gesagt, was nützt, d. h. was zum Wohlsein des Menschen beiträgt. Das Verlangen oder die Begierde ist der Maßstab des Guten. Das Gute selbst ist das Objekt, auf welches die Begierde gerichtet ist, und darum muß das Mittel, d. h. hier das Verhalten, wodurch jenes Objekt erreicht, also die Begierde befriedigt wird, Tugend heißen. Welches ist nun das tauglichste Mittel, um dem Mißverhältnis, welches thatsächlich so oft zwischen Verlangen und Befriedigung besteht, abzuhelfen? Hier gibt es zwei Wege, entweder das Verlangen zu beschränken, oder die Mittel zu vermehren; die erste Betrachtung predigt Enthaltsamkeit, die zweite Mut und Überlegung.

124. Den ersten Weg betrat Antisthenes (welcher sogleich hier genannt sei, da er uns nur wenig beschäftigen wird). Ihm folgten die Cyniker, als deren Typus gewöhnlich Diogenes von Sinope gilt, mit dem Grundsatze, möglichst wenig zu bedürfen, wie bereits Socrates angedeutet hatte, daß der den Göttern am nächsten sei, welcher am wenigsten bedürfe. Was die Bedürfnislosigkeit fördert, Entsagung und Ausdauer lehrt, wie Armut und Anstrengung, ist ein Gut; was die Selbstgenügsamkeit hindert, wie z. B. die Lust, ist ein Übel; alles übrige ein ἀδιάφορον.

125. Viel einladender und dem natürlichen Zuge des Lebens näher stehend ist der zweite Weg, welchen die Mehrheit der Sophisten einschlug. Genieße auf jede Art und setze dich hinweg über das, was den Genuß hemmt, wie Herkommen, Sitte, Gesetz u. s. w. Im rüstigen Affekt trägt bei Plato namentlich Kallikles diese Lehre vor: Glück ist die unbeschränkte Freiheit, laß die Begierden ins Unendliche wachsen, kümmere dich nicht um den Zustand der Gesellschaft, denn er ist naturwidrig, beruht auf Schein und gegenseitiger Täuschung, die weniger Klugen haben sich mit den weniger Mächtigen verbunden und belegen, weil sie sich ihres Unvermögens schämen, die natürliche Zügellosigkeit mit schimpflichen Namen, und doch ist diese gerade unseres Wunsches Ziel. Vollendung des Glückes hat der Tyrann, dem alles erlaubt ist und dem andere dienen müssen, mag er auch durch Mord und Meineid auf den Thron gelangt sein. Der Tyrann ist glücklich trotz des Neides und des Hasses anderer, denn er ist im vollen Besitz der Mittel, frei zu sein. Was zur Macht führt, Gewalt oder namentlich auch Klugheit und Wissen, ist etwas Gutes.

126. Wozu als Herrscher sich mühen? — spricht Aristipp — weder der Liebe, noch des Zorns, noch des Beherrschtwerdens sind die Menschen wert: ich habe genug mit mir selbst zu thun. Der Staat setzt mich nur

Plackereien aus, ich kehre ihm den Rücken und wünsche nichts weiter, als für mich angenehm zu leben und zwar in dem gegenwärtigen Augenblick die möglichst größte Lust zu haben, eine wirkliche, volle, aufregende Lust (ἡδονή ἐν κινήσει). Weil die Genüsse des Leibes aufregender sind, als die des Geistes, so sind sie letzteren vorzuziehen, wenn diese auch, wie die des Theaters, der Freundschaft u. s. w. nicht ganz zu verachten sind. Am besten wäre es nun freilich, man könnte das ganze Leben hindurch die Lust in vollen Zügen schlürfen, aber weil die Zukunft ungewiß und sicher allein die Gegenwart ist, so muß es Grundsatz sein, niemals um eines zukünftigen also ungewissen Genusses oder Leidens willen die sichere Lust des Augenblickes aufzugeben oder auch nur zu mäßigen. Der Gedanke an die Zukunft beängstigt, darum denke man nicht daran; allerdings geht es ohne alle Überlegung nicht ab, sie ist nötig, damit äußere Dinge, menschliche Gesetze, Aberglauben, Götter- und Todesfurcht den Genuß nicht stören.

So ist der Trieb zu genießen in der Form der reinsten Individualität und Subjektivität das ethische Prinzip der Cyrenaifer.

Diese Grundsätze eines durchgeführten Egoismus muß ein hoher Grad von Leichtsinn und äußerem Wohlsein unterstützen, sonst ist ein allgemeiner Ekel am Leben ganz nahe.*) Wenn die äußeren Mittel zum Glücke fehlen, die Übel sich geltend machen und und des Genusses spotten, dann ist der Tod besser als das Leben, falls dessen einziger Wert im Genuß besteht. Hegesias von Cyrene scheint die Übel des Lebens erfahren zu haben, wenigstens hat er dieselben in schreckenerregenden Farben zu schildern gewußt. Die Übel sind nach ihm viel zu groß, als daß die Lust selbst wirklich Prinzip unseres Handelns sein könnte. Wie es für den Bedrückten der nächste Wunsch ist, nur frei zu sein vom Druck, und ihm dann erst Sehnsucht nach positivem Genuß entsteht, so sollte man überhaupt mit der Freiheit vom Schmerz zufrieden sein. Gelingt freilich nicht einmal dies, und tritt also die eigentliche Lust ganz fern, dann ist der Tod das Beste: wie er selbst kein Übel ist, befreit er doch von allen Übeln.**)

127. Der Grund dieses unsicheren Hin- und Herschwankens zwischen der höchsten Freude am Leben und der tiefsten Verachtung desselben — so meint Epicur — ist der Mangel an rechter Überlegung. Aristipp hat wohl recht, daß allein der Genuß unseren Handlungen und den Dingen,

---

*) Herbart XII. 125.
**) Weil sich wegen dieser Lehre nicht wenige seiner Schüler das Leben nahmen, wurden seine Vorträge in Alexandrien verboten und ihm der Beiname πειδιϑάνατος gegeben.

auf welche sie gerichtet sind, einen Wert gibt, aber Hegesias hat auch
nicht unrecht, wenn er zuvörderst nur nach Schmerzlosigkeit verlangt.
Unseres Lebens Ziel kann nicht der Taumel der Lust (ἡδονὴ ἐν κινήσει)
sein, vielmehr die frohe, ungetrübte, anhaltende, heitere Stimmung der
Seele. Aristipp hält wohl große Stücke auf die φρόνησις, um die rechte
Lust nicht zu verfehlen, aber er hätte die Überlegung, die Berechnung noch
weiter führen sollen, so würde er erkannt haben, daß die Qualen und
Freuden der Seele weit größer sind, als die des Leibes, und daß darum
die Vergnügungen des Geistes, wie Freundschaft, Wissenschaft, Umgang,
Wohlthätigkeit u. s. w., denen des Leibes vorgezogen werden müssen. Ferner
lehrt die Einsicht in die Bedingungen des menschlichen Glücks, daß, wenn
man nicht bloß eine augenblickliche Freude im Auge hat, sondern sich das
ganze Leben hindurch des Glückes erfreuen möchte, daß man dann eine
kurze gegenwärtige Entbehrung auf sich nehmen müsse, um einem weit
größeren Übel in der Folgezeit zu entgehen. Überhaupt ist unser Ziel die
ἡδονὴ καταστηματική die gesetzte, nachhaltige Lust, welche in der
ἀταραξία der Seele und der ἀπονία des Leibes besteht. Anst Cafinus

Allein das beständige Rechnen und Achten auf die Folgen, das Ab-
wägen eines gegenwärtigen Übels gegen ein dadurch zu erlangendes
künftiges Glück macht den Menschen nicht glücklich, denn es läßt ihn nicht
unbefangen genießen. Dadurch wird nicht die Lust, sondern die Furcht
vor der Unlust das Prinzip unseres Handelns. Das hat auch Epicur
selbst gefühlt, weshalb er in gar manchen Äußerungen wieder auf den
Standpunkt Aristipps zurückgekehrt zu sein scheint. Wenigstens pflegten
die späteren Epicureer namentlich der römischen Kaiserzeit in ihren
Grundsätzen und ihrem Verhalten sich wieder der Maxime des Aristipp
zu nähern: genieße, ohne viel zu rechnen. In der Folgezeit ist die Genuß-
lehre in so nackter Weise nur etwa von den französischen Encyclopädisten
wieder in eine Art von ethischem System zusammengefaßt.

128. In ganz anderem Sinne als Epicur hat Xenophon eine
Klugheitslehre entwickelt. Wie dieser Philosoph überhaupt dem öffentlichen
politischen Leben weit näher steht, als die anderen, so hat er vorzugsweise
seinen Blick auf die menschliche Gesellschaft gerichtet. Diese kann unmöglich bestehen, ohne daß einer auf den anderen Rücksicht nimmt, sich gewisse
Einschränkungen gefallen läßt und den Gesetzen gehorcht. Werden die Gesetze, welche die Klugheit zum Bestehen der Gesellschaft errichtet hat, nicht
beachtet, so muß unfehlbar Unordnung einreißen, und die verschiedenen
Kräfte werden sich nutzlos aufreiben. Hat aber jeder das Ganze im Auge
und beweist er sich an seinem Teile als ein brauchbares, thätiges Mitglied

der Gesellschaft, so wird er zugleich auch am sichersten für das eigene Wohl
sorgen, indem er von dem Ganzen Schutz und von den Einzelnen Freund=
schaft und Dank erfährt. Darum finden wir bei Xenophon mehr als
bei anderen Philosophen des Altertums heilsame, vom Geiste einer ver=
ständigen Mäßigung und des Wohlwollens eingegebene Ratschläge über
Ehe, Kindererziehung, Dienstverhältnisse, Hauswirtschaft und Staats=
verwaltung. Es ist eine verständige Güterlehre, was Xenophon vorträgt,
der es freilich eigentümlich ist, daß sie aufs trefflichste über die Mittel zu
reden weiß, während sie den eigentlichen ethischen Zweck darüber vergißt.
Der letzte Zweck ist auch hier nichts anderes, als der Nutzen zunächst des
Gemeinwesens und dadurch auch des Einzelnen, und zwar denkt Xenophon
ausschließlich an die irdische Wohlfahrt, indem bei ihm fast nirgends eine
Andeutung an Unsterblichkeit vorhanden ist.*) Wiewohl nun auch bei
Xenophon alles von dem Standpunkte des Nutzens entworfen ist, so steht
doch diese Art der Ethik weit höher an sittlichem Geiste, als die bisher
besprochenen Lehren, einmal indem überhaupt der Egoismus nicht so nackt
hervortritt, und zum anderen, weil das Glück nicht allein auf das
Individuum, sondern auf das Ganze bezogen wird.**)

---

*) Vgl. Herbart XII. 122 ff. u. Strümpell a. a. O. 459 ff.

**) Mit demselben Argumente sucht Pericles bei Thucydides seine Mit=
bürger über die Unfälle des peloponnesischen Krieges zu beruhigen: „Ich meine, mehr
frommt das Gedeihen des Gemeinwesens dem Einzelnen, als wenn bei aller Bürger
Wohlstande das Ganze zu Grunde geht. Denn der vom Glücke Begünstigte teilt
darum nicht minder des Vaterlandes Untergang. Aus dem Glücke des Vaterlandes
aber zieht auch der sonst Unglückliche weit leichter Vorteil. Vermag also der Staat
die Unfälle des Einzelnen wohl zu übersehen, des Staates Unfälle aber nicht der
Einzelne, wie, ziemt es nicht allen, ihn zu verteidigen." Es ist interessant, zu
sehen, wie Demosthenes, angeweht vom Geiste platonischer Ethik, einen ähnlichen
Gegenstand behandelt und sich dabei ganz über den Gesichtspunkt des Nutzens erhebt.
In der Rede de corona häufen sich die Äußerungen dahingehend, daß es bei allem
Handeln nicht auf den Erfolg, sondern auf die Gesinnungen ankomme, erster er stehe
in der Hand der Götter, dem Menschen sei es genug, das Gute nach seinen Kräften
gewollt und versucht zu haben. Aeschines suche ihn, den Demosthenes,
herabzusetzen, indem er darauf hinweise, daß doch alle die Anstrengungen, welche der
Schlacht bei Chaeronea vorangingen, nichts genützt haben. Demosthenes antwortet
darauf, es sei genug, sich als würdige und wackere Männer zu beweisen, die alles
gethan haben, was Klugheit, Tapferkeit und Uneigennützigkeit vermag, um den
Sturz des Vaterlandes abzuwehren, den Erfolg müsse man nehmen, wie ihn das
Verhängnis einem jeden darbietet, so könne man es auch einem Rheder, der das
Schiff mit allem, was zu einer glücklichen Fahrt erforderlich sei, ausgerüstet habe,
nicht zur Last legen, wenn ein Orkan, der aller menschlichen Kraft und Vorsicht
spottet, sein Schiff vernichtet. Dabei sei an ein ähnliches Wort bei Isocrates

12*

129. Den bisher besprochenen Grundsatz, daß sittlich gut ist, was nützt oder was begehrt wird, verläßt auch Aristoteles nicht. Ein jedes, sagt er, wird um eines anderen willen begehrt, das also, um deswillen alles andere in letzter Linie begehrt wird, ist das höchste Gut; gäbe es ein solches nicht, so verfiele man in eine unendliche Reihe. Was ist nun das höchste Gut? Die konsequente Antwort des Eudämonismus und auch des Aristoteles müßte sein: die Befriedigung aller Begierden, die der Mensch gerade hegt. Es kann nicht Eines genannt werden, was für alle in gleicher Weise gut und erwünscht ist, sondern jeder müßte das Recht haben, das gut zu nennen und als solches zu erstreben, nach dem er augenblicklich verlangt. Und allerdings mag Aristoteles diese Konsequenz gefühlt haben, denn er weist zunächst eine bestimmte Antwort ab auf die Frage, was für alle gut sei. Er hatte einen viel zu reinen und hohen Sinn, als daß er hätte die Lustlehren seiner Vorgänger annehmen können. Er behält freilich den Satz bei, daß der Mensch das Maß aller Dinge sei, auch dessen, was gut und schlecht ist, aber er ändert diesen Satz ein wenig ab. Der Mensch, sagt er, nach dem, was ihm eigentümlich ist, das rein Menschliche, wir würden sprechen, die Humanität, ist das Maß aller Dinge. Es ist ersichtlich, wie willkürlich es ist, aus dem Umkreise der menschlichen Begierden nur einen kleinen Teil als das rein Menschliche herauszusondern. Doch fragen wir weiter, was ist nun das rein Menschliche, was unterscheidet den Menschen von allen anderen Geschöpfen? Hier ist ein weites, offenes Feld gegeben, auf dem sich eine sittlich tüchtige Gesinnung kund thun kann, und von dem sittlichen Charakter des Aristoteles muß zum voraus erwartet werden, daß er unter dem Namen des rein Menschlichen

(Panath. 75) erinnert: „Ich wundere mich, zu sehen, daß es Leute gibt, welche Schlachten und Siege, die wider Recht und Gerechtigkeit gewonnen worden, nicht für schmählicher und tadelnswerter halten, als eine ohne Schuld der Feigheit erlittene Niederlage, da sie doch wissen sollten, daß eine große, aber nichtswürdige Macht oft über rüstige Verteidiger ihres Vaterlandes obsiegt." Im Blicke auf das Allgemeine stehen dem Xenophon unter den Neueren diejenigen am nächsten, welche die salus publica zum höchsten Gesetze erheben und zwar so, daß die salus publica doch im Grunde nur das Mittel ist zur Erreichung der salus privata. Vom Standpunkte der Unterthanen geschieht dies von Hobbes (s. Zt. f. ex. Ph. IX. 352) und den späteren Lehrern des Naturrechtes. Vom Standpunkte des Fürsten aus wird derselbe Gedanke, wenn auch in anderem Geiste von Machiavelli ausgeführt. Der Fürst wird überall am sichersten für sein eigenes Glück sorgen, wenn er am besten das Staatsinteresse wahrnimmt. Was zur Erhaltung und Förderung desselben dient, ist gut und erlaubt, sei es auch Mord, Lüge, Meineid u. s. w. und was sonst im Privatleben für unerlaubt gilt.

nichts Niedriges oder Gemeines einführen wird. Aber daß er dies thut, verdankt er nicht seinem ethischen Systeme, sondern vielmehr dem eigenen, davon ganz unabhängigen sittlichen Urteile, denn die Begierden, nur als solche betrachtet, streben alle nach Befriedigung und bieten keinen Anhalt, einige als rein menschliche anzusehen, noch auch ein Kriterium, warum die spezifisch menschlichen Begierden besser sein sollten als andere. Es tritt auch zuweilen deutlich genug hervor, daß Aristoteles den Unterschied zwischen gut und böse nicht aus seinem Systeme gewinnt, sondern bereits als bekannt voraussetzt und stillschweigend unter dem Titel des allgemein Menschlichen versteht, denn dieses ist nach ihm das, was der besten Tüchtigkeit der menschlichen Seele gemäß ist; oder noch unverhohlener, wo es heißt: gut ist, was der Gute dafür erklärt. Als dasjenige nun, was dem Menschen eigentümlich ist, was ihn von allen anderen Geschöpfen unterscheidet, hatte Aristoteles in seiner theoretischen Philosophie (Nr. 28) den νοῦς, die Vernunft gefunden. In der Thätigkeit des νοῦς, dem Wissen, kann daher allein die wahre Selbstbefriedigung des Menschen, die ihm eigentümliche Eudämonie bestehen. Wie der νοῦς an sich schon Energie ist und als purus actus der Materie nicht bedarf, so erfolgt auch diejenige menschliche Thätigkeit, die dem νοῦς entspringt, rein aus seinem eigenen Wesen und nicht aus fremden Ursachen. Zugleich ist auch der νοῦς als purus actus der eigentliche Vorzug des letzten (göttlichen) Prinzips, und so werden die sogenannten bianoëtischen (theoretischen) Tugenden, also das Wissen vom Ewigen, Unveränderlichen, den Vorzug vor den praktischen (ethischen) Tugenden haben. Letztere besitzen einen Wert nur soweit sie dem νοῦς gehorchen; die dianoëtischen aber bezeichnen am getreuesten das eigentümliche Wesen des Menschen, bekunden seine Ver= wandtschaft mit dem Göttlichen, erfreuen am reinsten und dauerndsten, darum haben sie Wert an sich selbst, θεωρία τὸ ἥδιστον. Das gött= liche anschauende Erkennen des Ewigen, Unveränderlichen ist das höchste Ziel des Aristoteles.*)

130. Ist also die Kontemplation das Höchste und bedenkt man, in welchem Sinne später im Mittelalter die vita contemplativa auf das be= schauliche Klosterleben gedeutet wurde, so sieht man, wie leicht sich Aristoteles Eingang in die Sittenlehre des Mittelalters verschaffen konnte. Indessen auch dann, wenn die vita contemplativa auf die vita beata des Jenseits bezogen wird, lag es nahe, die ganze christliche Ethik auf den Gedanken des Eudämonismus zu bauen. Die ewige Seligkeit ist es dann,

---

*) Vgl. Thilo: Über die Eudämonie des Aristoteles in Zt. f. ex. Ph. II. 271.

was in letzter Linie als größtes und dauerhaftes Glück begehrt wird. Das sicherste Mittel, dieses zu erreichen, ist die Frömmigkeit, und darum allein ist die Frömmigkeit und Tugend lobenswert und gut. Je nachdem man nun über die Bedingungen zur Seligkeit urteilt, darnach wird sich eine rigoröse oder auch eine laxe Moral ergeben. Als Beispiele der ersteren mögen Malebranche und Pascal genannt werden. Es ist gewiß, sagt jener, daß die Lust, allgemein gefaßt, der einzige Beweggrund ist, woher die Menschen, sei es die Gerechten oder Ungerechten, bestimmt werden, überhaupt alles zu thun, was sie thun . . . . . Gott ist allmächtig und gerecht, man kann ihm nicht ohne Strafe ungehorsam und ohne Lohn nicht gehorsam sein.*) Noch nackter stellt dies Pascal hin: der Mensch, heißt es bei ihm, ist für die Lust geboren, die geistige verdient vor der fleisch- lichen wegen ihrer Quantität den Vorzug. Die Liebe zur Lust soll auf der Bahn des Lebens unser Leitstern sein; und verzichten wir auch auf unsere eigene Person, so heißt das nichts anderes, als um der größeren jenseitigen Güter der kleineren irdischen Vergnügungen entsagen; wir wollen dadurch nur die Anwartschaft auf die verheißenen Himmelsfreuden uns sichern. Nicht der Gedanke des Pflichtbewußtseins, nicht die Vor- stellung des Vernunftgesetzes, auch nicht die Erkenntnis unseres Wesens, sondern lediglich die süßen Gefühle der Lust, welche Gott in uns durch seine Gnade erregt, sollen uns zu unserem Endziele hinleiten, unser Zweck nämlich soll uns ausschließlich durch Empfindung zum Bewußtsein gebracht werden.**)

131. Dieselbe Rücksicht auf die göttliche Belohnung oder Strafe war das Moralprinzip der eudämonistischen Periode der Popularphilosophie vor und nach Kant. Der Wille Gottes ist das allein Bestimmende, denn er hat Macht, die Widerspenstigen zu zwingen. Diesen göttlichen Willen er- kennt man in dem Zwecke, zu welchem ein Ding geschaffen ist. Der absolute Zweck des Menschen aber ist die Glückseligkeit.***) Es war ein Eudämonismus, von welchem Herbart sagt, er empfahl mäßigen und gegen Gott dankbaren Genuß der in der Natur bereiteten Freuden, wies hin auf ein künftiges Dasein, worin Lohn und Strafe gespendet werde nach Verdienst und Empfänglichkeit. Diese Lehre von einer mehr geistigen

---

*) Siehe Zt. f. ex. Ph. IV. 219. Über Malebranches religions-philosophische Ansichten.

**) Pensées II. 84, 116. I. 110, 47. In ähnlicher Weise verteidigt Bossuet Fenelon gegenüber l'amour qui nous fait désirer veritablement de posseder Dieu seul par le motif de trouver notre bonheur dans sa connaissance et son amour.

***) S. Zt. f. ex. Ph. I. 294.

als sinnlichen Glückseligkeit machte den Menschen wahrlich nicht schlecht, sie ließ ihn nicht ohne Unterricht über das Gute und Schöne — aber sie unterschied dieses nicht von dem Angenehmen und Nützlichen.*)

Doch wir sind damit schon bis an die Grenze der theologischen Begründung der Ethik gekommen. Bevor wir zu dieser selbst übergehen, möge noch ein kurzer Rückblick gestattet sein. Wenn wir uns eine ähnliche Deutung, wie es Plato schon that, mit dem Satze des Protagoras: Der Mensch ist das Maß aller Dinge, erlauben dürfen, so kann man sagen: die bisher entwickelten ethischen Ansichten sind nur nähere Bestimmungen und weitere Ausführungen dieses Satzes. Der Mensch, d. h. eigentlich die menschliche Begierde oder das Bedürfnis ist das Maß aller Dinge. Der Cyniker Bestreben ist Freiheit von Sorgen, das Mittel dazu oder in ihrem Sinne die Tugend ist Enthaltsamkeit, Bedürfnislosigkeit. Aristipp schlägt zu dem gleichen Zwecke der Freiheit von Sorgen und des Genusses andere Mittel oder Tugenden vor: Reichtum, Gesundheit, Klugheit. Epicur will das ganze Leben hindurch genießen, darum ist ihm die Berechnung die höchste Tugend. Kallicles will herrschen, er lobt Mut und Gewalt. Dem Aristoteles ist das Wissen das Höchste, und Tugenden sind ihm vornehmlich die intellektuellen Thätigkeiten. Die christlichen Eudämonisten empfehlen die Frömmigkeit als das sicherste Mittel zum höchsten Gut oder zur ewigen Seligkeit. Jeder, so könnte Protagoras schließen, lobt die Befriedigung seiner Neigung und nennt das dazu führende Mittel Tugend. Ueberall ist hier die menschliche Begierde der sittliche Maßstab.

B. Der theologische Standpunkt.**)

132. Unter einer theologischen Begründung der Ethik versteht man eine solche, welche den Willen Gottes als das letzte Fundament der Ethik aufstellt. Doch sind hier zunächst einige Mißverständnisse zu beseitigen. Zu sagen: das Prinzip der Ethik ist der Wille Gottes oder die Liebe oder der Gehorsam gegen Gott, ist durchaus nicht falsch, wenn dabei, wie das wohl meist geschieht, Gott als der Heilige und Gute vorausgesetzt wird. Thut man dies, dann setzt man freilich als bekannt bereits voraus,

---

*) S. Zt. f. ex. Ph. II. 377.

**) Hiermit ist natürlich nicht gemeint, daß die Theologen diesen Standpunkt einnehmen oder einnehmen müßten, sondern nach Analogie des anthropologischen und kosmologischen Standpunktes bedeutet der theologische nur soviel, daß darnach Gott ohne jede nähere sittliche Bestimmung zum Prinzip der Ethik gemacht wird.

was erst gefunden werden soll, nämlich die Einsicht in das, was gut ist. Gottes Wille ist das ethische Prinzip, heißt dann nichts anderes, als das Gute ist dieses Prinzip; es ist eine Tautologie, mit welcher man um keinen Schritt weiter ist, am allerwenigsten ein letztes Fundament der Ethik gewonnen hat. Die Ethik fragt darnach, was in letzter Linie den Unterschied zwischen gut und böse begründet. Eine solche Unterscheidung darf also nicht schon als bekannt vorausgesetzt werden, wie es dort geschieht, wo der in paränetischer Beziehung vollständig richtige Satz, der Wille Gottes ist das Entscheidende in dem, was man thun oder lassen soll, ohne weiteres zur wissenschaftlichen Begründung der Ethik verwendet wird. Das eigentliche theologische Prinzip der Ethik stellt sich erst da ein, wo gesagt wird: das, was wir gut nennen, ist lediglich darum gut, weil Gott es will. Der Wille Gottes als solcher ist eben ohne alle nähere Bestimmung gut und drückt allen und jedem, worauf er sich gerade richtet, den Stempel des Guten auf, wie wir es auch sonst beurteilen mögen. Was also der Eudämonismus vom Menschen sagt, daß alles gut ist, was er gerade begehrt, das wird hier auf Gott beschränkt. Was er will, ist gut, und zwar lediglich darum, weil es von ihm gewollt wird. Wiederum der alte Satz, daß die Begierde oder der Wille das Maß des Guten ist. Aber, so wird beschränkend hinzugefügt, nicht jeder Wille ist hier gemeint, sondern nur der göttliche. Wodurch indes unterscheidet sich der göttliche Wille von einem jeden anderen, wenn man ausdrücklich, wie hier, wo die Begründung des Unterschiedes zwischen gut und böse erst gesucht wird, von allen ethischen Bestimmungen dieses Willens absieht? Es kann nicht anders geantwortet werden, als: durch die Macht; und man kommt dahin, zu sagen: das ist gut, was durch die Macht festgesetzt ist. Der Gehorsam gegen solche durch die Macht gesicherten Gesetze ist gut, weil er das Klügste ist, weil nichts verderblicher und unnützer wäre, als sich der Allmacht widersetzen. Das Gute ist hier nichts Absolutes, sondern etwas Relatives, willkürlich Gesetztes. Wer die Macht hat, sich Gehorsam zu verschaffen, der hat das Recht, zu bestimmen, was im Umkreis seiner Macht als gut gelten soll, so wie er die sogenannten positiven Rechtsbestimmungen gibt, so wie die Mode vom Hofe ausgeht.

133. Diese Grundsätze trägt der Philosoph Anaxarch vor in der Rede, mit welcher er bei Plutarch Alexander den Großen über den an Klitus verübten Mord tröstet: „Ist das der Alexander, sagt er, auf welchen jetzt der ganze Erdkreis hinblickt? Wie liegst du gleich einem Sklaven hingestreckt, zitternd vor dem Gesetz und dem Tadel der Menschen, für die du doch selbst Gesetz und Maßstab des Rechtes bist, wenn du

anders gesiegt hast zu herrschen und zu regieren, nicht aber um dich unter
das Joch der öffentlichen Meinung zu schmiegen! Weißt du nicht, daß
Zeus die Dike und Themis deswegen zu Beisitzerinnen hat, damit alles,
was vom unwiderstehlich Herrschenden gethan wird, recht und erlaubt sei?"
Bekanntlich pflegten die Beichtväter des Königs Louis XIV. ihn durch
ähnliche Berufungen auf seine gesetzgebende Macht über seine Gewissens=
bedenken wegen des von ihm verübten Druckes und der tyrannischen Will=
kür hinwegzuhelfen. Die gleichen Argumente wendet Macchiavelli an,
um zu zeigen, daß der Fürst sich alles erlauben dürfe, was dem Privat=
mann verboten ist. „Es sorge ein Fürst, die Obermacht und die Regierung
zu behaupten, so werden seine Thaten immer ehrenvoll und von jedermann
löblich befunden werden." Behält man dieses Prinzip bei, steigert nur die
Macht bis zur Allmacht, so gelangt man zum Willen Gottes. Wird Gottes
Wille lediglich darum, weil er der Allmächtige ist und sich Gehorsam er=
zwingen kann, auch ohne weiteres gut genannt, so ist das theologische
Prinzip aufgestellt. So geschieht es von Tertullian, Scotus Erigena,
Wilhelm Occam, besonders aber von Duns Scotus im ausdrücklichen
Gegensatze zu Augustin und Thomas Aquino, welche Letzteren an der
Absolutheit des Guten festhalten.*) Duns Scotus fragt: sind alle
Gesetze des Dekalogs Naturgesetze? d. h. solche, an welche Gott selbst ge=
bunden ist, so daß er in keinem Falle Ausnahmen gestatten oder davon
dispensieren kann? Dies hatte Thomas Aquin behauptet: eine an sich
böse Handlung, hatte er mit Augustin gesagt, kann nie eine gute werden,
weil kein hinzukommender Umstand ihre innere Unsittlichkeit aufheben
kann. Viele Handlungen sind daher unabhängig von und vor dem Willens=
akte Gottes gut oder böse. Dem gegenüber führt sein Gegner Duns
Scotus aus: Dispensieren heißt nicht: machen, daß man, so lange das
Gebot besteht, wider dasselbe handeln darf, sondern es heißt: das Gebot

---

*) Tertullian: non quia bonum est, auscultare debemus, sed quia deus
praecepit.

Wilhelm Occam: Ea est boni et mali moralis natura, ut cum a liberrima
dei voluntate sancita sit ac definita, ab eadem facile possit emoveri et refigi,
adeo ut mutata ea volutate, quod sanctum et justum est, possit evadere injustum.

Augustinus: Non ideo malum est, quia vetatur lege, sed ideo vetatur
lege, quia malum est.

Thomas Aquin: Volitum divinum secundum rationem communem, quale
sit scire possumus. Scimus enim, quod deus, quidquid vult, vult sub ratione
boni; ideo quicunque vult aliquid sub ratione boni, habet voluntatem con-
formem voluntati divinae.

Suarez: De legibus: Non mala, quia prohibita, sed prohibita, quia mala.

widerrufen, oder erklären, wie es eigentlich zu verstehen sei. . . . . Wenn die zehn Gebote eine innere, notwendige Wahrheit hätten, so müßte ihre Wahrheit unabhängig vom göttlichen Willen sein, Gottes Verstand müßte sie als notwendig wahr ergreifen und sein Wille sich nach ihnen richten, es wäre also sein Wille von etwas außer ihm abhängig. Der Wille Gottes aber strebt nach nichts notwendig, sondern nach allem zufällig. Sagt man, daß der Wille eines Geschöpfes sich notwendig (d. h. absolut verpflichtet) als ein guter Wille nach dem Wahren, Guten richten müsse, so muß doch der Wille Gottes nicht dem Wahren, Guten gemäß wollen, sondern weil er ihm gemäß will, ist es wahr und gut. Es wird also hier die allmächtige Willkür zum ethischen Prinzip gemacht, und darum kommt Duns Scotus denn auch zu dem Resultat, daß Gott allein von den beiden ersten Geboten nicht dispensieren könne (du sollst keine anderen Götter haben neben mir, und du sollst den Namen Gottes nicht mißbrauchen). Und warum nicht? Wenn ein Gott ist, heißt es, so muß er auch geliebt, angebetet und nichts außer ihm darf angebetet werden. Mit anderen Worten, weil Gott mit einer derartigen Dispensation dem eigenen Interesse und seiner Ehre zu nahe treten würde. Es wird also hier die egoistische Begierde als solche wieder zum ethischen Prinzip gemacht. An Duns Scotus schlossen sich gern die Jesuiten an und wiederholen mit dem spanischen Cistercienser Lobkowitz: nichts ist an oder für sich gut oder böse, sondern nur darum, weil Gott es geboten hat. Er kann auch von allen Geboten dispensieren, er kann ebensogut das Entgegengesetzte von dem, was er jetzt geboten hat, festsetzen, er selbst ist nicht an seine Gebote gebunden. Die notwendige Folge ist die: weiß man in einem bestimmten Falle, was Gottes Wille ist — und das unfehlbare Lehramt muß dies wissen —, so ist jedes Mittel, diesen Willen Gottes zu realisieren, gut und heilig. Denn das Gute ist nichts Absolutes, Feststehendes, sondern etwas Relatives. Dem Prinzip nach behauptet auch Calvin das nämliche: adeo summa est justitiae regula dei voluntas, ut quidquid vult, eo ipso, quod vult, justum habendum sit.*) Desgleichen steht Des=Cartes

---

*) Instit. christ. sel. 3. 23. 2, wiewohl Calvin auch wieder bemerkt, Gott habe große und gerechte Ursachen bei der Verteilung seiner Gnade.

Bei Zwingli de prov. VI. Unum igitur atque idem facinus, puta adulterium aut homicidium, quantum dei auctoris, motoris, impulsoris opus est, crimen non est, quantum autem hominis est, crimen ac scelus est. Ähnlich Melanchthon in seiner Erklärung des Briefes an die Römer 1825 und Beza Aphorism. XXII. „In Ansehung Gottes und vor seinem Verbote ist nichts unrecht oder moralisch böse," sagt bei Leibniz der Schotte Samuel Retorfort. Vieles

auf diesem Standpunkt 'der theologischen Begründung der Ethik*), erfuhr indes in diesem Stücke Widerspruch von Bayle, Saurin**) u. a. Unter den Neueren hat besonders Stahl die Persönlichkeit oder den Willen Gottes als die absolute Ursache und Macht zugleich als Prinzip des Guten betont, ohne jedoch selbst daran festzuhalten.***)

Wie der Versuch, den Willen als solchen zum Fundament der Ethik zu machen, auf dem anthropologischen Standpunkt leicht etwas Gehässiges bekommt, wenn gesagt wird, der Mensch ist das Maß aller Dinge, so erhält dasselbe Prinzip auf dem theologischen Standpunkt leicht etwas Ehrwürdiges und Gewinnendes, wenn es heißt, Gott ist das Maß aller Dinge. Allein keine der beiden Fassungen drückt den eigentlichen darin liegenden Gedanken genau aus. Die Begriffe Mensch und Gott sind hier zu weit und gestatten allerhand hineinzudenken, von dem doch durchaus abgesehen werden muß, um das Prinzip rein zu fassen. Sonst läuft man immer wieder Gefahr, in den Begriff Mensch entweder die schlechten menschlichen Begierden oder das rein menschlich Edle, und in den Begriff Gott das Heilige und Gute hineinzutragen und damit das vorauszusetzen, was man erst sucht. Scheidet man hingegen alles nicht Hingehörige aus, so bleibt als Prinzip zurück: die Begierde oder der Wille als solcher ist der Maßstab des Guten und Bösen, und soll hier ein Unterschied zwischen den Willen angebracht werden, so kann dieser nur von der Stärke hergenommen werden, so daß der mächtigste Wille der beste ist.

C. Der kosmologische Standpunkt.

134. Der kosmologische Standpunkt ist ausschließlich den monistischen Systemen eigen. Wie diese überhaupt alles Bestehende, alles Sein und Geschehen aus einem Prinzip abzuleiten suchen, so sind sie bemüht, auch das Ethische daraus zu entwickeln, indem sie den anthropologischen und theologischen Standpunkt vereinigen und das metaphysisch Letzte zugleich

---

ähnliche siehe bei Bayle: Artikel Paulicianer. Dagegen Boetius (1611): „Man nehme die innere Gerechtigkeit aus Gott, so könnte Gott möglicherweise auch ganz absehen von der Vergeltung, den notwendigen Zusammenhang zwischen Sünde und Strafe lösen, die Forderungen seiner Heiligkeit verleugnen, dem Gesetz und Gewissen eine andere Gestalt geben, und jeder Atheismus wäre nur statutarisch und willkürlich verurteilt."

*) Zt. f. ex. Ph. III. 155, wie denn Des-Cartes nicht allein den Unterschied von gut und böse, sondern auch den von wahr und falsch von dem Willen Gottes abhängig denkt.

**) Zt. f. ex. Ph. V. 228, J. Saurin als Moralist.

***) Thilo: Theologisierende Rechts- und Staatslehre 1861. S. 164 ff.

als ethisches Prinzip fassen. Der metaphysische Hauptfehler des Monismus
besteht darin, daß er nur ein Seiendes kennt, der ethische Hauptfehler ist,
daß dieses Eine ohne weiteres gut genannt wird, das absolut Seiende
als solches zugleich die höchste Norm für das sittliche Handeln sein soll.

Zu dieser Voraussetzung ist durchaus kein objektiver Grund vorhanden,
es ist ein Sprung, ein willkürliches Verfahren, das allerdings subjektiv
sehr erklärlich ist. Wer viele Mühe gehabt hat, etwas zu finden, dem
erscheint leicht das endlich Gefundene mit allen möglichen Vortrefflichkeiten
ausgestattet, die Entdeckerfreude blendet und es geht den Forschenden wie
den Reisenden, die alles, was sie auswärts sahen, schön nennen, darum
weil sie mit Mühe und Kosten zum Sehen gelangten.*) Eine andere
subjektive Veranlassung liegt darin, daß das metaphysisch eine Reale von
allen Monisten (außer Schopenhauer) Gott genannt wird, und hier
unwillkürlich die ethischen Prädikate im ungenauen Denken auf das an
sich ethisch völlig gleichgültige Eine übertragen werden. Allein, wie schon
gesagt, objektiv liegt durchaus kein Grund vor, warum dieses Eine gut
im ethischen Sinne genannt werden dürfte; mit demselben Rechte oder
demselben Unrechte kann man jenes Eine böse nennen.

Wird nun das Eine gut genannt, so muß das Gegenteil des Einen,
die Vielheit, böse sein oder das, was nicht sein sollte. Das ist selbst=
verständlich ebenso willkürlich, als warum die Einheit das Gute sein soll.
Die ethische Aufgabe wird demnach so gefaßt werden müssen, das Viele
zur Einheit zurückzubilden.**) Das ist im allgemeinen die ethische
Grundanschauung aller monistischen Systeme, im besonderen schließt sich
dann jedes derselben näher an die eigentümliche Kosmologie an, die es
aufstellt; und deren Eigentümlichkeit ist wesentlich davon abhängig, ob das
System durch den metaphysischen Idealismus hindurch gegangen ist oder nicht.

---

*) Herbart I. 415.

**) Vielleicht ist Anaximander als der erste anzusehen, welcher diesem Ge=
danken Ausdruck gab in den Worten, daß die Dinge durch ihren Untergang die
Strafe für ihr Unrecht büßen. Das Unrecht der Dinge würde darin liegen, daß sie
überhaupt als einzelne Dinge bestehen und einen Zwiespalt, eine Unangemessenheit
in das eine Seiende, das Unendliche, gebracht haben. (Wie ja auch nach Heraclit
der Krieg und nach Empedocles der Streit es ist, wodurch die gegebenen Einzel=
dinge in die Erscheinung treten.) Dieses Unrecht kann nur gebüßt werden durch
den Untergang des Einzelnen oder ihre Rückkehr ins Unendliche. Damit ist die
Unangemessenheit verschwunden. Doch es ist sehr die Frage, ob Anaximander
dies gemeint hat. Preller und Ritter deuten die Wörter τίσις, δίκη, ἀδικία
im physikalischen Sinne, die Dinge erleiden Strafe soll nichts anderes bedeuten, als
ein Ding verdrängt das andere aus dem Dasein.

a. Voridealiſtiſche Syſteme.

135. Als die erſten unter den Moniſten, welche aus dem theoretiſchen Monismus bez. Pantheismus ein ethiſches Syſtem abzuleiten und damit die Sittenlehre kosmologiſch*) zu begründen verſuchten, ſind die Stoiker anzuſehen. Freilich liegt uns von keinem der vielen ſtoiſchen Philoſophen ein zuſammenhängendes Syſtem vor, und wir werden uns daher im folgenden nicht an die Darſtellung eines einzelnen Stoikers halten können, ſondern das, was man von ſtoiſcher Philoſophie aus den verſchiedenen Zeitaltern weiß, benutzen, um ein einigermaßen zuſammenhängendes Syſtem zu erhalten und ſo einen Einblick in deren kosmologiſche Ethik zu ge= winnen. Doch auch auf dieſe Weiſe wird es nicht möglich, überall einen ſtreng begrifflichen Zuſammenhang ihrer Lehren zu geben; ja es iſt ſehr zu bezweifeln, ob überhaupt ein ſolcher in allen Beziehungen vorhanden geweſen iſt. Man darf nicht vergeſſen, daß die Stoiker zu allen Zeiten beſſer ermahnt, als gelehrt haben.

Die Stoiker waren einig in der Behauptung des theoretiſchen Monismus, ferner darin, daß das Eine abſolut Seiende ſich ſofort in zwei Teile ſpaltet. Es wird weder erklärt, noch der Erklärung für be= dürftig erachtet, warum und wie das Eine ſich geſpalten habe in ein leidendes und ein thätiges Prinzip, oder ob beide nur verſchiedene An= ſchauungsweiſen des Abſoluten von verſchiedenen Standorten aus ſein ſollen. Das thätige Prinzip wird Gott genannt, und damit zum erſten= male in der Geſchichte der Philoſophie der eigentliche Pantheismus in einer wiſſenſchaftlichen Faſſung eingeführt. Das thätige Prinzip wird

---

*) Zwar ſcheint auch die Moral der Pythagoreer einen kosmologiſchen Zug gehabt zu haben, ſofern ſie ſich auf theoretiſche Prinzipien, die Zahlen und deren Harmonie und Disharmonie gegründet haben ſoll; doch iſt davon zu wenig bekannt, um etwas näheres mit Beſtimmtheit angeben zu können. Wie die Pythagoreer die erſten ſind, welche die Sittenlehre auf theoretiſche Anſichten zu bauen ſuchten, ſo haben ſie wohl überhaupt zuerſt die Vorſchriften für ein ſittliches Verhalten in einem gewiſſen Zuſammenhange vorgetragen. Von den anderen Philoſophen vor Sokrates wiſſen wir nur noch von Democrit, daß er ſich mit der Ethik be= ſchäftigt hat. Seine Betrachtungen laufen auf eine verſtändige, mehr geiſtige als ſinnliche Glückſeligkeitslehre hinaus. Als vornehmſten Geſichtspunkt ſtellte er die εὐϑυμία, die ruhige harmoniſche Stimmung der Seele auf, welche ſich durch keinerlei Begehrungen ſtören laſſen darf, denn nicht allein die böſe That iſt unrecht, ſondern auch dieſe ſchon zu wollen. Er unterſcheidet zwiſchen Geſetzen, die von Natur, und ſolchen, die von menſchlicher Willkür geordnet ſind, und lehrt die Not= wendigkeit der menſchlichen Handlungen. Über Heraclit ſ. Nr. 9 Anmerk.

ferner beschrieben 1) als etwas Geistiges, gewöhnlich auch Persönliches, 2) als das eigentliche Wesen aller natürlichen Dinge, 3) als die not= wendige und zugleich vernünftige Gesetzlichkeit im Ablauf der Welt, als Fatum. Hingegen wird das leidende Prinzip als qualitätslose Materie im Sinne von Aristoteles aufgefaßt. Wirklichkeit, Kraft und Gestalt erhält dasselbe erst durch das thätige Prinzip. Die Welt und alles in ihr besteht daher in einer Verbindung beider Prinzipien, ist der von Gott durch= drungene Leib Gottes (Nr. 28). Wie ist also hiernach die uns gegebene Natur beschaffen? Sie ist 1) vernünftig, 2) gut, d. h. ohne jegliches Übel, 3) sie ist Eins, alles steht darin in einem inneren notwendigen Zusammenhange. Nun ist es klar, was die Stoifer mit ihrer ethischen Formel: der Natur gemäß leben, sagen wollten.*)

Gibt man dieser Formel die eben vorgetragene methaphysische Be= gründung, dann bedeutet es immer dasselbe, ob Kleanthes unter der Natur die allgemeine Natur oder Chrysipp daneben auch die besondere Menschennatur verstanden wissen will, denn letztere ist ja auch nur ein Teil der ersteren, oder ob gesagt wird, der Vernunft gemäß leben, oder wie sonst die verschiedenen Fassungen jener Formel lauten mögen. Sie bedeuten alle dasselbe, nämlich daß die Natur und die Art, wie hier alles ge= schieht, das Vorbild dafür sein soll, wie das menschliche Leben einzurichten ist. Also: 1) die Natur ist geistig und vernünftig, so muß das ihr ge= mäß geführte Leben das Leben eines Weisen sein, der vernünftig überlegt und sich nicht von Leidenschaften oder Affekten beherrschen läßt. 2) Die Natur ist gut, es ist demnach alles in ihr gut, nirgends ein Übel; und ein Lieblingssatz der Stoifer, den sie in den stärksten Ausdrücken verteidigen,

---

*) Diese Formel ist ursprünglich nicht auf eine Theorie gegründet, vielmehr wollte ihr Urheber, der Cyniker Antisthenes, und auch Zeno, welcher sie wieder aufnahm, wohl nur eine berechtigte Reaktion gegen die unnatürlichen Zustände seiner Zeit, insbesondere gegen die raffinierte Genußsucht ausdrücken. Ein solches Streben, zur Natur, d. h. zu natürlichen Zuständen zurückzukehren in dem Glauben, damit allen Übeln zu entgehen, entsteht fast notwendig immer dann, wenn die öffentlichen Zustände der Gesellschaft völlig unnatürlich, künstlich verschroben sind. Man kann etwas Ähnliches bei Rousseau bemerken. Als aber die Stoifer, namentlich der späteren Zeit, die Formel, der Natur gemäß zu leben, als Grundsatz an= genommen hatten, glaubte ein Teil der Schule, der Formel eine metaphysische Begründung und damit der Ethik einen kosmologischen Unterbau geben zu müssen. So berichtet Plutarch (repug. Stoicorum 9) als Meinung Chrysipps: das Prinzip des Guten kann nur aus der gemeinsamen Natur, aus der Physik gefunden werden, und das geschieht vermittels der Logik. Hingegen nahm ein anderer Teil der Stoifer die Formel ohne kosmologische Begründung an.

ist: was wirklich ist, ist vernünftig und gut. Das der Natur gemäß ein=
gerichtete Leben kennt daher kein Übel, alles: Freude und Schmerz, Gesund=
heit und Krankheit, Leben und Tod ist gut. Hier liegt die Begründung
dessen, was wir gern als specifisch stoisch bezeichnen: die Verachtung des
Schmerzes und Todes, Enthaltsamkeit, Strenge und Apathie. 3) Die
Natur ist eins, streng in sich zusammenhängend. Das Leben des Weisen
wird also nicht ein einsames, ganz der Beschaulichkeit gewidmetes sein dürfen,
sonder ein thätiges, welches auf andere einzuwirken sucht, ein βίος πολι-
τικὸς κοινωνικὸς φιλάλληλος. Das ganze Menschengeschlecht bildet e i n
Ganzes, ein einzelnes Glied darf sich nicht dem anderen entziehen. Hierdurch
gewann für die Stoifer der Staat eine so hohe Bedeutung und damit die
hier vor allen hervortretende Tugend der Gerechtigkeit, zu deren Aufrecht=
erhaltung sie auch die härtesten Strafen ohne alle Schonung und Rücksicht
angewendet wissen wollten. 4) Alles in der Natur hängt streng gesetz=
mäßig zusammen, der Naturlauf ist einer unabänderlichen Notwendigkeit
unterworfen: so möge sich denn der Mensch in seinem Leben unter das
unabwendbare Fatum, ohne ihm zu widerstreben, beugen, es ist notwendig
und es ist zugleich gut.

Alle diese Ableitungen von Pflichten aus den theoretischen Sätzen sind
jedoch nur scheinbar folgerecht gewonnen. Denn wenn die Natur so be=
schaffen ist, wie die Stoifer sie beschreiben, warum soll der Mensch ebenso
beschaffen sein? Hierauf wird zwar geantwortet: weil der Mensch ein Teil
der ganzen Natur ist. Aber, wird dies streng genommen, so werden alle
jene Pflichten überflüssig. Denn ist in der Natur alles vernünftig und
gut, und ist der Mensch ein Teil davon, dann muß er notwendig von
vornherein so sein, wie er sein soll. Die sittliche Aufgabe ist gleich im
Anfange gelöst, sie stellt sich gar nicht als noch zu vollbringende Aufgabe
heraus. Woher nun doch die Pflicht, die jene Aufgabe als noch nicht
vollbracht voraussetzt? Hier ist der Punkt, wo man dem System mit
seinen Konsequenzen den Rücken kehrt und das menschliche Treiben, wie es
sich jedem unbefangenen Beobachter darbietet, mit hellen Augen und einem
natürlichen moralischen Gefühle betrachtet. Mit Verdruß bemerkten die
S t o i f e r, wie wenig das Leben der meisten Menschen so ist, wie es sein
sollte, wie unnatürlich besonders das schlaffe, raffinierte Genußleben ihrer Zeit=
genossen sei. Im Gegensatze hierzu hatten sie sich ein ganz anderes Ideal
gebildet. Nicht also aus ihrem theoretischen Unterbau der Ethik, sondern
aus ihrem natürlichen, regen moralischen Urteil entspringen bei ihnen die
sittlichen Vorschriften und die Pflichten, welche auf einem Gegensatz zwischen
der Wirklichkeit und dem Ideale beruhen. Bekanntlich haben die S t o i f e r

sich außerordentlich viel Mühe gegeben, dieses Ideal in einem wahren
Weisen personifiziert zu schildern. Der Weise, sagen sie, hat alle Tugenden
oder vielmehr deren Inbegriff die Tugend selbst, denn es gibt nach ihnen
nur e i n e Tugend, wie es nur e i n Gut gibt. Entweder hat man diese
Tugend vollkommen oder man hat sie gar nicht, jeder Mensch ist darum
entweder ein vollkommener Weiser oder ein vollkommener Thor. Indem
nun weiter hinzugefügt wird, daß in Wirklichkeit niemand das Ideal eines
Weisen vollständig darstelle, sondern auch der Weiseste nur in der An=
näherung zum Ideal begriffen bleibe, folgt freilich wieder, daß alles sitt=
liche Streben eigentlich ganz vergeblich ist. Denn vermag auch der Beste
das Ideal nicht zu erreichen, so ist er streng genommen kein Weiser, sondern
ein so vollkommener Thor, wie der aller Unweiseste und kann auch bei
aller Anstrengung nicht über diese Stufe hinausgelangen. Nun konnte es
ihnen freilich nicht entgehen, welch großer Unterschied unter den Menschen
in moralischer Hinsicht bestehe, darum pflegten sie in praxi jenes „Entweder
— oder" nicht so streng zu nehmen.

So ergibt sich denn aus den stoischen Ausführungen von zwei ganz
entgegengesetzten Voraussetzungen aus dasselbe Resultat, daß ein sittliches
Handeln völlig unnötig ist. Eigentlich sollte alles, was ist und geschieht,
von vornherein vollkommen vernünftig und gut sein, also sollte auch jeder
Mensch ganz von selbst ein vollkommener Weiser und ein sittliches Streben
überflüssig sein. Auf der anderen Seite sollte wieder jeder ein vollkommener
Thor sein und bleiben müssen, also wiederum das sittliche Streben über=
flüssig, weil erfolglos sein!*) Wir werden beide Schwierigkeiten noch ferner
in allen kosmologischen Sittenlehren auftreten sehen. Schließlich folgt dann,
daß man ruhig die Dinge und sich selbst gehen läßt, wie sie eben gehen
mögen, sich dem Fatum blind unterwerfend; wenn man ja noch von
Pflichten reden will als von im Sinne der S t o i k e r naturgemäßen
Handlungen, so ist alles, was geschieht, gut und pflichtmäßig, und selbst

---

*) Und wie aus dem Anfange ihrer theoretischen Betrachtungen, so folgt auch
aus deren Ende, daß schließlich doch alles, was ist und geschieht, schon an sich
gut und vernünftig ist, daß also vom Bösen und darum von einer erst noch zu
lösenden sittlichen Aufgabe keine Rede sein könne, denn schließlich wird das Weltall
ganz von selbst wieder in diejenige Einheit zurückkehren, aus welcher es hervor=
gegangen ist, bis es sich wieder entfaltet und ein Leben ganz in derselben Weise mit
ganz den nämlichen Personen, Gedanken und Ereignissen beginnt, vor dessen Anfang
alle Seelen, auch die der Weisesten vernichtet sein müssen. Zu dem schließlichen
Resultate also der vollen In=Eins=Bildung tragen alle Menschen, die Guten wie die
Bösen, in gleicher Weise bei.

die Handlungen der Tiere verdienen καϑήκοντα genannt zu werden, wie einige Stoiker thun. —

136. Es mag sonderbar scheinen, neben die ernste und verhältnis= mäßig reine Moral der Stoiker die des nackten Egoismus bei Spinoza zu stellen; und doch ist in beiden Systemen sowohl das theoretische Fundament, als die Ableitung von ethischen Sätzen aus demselben gleich. Auch Spinoza stellt das eine Absolute, welches er ohne weiteres Gott und vollkommen gut nennt, an die Spitze seines Systems, der Weltlauf ist nur eine Entfaltung dieser allgemeinen Substanz selbst (Nr. 3). Daraus ergibt sich für Spinoza: das Bestehende ist das Gute, das Starke das Rechte, das wirklich Geschehende das Sittliche. Für das Verhalten der Menschen sollte hieraus nichts anderes folgen, als ein ruhiges Abwarten, passives Geschehenlassen der Dinge, wie sie einmal gehen, denn was ge= schieht und wie es geschieht, ist immer und überall das Beste. Und aller= dings macht die Ethik des Spinoza an vielen Stellen den Eindruck, als wolle sie auch nichts anderes predigen, als Fatalismus, für den es nichts Thörichteres gibt, als in Affekt zu geraten, er möge sich nun als Furcht auf das Zukünftige oder als Reue auf das Vergangene beziehen. „Eben deshalb hätte er freilich keine Ethik schreiben, sondern die Sachen gehen lassen sollen, wie sie gehen, denn sie gehen immer recht."*) Allein Spinoza redet doch auch von Pflicht, als einer sittlichen Forderung an unseren Willen. Wie kommt nun diese in das System? Pflicht setzt sittlichen Kampf oder wenigstens eine Aufgabe voraus, die noch nicht gelöst ist, also etwas Böses, was überwunden werden soll. Wie soll aber das Böse in einem Systeme Platz haben, wo alles, was ist und ge= schieht, nur ein Ausdruck der absolut guten Substanz ist? Ganz in der gleichen Weise, wie bei den Stoikern, bringt hier das Böse durch die Hinterthür der Erfahrung in die als durch und durch göttlich konstruierte Welt. Die Erfahrung zeigt thatsächlich mannigfach Störung und Zer= störung. Dergleichen sollte freilich nach den gemachten Voraussetzungen nicht vorhanden sein, denn die modi verschiedener Attribute (also des Denkens und der Ausdehnung) können einander weder hemmen noch fördern, stehen überhaupt in keinem Kausalnexus, sind im letzten Grunde sogar identisch, da der ganze Unterschied nur auf dem Standpunkte der Betrachtung beruht. Die modi aber eines und desselben Attributes können auch keinen Grund des Widerstreites in sich tragen, da sie nur den logischen Folgen einer Definition gleichen sollen; überhaupt folgt aus dem

*) Herbart IX. 325.

ganzen System, wenn man viel zugeben will, nur eine immer sich gleich
bleibende Ordnung der Dinge, ohne jeglichen Wechsel. Da nun aber doch
thatsächlich Störung und Zerstörung in der Natur vorliegt, so — sollten
die Voraussetzungen Spinozas aufgegeben werden; allein Spinoza
schließt: so sollen Störung und Zerstörung nicht sein, sie sind das, was
nicht sein, was überwunden werden soll, und zwar dadurch, daß sich jedes
Ding der Störung widersetzt und sich selbst zu erhalten sucht. So ist der
„unter aller Kritik schlechte Übergang beschaffen, wodurch die spinozistische
Ontologie sich in eine Sittenlehre verwandelt"*) und als Prinzip derselben
sich das suum esse conservare einstellt: conatus sese conservandi
primum et unicum virtutis est fundamentum. Ein anderes Prinzip,
als das der Selbsterhaltung, des Egoismus, läßt sich auch bei dem
Monismus nicht erwarten. Denn gibt es nur ein Seiendes und sollen
überhaupt ethische Forderungen daraus abgeleitet werden, so können diese
nur die Selbstliebe zur Quelle haben; nichts anderes, als nur sich selbst
kann die eine Substanz zum Gegenstand ihres Wollens und Handelns
machen. Die Menschen sind nur Modifikationen dieser sich unendlich selbst=
liebenden Substanz, sie können also auch nur den conatus sese conservandi
zum Prinzip ihres Handelns machen. Ein Unterschied zwischen göttlichem
und menschlichem Handeln besteht nur hinsichtlich der Macht, Gott als der
Allmächtige hat darum zu allem Recht, der Mensch nur so weit, als seine
Macht reicht. So ist wieder die nackte Begierde zum ethischen Prinzip erhoben.

Nun ist freilich Spinoza nicht gewillt, den gemeinen Egoismus zum
sittlichen Fundament zu machen, denn die Natur des Geistes, welche sich
dem Prinzip nach als solche erhalten soll, ist ja nach dem System ein
modus des allgemeinen intelligere der Substanz. Je mehr also ein
Mensch nach Maßgabe der Einsicht handelt, um so größer ist die Tugend
in ihm. Die höchste Einsicht ist nun die Erkenntnis der Substanz, oder
wie Spinoza dies nennt, intellectus dei, und so kommt als für viele
verführerisch klingendes Prinzip der Ethik heraus: amor dei intellectualis.
Indessen ist dieser amor dei doch nur ein Mittel, das Streben, sich selbst
zu erhalten, zu befriedigen; ein Mittel, welches nur gut ist, weil es nützt;
und der Maßstab dessen, was gut ist, ist immer wieder jenes Streben, sich
selbst zu erhalten, oder die nackte Begierde. Dies spricht auch Spinoza
deutlich genug aus: id unusquisque ex legibus suae naturae necessario
appetit et aversatur, quod bonum et malum esse judicat. Per bonum
id intellegam, quod certo scimus nobis esse utile . . . . Constat

---

*) Herbart III. 368. VIII. 249.

itaque ex his omnibus, nihil nos conari, velle, appetere neque cupere,
quia id bonum esse judicamus, sed contra nos propterea aliquid
bonum esse judicare, quia id conamur, volumus, appetimus atque
cupimus. Deutlicher kann es nicht ausgedrückt werden, daß die rohe Begierde als solche zum Maßstab des Guten und Bösen gemacht wird. So
kommt man zum Fatalismus zurück, jeder Mensch mit seinen Begierden
und seinem Handeln mag bleiben wie er ist, denn wie er ist und will,
ist er gut.*)

Vergleicht man das System der Stoiker mit dem Spinozas, so
kann es allerdings, wie schon gesagt, kaum einen größeren Gegensatz geben,
wenn man den Geist und die weiteren ethischen Ausführungen beider Moralsysteme ansieht; gleichwohl sind beide auf denselben theoretischen Unterbau
gegründet. Schon aus diesem Umstande folgt, daß nicht beide Systeme
mit gleicher Notwendigkeit aus der vorgeschobenen Theorie sich ergeben. In
Wahrheit folgt keines von beiden daraus, wie überhaupt theoretische Sätze
niemals eine Ethik begründen können. Läßt man aber doch einmal eine
solche Ableitung zu, so ist ohne Zweifel Spinoza der konsequentere. Die
Stoiker haben da, wo sie die Inkonsequenz gewahr werden, daß der
Mensch in Wirklichkeit nicht so vollkommen ist, als er nach dem Systeme
sein sollte, den moralischen Abstand im Auge. Hingegen spricht Spinoza,
wo er aus der thatsächlichen Inkongruenz zwischen dem Weltlauf, wie er
ist und wie er nach seinen Voraussetzungen sein sollte, eine Sittenlehre
abzuleiten sucht, immer nur von den an sich theoretischen Begriffen der
Störung, Zerstörung, Selbsterhaltung und Macht. Endlich aber werden
beide Systeme mit einer inneren Notwendigkeit zum Fatalismus und
damit zu einer Art von Bändigung der Affekte durch die Erkenntnis der
Notwendigkeit geführt.**)

---

*) Das Nähere s. Zt. s. ex. Ph. VII. 72 ff.

**) An den Stoikern und Spinoza hat man ein interessantes Beispiel, wie
viel bei einer wissenschaftlichen Bearbeitung der Ethik auf das natürliche sittliche
Urteil ankommt, welches ein Denker zu derartigen Forschungen mit hinzubringt.
Ohne Zweifel war dies bei den Stoikern oft in ziemlich hohem Grade entwickelt,
und keine philosophische Schule hat soviel durch sittliche Tüchtigkeit ausgezeichnete
Männer aufzuweisen und erzogen als die stoische. Mit Recht sind die mehr populären
Bearbeitungen ihrer Moral, die sich oft ganz von dem theoretischen Hintergrunde
ablösten, wie namentlich die eines Seneca, Arrian, Epictet, Marc Aurel, noch
immer im heilsamen Gebrauch. Hingegen ging Spinoza, wenn auch nicht sittlicher
Charakter, wohl aber der rechte Sinn und das warme Gefühl für das Schöne und
Gute ab. Freilich hat es auch seiner Moral nicht an Lobrednern gefehlt, welche
sittliche Reinheit, Erhabenheit und Uneigennützigkeit in seinem System zu finden

13*

137. Als das am meisten Charakteristische der stoischen Moral fällt
vornehmlich deren Anschauung über die Übel in die Augen. Übel kann
es in der von ihnen als vollkommen angesehenen Welt nicht geben. Was
gewöhnlich so genannt wird, wird nur durch die thörichte Auffassung der
Menschen zum Übel, indem sie sich durch einen äußeren Vorfall die innere
Ruhe rauben und in Affekt versetzen lassen. Für den Weisen aber gibt
es kein Übel, er ist auch in den kläglichsten äußeren Umständen frei, reich,
glücklich, König; und wo ja sich ihm etwas entgegenstellt, was andere ein
Übel nennen, so sieht er dies als einen Sporn zur Thätigkeit an, um
die Schwierigkeit zu überwinden. Man pflegt in dieser Anschauung des
Stoizismus wohl die Verschmelzung des griechischen und des römischen
Geistes zu erblicken, indem man es als etwas spezifisch Hellenisches betrachtet, nur Sinn für das Schöne und Gute zu haben, dagegen sich von
dem Häßlichen und Beklagenswerten in der Natur und dem Menschen-
leben abzuwenden. Bekanntlich ist dies nur mit sehr erheblichen Einschränkungen wahr, denn wer wüßte nicht, zu welch lebhaften Klagen das
menschliche Elend die griechischen Dichter und Denker veranlaßt hat!
Indessen wenn nur das Vorherrschende ins Auge gefaßt wird, mag es
immerhin für einen sehr bedeutsamen Zug des hellenischen Geistes gelten,
das Leben vorzugsweise von der heiteren, den Übeln abgewandten Seite
anzusehen. Als das spezifisch Römische wird hingegen das andere Moment
des Stoizismus betrachtet, die Energie, die eigene Kraft des Willens,
die Übel, wo sie sich zeigen, praktisch zu negieren, durch eigene Anstrengung
zu überwinden. Wie überhaupt dieses Gefühl der eigenen Kraft, die sich
auch im härtesten Kampfe selbst genug ist, für ein Merkmal des antiken
Geistes gilt.

Nun denke man an die späteren Zeiten des Griechentums, an die
Zeit des Zerfalles der römischen Republik und die der römischen Kaiser,
als die äußeren Übel und die inneren der Gesellschaft immer größer
wurden, also daß der ganze Zustand der Welt als eine Folge des göttlichen
Zornes angesehen ward.*) Wie konnten jetzt noch die Übel geleugnet
werden? Was man sonst ein Gut nannte, hieß nun bezeichnend genug
ein Trost. Man nehme hinzu, wie einesteils die alte römische Energie
und Männlichkeit durch entnervende Laster gebrochen war, andererseits

---

wähnten. Ließen sich doch z. B. Lessing, Schleiermacher, Goethe u. a. durch
den infinitus amor dei so imponieren, daß sie Spinoza wegen der Uneigennützigkeit
seiner Moral über alle erhaben fanden.

*) Tacitus: Annal. IV. 4, hist. II. 38; I. 3, auch der Ausdruck German. 46
securi adversus deos mag dahin gerechnet werden.

jedes sich regende größere Maß von Charakterstärke von den Kaisern ge=
flissentlich mit Gewalt niedergehalten und unterdrückt wurde, so daß nur
die Mittelmäßigkeit etwas galt und Unthätigkeit der Inbegriff aller Weisheit
war,*) kurz man denke an die Zeiten, wie sie Tacitus uns schildert:
was wird aus dem Stoizismus werden? Leugnen ließen sich die Übel
nicht, sie zu bewältigen, dazu fehlte es an Mut und Kraft. Es ist natürlich,
daß an die Stelle der entschwundenen Selbstgenugsamkeit und Kraft, die
Übel zu überwinden, einmal die Flucht aus der ganz verderbten Welt
und zum anderen das Verlangen nach göttlicher Hilfe tritt. Dies
Beides sind die herrschenden Züge der späteren philosophischen Ethik unter
Griechen, Römern und Orientalen.

Hinneigung zum Mystizismus und zur Flucht, zur Zurückgezogenheit
von den öffentlichen Angelegenheiten finden sich bereits bei den späteren
Stoikern, bei Epictet, namentlich bei Marc Aurel. Was dieser
verlangt, ist mehr als sittliche Lauterkeit der Gesinnung oder stoische
Apathie; die Seele soll nicht nur von außen nicht beunruhigt werden,
sondern das Äußere soll sie überhaupt nicht mehr berühren, soll für sie
nicht mehr vorhanden sein. Ist die Seele so dem Endlichen, Äußeren
abgekehrt, hat sie sich „vereinfacht", dann wird sie erst wach, berührt
die Gottheit und verkehrt mit den Dämonen. Die natürliche Folge davon
ist die Verachtung des Leibes und des Irdischen überhaupt. Suchte man
für diese Lebensansicht einen theoretischen Unterbau, so lag derselbe gewisser=
maßen in der Kosmologie der Stoiker schon vor. Ihr Monismus ge=
staltet sich ja von Haus aus zum Dualismus, der ein thätiges und ein
leidendes Prinzip einander entgegensetzt. Von dem letzteren hatte man
aber bisher so gut als gar keinen Gebrauch gemacht, es war auch nicht
als Ursache der Übel angesehen worden, denn diese wurden negiert oder
von Gott selbst abgeleitet. Allein dadurch, so wirft Plutarch den
Stoikern vor, wird Gott selbst zum Urheber des Bösen. Können die
Übel nicht geleugnet werden, fährt er fort, und kann der gute Gott nicht
Urheber des Bösen sein, so muß man zwei verschiedene letzte Ursachen
annehmen, ein Prinzip des Guten und ein Prinzip des Bösen, letzteres
aber nicht blos als eine eigenschafts= und kraftlose Materie im Sinne
von Plato oder Aristoteles gedacht, sondern als eine bestimmte Thätig=
keit, ein Prinzip.**) Dieser Dualismus ist nun fortan die Grundanschauung

---

*) Tacitus: Agricol. 17; 6; 2; Annal. VI. 39; VI. 27; XIV. 47; VI. 10.
**) Dadurch entstand eine völlige Umdeutung der Philosophie Platos, wie
sie bei den Stoikern verbreitet war und dem ganzen Neuplatonismus eigen

des Neupythagoreismus und Neuplatonismus und die Voraussetzung deren Ethik. Allerdings wird am Monismus des Systems festgehalten; um ihn mit dem Dualismus zu vereinigen, werden namentlich zwei Wege ein= geschlagen: einmal wird die Materie als der Sitz des Bösen, für die not= wendige Folge oder die andere Seite der ursprünglichen Einheit selbst ausgegeben, wobei aber diese weder sich teilen, noch selbst Ursache des Bösen werden soll, zum anderen tritt schon hier die dann oft wiederholte Behauptung auf, das Böse sei überhaupt nur etwas Negatives und ver= diene nicht, ein Realprinzip zu heißen, wenn schon es als solches sich thätig erweist. Überall wird hier die Materie zur alleinigen Ursache und zum Träger alles Übels und Bösen und wird auf das tiefste herabgesetzt. Der Leib insbesondere gilt für das reine Widerspiel der Seele.

138. Das ethische Prinzip bei Philo und den Neuplatonikern ist demnach die möglichste Lossagung von der Sinnlichkeit und darum die gänzliche Ausrottung aller Lust und aller Affekte. Das Sinnliche, Viele, Zerstreuende ist das, was der Einheit widerspricht und nicht sein soll. Die metaphysische Einheit, die Monas, ist das Höchste, an ihr teil zu haben, ist unser Ziel, zu ihm hat alles eine natürliche Sehnsucht.

So ergibt sich ein völlig negativer Charakter dieser Art von Sitten= lehre. Hinsichtlich der Abkehr von dem Sinnlichen werden in der Regel zwei Bänder zwischen Leib und Seele angenommen, eins der Notwendigkeit, und eins der Lust, nur das letztere soll freiwillig aufgegeben werden, während die Lösung des ersteren durch Selbstmord der Ruhe des Weisen unwürdig sei. Dadurch wird allerdings die strengste Enthaltsamkeit ge= fordert, diese Ascese aber noch nicht bis zur Selbstpeinigung gesteigert. Es wird sogar für das jugendliche Alter eine bestimmte berufsmäßige Wirksamkeit, namentlich eine erzieherische zur Pflicht gemacht. Jedoch für das höhere Alter geziemt sich nur die Kontemplation, die ihr höchstes Ziel auf Erden in der bestimmungslosen Ekstase, im Anschauen des Urwesens selbst findet. Diese kann nicht durch eigene Anstrengung, sondern nur unter dem Beistande der Gottheit selbst herbeigeführt werden. Dauernd ist dieses höchste Ziel für den Weisen im Tode erreicht. Diese Vereinigung· mit der Monas ist theoretisch das Höchste, denn sie ist ein unmittelbares

---

geblieben ist. Der Materie, als dem $\mu\dot{\eta}$ $\ddot{o}\nu$ stehen jetzt nicht mehr wie bei Plato als das absolute Seiende die Ideen gegenüber (Nr. 27), sondern das gute Prinzip oder Gott. Die Ideen, die Urbilder des Wirklichen, müssen daher als in Gott, als Ideen, Gedanken Gottes aufgefaßt werden, nach denen die Welt entweder von Gott oder von untergeordneten Geistern gebildet ist, wie ein Haus nach der Idee, dem Plane des Baumeisters gebaut wird. Vgl. Thilo: Gesch. der Philos. 1880 I. 320.

Schauen dessen, was denkend nie recht erfaßt werden kann; sie ist praktisch das Höchste, denn sie ist im Gegensatze zur irdischen Geteiltheit und Zerstreuung die vollkommene Einheit und Ruhe.

Das Anziehende, welches diese philosophische Mystik für viele und zwar die edelsten Gemüther der damaligen verwilderten Zeit hatte, liegt weniger in dem eigentlichen begrifflichen Gedankeninhalt, als vielmehr in dem, was die mystischen Ausdrücke gestatteten, ja einluden, hineinzudenken. Das Absolute wurde nicht als ein kalter, leerer Begriff gedacht, sondern als Inbegriff alles Guten, Schönen, was es der Liebe und der Vereinigung mit ihm wert machte. Dasselbe gilt von der christlichen Mystik. Eigentlich neue Lehrmomente hat diese nicht hinzugebracht, wenn sie auch leicht infolge des christlichen Einflusses, der Nationalität, der religiösen vollen Befriedigung und vieler anderen Umstände einen ganz anderen Eindruck macht. Gott wird auch hier als Monas gesetzt, als das Nichts aller Bestimmtheit, als Negation jedes Prädikats und jedes Unterschieds, der auch Sein, Leben und Güte in unserem Sinne abgesprochen wird. Hieran schließt sich im Hinblick auf die Welt ein Pantheismus, wie er nicht deutlicher ausgesprochen werden kann, als es von Meister Eckhart und Angelus Silesius (Johannes Scheffler) geschehen ist.*) Die Welt der Erscheinung wird namentlich von Ersterem als etwas nur Negatives anzusehen gelehrt. Auch hier wird Gott um seiner Einheit willen als das absolute Ziel, oder das höchste Gut aufgestellt. Die Vielheit des Gegebenen

---

*) Einige Verse von Angelus Silesius (aus dem cherubinischen Wandersmann) mögen dies erläutern:

Ich weiß, daß ohne mich Gott nicht ein Nun kann leben,
Werd' ich zu Nicht, er muß vor Not den Geist aufgeben.
Daß Gott so selig ist und lebet ohn' Verlangen,
Hat er sowohl von mir, als ich von ihm empfangen.
Ich bin so groß, als Gott, er ist als ich so klein,
Er kann nicht über mich, ich unter ihm nicht sein.
Gott ist soviel an mir, als mir an ihm gelegen,
Sein Wesen helf' ich ihm, er mir das meine pflegen.
Hier fließ' ich noch in Gott als eine Bach der Zeit,
Dort bin ich selbst das Meer der ewigen Seligkeit.
Gott ist in mir das Feuer und ich in ihm der Schein;
Sind wir einander nicht ganz inniglich gemein?
Ich bin so reich als Gott, es kann kein Stäublein sein,
Das ich — Mensch glaube mir — mit ihm nicht hab' gemein.

Philosophisch noch schärfer wird der Pantheismus von Meister Eckhart vorgetragen, doch lassen sich als Belegstellen dafür nicht so kurze Sätze mitteilen.

gilt als das Nicht-ſein-ſollende, das Zu-überwindende.*) Dieſe Überwindung kann nun einmal durch Arbeit, zum anderen durch Weltflucht geſchehen. Nun verſchmähen die Myſtiker zwar nicht durchaus den erſten Weg; Meiſter Eckhart folgert ſogar aus dem Beiſpiele Gottes, der erſt eine Welt ſchaffen mußte, um durch deren Zurücknahme in ſich zur eigenen Vollkommenheit zu gelangen, daß auch dem Menſchen Arbeit geboten ſei, um im Denken, Fühlen und Thun alle Dinge zu vergeiſtigen, daß ſie Gott werden.**) Aber der andere, weit ſicherere Weg, zur Einheit zu gelangen, iſt, ſich durch Zurückgezogenheit von der Welt des Endlichen ganz abzukehren.***) Zu dieſer Abgeſchiedenheit gehört nun dreierlei: der Menſch muß die anderen Dinge laſſen; wer die Dinge läßt, ſofern ſie ein nichtiges, zufälliges Sein ſind, der erwirbt ſie, ſofern ſie weſenhaft und ewig ſind (Eckhart). Zum anderen ſollſt du ganz und gar entſinken deiner Deinheit und zerfließen in Gottes Seinheit, denn du ſollſt mit ſeinem Ich ſo gänzlich ein Ich werden, daß du mit ihm ewiglich ſeine ungewordene Subſtanz und ſein namenloſes Nichts verſtehſt, d. h. daß du alles Individuelle, wie Begehrungen u. ſ. w. abſtreiſſt. Zum dritten, daß du ſelbſt Gottes ledig werdeſt, ſofern er noch ein anderer iſt, als du, ſofern du ihn noch als ein Objekt dir gegenüber haſt.†) So wird die Seele wieder nichts, oder Eins mit Gott. Die urſprüngliche Identität des Unendlichen und Endlichen iſt wieder hergeſtellt.

---

*) Die ſel'ge Seele weiß nichts mehr von Anderheit:
   Sie iſt ein Licht mit Gott und eine Herrlichkeit.
   Der Menſch hat eher nicht vollkommene Seligkeit,
   Als bis die Einheit hat verſchluckt die Anderheit.

**) Nach Pfeiffers Ausgabe 533. 5.

***) Ein Narr iſt viel bemüht, des Weiſen ganzes Thun,
   Das zehnmal edler iſt, iſt lieben, ſchauen, ruhn.
Weil aber die Seele hier noch mit dem Leibe verbunden iſt und trotz ihres Widerſtrebens auf das Irdiſche einige Rückſicht nehmen muß, ſo gelangt ſie auf Erden nie zur vollen Reinheit und Seligkeit.
   Die Seele, die nichts ſucht, als Eins mit Gott zu ſein,
   Die lebt in ſteter Ruh und hat doch ſtete Pein
   Menſch, ein vollkommener Chriſt hat niemals rechte Freud
   Auf dieſer Welt. Warum? Er ſtirbet allezeit.

†) So auch Angelus Sileſius
   . . . . Gott aber ſelbſt zu laſſen,
   Iſt eine Gelaſſenheit, die wenig Menſchen faſſen.
   Wie ſelig ruht der Geiſt in des Geliebten Schooß,
   Der Gott's und aller Ding' und ſeiner ſelbſt wird los.

Das ſind im allgemeinen die ethiſchen Prinzipien der mittelalterlichen
Myſtik, welche in der verſchiedenſten Art dargeſtellt und auf das wirkliche
Leben angewandt wurden. Dabei wurde bald der äußerſte Rigorismus
geltend gemacht, bald verſank man, wie die Brüder und Schweſtern vom
Geiſte u. a. in ethiſche Laxheit, ja Antinomismus, da dem wahren Weiſen
oder Frommen das Einzelne und darum auch eine einzelne ſündige Handlung
nichts angehe.

b. Idealiſtiſche Syſteme.

139. In den theoretiſchen Zug, das Viele Gegebene aus der Einheit
abzuleiten, kam bei den bisherigen kosmiſchen Sittenlehren die moraliſche
Forderung dadurch hinein, daß man die Schwierigkeit einer ſolchen Entwickelung bez. Zurückführung des einen auf das andere fühlte. Statt aber
darum den Monismus aufzugeben, half man ſich, hier die moraliſche
Forderung eintreten zu laſſen. Ganz ebenſo verhält es ſich bei den nun
darzuſtellenden ethiſchen Syſtemen des abſoluten Idealismus; das Gegebene
ſtimmt nicht zu den angeblich logiſch notwendigen Vorausſetzungen des
abſolut Einen, darum ſoll dieſer Inkongruenz durch unſer praktiſches Verhalten
abgeholfen werden. Ein Unterſchied der Gruppen von Syſtemen beſteht
darin, daß die bisher dargeſtellten dieſe Inkongruenz wohl als eine Schwierigkeit fühlen, nicht aber als einen Widerſpruch erkennen, und daß ihnen
dieſe Schwierigkeit erſt hinterher bei Anwendung des Begriffes vom Abſoluten
auf die wirkliche Welt fühlbar wird; die idealiſtiſchen Moralſyſteme hingegen
erkennen ſogleich bei Aufſtellung des Begriffs vom Abſoluten den darin
liegenden Widerſpruch, und darum macht ſich hier die Forderung der Identität oder das Viele zur Einheit zurückzubilden ſogleich im Anfange ihrer
Syſteme geltend.

Wie im Theoretiſchen, ſo beginnen auch im Praktiſchen die idealiſtiſchen
Syſteme mit Fichte.

Fichte hatte (Nr. 64) als alleiniges Seiendes das Ich gefunden,
dieſes aber ſofort als ein reines Ich, d. h. als eine ganz unbeſtimmte,
grenzenloſe Thätigkeit, als actus purus, als abſolutes Werden gedacht.
Nun iſt bereits (Nr. 9) gezeigt, daß aus dem allgemeinen abſoluten
Werden niemals die individuellen Formen der Natur, wie ſie uns that-
ſächlich gegeben ſind, erklärt werden können. Auch Fichte erkannte ſehr
wohl, daß aus dem reinen Ich das empiriſche Ich, d. h. das Ich, wie es
wirklich gegeben iſt, als in jedem Augenblicke individuell beſtimmt, als
mancherlei denkend, fühlend, begehrend, nicht abgeleitet werden kann. Vielmehr
bedarf es nach Fichte noch eines beſonderen „unbegreiflichen Anſtoßes", an

welchem sich die gleichmäßige Thätigkeit des reinen Ich gleichsam breche, reflektiere und so zu den bestimmten gegebenen Vorstellungen komme. Auf diese Weise erst wird das Ich zur Intelligenz, wird zum empirischen Ich und gelangt zur Vorstellung der gegebenen Erscheinungswelt. Allein diese Ableitung der besonderen Vorstellungen aus der allgemeinen Thätigkeit des reinen Ich vermittels eines besonderen Anstoßes widerspricht geradezu dem Grundgedanken der Fichte'schen Lehre. Darnach gibt es nur ein Prinzip, nämlich das Ich, welches darum allen seinen besonderen Bestimmungen nach allein durch sich selbst gesetzt sein muß. Der sogenannte unbegreifliche Anstoß scheint nun zunächst etwas vom reinen Ich Unabhängiges, ein Nicht-Ich vorauszusetzen. Damit würde aber das Ich erst wirklich (zum empirischen Ich) durch etwas van ihm Unabhängiges. Nach dem Grundprinzip jedoch soll es außer dem Ich nichts Selbständiges geben, soll das Ich den Grund zu seiner Entfaltung lediglich in sich selbst haben. Also muß die scheinbare Unabhängigkeit des Ich von etwas, was es nicht selbst ist, verneint, aufgehoben werden. Jener Anstoß ist eben unbegreiflich. Das empirische Ich fordert zwar zu seiner Erklärung die Annahme jenes Anstoßes, also eines Nicht-Ich. Das Prinzip aber verlangt, daß dieses Nicht-Ich selbst wieder ein Werk des reinen Ich sei. Das reine Ich wird demnach in seiner Absolutheit wieder hergestellt, wenn es gedacht wird zugleich als Ursache des Nicht-Ich als dasselbe bestimmend und in sich zurücknehmend. Dies Bestimmtwerden bez. Überwundenwerden des Nicht-Ich durch das reine Ich ist nun der Grundgedanke der praktischen Philosophie bei Fichte. „Beides, sagt er, das subjektive und objektive wird als harmonierend angesehen, so daß das objektive aus dem subjektiven, ein Sein aus meinem Begriffe folgen soll: ich wirke . . . Sowie das Ich gesetzt ist, ist alle Realität gesetzt, im Ich soll alles gesetzt sein; das Ich soll schlechthin unabhängig, alles aber soll von ihm abhängig sein. Also es wird die Übereinstimmung des Objektes mit dem Ich gefordert, und das absolute Ich, gerade um seines absoluten Sinnes willen, ist es, welche sie fordert. Kants kategorischer Imperativ." Hier wird allerdings von einer Forderung, einem Soll gesprochen, aber es ist dies eine logische Forderung, daß nämlich aus dem reinen Ich das empirische folgen und dieses mit seiner Mannigfaltigkeit aus der einen gleichmäßigen Thätigkeit des reinen Ich begriffen werden soll. Dies ist jedoch für ein richtiges Denken unmöglich; es bleibt eine Forderung, der Fichtes theoretische Philosophie hätte genügen müssen, eine Aufgabe, die sich aber nicht lösen läßt, weil sie Unmögliches, In-sich-Widersprechendes zu denken zumutet. Statt indes darum, wie es eine gesunde Logik erfordert hätte, die ganze versuchte Deduktion aufzugeben, läßt sich Fichte von den Worten Sollen, Forderung, Aufgabe verleiten und machte diese logische Forderung an seine theoretische Philosophie zur moralischen Forderung. Jenen Widerspruch zu lösen, daß aus dem reinen Ich das empirische, aus dem allgemeinen Werden die besonderen Erscheinungen nicht abgeleitet werden können und doch abgeleitet werden müßten, ist Pflicht; das Ich soll, indem es von allem Objekt unabhängig durchaus selbständig handelt, durch pflichtgemäßes Handeln die Objekte mit sich (dem reinen Ich) übereinstimmend machen.*)

140. Die weiteren ethischen Entwickelungen von Schelling, Hegel und Schleiermacher schließen sich unmittelbar an diese Begriffsentwickelung Fichtes an und sind in ihren allgemeinen Grundzügen, auf welche es uns hier allein ankommt, untereinander so ähnlich, daß sie gleichsam als ein System dargestellt werden können.

Bekanntlich verallgemeinerten die späteren absoluten Idealisten Fichtes absolutes Ich und nannten es das eine Absolute, aus welchem alles Gegebene, Wirkliches und Gedachtes folgt. Während Fichte es sich viel Mühe kosten läßt, aus der ursprünglichen Agilität des Ich vermittels eines Nicht-Ich die besonderen Erscheinungen abzuleiten und dann das Nicht-Ich als ein vom Ich selbst Gesetztes zu begreifen, machen seine Nachfolger sich das Geschäft viel leichter. Schelling erzählt nur, wie sich das Ursein (Urwollen, Identität u. s. w.) in eine Vielheit spaltet. Hegel führt an Stelle des Fichte'schen Anstoßes die absolute Negativität als integrierenden Bestandteil jedes Begriffes ein, vermöge deren das Absolute, wie jeder Begriff, sein Gegenteil an sich selbst hat, sich also sich selbst gegenüber= setzt und, um sich nicht zu verlieren, sich wieder zu einer höheren Einheit zurücknimmt, wo dann die Spaltung und Aufhebung derselben von neuem beginnt und sich nach der dialektischen Methode fortsetzt. Schleiermacher setzt sich über jede derartige Deduktion des Vielen aus dem Einen hinweg, nimmt die Mannigfaltigkeit der Natur und Geschichte empirisch auf und betrachtet sie ohne weiteres als entgegengesetzt dem absoluten Einen und doch zugleich als seine Entwickelungen. Durch derartige Entfaltungen kommt das Absolute, welches ohne dieselben nur potentia als Möglichkeit vorhanden ist, zur Wirklichkeit. Zu dieser Verwirklichung seiner selbst zu streben, ist seine Natur und seine Aufgabe; und da das Absolute zugleich in ethischer Beziehung als absolut Gutes betrachtet wird, so ist diese Aufgabe eine sittliche Aufgabe, welche eben durch die Entfaltung nach und nach gelöst

---

*) Über die andere künstlichere, aber auf dasselbe hinauslaufende Begründung der Sittenlehre von Fichte s. Thilo in Zt. f. ex. Ph. 337 ff.

wird. Aber nur die ganze, vollendete Reihe der Entwickelungen als eine Einheit gedacht, ist die Verwirklichung des Absoluten und damit des absolut Guten. Diese ganze Reihe ist indes nicht mit einemmale gegeben oder gesetzt, sondern eine Stufe folgt auf die andere; zwar geht keine der vorhergehenden verloren, sondern ist jedesmal in der darauffolgenden auf eine höhere Art mit enthalten; erst die letzte Stufe würde, da sie alle vorhergehenden, also die ganze Entwickelungsreihe in sich enthielte, die vollständige Darstellung des absolut Guten sein; nur ist dieses letzte nie zu erreichen, da die Reihe der Entwickelungsstufen unendlich sein soll. Die Reihe beginnt mit den untersten Stufen der Natur. Diese sind zwar auch Darstellungen des Absoluten, also daß Sein und Wissen, Natur und Geist, Reales und Ideales darin enthalten sind, aber doch überwiegt zunächst das Natürliche und macht diese Erscheinungen zu Gegenständen der Physik. Zu Gegenständen der Ethik oder der Geisteswissenschaft werden die Erscheinungen erst von da ab, wo in denselben der Geist das Dingliche überwiegt. Physik und Ethik sind daher nach Schleiermacher eigentlich die beiden einzigen Wissenschaften, ja im Grunde genommen sind sie beide eine Wissenschaft, welche die Entwickelung des Absoluten zum Gegenstande hat. Die Ethik hat darzustellen, wie das Absolute auf der Stufe des Geistes zu sich selbst kommt; Aufgabe des Geistes ist es, die Natur zu einer höheren Stufe zu erheben, sie mit Geist zu durchdringen, d. h. zu erkennen, und zu organisieren (auf sie handelnd zu wirken, Nr. 169). Hieraus ergiebt sich auch für den einzelnen Menschen eine gewisse Aufgabe, da ein jeder sich an jenem Entwickelungsgesetz beteiligt, sofern er Geist ist; aber vornehmlich kommen doch dabei die größeren Gemeinschaften, Familie, Volk, Staat in Betracht, welche an der Verwirklichung der Idee, der Durchdringung der Natur mit Geist im großen thätig sind. Dieses Handeln, Sich-selbst-darstellen geht vom Absoluten, welches auch Gott genannt wird, aus und ist in jedem einzelnen wirksam; jeder einzelne hat demnach, sofern er die Natur zu vergeistigen sucht, sich gegen sie handelnd und erkennend verhält, eine „gottgleiche Gesinnung". Das Sich-Manifestieren des Absoluten (Unendlichen) im Endlichen ist ein notwendiger, dem Unendlichen wesentlich inhärierender Prozeß und damit also eine notwendige Selbstoffenbarung des absolut Guten oder Gottes.*) Und die berühmte höhere Geschichtsanschauung Schellings

---

*) Über Schleiermacher's Ethik s. Strümpell: de summi boni notione qualem proposuit Schleiermacherus. Dorpat 1843. Hartenstein: de ethices a Schleiermachero propositae fundamento. 1837. Thilo: Die Wissenschaftlichkeit der modernen spekulativen Theologie. 1851. S. 196 u. Zt. f. ex. Ph. I. 394.

besteht eben darin, jede einzelne Phase der Menschheit in der Geschichte als ein Moment in der notwendigen sittlichen Entwickelung der Welt, des Geistes oder Gottes, als notwendige Durchgangsstufe des Absoluten, als unvermeidliches Mittel zu weiteren, noch vollkommeneren Darstellungsstufen anzusehen. Weil die ganze Entwickelung eine notwendige, eine im Wesen des Absoluten liegende stufenweise Darstellung desselben ist, so kann ein absoluter Unterschied zwischen gut und böse nicht bestehen, der Unterschied ist überall nur graduell; aber auch von einer zu vollbringenden sittlichen Aufgabe kann nicht die Rede sein; davon zu sprechen, verrät nur den Mangel der wahren Einsicht, welche dasjenige, was der einzelne Wille als ein ihm auferlegtes Sollen empfindet, allemal schon in Wirklichkeit als ausgeführt erkennt. Das Vernünftige ist allemal wirklich, soweit es überhaupt zu einer bestimmten Zeit wirklich werden kann, oder das Wirkliche ist allemal vernünftig und gut, ist jedesmal die notwendige Darstellung des Guten in einer gewissen Zeit. Erkennt man dies, so steht man auf dem höchsten Standpunkt, dem der absoluten Idee, welche nicht mehr die Idee als ein gesuchtes Jenseits und unerreichtes Ziel in sich hat, sondern die der vernünftige Begriff ist, der in seiner Realität nur mit sich selbst zusammengeht, die daher Sein, unvergängliches Leben, sich wissende Wahrheit und alle Wahrheit ist (Hegel). Das ist der Fatalismus, dem jedes ethische System verfällt, welches einen kosmologischen Unterbau nicht glaubt entbehren zu können. Jedes Ereignis, jeder Mensch, jede Handlung ist gut, sofern sie eine Entwickelungsstufe des Ganzen ist; eben dasselbe ist böse, sofern es nur eine einzelne Stufe und nicht das Ganze ist.

141. Wie zu wiederholten malen hervorgehoben ist, war es ganz willkürlich, das sogenannte metaphysische Absolute zugleich als das absolut moralisch Gute zu bezeichnen. Ist dies jedoch einmal geschehen, so versteht es sich von selbst, daß die Entwickelungsreihen des Absoluten stufenmäßige Darstellungen des Absoluten selbst und damit des Guten sind, daß also eine derartige Ethik auf einem optimistischen Standpunkte steht, mit dem Grundsatze: was wirklich ist, das ist vernünftig und umgekehrt (Nr. 134). Nicht weniger willkürlich aber ist es, jene Entfaltungen des Absoluten im pessimistischen Sinne zu beschreiben, denn ethisch angesehen ist ein derartiger Prozeß völlig gleichgültig.*) Der Pessimismus betrachtet allerdings

---

*) Dabei ist nicht aus dem Auge zu lassen, daß ein derartiger Optimismus etwa im Sinne Hegels und ein Pessimismus im Sinne Schopenhauers ganz genau auf demselben Systeme beruhen und ganz genau dieselbe Lebensanschauung bieten. Es ist nicht etwa so, daß der pantheistische Optimismus die thatsächlichen

nicht gerade das Abſolute ſelbſt für ſich als das abſolut Böſe, ſondern nur deſſen zeitliche und räumliche Entfaltungen.

Entwickelung zur Vielheit iſt das Gegenteil, iſt ein Abfall des Abſolut-Einen von ſich ſelbſt. Daß das Abſolute nicht für ſich Eins und unverändert geblieben iſt, ſo argumentierte Schopenhauer, dafür müſſen die Urſachen in ihm ſelbſt liegen, es iſt eben nicht als ein ſtarres Seiendes, ſondern als ein abſolut Werdendes, als ein Streben, als ein Wille zu faſſen. Es muß in ſich ſelbſt gewiſſe Bedingungen zum Streben, gewiſſe Hinderniſſe haben, daß es nicht Eins bleiben kann, ſondern ſich als Werden, als Wille darſtellt, und zwar Hinderniſſe von der Art, die nicht mit einemmale überwunden werden können, ſondern ein allmähliches Entfalten bedingen. Ein gehemmter Wille iſt ein Leiden. Die Welt alſo als ewiges Streben, als ein An-drängen gegen eine niemals ganz zu überwindende Hemmung iſt ewiges Leiden. Je mehr nun dieſer Wille in die Erſcheinung tritt, deſto mehr wird auch dieſer ſein notwendiger Zuſtand des Leidens erſcheinen, alſo iſt das Leiden im Menſchen, als der höchſten Erſcheinung des Abſoluten (Willens) relativ am ſtärkſten, und unter den Menſchen werden die am höchſten begabten wiederum die höchſte Qual empfinden. Der, in welchem der Genius lebt, leidet am meiſten.*) Hierauf beruht nun bei Schopenhauer die

---

Übel der Welt überſähe, leugnete oder verkleinerte, oder eine endliche Erlöſung von denſelben und deren gänzliches Verſchwinden verheißen könnte, denn das Übel iſt nach jedem Monismus nicht etwa nur an dieſen beſonderen Weltzuſtand geknüpft, ſondern iſt mit jeder möglichen Welt, mit jeder Exiſtenz als etwas Notwendiges, im Begriff des Seins bez. Werdens überhaupt liegendes unzertrennlich verbunden. Nur mit der Exiſtenz, dem Werden ſelbſt könnte das Übel verſchwinden. Ein Unter-ſchied zwiſchen dem pantheiſtiſchen Optimismus und dem atheiſtiſchen Peſſimismus beſteht nur in Worten: eben dieſelben Zuſtände, welche letzterer bei ihrem rechten Namen nennt, nämlich Übel, iſt der Pantheismus genötigt, Theophanien zu heißen, denn es ſind nach ihm nur Manifeſtationen des einen Abſoluten, was er Gott nennt. Daß auch hinſichtlich der zu Grunde liegenden Theorie hier kein Unterſchied, am allerwenigſten ein Gegenſatz vorliegt, iſt bereits in Nr. 8 gezeigt, und es iſt ſehr begreiflich, wenn ein Franzoſe in dieſer Beziehung ſagt: zwiſchen der bewußtloſen Idee Hegels und dem bewußtloſen Willen Schopenhauers werde nur der einen Unterſchied finden können, welcher beſonders tief in die Geheimniſſe der deutſchen Phraſeologie eingeweiht iſt. (Paul Janet, Der Materialismus in Deutſchland, 1866, vgl. dazu Rec. in Zt. f. ex. Ph. VII. 183.)

*) Vgl. Thilo: Schopenhauers ethiſcher Atheismus in Zt. f. ex. Ph. VIII. 5. In ähnlicher Weiſe bezeichnet auch Lotze alles Geſchehen überhaupt als ein Leiden, welches aber nur von den Menſchen als Leiden empfunden wird. S. O. Flügel: Einige Bemerkungen über Lotzes Anſicht vom Zuſammenhang der Dinge, in Zt. f. ex. Ph. VIII. 49. Über Lotzes Ethik ſ. Strümpell: Einleitung in die Philoſophie, 1886. S. 126 ff.

ethische Wertschätzung des Willens. Die stillschweigende Voraussetzung dabei
ist: jede Entwickelung ist gehemmtes Wollen oder Leiden, und Leiden ist
das Schlechte, das Nicht=sein=sollende. Da nun alles Wollen notwendig
Leiden ist, so ist ein Wille desto schlechter, je mehr er sich selbst bejaht,
desto besser, je mehr er sich selbst verneint. Der beste und zugleich glück=
lichste also ist der Mensch, der gar nichts will, denn nur mit dem Wollen
selbst kann das Leiden aufhören. Das Verwerflichste ist demnach der
natürliche Egoismus, der eben darin besteht, daß der Mensch das Leben,
wie er es findet, bejaht. Dieser Egoismus ist die Quelle des Leidens
und des Bösen. Diese qualvolle Nichtigkeit und Nichtswürdigkeit kann nur
aufgehoben werden durch Verneinung des Willens, welche drei Grade hat.
Der niedrigste ist die Gerechtigkeit, welche den eigenen Willen wenigstens
soweit verneint oder beschränkt, daß man den fremden Willen nicht verletzt,
sondern ihn neben sich anerkennt. Ein höherer Grad ist das positive
Wohlwollen oder Wohlthun, die Menschenliebe, welche sich Genüsse versagt
und Entbehrungen übernimmt, um fremde Leiden zu mildern. Das Motiv
dazu ist das Mitleid, das eigentliche Prinzip der Schopenhauer'schen
Moral. Der höchste Grad wird endlich die volle Entsagung von allem
Wollen, allem Streben, also der Quietismus sein.*)

So bieten sich auch dem absoluten Idealismus zwei Mittel dar, um
das letzte ethische Ziel in seinem Sinne zu erreichen, nämlich das gegebene
Viele dem einen Absoluten konform bez. identisch zu machen. Ein Mittel
ist die rüstige Thätigkeit, das andere Abgezogenheit oder Verneinung dessen,
was Bedingung der Vielheit ist.

Beurteilung der Systeme der relativen Wertschätzung.

142. All den bisher besprochenen Begründungen der Ethik ist
gemeinsam, daß deren Wertschätzung eine relative ist. Gilt es als die
Aufgabe der Ethik, zu bestimmen, was gut und was böse ist, so wird hier
geantwortet: es ist nichts an sich und unter allen Umständen gut oder
böse, sondern so heißt etwas nur insofern, als es ein passendes oder
unpassendes Mittel ist, ein gewisses Ziel zu erreichen. Dasjenige, auf
dessen Realisierung es dabei abgesehen ist, das höchste Gut, ist der letzte
Beziehungspunkt, weswegen ein Wille gut oder böse genannt wird.

---

*) S. Thilo a. a. O. u. Zange: Über das Fundament der Ethik. Eine kritische
Untersuchung über Kants und Schopenhauers Moralprinzip, 1872.

Was ist nun nach den bisher dargestellten Systemen dieser letzte Beziehungspunkt? Entweder die Lust, allgemeiner ausgedrückt das jeweilige Objekt der Begierde, oder ein an sich ganz gleichgültiger, theoretischer Gedanke.

Die Systeme, welche die Ethik vom anthropologischen oder theologischen Standpunkte aus entwickeln, stellen als den letzten Beziehungspunkt das Objekt der Begehrung hin. Aus ihren Prinzipien folgt: gut ist, was begehrt wird oder dazu beiträgt das Begehrte zu erreichen; der Unterschied zwischen einem guten Willen und einem bösen liegt nur in dessen größerer oder geringerer Stärke, in der richtigen oder unrichtigen Wahl der Mittel, welche zur Erlangung des Begehrten führen. Erst der Erfolg entscheidet zwischen gut und böse.

Am meisten leuchtet am anthropologischen Standpunkte ein, daß der Wille als solcher nicht einen sicheren Maßstab seines sittlichen Wertes abgeben, und daß auf diese Art nur das Recht des Stärkeren zum Prinzip werden kann. Doch haben wir bereits auch angedeutet, welcher Verfeinerungen die Systeme der Lust bez. der Macht fähig sind, ja daß der Eudämonismus seine Vorschriften scheinbar ganz übereinstimmend mit den Forderungen einer absoluten Wertschätzung aufstellen kann.

Mehr Schwierigkeiten hat man thatsächlich bei vielen zu überwinden, wenn ihnen begreiflich dargelegt werden soll, daß auch der theologische Standpunkt kein anderes sittliches Prinzip, als den Willen als solchen und damit die Lust oder die Macht kennt. Doch sind diese Schwierigkeiten nur subjektiver Art und beruhen auf einer mangelhaften Abstraktion, indem man nicht umhin kann, den Begriff Gottes als bereits ausgestattet mit allen ethischen Prädikaten vorauszusetzen, gerade indem doch eben diese ethischen Bestimmungen erst gesucht werden. Es wird also aus dem Gottesbegriff abgeleitet, was ohne weiteres bereits an ihm als bekannt vorausgesetzt war. Nimmt man aber diese Abstraktion vor, hält da, wo man die ethischen Prinzipien erst sucht, alle ethischen Prädikate von Gott fern, und macht gleichwohl Gott oder seinen Willen zum Prinzip der Ethik, so stellt sich dasselbe Ergebnis wie beim anthropologischen Standpunkt ein: der stärkste Wille ist das Maß des Guten, denn Gottes Wille hat hier keine andere Bedeutung, als der allmächtige Wille, der sich Gehorsam erzwingen kann. Gott zu gehorchen ist Pflicht, heißt hier nichts anderes, als: der Macht sich zu fügen, ist das klügste.

143. Bei alledem stehen die eudämonistischen Systeme doch wenigstens noch in der Untersuchung über das Gute und machen eine praktische Beurteilung des menschlichen Willens geltend. Hingegen hat die kosmologische Sittenlehre den eigentlichen ethischen Gesichtspunkt ganz aus

den Augen verloren. Warum etwas gelobt oder getadelt wird, wird darein
gesetzt, daß es etwas an sich völlig Gleichgültiges zu realisieren dient oder
nicht. Denn das eine Absolute, auf dessen Verwirklichung alles hinarbeitet,
hat weder noch darf es ethische Prädikate an sich haben, noch kann irgend
ein Wesen ein Interesse haben, ob ein solches Unding realisiert ist oder nicht, noch
wird jemand Lob verdienen, wenn er etwas zur Existenz bez. Entwickelung
dieses Absoluten beiträgt. Werden gleichwohl Mittel angegeben, die Reali=
sierung desselben herbeizuführen, so befinden wir uns ganz in einer theoretischen
Untersuchung, die nach den Bedingungen eines Ereignisses fragt. Gesetzt
aber, wir wollten der kosmischen Sittenlehre zugeben, dies Eine sei ohne
weiteres das Gute und damit das Ziel unserer Bestrebungen, so haben wir
bereits gesehen, daß das eigentliche Soll, die moralische Forderung nur
als ein Lückenbüßer der fehlerhaften theoretischen Betrachtung eintritt. Daß
das Eine, welches Sein und zwar Grund und Wesen alles anderen sein sollte,
in Wirklichkeit nicht ist, sondern daß das Viele ist und doch nicht sein
sollte; diese Not wird nach Herbarts Ausdrucke zur Tugend*) gemacht,
wenigstens zur Begründung der Tugendlehre verwendet. Wie sich auch
die monistischen Systeme winden mögen, sie kommen aus der theoretischen
Betrachtung nicht heraus, ist es doch auch überhaupt unmöglich, um mit
Kant zu reden, aus dem Sein das Sollen herauszuklauben.

Doch, um weiter in der Beurteilung zu kommen, nehmen wir die Haupt=
sache als gefunden an: das Gute und das moralische Sollen. Es fragt sich
jetzt, was ist das tauglichste Mittel zur Realisierung des Guten, d. h. zur
Herstellung des Einen? Die natürlichste und nächstliegende Antwort darauf
ist: die Verneinung des Vielen im Sinne Schopenhauers. Durch den
Tod alles Individuellen ist mit einemmale die absolute, unterschiedslose
Einheit herbeigeführt, also wäre der Tod das kürzeste und beste Mittel,
die sittliche Aufgabe zu lösen. Zu demselben Resultate führt das andere
Extrem, die absolute Selbstthätigkeit bei Fichte. Diese bedeutet, daß das
empirische, individuelle Ich, welches sich durch die Objekte beschränkt weiß,
gleich werden soll dem absoluten Ich, welches absolute Selbstthätigkeit ist. Dies
läßt sich nicht anders herstellen, als daß der Mensch sich seiner ganzen
Individualität entäußert, d. h. sich als das besondere Ich verneint oder
stirbt. Es ist auch ganz notwendig, daß jede Sittenlehre, welche das
Allgemeine als solches zum absolut Guten und alles Besondere zum absolut
Schlechten macht, den Tod der Individuen als das tauglichste Mittel zur
Realisierung des Guten oder zur Rückkehr in das Allgemeine empfehlen muß.

---

*) Herbart III. 357.

144. Doch gesetzt, es ließe sich aus den monistischen Prinzipien eine positive Thätigkeit als Pflicht ableiten, so müßte diese Thätigkeit darauf gerichtet sein, die Vielheit zu überwinden und die Einheit herzustellen. Träte der Augenblick ein, wo dies Ziel erreicht wäre, so würde auch die sittliche Thätigkeit und damit das Sittliche überhaupt aufhören müssen. So hat denn die sittliche Thätigkeit zum Ziele, sich selbst aufzuheben. Dies ist überall die notwendige Folge, wo die Sittenlehre ursprünglich nur unter der Form einer zu erfüllenden Aufgabe gefaßt wird. Denn ist dann die Aufgabe gelöst, so bleibt nichts Gutes mehr zu vollbringen übrig, sondern das Sittliche ist überhaupt mit der Aufgabe verschwunden. Weil also das sittliche Handeln zum Aufhören des Sittlichen selbst führt, so darf streng genommen auch nicht einmal das Sittliche, d. h. die Herstellung jener Einheit gewollt werden.*)

Hier wendet der neuere Idealismus ein, die volle Identität liegt in unendlicher Ferne und wird niemals erreicht werden, es ist also nicht zu fürchten, daß jemals die sittliche Forderung aufhört, das Viele, Individuelle dem einen Allgemeinen konform zu machen. Das heißt aber nichts anderes, als: das Eine, als volle Identität gedacht, ist unmöglich, das Eine hat also notwendig das Viele an sich, das Gute kann nicht ohne das Böse gedacht werden noch existieren, sondern das eine ist die Bedingung des anderen, das Gute des Bösen und das Böse des Guten. Und in der That ist dies die ausgesprochene Lehre des absoluten Idealismus.**) Es wird demnach dem sittlichen Handeln eine unmögliche Aufgabe gestellt, es soll das Viele zur Einheit gebildet werden oder das Böse verschwinden und das Gute an dessen Stelle treten, während doch eins das andere notwendig an sich hat und eins mit dem anderen verschwinden müßte. Um eine Aufgabe also handelt es sich, die, wenn sie gelöst werden könnte, die Bedingung des Guten wie des Bösen und dieses und jenes selbst aufheben würde.

Dagegen macht der Idealismus endlich geltend, daß die Spaltung zwischen dem Einen und dem Vielen keine reale sei, sondern nur auf einer Abstraktion des Verstandes beruhe. Das Viele ist Eins und das Eine ist das Viele, je nachdem man es anschaut. Es ist eine notwendige Konsequenz des Monismus, daß das Viele eigentlich nicht nur nicht sein sollte, sondern auch überhaupt nicht ist, daß überall bloß das Eine ist. Nur ein untergeordneter Standpunkt, der sich aus der Welt der Vorstellungen

---

*) Siehe Zt. f. ex. Ph. I. 351; 363.
**) Siehe Zt. f. ex. Ph. I. 354; 369; 375; 409.

nicht zu der des reinen Begriffes oder der intellektuellen Anschauung erheben kann, trennt beides; wer die Sache recht durchdringt, schaut beides zusammen als Eins. Hiernach ist freilich Gutes und Böses nur auf einem sehr untergeordneten Standpunkte zu unterscheiden, also sittlich zu handeln und damit dem Bösen das Gute entgegenzusetzen und jenes durch dieses zu überwinden, eine Anschauungs= und Handlungsweise, über welche der wahre . Weise, der den Dingen auf den Grund sieht, längst hinaus sein muß.*)

145. So führt die kosmologische Sittenlehre überall zu dem Resultate, die Dinge gehen zu lassen, wie sie nun einmal gehen; etwas daran ändern wollen, heißt entweder, Dinge unterscheiden, die eine wahre Philosophie für Eins ansehen muß, oder es heißt für den, welcher noch so tief steht, Gutes und Böses zu unterscheiden, und Gutes thun und Böses lassen und vernichten will, dem Guten von den Bedingungen seiner Existenz ebensoviel entziehen, als wie viel Böses er in der Welt überwindet, denn das Böse ist nur die andere Seite des Guten, dem einen wird gerade soviel entzogen, als vom anderen vernichtet wird, wenn überhaupt von einer Vernichtung die Rede sein könnte.

Von vornherein ließ sich auch von den besprochenen Sittenlehren des Monismus nichts anderes erwarten, als daß sie mit Fatalismus endigen würden. Denn man ist bei denselben nie aus der theoretischen Natur= betrachtung herausgetreten. Das Ganze der Welt ist ein absolut notwendiger Naturprozeß, in welchem der Mensch ein verschwindendes Moment ist. Ja es wird auf diese Weise nicht allein das sittliche Handeln, sondern das Handeln überhaupt aufgehoben. Der Monismus verliert das Individuum aus den Augen; mit den „Kleinigkeiten des einzelnen Lebens und den verworrenen persönlichen Relationen" sich zu schaffen zu machen, läßt der hohe Standpunkt nicht zu, welchen die kosmologische Ethik notwendig ein= nimmt. Der einzelne Mensch, dies verschwindende Glied in der zusammen= hängenden Kette der Erscheinungen, ist selbst bei Fichte nichts anderes, als ein Mittel zur Realisierung des Allgemeinen, nach Schelling und Hegel ein Durchgangspunkt, durch welchen das Absolute mit starrer Notwendigkeit hindurchschreitet, um es zu vernichten und daraus bereichert durch das Moment des Willens wieder zu sich selbst zu kommen. Von einem Werte oder einer persönlichen Freiheit des Individuums kann keine Rede sein.

Wird nun aber doch der Monismus auf den Standpunkt des In= dividuums angewandt, dann verwandelt sich die kosmische Moral in eine

*) Siehe Zt. f. ex. Ph. I. 851 f.; 363.

14*

ſehr irdiſche Klugheitslehre. Denn der Einzelne wird ſich natürlich zu ſeinem
ſittlichen Vorbilde das Handeln des Abſoluten zu nehmen haben. Sowie
dies, ohne alle Rückſicht auf etwas anderes außer ihm, ſich nach ſeinen
ihm innewohnenden Trieben entfaltet und darſtellt, ſo wird auch der
Einzelne ſich nach ſeinen natürlichen Reigungen gehen laſſen, ſein Wohl
zum Maßſtab des Erlaubten und Gebotenen machen und überzeugt ſein
dürfen, daß ſein Recht ſoweit gehe als ſeine Macht.*)

Indeſſen iſt in ſolch nackter Konſequenz die Sittenlehre von keinem
angeſehenen Moraliſten aufgeſtellt worden, namentlich haben die kosmo=
logiſchen Sittenlehrer, auch Spinoza nicht ausgenommen, verſucht, den
ſubjektiven Egoismus zu beſchränken. Ja ohne Zweifel hat der größte Teil
der bisher genannten Ethiker die unſittlichen Konſequenzen der eigenen
Syſteme gar nicht, wenigſtens nicht vollſtändig, geſehen. Wie hätten ſonſt
ſo viele edle Männer in den Feſſeln derartiger unſittlichen Syſteme zu
beharren vermocht! Darum mögen noch einige Bemerkungen darüber folgen,
was insgemein als Korrektiv hierbei gewirkt hat.

146. „Syſtematiſche Mängel in der Anlage ethiſcher Unterſuchungen
haben zu allen Zeiten, wenn nur ſonſt dem Ganzen eine tüchtige Geſinnung
zu Grunde lag, deshalb weniger geſchadet, als ſonſt der Irrtum zu ſchaden
pflegt, weil die wahren ethiſchen Ideen unwillkürlich in der Auslegung einer
ethiſchen Unterſuchung ſich geltend machen, und das ſittliche Intereſſe deſſen,
der die Lehre aufnimmt, den mangelhaften Ausdruck derſelben zu ergänzen
immer bereit iſt".**) So auch bei den Vertretern der relativen Wert=
ſchätzung. Dieſelben lebten ja zumeiſt in den Verhältniſſen der Familie,
der Freundſchaft, des Staates, der religiöſen Gemeinſchaft u. ſ. w., wo ſich
täglich Geſinnungen und Handlungen darbieten, deren Auffaſſung bei einem
nur einigermaßen regen moraliſchen Sinne die richtigen Urteile über das,
was gut und was böſe iſt, von ſelbſt erzeugen. Das hieran täglich
unwillkürlich geübte und ſich immer erneuernde moraliſche Gefühl oder
Gewiſſen war es vornehmlich, was die ſchlechten Konſequenzen gewiſſer
Syſteme verhinderte, denſelben eine moraliſche Richtung oder Auslegung
gab, Zuſätze und Beſchränkungen hinzufügte, die freilich in dem Syſteme
ſelbſt nicht liegen, ſondern geradezu von ihm ausgeſchloſſen werden. Daher
ſind oft dieſe Männer ſelbſt und deren einzelne ethiſchen Vorſchriften weit
beſſer, als ihre allgemeinen Grundſätze, aus welchen ſie die einzelnen Vor-

---

*) Siehe Zt. f. ex. Ph. I. 387; 392.
**) Hartenſtein, Grundbegriffe der ethiſchen Wiſſenſchaften. S. 76.

schriften ableiteten.*) Diesen einzelnen Vorschriften für das sittliche Ver-
halten liegt meist etwas ganz Richtiges zu Grunde, falsch werden sie nur
dadurch, daß sie teils vereinzelt und in dieser Vereinzelung als der einzige
Gesichtspunkt hingestellt, teils daß sie zu weit oder zu eng gefaßt werden.
So tritt bei allen kosmologischen Systemen die Wahrheit hervor, daß das
Starke vor dem Schwachen gefällt, fehlerhaft ist dabei nur, daß dieses
Urteil zum einzigen oder doch hervorragendsten Maßstab der sittlichen
Beurteilung gemacht wird. Eine zu große Verallgemeinerung sittlich
richtiger Grundsätze ist es ferner, wenn die Verwerfung des Egoismus zur
Vernichtung alles Besonderen und Individuellen,**) wenn das Abthun der

*) Schön spricht sich der moralische Sinn z. B. bei Fichte in der zweiten Rede
an die deutsche Nation folgendermaßen aus: „Ich will euch den Beweis führen, daß
kein Mensch und kein Gott und keines von allen im Gebiete der Möglichkeit liegenden
Ereignisse uns helfen kann, sondern daß allein wir uns helfen müssen. Keine Nation,
die in diesen Zustand der Abhängigkeit herabgesunken, kann sich durch die gewöhnlichen und bisher gebrauchten Mittel aus demselben erheben; selbst Furcht und
Hoffnung ist für sie kein Band mehr, da deren Leitung ihrer Hand entfallen ist. Es
bleibt nichts übrig, als ein ganz anderes, selbst über Furcht und Hoffnung erhabenes
Bindungsmittel zu finden, um die Angelegenheiten ihrer Gesamtheit an die Teilnahme
eines jeden aus ihr für sich selber anzuknüpfen. Ein solches liegt in dem geistigen
Antriebe der sittlichen Billigung und Mißbilligung und in dem höheren Affekte des
Wohlgefallens und Mißfallens an unserem und anderer Zustande. Das innere
geistige Auge des Menschen kann so gewöhnt und gebildet werden, daß der bloße
Anblick eines verworrenen und unordentlichen, eines unwürdigen und ehrlosen
Daseins seiner selbst und seines verbrüderten Namens ihm innig wehe thut, und daß
dieser Schmerz, ganz unabhängig von sinnlicher Furcht und Hoffnung, den Besitzer
eines solchen Auges keine Ruhe lasse, bis er, so viel an ihm ist, den ihm mißfälligen
Zustand aufgehoben und den, der ihm allein gefallen kann, an seine Stelle gesetzt
habe. Im Besitze eines solchen Auges, ist die Angelegenheit des ihn umgebenden
Ganzen durch das treibende Gefühl der Billigung und der Mißbilligung an die Angelegenheit seines eigenen erweiterten Selbst, das nur als Teil des Ganzen sich
fühlt und nur im gefälligen Ganzen sich ertragen kann, unabtrennbar angeknüpft.
Somit wäre die Sichbildung zu einem solchen Auge ein sicheres und das einzige
Mittel, das einer Nation, die ihre Selbständigkeit verloren hat, übrig bleibt, sich
wieder aus der erduldeten Vernichtung ins Dasein zu erheben . . ."
**) So sucht z. B. Strauß in seiner Glaubenslehre den Glauben an die Un-
sterblichkeit als einen Ausfluß des Egoismus darzustellen. „Wenn ich nur dich
habe, so frage ich nicht nach Himmel und Erde," spricht der uneigennützige Psalmist
des Alten Testamentes zu seinem Gott, der moderne Gläubige aber sagt: wenn ich
nur mich (unsterblich) habe u. s. w. Bekanntlich hat man auch an Spinoza dessen
Verwerfung einer individuellen Unsterblichkeit vielfach als Uneigennützigkeit seiner
Moral gepriesen. Über den Einfluß des Unsterblichkeitsglaubens auf die Sittlichkeit
vgl. O. Flügel: Das Ich und die sittlichen Ideen im Leben der Völker. 1885.
S. 215 ff.

sogenannten fleischlichen Lüste zur Verachtung des Leibes oder der Materie, als des Sitzes des Sinnlichen und Bösen überhaupt, wenn das Gefallen an Ordnung und an dem harmonischen Ablauf der Dinge und Handlungen zum Gefallen an der bloßen Allgemeinheit oder Identität gesteigert wurde. Bei der Anwendung im Leben und bei den speziellen Vorschriften der Sittenlehre erhalten dann diese zu allgemein gefaßten Begriffe die nötigen Beschränkungen wieder, so wenn z. B. Aristoteles stillschweigend voraussetzt, man werde unter dem allgemein Menschlichen das menschlich Gute, oder die Stoiker, man werde unter Natur die gute, vernünftige Natur verstehen. Ein Beispiel, wo ein ethisch richtiger Gedanke zu enge gefaßt wird, bietet u. a. Schopenhauer dar, hier soll alles Wohlwollen in Mitleid bestehen, welches aber sofort wieder zum Inbegriffe „aller Liebe" erweitert wird.

147. Ein zweiter Punkt, der namentlich bei pantheistischen und theologischen Systemen als Korrektiv wirkte, ist der Umstand, daß das eine Absolute Gott genannt wurde. Damit schieben sich sofort stillschweigend diejenigen Eigenschaften unter, die man im Hinblick auf die wahrhaft sittlichen Ideen Gott beizulegen pflegt. Dies tritt besonders bei Männern hervor, die sich wie die Mystiker, oder Schleiermacher u. a. unter dem direkten Einflusse des Christentums entwickelten, aber auch Spinoza ist nicht frei von solchen unwillkürlichen Erschleichungen. Zu beachten ist auch noch, daß hierbei diejenigen, welche ein derartiges System von außen aufnehmen, als Leser oder Hörer gern ihre eigenen sittlichen Vorstellungen von Gott auf jenes Prinzip zu übertragen pflegen, welches der theologische und kosmologische Standpunkt als Gott bezeichnet.

148. Endlich wirkt zur Läuterung der vorgeführten Moralsysteme ein verständiger Eudämonismus mit, welcher die natürlichen Begierden durch Hinweisen auf die schädlichen Folgen, durch die herrschende Sitte, Sich-Anschließen an giltige Autoritäten, durch die gesellschaftliche Ordnung zähmt, oder ein Eudämonismus, welcher, wie z. B. bei Pascal, gereinigt ist durch die christliche Vorstellung der ewigen Seligkeit, und bei dem das Verfehlte mehr im Ausdrucke als in der Sache selbst liegt.

Diese Punkte vornehmlich und noch manches andere haben dazu beigetragen, daß die Systeme, welche nach den besprochenen Gesichtspunkten entworfen sind, nicht in ihren nackten unsittlichen Konsequenzen, sondern modifiziert durch wahrhaft sittliche Rücksichten sich darbieten und aufgefaßt werden.

Allein das wirklich Sittliche, was sich darin findet, wird nicht aus der vorgetragenen Begründung gefolgert, ja es wird sogar von derselben ausgeschlossen und eine objektive Kritik hat sich lediglich an die Prinzipien und die daraus sich notwendig ergebenden Konsequenzen zu halten und davon das zu sondern, was die Gesinnung des Denkers hinzugebracht hat.

II. Systeme der absoluten Wertschätzung.

149. Als die hervorragendsten Vertreter der absoluten Wertschätzung auf dem Gebiete der Ethik gelten uns: Socrates, Plato, Kant und Herbart.

Das Erste, wodurch sich die Untersuchungen des Socrates von fast allen den bisher dargestellten ethischen Systemen unterscheiden, ist, daß er bei Begründung und Ausführung seiner Ethik, wenn von einer solchen als von einem Ganzen die Rede sein darf, von aller theoretischen Philosophie absah. Dies geschah nicht, weil er das Fehlerhafte und Unzutreffende in den bis dahin vorgetragenen metaphysischen Gedanken erkannt und an den Tag gelegt hatte, sondern weil darüber Streit obwaltete; und etwas noch Strittiges wollte er nicht zur Grundlage der klaren und sicheren moralischen Urteile machen. Nun war zwar nicht weniger Streit über die ethischen Prinzipien, allein Socrates zweifelte keinen Augenblick, daß die wahren sittlichen Urteile sich mit völliger Evidenz im Innern eines jeden Menschen herausstellen würden, wenn man ihn nur auf den rechten Standpunkt stellen könnte. Diese innere Evidenz fühlte Socrates in sich selbst als ein inneres Erlebnis, als eine Thatsache, die ihm nichts streitig machen konnte, er fühlte sie als etwas so Sicheres und Bestimmtes, daß sie ihm als etwas Göttliches, als ein Dämon vorkam.*)

Was sich als etwas so Bestimmtes und immer sich Gleichbleibendes im Innern geltend machte, das konnte nicht seinen Maßstab in der immer wechselnden Begierde haben. Jeder Versuch, die Begierde zum Maßstab des Guten oder des Bösen zu machen, führte auf nichts anderes, als auf eine Systematisierung der Begierden, führte zur Sophistik. Mit dieser Art, das Leben anzusehen, hatte Socrates ein für allemal gebrochen; daß die Sophisten auf falschen Wegen waren, daß sie das Gute dem Blicke der Menschen entzogen und verhüllten, statt es zu zeigen, das fühlte er mehr, als er es beweisen konnte; wir würden sprechen, das sagte ihm

---

*) Auf dieser inneren Evidenz beruht bei Socrates und Plato manche Behauptung, Forderung, Ansicht, die mit voller Zuversichtlichkeit hingestellt wird, während doch ein wirklicher Beweis dafür nirgends vorgebracht ist. Vgl. Strümpell a. a. O. S. 113.

sein gewecktes Gewissen. Nicht etwas Schwankendes, sondern etwas Festes mußte das Gute sein, so wenig schwankend, als es schwankend ist, aus wie viel Buchstaben der Name Socrates besteht, oder wie viel zweimal fünf ist. Eben darum müsse es etwas Allgemeingültiges sein, was nicht der Eine so, der Andere anders ansehen könne, sondern jeder, der es nur zu erblicken vermöchte, müsse dessen immer auf die gleiche Weise inne werden.

150. Die eigentliche Schwierigkeit fand nun Socrates darin, das, was er als etwas so Klares und Bestimmtes in seinem Innern fühlte, so auszusprechen, daß es ihm jeder auf die nämliche Weise nachfühlen mußte. Hätte ihm hier eine bereits ausgebildete Logik zur Seite gestanden, so würde es ihm leichter geworden sein, das Gefühlte in klare und jeder= mann faßliche Begriffe zu kleiden. So aber mußte er selbst erst die An= fänge einer Logik begründen; die allgemeinen logischen Begriffe und Regeln bildeten sich ihm erst bei der speziellen Untersuchung eines jeden Begriffes besonders. Und wie gewöhnlich das, mit dem man in Gedanken nicht fertig wird, leicht unter= oder überschätzt wird, so trat bei Socrates eine solche Überschätzung des logischen Verfahrens ein, und daher seine Freude, wenn er dadurch zu einem bestimmten Resultate geführt wurde. Diese Freude hatte bei ihm einen doppelten Grund, einmal daß er das, was er suchte, gefunden und dargelegt hatte, zum anderen, daß sich ihm bei der Untersuchung selbst eine gewisse allgemeinere logische Ordnung und Regel der besprochenen Begriffe gezeigt hatte. Aus dieser Überschätzung der logischen Thätigkeit ist auch der Satz zu erklären: Die Tugend ist ein Wissen. Damit war im Grunde nichts anderes gemeint, als: in einem bestimmten Falle die Erwägung bei sich oder anderen auf den Punkt führen, wo das sittliche Urteil unmittelbar hervorspringt. Um diesen Punkt zu treffen, bedurfte es in der Regel gar vieler Unterscheidungen, welche im gewöhnlichen Urteil durcheinander laufen und den betreffenden Begriff ver= dunkeln. Diese Distinktionen hervorzuheben und die Begriffsverhältnisse in ein solches Licht zu stellen, daß sich ein Urteil ganz von selbst ergibt, ist eine Hauptaufgabe der Socratischen Unterredungen.*)

---

*) Freilich nahm das, was Socrates als ein Wissen bezeichnete, im weiteren Verlaufe immer mehr eine rein theoretische Wendung, eben weil die begriffliche Untersuchung nicht vollständig gelang und so selbst als ein gewünschtes Gut erschien. Dadurch verliert das Ethische bei Socrates immer mehr seine Unmittelbarkeit und Wärme, die vielleicht im höheren Maße bei ihm vorhanden war, ehe er darüber spekulierte. Das Ethische tritt durch seine Spekulation allmählich immer mehr als etwas Verständiges, weniger als etwas Schönes und Gewinnendes auf. Die Ein=

Hat sich nun das Urteil gebildet, ist das Wissen über einen bestimmten Fall gewonnen, so weiß Socrates, daß dies nicht genug sei; das als gut Gewußte soll nicht allein gewußt, gebilligt, sondern auch in das Werk gesetzt werden. Wird dies ohne weiteres geschehen? Es ist bekanntlich eine Eigentümlichkeit des Socrates, diese Frage rückhaltlos zu bejahen.*) Daß die Menschen nicht überall das Gute thun, meint er, liegt nur daran, daß sie das Gute nicht kennen, das Böse vielmehr für das Gute halten, kännten sie in allen Fällen das Gute, so würden sie dasselbe auch unfehlbar überall thun. Diese Meinung ist wohl nur eine Übertragung seiner eigenen Gesinnung auf alle anderen Menschen. Bei ihm war es freilich so, wie es sein soll, daß das Erkennen des Guten sofort auch ein Ausführen desselben war. Socrates konnte vermöge seiner eigenen Moralität den Zwiespalt zwischen der Einsicht und dem Ausführen des als gut Erkannten nicht ertragen, fühlte es sogar als einen göttlichen Beruf, selbst das in allen Stücken darzustellen, was er als das Gute wußte. Und diesen Glauben hatte er von allen Menschen. Dieser Glaube aber hing auch noch mit einem anderen Umstande zusammen. Sobald er nämlich daran ging, positiv anzugeben, was das Gute sei, lenkte er in die Bahnen eines gewissen Eudämonismus ein. Das Gute ward ihm ohne weiteres ein Begehrtes, ein Gut, worauf eben der Wille gerichtet ist. Dann erscheint das Wissen als die Einsicht, welche sachgemäß die besten Mittel zur Realisierung des Guten sucht und findet. So fällt dann wiederum das Gute unter den Gesichtspunkt des Zweckes oder des Nutzens, welcher eben in der Eudämonie besteht; und daher kommt es, daß Socrates zuweilen das Gute ganz in ähnlicher Weise wie die Sophisten zu begründen scheint, als glaube er, das Gute stehe ohne eine gewisse anthropologische Grundlage nicht fest genug. Indessen ist dabei doch nicht zu übersehen, daß der Idee der Eudämonie kein bestimmter Inhalt gegeben wird, daß dieselbe zuweilen nicht als der eigentliche Zweck, sondern mehr als der Erfolg des sittlichen Handelns hingestellt wird.

Wir finden also bei Socrates einmal die sittlichen Urteile empirisch an bestimmten Beispielen gewonnen, zum anderen das Streben, das Gute als etwas Festes und Allgemeingültiges (Absolutes) im Gegensatz zur Be-

---

sicht wird so sehr überschätzt, daß das ethische Thun so lange warten soll, bis die rechte Einsicht gewonnen sei, ja daß ihm das Böse, wenn es mit voller Einsicht, es sei böse, ausgeführt wird, weniger böse erscheint, als wenn diese Einsicht fehlt.

*) Dabei ist freilich nie zu übersehen, daß der Begriff des Wissens bei Socrates stets eine praktische Tendenz behält und wohl nie als ein bloß theoretisches müßiges Wissen gilt.

gierde und unabhängig von jeder Theorie hinzustellen, drittens aber, daß
es ihm nicht gelingt, positiv anzugeben, was das Gute sei, sondern daß
er hier von dem eingenommenen Standpunkte abgleitet.

151. Der Hauptsache nach ist auch Plato nicht weiter gekommen,
nur daß er überall das Gute schärfer von dem ihm Verwandten und
Entgegengesetzten scheidet.

Zunächst zeigt Plato, wenn auch mit mancherlei Schwankungen,
daß das, was gut ist, seinen Maßstab nicht in der wechselnden Begierde
und der dadurch angestrebten Lust haben könne. Denn wäre es also, so
wäre die unbefriedigte Begierde das Böse und dieses die Ursache der be=
friedigten Begierde oder des Guten. Ferner pflegt zugleich mit der Be=
friedigung der Begierde die Lust selbst zu verschwinden, das Gute würde
sich also durch seine eigene Wirklichkeit vernichten. Weiter nimmt man
doch auch sein Urteil über einen guten oder bösen Charakter nicht zurück,
wenn dem ersten Leid und dem zweiten Freude widerfährt. So gelangt
er zu dem Resultat, weil etwas gut ist, wird es begehrt; nicht weil es
begehrt wird, ist es gut. Darum wird nun das Gute positiv als ein
ἱκανόν, oder τέλεον bezeichnet, also als etwas, welches seinen Halt und
seine Bedeutung nicht in etwas anderem, was es selbst nicht ist, hat,
sondern in sich selbst, mit anderen Worten als etwas Absolutes. Zweitens
ist auch das Urteil über gerecht und ungerecht nicht davon abhängig, ob
ein Gott es befohlen und Lohn oder Strafe darauf gesetzt hat, vielmehr
ist die Gerechtigkeit rein an sich selbst gut, Ungerechtigkeit lediglich an sich
selbst böse, sie möge nun, wie zweimal hinzugesetzt wird, Göttern oder
Menschen verborgen sein oder nicht.*)

152. Über Socrates ist er aber wohl in folgenden Punkten
hinausgegangen, erstens, daß ihm das Gute und das Wissen davon nicht
mehr ganz identisch ist, vielmehr hat er, wie späterhin Aristoteles dies
noch ausdrücklicher geltend machte, erkannt, daß aus dem Wissen oder dem

---

*) Schleiermacher findet bei Plato als das Prinzip der Ethik die Gott=
ähnlichkeit. Allein das ist nicht der Sinn Platos; dieser verkannte nicht, daß
Ähnlichkeit mit Gott gar keinen Sinn hat, wenn nicht schon vorher die Idee Gottes
als das absolut Gute entwickelt worden ist. Gottähnlichkeit hat bei Plato keine
andere Bedeutung als das Streben, dem Guten ähnlich zu werden, und sofern er
Gott als den Guten bezeichnet, kann er allerdings sagen: Streben nach Ähnlichkeit
mit Gott. Aber den Begriff des absolut Guten entwickelt er unabhängig von dem
Begriff Gottes. Außerdem soll sich nach Plato das Streben nach Gottähnlichkeit
nur beziehen auf Gerechtigkeit und Heiligkeit, während dabei die neidlose Güte Gottes
gerade nicht mit genannt wird.

Urteile nicht immer der dasselbe realisierende Wille folgt, sowie daß das Urteil nicht über die bloße Einsicht, sondern über den Willen ergehe. Zum anderen sucht er das Gute von dem Angenehmen zu unterscheiden und setzt es drittens mit dem Schönen in eine Reihe. Indessen zu einer wirklichen, bestimmten Entscheidung über das Gute kommt es nicht, sondern es bleibt immer bei den formalen Bestimmungen, es sei das Genügende, Vollendete, sich selbst Gleiche, Voraussetzungslose, das aus Schönheit, dem Maße und der Wahrheit Gemischte. Ja Plato gerät mit seinen Unter= suchungen über das Gute in eine Richtung, welche den absoluten Charakter desselben wieder zweifelhaft macht. Dies geschieht erstens dadurch, daß seine Ethik die Gestalt einer Güterlehre annimmt, oder vielmehr von Socrates beibehält. Er denkt das Gute als „ein von dem Menschen seiner natürlichen Befähigung nach zu erwerbendes Besitztum, das der vielgliedrigen Eigentümlichkeit der menschlichen Natur entsprechend nicht in einem einheitlichen Begriffe ausgedrückt werden kann", und welches sich aneignend der Wille selbst gut und selig werde. Wo sich diese Art der Betrachtung einmischt, da erscheinen dann auch jene absoluten Be= stimmungen nicht sowohl als Urteile über den Willen, als vielmehr über den Wert der Objekte des Willens; unter diesen hat eine verständige Überlegung dasjenige herauszufinden, welches den Gesamtzustand der Seele am meisten und am dauerndsten befriedigt. Der andere Punkt, wo Plato von dem Standpunkte der absoluten sittlichen Beurteilung ab= gleitet, hängt auch mit dem Charakter seiner Ethik als einer Güterlehre zusammen. Das Gute wird nämlich als das Reale angesehen, als die Sonne im Reiche der Ideen, die das Sein an Macht und Würde über= ragt und dem Seienden das Sein, dem Erkannten das Erkanntwerden verleiht. Weil das Gute erkannt werden kann, muß es auch sein, oder sollte je eine richtige Erkenntnis auf etwas gerichtet sein, welches nicht ist? So wird das Gute zu einem Gute, d. h. zu dem realen Objekte, nach welchem gestrebt wird. Ja es mischt sich hier sogar ein kosmologischer Zug ein, indem das Erkennen des Guten, als einer realen Idee, die Be= deutung eines Handelns bekommt, welches der Thätigkeit der Gottheit folgt und berufen ist, der veränderlichen Welt zur Teilnahme an der Welt des Unveränderlichen zu verhelfen, dadurch, daß es die sittlichen realen Ideen in diese Welt hineinbildet. Indessen ist doch der Zusammenhang des Theoretischen und Praktischen nur ein sehr loser und wenig bemerkbarer.

So hatte wohl Plato, den Spuren des Sokrates folgend, den ersten notwendigen Schritt zu einer wahren Ethik gethan durch die strenge Scheidung des sittlichen Wertes von der Befriedigung der Begierde; allein

er hatte doch wieder nach einer theoretischen Grundlage der Ethik gesucht,
hatte den eigentlichen Gegenstand der sittlichen Beurteilung, den Willen,
wohl stillschweigend vorausgesetzt, aber nicht hinreichend hervorgehoben, und
hatte drittens die Absolutheit des sittlichen Urteils wieder schwankend gemacht
durch die Richtung seiner Sittenlehre als einer Güterlehre und war dadurch wieder in eine Art von Eudämonismus eingelenkt.

153. Eine Ethik im Sinne einer absoluten Unterscheidung zwischen
gut und böse hat außer den weniger einflußreichen englischen und schottischen
Moralisten (Nr. 159) unter den namhaften Philosophen erst Kant wieder
aufgenommen und Herbart der Vollendung entgegengeführt.

Kant und Herbart waren zunächst einig in der Trennung der
praktischen Philosophie von der theoretischen, wie dies bereits
Sokrates gethan hatte. Was sie dazu bestimmte, war nicht allein der
sehr berechtigte Wunsch, die moralischen Überzeugungen den schwankenden
Meinungen der Theorie insbesondere der Kosmologie, Anthropologie und
Theologie enthoben zu sehen; auch nicht bloß die Erkenntnis, daß die bisher
auf theoretische Grundlage gegründeten Systeme sämtlich im Prinzip wenigstens ihr Ziel verfehlt hatten; es war vielmehr die klare Einsicht in die
völlige Verschiedenartigkeit der beiden Teile der Philosophie.

Die theoretischen Untersuchungen gehen darauf aus, die gegebenen
Erscheinungen begreiflich zu machen, d. h. widerspruchsfrei zu erklären. Ihr
Geschäft ist es also zunächst, das Gegebene vollständig, rein und scharf
aufzufassen, so dann richtige Begriffe vom Sein und Geschehen im allgemeinen und richtige Begriffe von dem besonderen Geschehen in Betreff
der gegebenen Naturerscheinungen zu gewinnen. Wird in diese Untersuchungen das Moralische hineingezogen, so wird, wie der geschichtliche
Verlauf der Moralsysteme zeigt, das Gute als das Seiende bez. Werdende
in jedem Falle als das Mächtige hingestellt und das moralische Handeln
zum bloßen Naturprozeß herabgedrückt. Der Unterschied des Guten und
Bösen wird dann darein gesetzt, ob etwas dem Sein näher oder ferner
steht, ob etwas mehr oder weniger Macht hat, in das Dasein zu treten
und sich darin zu behaupten.

Hingegen ist die praktische Betrachtungsweise nicht auf die Erklärung
irgend eines Gegebenen gerichtet, vielmehr urteilt sie darüber, hebt das
hervor, was absolut gefällt, was sein soll, stellt Ideale auf. Die Ethik
insbesondere hat die Aufgabe, zu entscheiden, welches Verhalten eines vernünftigen Wesens gut und welches böse ist.

154. Die Antwort hierauf, bemerken Kant und Herbart, wird
nichts absolut Neues enthalten, vielmehr hat die Wissenschaft sich an-

zuschließen an die Urteile, welche unwillkürlich im Leben über das Wollen und Handeln der Menschen gefällt werden, und es ist wohl zu beachten, daß der gemeine Verstand oft viel treffender urteilt, als die Philosophen. Was hierbei dem Urteilenden bei seiner unwillkürlichen, absichtslosen Wert= schätzung noch undeutlich vorschwebt, das ist wissenschaftlich aufzuklären, näher zu bestimmen, zu reinigen und zu ergänzen. Aber nicht Aufgabe der Ethik ist es, die sittlichen Urteile zu erzeugen, sie kann nur die betreffenden Objekte der Beurteilung, d. h. hier die betreffenden Willensverhältnisse, der Menschen Thun und Lassen vollständig aufzeigen, muß suchen, den Urteilenden so zu disponieren, daß er jene Objekte richtig, namentlich un= parteilich auffaßt, und muß dann erwarten, daß in diesem vollendeten Vorstellen das Urteil unwillkürlich hervorspringt. Daß das so gewonnene Urteil richtig ist, läßt sich nicht beweisen, es genügt hierbei der Hinweis auf das Experiment, welches bei gleichen Voraussetzungen immer wieder das nämliche Resultat, dasselbe Urteil ergibt. Wo auch z. B. das Übel= wollen angetroffen wird, immer wird es von dem Unbefangenen als miß= fällig verurteilt werden. Und zwar stellt sich ein absoluter Unterschied zwischen gut und böse heraus: eines ist nicht die Abänderung, Steigerung oder Verminderung des anderen (Nr. 188). Das Urteil ferner ergeht über ein Verhalten ganz unabhängig von der Frage, ob jenes Verhalten nur vorgestellt, erdichtet oder als wirklich gedacht wird, oder welche Förderungen und Hemmungen teils in den äußeren Umständen, teils in der psychischen Beschaffenheit des Menschen stattfinden, mit einem Worte: das sittliche Urteil ist thatsächlich ganz unabhängig von jeder Theorie.

155. Wenn nun aus diesen Gründen die sittlichen Urteile absolute, unbedingte Urteile genannt werden, so heißt das nicht soviel, als wäre deren Zustandekommen nicht an gewisse Bedingungen geknüpft, vielmehr gehört zur Entstehung derselben gar mancherlei, vor allem eine unbefangene Gemütslage, die nicht zerstreut, nicht mit anderen beschäftigt, nicht parteiisch sein darf, sondern die betreffenden Objekte im vollendeten Vorstellen an= schaut, der Urteilende muß nach Smiths Ausdrucke den Standpunkt eines unparteiischen Zuschauers einnehmen. Ferner heißen jene Urteile absolut, nicht als wäre hier nichts zu erklären. Im Gegenteil liegen hier für die Psychologie zum Teil sehr verwickelte Probleme vor.*) Aber die psycho= logische Erklärung der Entstehung der Urteile ist nicht Sache der Ethik. Für sie bilden die Urteile einen absoluten Anfang, die letzte Instanz, deren Gewißheit oder Klarheit um nichts erhöht oder vermindert wird, ob sie

---

*) Vgl. darüber Resl in Zt. f. ex. Ph. VI. 225 ff.

theoretisch erklärt sind oder nicht. So ist denn die unbedingte, sittliche
Beurteilung theoretisch angesehen, allerdings bedingt durch mancherlei Ab=
straktionen und Reflexionen, wie überhaupt die Erkenntnis eines Un=
bedingten subjektiv durch vielerlei Gedanken und Gedankenbewegungen
vermittelt ist, durch welche der Denkende auf den richtigen Standpunkt
gestellt werden muß. Steht er aber in ethischer Beziehung auf diesem
Standpunkt, hat er ins Auge gefaßt, was man ihm zeigt, dann erwartet
man von ihm eine Entscheidung und Anerkennung, die man ihm nicht
mitteilen und die er aus keinen Prämissen folgern kann. Darum heißt sie
unbedingt, wiewohl sie im psychologischen Sinne eine Menge von Be=
dingungen hat.*)

In der Aufstellung dessen, was gut und was böse ist, besteht die
eigentliche Aufgabe der Ethik. Ist dies geschehen, dann machen sich natür=
lich noch viele andere Fragen geltend, die Bezug darauf haben, namentlich
die in praktischer Hinsicht allerwichtigste, wie es zugehe und inwiefern es
möglich sei, daß die sittlichen Urteile den Willen bestimmen, das Sittliche
also wirklich ausgeführt werde. Diese Frage ist eine psychologische bez.
pädagogische, sie hat es mit den Mitteln der Bildung zur Moralität zu
thun und setzt die Erkenntnis des Guten bereits voraus. Diese zu ge=
währen, ist das erste und vornehmste Geschäft einer wissenschaftlichen Ethik.

156. Nachdem der Unterschied der theoretischen und praktischen
Philosophie ins Licht gesetzt ist, erhebt sich die weitere Frage: was wird
in der Ethik beurteilt, was ist das Subjekt der sittlichen Beurteilung, oder
mit anderen Worten: welches sind die logischen Subjekte zu den Prädikaten
gut und böse?

Bekanntlich gibt es nun Urteile des Vorziehens und des Verwerfens,
bei denen sich das Subjekt überhaupt nicht angeben läßt, von welchem das
Prädikat ausgesagt wird. Dies sind die Urteile über angenehm und un=
angenehm. Das Gefühlte ist hier mit dem Gefühl selbst so eng ver=
schmolzen, daß es sich davon nicht unterscheiden läßt, also auch nicht
Gegenstand einer wissenschaftlichen Bestimmung werden kann. So läßt
sich z. B. bei dem Geruche einer Blume nicht angeben, was von dem dabei
zum Vorstellen gelangenden das eigentliche Subjekt für das ausgesprochene
Prädikat angenehm oder unangenehm, oder das Gefühlte für das Gefühl ist.

Hingegen läßt sich bei den sittlichen Urteilen sehr wohl angeben, was
dabei beurteilt wird. Daß es sich hierbei um das Wollen, das Thun und
Lassen, die Gesinnung, das ganze Verhalten von Personen handle, darüber

---

*) Vgl. Herbart I. 129.

war man von Anfang an einig. Wenn bei Socrates, Aristoteles, Spinoza und Schleiermacher zuweilen das Wissen als das Höchste hingestellt wird, so ist dies zum Teil ein mangelhafter Ausdruck, indem man unter Weisheit zugleich ein praktisches Verhalten der Weisheit gemäß verstand; zum Teil liegt dann allerdings eine einseitige Überschätzung der intellektuellen Thätigkeit zu Grunde. Bei dem Ausscheiden dessen, was nun an der Person eigentlich vom sittlichen Urteile getroffen wird, was gut und was schlecht ist, mangelte den Alten eine wissenschaftliche Psychologie, insbesondere auch der theoretische Begriff der Persönlichkeit und deren konstitutiven Merkmale. Hatte auch Plato nahe daran gestreift, so nahm doch erst das Christentum durch sein alleiniges Betonen der Gesinnung den direkten Weg zum Willen, als dem einzigen Objekte der sittlichen Wertschätzung. Mit voller wissenschaftlicher Klarheit spricht es aber erst Kant aus: „es ist überall nichts in der Welt, ja auch außer derselben zu denken möglich, was ohne Einschränkung für gut könnte gehalten werden, als ein guter Wille. Alle Talente des Geistes, Eigenschaften des Temperamentes und alle Glücksgaben haben keinen inneren unbedingten Wert, denn ohne Grundsätze eines guten Willens können sie höchst böse werden. Der gute Wille ist nicht durch seine Wirkungen, auch nicht durch seine Tauglichkeit zur Erreichung eines Zweckes gut, sondern allein durch das Wollen, d. h. an sich gut".

157. Hiermit erhebt sich Kant zugleich über sämtliche Systeme einer relativen Wertschätzung, deren Eigentümlichkeit es eben ist, den Willen zu loben wegen seiner Tauglichkeit zur Erreichung eines Zweckes. Alle derartigen Beurteilungen des Willens laufen auf Eudämonismus hinaus. In der Abweisung und Bekämpfung desselben ist Kants Hauptstärke und Hauptverdienst um die Ethik zu suchen. Dies ist die erste, zunächst negative Antwort, welche Kant auf die Frage: was ist gut, gibt; gut ist etwas nicht schon darum, weil es Objekt der Begehrung oder ein Gut ist. Die Gründe Kants gegen den Eudämonismus hat Herbart so verdeutlicht: wo ein Unterschied des guten und bösen Willens gemacht wird, da ist der Wille selbst Objekt der Beurteilung; und dies Objekt darf mit den Objekten des Willens nicht verwechselt werden. Nun handelt die Güterlehre von den Objekten des Willens; aber die Sittenlehre von dem Unterschiede des guten und bösen Willens; also darf die Sittenlehre nicht mit einer Güter= lehre verwechselt und niemals als solche dargestellt werden.

Hier ist es, wo sich das Feld der praktischen Philosophie in eine absolute und eine relative, oder in eine formale und eine materiale Wert= schätzung teilt. Die relative setzt ein Objekt, ein gewisses Wohlsein als gut voraus, und der Wille wird gelobt, wenn er tauglich ist zu dessen Erreichung. Ein Gut ist aber immer etwas Gewolltes, Gewünschtes, es ist darum hier der Wille selbst, welcher urteilt, ob etwas ein Gut ist oder nicht, d. h. ob etwas gewollt wird oder nicht. Der Wille kommt nur in Betracht, wie weit er einem anderen auf das Wohlsein gerichteten Willen dient. Das Urteil geht hier vom letzteren Willen aus, welcher lobt, was ihn fördert, und tadelt, was ihn hemmt; er selbst aber unterliegt keiner Beurteilung, als verstände es sich von selbst, daß er gut ist um seines Gegenstandes, seines Objektes willen, auf welches er gerichtet ist. Kant verwirft nun alle materialen und empirischen Prinzipien der Ethik; es bleibt ihm also nur die Form des Willens als Beurteilungs= prinzip übrig. Dem fügt Herbart verdeutlichend hinzu: so lange ein Wille als ein ganz einzeln stehendes Wollen betrachtet wird, ist dieses Wollen kein Gegenstand der Beurteilung mit Lob oder Tadel, sondern es ist gleichgültig . . . Also muß das Wollen nicht als einzeln stehendes, sondern mit anderen zusammengefaßt in Betracht gezogen werden. Jede Zusammenfassung, welche als solche eine neue Bedeutung verlangt, ergibt eine Form . . . Also kann nur der Form des Wollens ein Wert oder Unwert beigelegt werden.

158. Um eine positive Antwort zu gewinnen auf die Frage, welcher Wille ist gut, hätte es nun am nächsten gelegen, den formalen Bestimmungen des Wollens nachzuspüren. In der ersten Antwort, welche Kant im kategorischen Imperativ auf diese Frage gibt, bleibt er dem formalen Charakter der Ethik noch treu, indem er die bestimmte Form, wegen welcher ein Wille gelobt wird, in der Allgemeingültigkeit der Maximen des Handelns sucht: „handle so, daß die Maxime deines Wollens jederzeit zugleich als Prinzip einer allgemeinen Gesetzgebung gelten kann." Damit war allerdings der Wille von momentaner Willkür unterschieden, außerdem schien es ein treffender Gedanke, daß ein unsittlicher Wille stets Ausnahmen für sich begehre, die er nicht würde als Regel für einen jeden anerkennen wollen. Aber Kant fühlte doch selbst, daß dabei die Frage noch offen bleibe, warum ich nur nach allgemein gültigen Maximen handeln soll. Wo eine solche Frage noch offen bleibt oder auch nur aufgeworfen werden kann, da ist offenbar der letzte Punkt der Verpflichtung noch nicht gefunden. Verfehlt war es indes schon, daß Kant die Form des Guten ohne weiteres in einem Imperativ, also nur in der Form eines Gesetzes kennt, daß sich seine Sittenlehre als eine Pflichtenlehre darstellt. Denn Pflicht setzt offenbar einen gehorchenden und einen gebietenden Willen voraus; wenn nun der erstere dem zweiten zum Gehorsam verpflichtet sein soll, so müßte sich die

Autorität des gebietenden von selbst verstehen, oder es müßte zureichend beantwortet sein, worin die Würde, der Vorzug desselben begründet sei. Kant hatte zunächst mit der Berufung auf die Allgemeingültigkeit ge=antwortet, dann aber zugestanden, daß dieselbe noch nicht der volle Aus=druck eines absoluten Lobes für einen Willen sein könne. Darum macht er weiter, um die Würde des gebietenden Willens zu begründen, dessen Abstammung aus der Vernunft geltend. Sollte aber in „der Reinigkeit des Ursprungs" ein Vorzug des Willens liegen, so müßte dieser Vorzug der Vernunft vor den anderen Seelenvermögen bereits ins Licht gesetzt sein. Allein dies ist von Kant nirgends geschehen, vielmehr verwandelt sich bei ihm die reine Vernunft selbst in ein oberstes Begehrungsvermögen, sie wird als Gesetzgeberin des Willens selbst zum Willen. Die Eigen=thümlichkeit dieser Vernunft soll es sein, daß sie sich selbst Gesetze gibt, welche wiederum ihre Würde darin haben, daß die Vernunft sie sich selbst gegeben habe. „Nun aber ist dieser Wille der reinen Vernunft in der Erfahrung nicht zu finden, er muß also in der intelligibelen Welt gesucht werden, d. h. in einem Willen, welcher durch keine sinnlichen Motive be=stimmt sein kann. Hierdurch geschah es, daß Kant die Möglichkeit und Gültigkeit der Ethik doch wieder mit seiner theoretischen Spekulation ver=knüpfte und sie mit der Möglichkeit einer transcendentalen Freiheit ver=wickelte."*)

159. Kant bleibt demnach eine positive, genügende Antwort auf die Hauptfrage der Ethik schuldig: worin liegt die eigentümliche Würde eines moralischen Willens? Indem bei ihm immer die Pflicht den obersten Gesichtspunkt bildet, kommt er nicht zur Beurteilung des Willens; das sittliche Urteil geht schließlich wieder von einem Willen, nämlich von dem aus der Vernunft stammenden Willen aus.

Aber aus der Grundlegung seiner Ethik ergab sich zuerst, daß das Urteil nicht vom Willen ausgehen dürfe, sondern über den Willen gefällt werde, zum anderen, daß das Vorzügliche oder Verwerfliche des Willens auf gewissen formalen Bestimmungen desselben beruhe.

In diesen beiden wichtigen Punkten hatten bereits die englischen und schottischen Moralisten das Richtige gesehen. „Die ethischen wissenschaftlichen Bestrebungen von Clarke, Shaftesbury, Hutscheson, Smith lassen

---

*) S. Thilo: Geschichte der neueren Philosophie. Cöthen 1881. S. 213. Vgl. ferner über Kants praktische Philosophie Zt. f. ex. Ph. I. 292, II. 369 ff. Harten=stein: Grundbegriffe der ethischen Wissenschaften. 1844. S. 58. Taute: Religions=philosophie. 1840. I. S. 645.

Flügel, Die Probleme der Philosophie. 15

sich in Folgendem zusammenfassen: Nicht der Wille oder die Begierde, weder ein göttlicher noch ein menschlicher, bilden die Grundlage der Ethik, sondern feststehende natürliche (Willens-) Verhältnisse, von denen die einen unbedingt gelobt, die anderen getadelt werden müssen. Den ethischen Verhältnissen gehen die ästhetischen parallel, über beide ergeht dieselbe Art von Urteilen — Geschmacksurteile. Den Ursprung dieser Urteile findet Hutscheson im moralischen Sinne, Smith in der unparteiischen Versetzung in die Lage anderer. Die zu billigenden ethischen Verhältnisse werden noch nicht systematisch aufgestellt, aber die Erkenntnis tritt hervor, daß sie nicht aufeinander zurückgeführt werden können, sondern zu koordinieren sind. Endlich tritt die richtige Erkenntnis auf, daß der Begriff der Pflicht nicht die Grundform des Ethischen ist."*)

160. In dieser Richtung ist die Ethik erst wieder von Herbart fortgeführt. Er faßt die Ethik als eine besondere Disziplin der allgemeinen Ästhetik, d. h. der Wissenschaft von den absoluten Werturteilen. Die Ästhetik ist eine formale Wissenschaft, das heißt: die Urteile des Gefallens und Mißfallens ergehen nicht über etwas Einfaches, sondern nur über Verhältnisse; ein einfacher Ton, eine einfache Farbe, ein einzelnes Wollen, außer allem Verhältnis zu anderen gedacht, ist weder schön noch häßlich, weder gut noch böse. Hier liegt die Anknüpfung an Kants Behauptung, daß ein guter Wille seiner formalen Bestimmungen wegen gut sei. Ferner damit das Urteil ein absolutes sei, muß es ein willenloses sein, ohne alle Begierde und Interessen muß es sich von selbst aus dem möglichst vollendeten Anschauen der vorliegenden Verhältnisse ergeben. Diese Urteile sind an sich evident und bedürfen keiner Demonstration. Die einzelnen Disziplinen der allgemeinen Ästhetik unterscheiden sich nach der Verschiedenheit der Objekte, welche beurteilt werden. Die Objekte der Ethik im besonderen sind Willensverhältnisse. Aus den allgemeinen Grundsätzen der Ästhetik ergibt sich für die Ethik, daß auch deren Urteile willenlose sein müssen, nicht vom Willen ausgehend, sondern über den Willen ergehend. Daraus folgt, daß die Ethik weder in der Form einer Pflichtenlehre noch Güter- noch Tugend- noch Rechtslehre ursprünglich auftreten kann. Denn alle diese Formen setzen bereits die Erkenntnis dessen voraus, was einem Willen sittlichen Wert gibt. Demnach hat man die einfachsten Willensverhältnisse aufzusuchen, über welche sittlich geurteilt wird.**) Als solche hat Herbart folgende aufgestellt.

*) Thilo: Geschichte der neueren Philosophie. S. 113.
**) Über Ethik im Sinne Herbarts sei hingewiesen auf Herbart VIII. u. IX. Hartenstein: Grundbegriffe der ethischen Wissenschaften. 1845. C. A. Thilo:

Die Idee der inneren Freiheit.

161. Die Idee der inneren Freiheit oder, populär ausgedrückt, der Überzeugungstreue beruht auf der Thatsache der unwillkürlichen Beurteilung unseres Willens durch uns selbst. Unser Wille wird von uns selbst entweder gebilligt oder gemißbilligt. Folgt derselbe der Weisung, welche in diesem billigenden oder mißbilligenden Urteil über ihn enthalten ist, so liegt hier in der Übereinstimmung des Willens mit dem über ihn er= gehenden eigenen Urteile ein absolut wohlgefälliges Verhältnis vor; der andere Fall, in welchem der Wille der inneren Weisung nicht folgt, bietet ein absolut mißfälliges Verhältnis dar. Die beiden Glieder dieses Ver= hältnisses sind einmal die eigene Einsicht oder das Urteil und das andere der Wille. Auf welchem Kriterium diese Einsicht beruht, welches ihr Inhalt ist, ob sie richtig oder falsch ist, bleibt jetzt noch dahingestellt; hier genügt der Umstand, daß eben die Einsicht das Urteil des Wollenden selbst ist, und die Thatsache, daß wirklich dergleichen Urteile über den Willen er= gehen. Wesentlich für dieses Verhältnis ist es, daß beide Glieder, Einsicht und Wille, in einer Person gedacht werden. Denkt man beides getrennt, eine Person als urteilend, eine andere als wollend, so hört das ganze Ver= hältnis und damit das Lob oder der Tadel, von welchem hier die Rede ist, auf.

162. Einen solchen Versuch, Einsicht und Wille in verschiedene Personen zu verlegen, machte Plato. Sonst hat gerade Plato die Idee der inneren Freiheit trefflich gezeichnet unter dem Namen δικαιοσύνη; das Urteil, die praktische Einsicht heißt bei ihm σοφία, der Wille ἀνδρεία, und δικαιοσύνη bedeutet die Harmonie dieser beiden Glieder (die σωφροσύνη würde man auf die Haltung des Willens beziehen können). Aber wahrscheinlich in der Meinung, daß nicht alle Menschen der richtigen sittlichen Einsicht fähig sind, verlegte er die genannten Tugenden, als er sie auf die Gesellschaft übertrug, in verschiedene Personen. Der eine der

---

Die theologisierende Rechts= und Staatslehre. 1861. Allihn: Grundlinien der allgemeinen Ethik. 1861. Derselbe in Zt. f. ex. Ph. II., III. u. V. Die Reform der allgemeinen Ethik durch Herbart. Nahlowsky: Allgemeine praktische Philosophie. 1871 u. 1884. Ziller: Allgemeine philof. Ethik. 1880 u. 1885. Geyer: Philof. Einleitung in die Rechtswissenschaften. 1882. Strümpell: Vorschule der Ethik. 1844. Drobisch: Religionsphilosophie. 1840. Strümpell: Einleitung in die Philosophie. 1886. S. 430 ff. Ballauff: In Manns deutschen Blättern für er= ziehenden Unterricht. 1875—1878. Über die wichtigsten Einwände gegen die Ethik f. Thilo: Untersuchung über Herbarts Ideenlehre in Zt. f. ex. Ph. XV. 225. Zu Steinthal: Allgemeine Ethik, 1885, vgl. Zt. f. ex. Ph. XV. 129 ff.

15*

beiden in Platos Idealstaate am meisten hervorragende Stände, die Klasse der Herrschenden, sollte der σοφία, der andere der Krieger, der ἀνδρεία beflissen sein. Das richtige Verhältnis zwischen den beiden würde dem Ganzen das Gepräge der δικαιοσύνη geben. Allein auf diese Weise verlieren beide Klassen das eigentliche Lob der inneren Freiheit. Die Tugend der Krieger wird zur bloßen Folgsamkeit gegen einen fremden Willen, tapfer gegen Feinde und milde gegen Freunde zu sein. Bei den Herrschenden aber bekommt die bloße Einsicht schon einen moralischen Wert. Freilich ist hier, wie im ganzen Altertum, die Weisheit nicht als bloße Einsicht, sondern immer schon als den eigenen Willen bestimmende gedacht.

163. Einen anderen und zwar weit entwürdigenderen Versuch, Einsicht und Wille in verschiedene Personen zu verteilen, machten viele Jesuiten, indem sie den sogenannten Probabilismus zuließen. An die Stelle der eigenen festen sittlichen Einsicht tritt eine Meinung, der man unbedenklich folgen könne, selbst wenn sie nur probabel ist. Probabel ist aber eine Meinung z. B. schon dann, wenn auch nur ein Theologe sie behauptet, ja sie nur für probabel erklärt, oder ein sonst rechtschaffener Mann durch sein Beispiel gebilligt hat. Nach einer solchen Meinung darf man unbedenklich handeln, selbst dann, wenn sie mit der allerwahrscheinlichsten, ja der uns selbst gewissesten im geraden Widerspruch steht.*)

164. Im Gegensatze gegen alle Versuche, Einsicht und Wille zu trennen, steht Kant mit der Behauptung der Autonomie. Der Handelnde selbst muß nach ihm über den Wert oder Unwert seiner Handlungen urteilen. Das sittliche Urteil darf nicht angesehen werden als etwas dem Menschen fremdes, von außen kommendes, sondern wir selbst müssen Gesetzgeber und Gehorchende in einer Person sein, sonst geht die Überzeugungstreue und damit der eigentliche Wert des Sittlichen verloren. In gewisser Weise weicht indeß Kant selbst von dem Prinzip der Autonomie ab. Um sich nämlich vor dem Gedanken zu schützen, als ob jeder Mensch nach Belieben seine subjektiven sittlichen Grundsätze aufstellen könnte, schreibt er das Gesetzgeben dem transcendentalen Ich zu, das Gehorchen dem empirischen. So meint er einmal den Vorzug des Befehlenden in der „Reinigkeit des Ursprungs" und sodann eine Allgemeingültigkeit solcher Gesetze gefunden zu haben, da ja das transcendentale Ich allen Menschen in gleicher Weise zukomme. Was nun die „Reinigkeit des Ursprungs" des gesetzgebenden Willens anlangt, so ist dies keine Antwort auf die

---

*) S. das weitere z. B. bei Stäublin: Gesch. d. christl. Moral seit dem Wiederaufleben der Wissenschaften. Göttingen 1808. S. 492 ff.

Frage, warum soll das tranfcendentale Jch befehlen und nicht das empirifche
Jch, oder worin befteht der Vorzug des einen vor dem anderen? (Nr. 158)
und außerdem wird hier die praktifche Philofophie wieder in Abhängigkeit
von der theoretifchen verfetzt. Und was die allgemeine Gefetzgebung an=
geht, fo genügt es, wenn gefagt wird: wird irgend eine Vernunft,
Jntelligenz gedacht, welche fich die betreffenden Verhältniffe unter den
Willen rein, unparteiifch, d. h. begierdelos vorzuftellen vermag, fo wird
überall das Urteil ganz gleich ausfallen. Es ift demnach für den Wert
des Sittlichen ganz gleichgültig, wer das Urteil fällt, oder als weffen
Befehl es auftritt, ob z. B. als Gottes oder des Menfchen. Denn ift es
rein zu ftande gekommen, fo muß es in jedem Falle dasfelbe fein, weil
aus denfelben Bedingungen, d. h. hier aus dem begierdelofen, vollendeten
Anfchauen derfelben Willensverhältniffe auch immer dasfelbe Refultat, hier
das betreffende Urteil hervorgehen muß.

165. Mit diefer Autonomie des Willens find in der Folgezeit
vielerlei Mißdeutungen vorgenommen worden. Eigentlich war damit ge=
meint: 1) daß das fittliche Urteil abfolut fei, alfo keine fremden Rück=
fichten kenne. Daraus folgt 2) daß es für alle Vernunftwefen gleich und
alfo allgemeingültig fei. 3) Die Autonomie fordert, daß der Menfch
felbft, der handelt und urteilt, ein und diefelbe Perfon fein müffe. Den
erften Punkt deutete bereits Kant felbft auf die abfolute Unabhängigkeit
nicht allein des Urteils, fondern der Perfon überhaupt. Es ift noch
richtig, wenn er fagt, daß wahre Sittlichkeit nur da vorhanden fei, wo
die reine Achtung vor dem Sittengefetze die Handlung hervorgebracht habe,
oder wo die Erkenntnis des Guten rein als folchen das einzige Motiv
des Willens fei. Aber das Verfehlte beginnt fchon, wenn es heißt, der
Wille gibt fich felbft das Gefetz, ftatt er findet es vor als abfolutes
Urteil. Und entfchieden übereilt war es, wenn hieraus alsdann die
abfolute Freiheit des Willens gefolgert wurde, eine Autonomie in dem
Sinne, daß der Wille nicht mehr bloß fein eigener Gefetzgeber, fondern
fein eigener Urheber fei vermöge einer fpontanen, urfachlofen Bewegung.
Überboten wurde endlich diefer Gedanke von Fichte, der die abfolute
Selbftthätigkeit als die einzige Tugend, und Trägheit als das einzige
Lafter gelten laffen wollte. Von der Ungereimtheit diefer abfoluten tran=
fcendentalen Freiheit wird noch fpäter die Rede fein (Nr. 199); hier fei
nur angedeutet, auf welchem Wege man im fpäteren Idealismus dazu
gelangte, dem abfoluten Werden einen fittlichen Wert beizulegen. Jm
Grunde war ja Kants transcendentale Freiheit nichts anderes als ein
abfolutes Werden (Nr. 6), eine Selbftthätigkeit, welche allem Kaufalnexus

enthoben ist. An dem Begriff selbst haben Fichte und seine Nachfolger nichts geändert, sie haben ihn nur verallgemeinert.

Der zweite Punkt, die Allgemeingültigkeit des sittlichen Urteils, wurde von den Monisten auf eine substantielle Solidarität aller Vernunftwesen oder eine Identität des Wesens aller Geister oder alles Realen überhaupt bezogen: nur eine Vernunft sei es, welche in allen denke und urteile, und eben darum müsse dieses Urteil, wenn es tief genug gegründet sei, überall dasselbe sein. Wird diese Identität aller Substanzen festgehalten, so ist, nach dem Ausdrucke des Pantheismus, Gott in allen Vernunftwesen die sittliche Substanz, und es wird metaphysisch verstanden, wenn man populärer Weise das Gewissen die Stimme Gottes nennt, oder wenn Schiller in dem Gedichte: das Ideal und das Leben, sagt: „Nehmt die Gottheit auf in euren Willen und sie steigt von ihrem Weltenthron. Des Gesetzes strenge Fessel bindet nur den Sklavensinn, der es verschmäht. Mit des Menschen Widerstande schwindet auch des Gottes Majestät." Hiermit ist eben die innere sittliche Freiheit gemeint, daß wir selbst es sind, welche urteilen, und uns in diesem absoluten Urteile eins wissen mit jedem anderen unbefangen urteilenden Vernunftwesen, also auch mit Gott, in welchem man die sittliche Einsicht am vollkommensten vorauszusetzen hat. Freilich die metaphysische Deutung sittlicher Verhältnisse und Begriffe ist sehr alt, sie tritt uns z. B. sehr weit ausgedehnt bei den Mystikern des Mittelalters entgegen. Minnet Gott, sagt Meister Eckhart, so werdet ihr Gott mit Gott; dann ist zwischen Gott und der Seele kein Unterschied, die Seele ist Gott nicht allein gleich, sie ist ihm allzumal gleich und dasselbe was er ist, sie verliert ihre Geschaffenheit und spricht: freuet euch mit mir, ich bin Gott geworden.

167. Der dritte der oben (Nr. 165) genannten Punkte betrifft die Übereinstimmung des Willens mit der Einsicht. Wird diese Übereinstimmung, wie es geschehen muß, auf sämtliche Willensregungen bezogen, so hat man das Bild eines harmonisch in sich abgeschlossenen sittlichen Charakters, in welchem eben die ganze Mannigfaltigkeit der wirklichen und möglichen Willensregungen einheitlich von dem Sittlichen zusammengehalten und beherrscht wird, so jedoch, daß kein Widerstreben gegen das Sittliche, noch ein Zwang desselben stattfindet. Etwas derartiges schwebte ohne Zweifel den Monisten vor, wenn sie das Sittliche in eine Übereinstimmung (Identität) des Vielen mit dem Einen setzten. Von hieraus fällt ein Licht darauf, wie es möglich war, daß jene theoretische Forderung als ein Ideal erschien. Es war eben die innere Freiheit, die Harmonie, von welcher man sich leiten ließ und bei deren Verallgemeinerung man allmählich ganz von den spezifisch sittlichen Momenten absah. Ganz unverkennbar klingt dies noch aus den Worten Fichtes heraus: „der höchste Trieb im Menschen geht auf absolute Übereinstimmung mit sich selbst." Freilich ist der eigent= liche ethische Beziehungspunkt verloren, wenn diese Übereinstimmung auf Identität des empirischen mit dem reinen Ich oder von Fichtes Nach= folgern auf abstrakte Identität der Vielheit mit der Einheit gedeutet wird. —

168. Identität ist in jedem Falle ein hier ganz falsch gewählter Ausdruck, selbst wenn man die ursprünglichen Glieder des in Rede stehenden Verhältnisses, Einsicht und Wille, wieder aufnimmt. Denn Identität darf eben nicht herrschen zwischen Einsicht und Willen, sonst geht das ganze Verhältnis verloren. Aber es ist ja dem Monismus eigen, überall die spezifischen Unterschiede zu verwischen, so auch hier eine Identität von Einsicht und Willen zu behaupten und beides nur als verschiedene Seiten eines Einzigen aufzufassen. Je nach der individuellen Neigung ward nun bald mehr das Wollen betont als absolute Thätigkeit (Fichte), bald mehr die Einsicht als Weisheit, Kontemplation, wie die Mystiker, Spinoza, Schleiermacher, thaten. Indes Thätigkeit für sich allein oder Einsicht für sich genommen ist noch nichts absolut Sittliches, am wenigsten das allein sittlich Gute, sondern dazu gehört Übereinstimmung der Einsicht und des Willens in einer Person. Doch weist das Lob der Thätigkeit, der Kraft und der Einsicht oder der Weisheit auf eine sittliche Beurteilung nach einer anderen Idee hin.

Die Idee der Vollkommenheit.

169. Der Wille kann sich als eine Kraft von verschiedener Größe äußern. Demgemäß läßt sich eine Vergleichung zweier oder mehrerer Willen lediglich nach deren Stärke vornehmen, ganz abgesehen davon, was gewollt wird, oder ob sie einer oder mehreren Personen zugehören. Hierbei gefällt der stärkere Wille als der vollkommenere neben dem schwächeren, als dem unvollkommeneren. Unter einem starken Willen versteht man hinsichtlich der Intensität einen energischen, welcher Hindernisse leicht überwindet, hinsichtlich der Protension einen solchen, welcher beharrlich und konsequent seine Richtung einhält, hinsichtlich der Extension einen vielseitigen, welcher über möglichst viele Mittel zu gebieten hat, hinsichtlich der Konzentration einen solchen, in welchem sich die verschiedenen Strebungen gegenseitig in gehöriger Weise unterstützen. Die Beurteilung nach der Idee der Vollkommenheit, nach welcher Stärke, Mut, Beharrlichkeit, Größe,

Klugheit u. f. w. gelobt wird, ist eine der ersten, nach welcher Kinder
und Naturvölker urteilen. Tapferkeit ist darum oft gleichbedeutend mit
Tugend überhaupt. Sehr lebendig war diese Art der Beurteilung bei
den Stoikern, deren Lehre von der Selbstüberwindung, Apathie, zumeist
auf der Beurteilung nach der Idee der Vollkommenheit (der inneren Stärke)
beruht.

In den monistischen Systemen pflegt die Beurteilung nach der Vollkommenheit in dem angegebenen Sinne nicht nur obenan zu stehen, sondern
auch die einzige zu sein. Von ihr redet Spinoza, wenn er von der
fortitudo, animositas, generositas spricht; sie liegt bei Fichte zu Grunde
in dem Begriff der absoluten Selbstthätigkeit des Ich, welches alle Energie
des Willens aufbietet, um den Widerstand der Sinnenwelt zu brechen und
dieselbe für sich in ein dienendes Werkzeug zu verwandeln. Etwas
Ähnliches drückt Schleiermacher auf seine Weise aus, wenn er als
sittliche Forderung hinstellt, die Natur durch unser Handeln auf eine
höhere Stufe des geistigen Seins zu erheben, zu versittlichen. Dies geschieht,
indem man sich einmal organisierend verhält, d. h. die Natur zum Werkzeug
der Vernunft macht, zum anderen symbolisierend, d. h. so wirkt, daß in
der Natur selbst Vernunft erkennbar wird. Eine weitere Folge davon,
daß die monistischen Systeme nur die Beurteilung nach der Idee der
Vollkommenheit kennen, ist es, daß dieselben sich in der ethischen Behandlung am liebsten den großen sittlichen Gemeinschaften, dem Staate u. f. w.
zuwenden, hier erst sehen sie das Sittliche wahrhaft verwirklicht, während
ihnen die kleineren, persönlichen Verhältnisse der einzelnen Menschen nicht
Würde genug zu haben scheinen. Nur die Gesamtheit des menschlichen
Geschlechts ist nach Schleiermacher der wahre und eigentliche Ort des
höchsten Gutes. Der Staat ist nach Hegel objektiver Geist und der
wirkliche Gott.*) (Nr. 140.)

---

*) Es ist nicht zu übersehen, daß das Wort Vollkommenheit hier lediglich etwas
Formales bezeichnet, und darunter nicht, wie sonst wohl geschieht, sittliche Vollkommenheit als Inbegriff der Tugend überhaupt zu verstehen ist. In dem letzteren
Sinne machte Wolff die Vervollkommnung seiner selbst (perfice te ipsum) zum
Prinzip der Sittenlehre. Wolff selbst verstand dieses sein Prinzip im Sinne eines
gemäßigten Eudämonismus: der Wille geht naturgemäß auf ein bonum, und der
Sittliche handelt so, daß er denjenigen Nutzen erreicht, welchen die Kräfte des Leibes
und der Seele überhaupt haben können, nämlich die Vervollkommnung unserer selbst
und unserer äußeren Zustände. Es herrscht hier also ein Grundsatz, welcher sich
auch mit dem stoischen Prinzip aussprechen ließ: naturae congruenter vivere.
Übrigens ließe sich die Frage aufwerfen, ob man es bei der Idee der Vollkommen-

Die Idee des Wohlwollens.

170. Überall schätzt und preist man zuerst die Stärke, Kraft, Tapfer=
keit, Beharrlichkeit, planvolles Wirken. Überall, wo nur die erste Roheit
und Wildheit sich legt, lobt und liebt man neben der Stärke auch die
Milde, die Güte, das Wohlwollen (Herbart). Dieses, das Wohlwollen,
besteht darin, daß eine Person mit ihrem Willen den wirklichen oder als
wirklich vorgestellten Willen einer anderen Person fördert, und zwar bloß
um den anderen zu erfreuen.

Das absolut Löbliche dieses Verhältnisses tritt nicht rein hervor, wenn
noch besondere Motive etwa der Dankbarkeit, der Bewunderung u. a. zum
Wohlwollen treiben, oder wenn etwa der Wille, dem man sich widmet,
nur als Mittel angesehen wird, um den eigenen zu befriedigen, möge der
Eigennutz noch so fein sein, wie etwa bei Aristoteles, welcher, abgesehen
von anderen Aussprüchen, das Wohlwollen so motiviert: Wohlthäter lieben
selbst die Gegenstände ihrer Güte, wenn sie auch von ihnen gar keinen
Vorteil erwarten können, sie lieben ihr Werk mehr, als sie von ihrem
Werke geliebt werden, denn es ist dem Menschen angenehm, etwas hervor=
zubringen, er wird sich dabei seiner eigenen Kraft und Thätigkeit bewußt.
Dagegen warnt schon Xenophon, daß man seine Wohlthaten nicht ver=
kaufen solle, denn der allein verdiene wohlthätig genannt zu werden,
welcher wohlthue, ohne auf Gegenleistung zu rechnen. Eine solch reine
Güte rühmt Plato als das Höchste an Gott, welcher nicht allein ohne
Neid auf die Menschen blicke, sondern den Geschöpfen das Leben gegeben
habe, um ihnen wohlzuthun.

171. Ferner ist das Wohlwollen da nicht rein vorhanden, wo die
Person, deren Willen man sich widmet, nicht als eine andere, sondern als
eine dem Wohlwollenden in irgend einer Weise zugehörende betrachtet
wird, wie in allen Formen der Sympathie oder des Nepotismus. Hieran
leiden namentlich die Begriffe vom Wohlwollen bei den Alten. Fast nie
tritt es als ein allgemeines auf, in der Regel ist es nur in den
partikulären Gestalten gekannt, als Eltern=, Kindes=, Gatten=, Geschwister=,
Freundes=, Vaterlandsliebe.*) Überhaupt krankt der Begriff des Wohlwollens

---

heit mit einem spezifisch ethischen oder einem allgemein ästhetischen Verhältnis zu
thun hat, indem das Gefallende oder Mißfallende in dieser Beziehung sich nicht allein
an Willensverhältnissen, sondern an allen Kraftverhältnissen überhaupt zeigt.

*) Den sichtbaren Mangel an allgemeiner Menschenliebe des ganzen Alter=
tums beschreibt besonders Maximus von Thyrus in seiner 36. Deklamation, wo es
u. a. heißt: menschliche Vortrefflichkeit steht der göttlichen nicht nur überhaupt, sondern

bei den Alten an zweierlei: einmal, daß man das eigentliche Wohlwollen als reine innere Gesinnung weniger beachtet, als das Wohlthun; und zum anderen, daß es immer etwas partikuläres behält. Am reinsten hat es Plato erfaßt, aber auch nur, wo er von der Güte der Gottheit redet, freilich ohne diese Güte für die Menschen als nachahmungswert auf= zustellen. (Nr. 151.)

172. Wird nun das Wohlwollen unrein, schon wo der zweite Wille, dem man wohl will, nicht rein als ein anderer, von dem des Wohlwollenden verschiedener aufgefaßt wird, so verschwindet es ganz, wo die zweite Person dem Wesen nach als identisch mit der ersten gedacht wird. Dies ist überall im Monismus der Fall. Ein Anfang in dieser Richtung wurde gemacht, als die Neupythagoreer gewisse von Pythagoras überlieferte Vor= schriften nach ihrem pantheistischen Systeme zu motivieren suchten. Man soll — so heißt es — alle Menschen, Freunde, Feinde, Fremde, Tiere, Pflanzen schonen und lieben, weil sie mit uns dieselbe Natur haben und im Grunde genommen wesentlich Eins sind. Wenn von den neueren Monisten irgend ein sittliches Verhältnis verkehrt worden ist, so ist es das Wohlwollen. Dieses ist überall bei ihnen damit motiviert, daß alle Wesen einer Substanz angehören. Jedes Wohlwollen ist nur eine Wiederholung des amor sui der spinozistischen Substanz. Jeder liebt nur sich selbst in dem anderen; thut er jemand wohl, so thut er sich selbst wohl und erhält damit sich selbst. Sowie die Liebe des pantheistischen Gottes nur ein Sich=Hingeben an sich selbst ist, um zu sich selbst zu kommen, so auch die Liebe seiner Geschöpfe. Man kommt im besten Falle nicht über das sympathetische Mitgefühl hinaus. Das Seelewerdenwollen der Vernunft, das Eingehen in den organischen Prozeß, sich selbst mittels anderer er= halten und dergl., das sind die Ausdrücke für das Wohlwollen bei den Pantheisten, z. B. bei Schleiermacher.*) Aber auch wo der Monismus

auch vornehmlich in Ansehung eines ausgebreiteten Wohlwollens weit nach. Kein menschlicher Geist umfaßt sein ganzes Geschlecht, sondern ist immer nur, wie die Tiere von einerlei Herde es machen, seinen Mitbürgern zugethan, und es ist schon viel, wenn er es nur diesen ins gesamt ist.

*) Geradezu verspottet wurde es von Schleiermacher: „Ist das Wohlwollen das Höchste: warum soll es seine Befriedigung hernehmen aus der Lust an der un= mittelbaren eigentlichen Glückseligkeit anderer, und nicht vielmehr eine höhere Lust finden an ihrer höheren, nämlich auch wohlwollenden Lust? Diese kann ich nicht sicherer befördern, als durch Bewirkung meiner eigenen, ihnen zur Anschauung dar= gebotenen Glückseligkeit."

nicht geradezu die Form des Pantheismus annimmt, wie z. B. bei Schopen=
hauer, ist doch das Wohlwollen nicht besser begründet. Die Selbstsucht
ist auch nach ihm gegründet im Pluralismus, welcher mehrere von einander
wesentlich verschiedene Individuen anerkennt; hat man aber die Einsicht,
daß das principium individuationis bloßer Schein ist, daß wir im Grunde
alle nur Modifikationen einer Substanz sind, so wird jeder sich selbst in
allen anderen erkennen und indem er andere fördert, zugleich sich selbst
den größten Dienst erweisen.*)

173. In anderer Weise wurde das Wohlwollen von Kant verfehlt.
Da er alles Gute lediglich in der Form der Pflicht kannte, so mangelte
ihm das richtige Verständnis für die eigentümliche Schönheit des Wohl=
wollens; er wirft die Frage auf: würde es mit dem Wohle der Welt
überhaupt nicht besser stehen, wenn alle Moralität gewissenhaft auf Rechts=
pflichten eingeschränkt, das Wohlwollen aber unter die adiaphora gezählt
würde? Darauf antwortet er: In diesem Falle würde es an einer großen
moralischen Zierde der Welt, nämlich der Menschenliebe fehlen. Diese
frostige Bemerkung rührt ohne Zweifel nicht aus der Gesinnung, sondern
lediglich aus dem Systeme des kategorischen Imperativs her.

174. Man muß sich wundern, daß die Idee des Wohlwollens so
oft hat verfehlt werden können, nachdem sie doch vom Christentum in
völliger Reinheit in den Mittelpunkt der Sittenlehre gerückt war,**) nach=
dem unter den Philosophen die oben (Nr. 159) erwähnten englischen und
schottischen Moralisten, welchen in dieser Beziehung noch Cumberland
beigefügt werden möge, auf das unmittelbar Gefallende des reinen Wohl=
wollens so nachdrücklich hingewiesen hatten. Schuld daran, daß die Idee des
Wohlwollens so vielfach verfehlt, entstellt wurde, mag wohl zum Teil dessen
große Einfachheit sein, man suchte viele Künste, um das zu beschreiben und
zu motivieren, dessen Schönheit von jedem nur einigermaßen reinen Sinne
ohne weiteres empfunden wird; Schuld daran waren ferner namentlich
die falschen theoretischen Systeme, von denen aus das Wohlwollen sollte
begriffen und abgeleitet werden. Es war daher ein großes Verdienst um
die Ethik, daß Herbart hier von aller Künstelei, insbesondere allen
theoretischen Nebengedanken absah und das Wohlwollen in voller Reinheit

---

*) Zu bemerken ist hier, daß jetzt nicht von der Ausübung des Wohlwollens
die Rede ist. In dieser Beziehung werden die genannten Männer ohne Zweifel das
Wohlwollen sehr gut gekannt haben; hier handelt es sich nur um die theoretische
Aufstellung des Begriffs vom Wohlwollen und diese ist von ihnen überall gänzlich
verfehlt.

**) O. Flügel: Die Sittenlehre Jesu. 1888.

zeichnete: denkt eine Person, daß eine andere etwas wolle oder wollen
werde, und richtet ihren eigenen Willen auf den gedachten fremden Willen,
so gefällt die Übereinstimmung dieser beiden Willen, d. h. die Förderung
des zweiten durch den ersten als Wohlwollen, der absichtliche Widerstreit
des eigenen Willens gegen den zweiten mißfällt als Übelwollen. So ist
das Wohlwollen die Harmonie zwischen dem eigenen und dem vorgestellten fremden Willen.

Neuerdings herrscht bei vielen philosophischen Schriftstellern eine Vorliebe für das Wort Altruismus zur Bezeichnung aller der Bestrebungen,
welche auf Beförderung des Wohles anderer gerichtet sind. Gewöhnlich
pflegt damit eine Art Eudämonismus verbunden zu sein, welcher den sog.
Altruismus nur als eine Verfeinerung des Egoismus ansieht, so daß alle
wohlwollenden Gesinnungen für andere ihre Wurzel haben sollen in dem
Bestreben, sein eigenes Wohl zu erhöhen.*) Nun ist offenbar, wo dies
wirklich der Fall ist, daß man anderer Wohl fördert, nur um sich eine
Lust, Genuß, Lebensförderung zu verschaffen, da ist nicht das Wohlwollen,
sondern der Eigennutz thätig. Ebenso sahen wir bereits, daß die bloße
Sympathie, das Mitleid wohl häufig der Anfang zum Wohlwollen, aber
nicht dieses selbst ist.

Außerdem sollte man nicht vergessen, daß das Wohlwollen in der Form
der Teilnahme an dem Wehe anderer durchaus kein Gefühl der Lust, der
Lebensförderung mit sich führt, sondern geradezu ein Leid, und zwar ein
sehr ernstes Leid ist. Und in einer Welt, wie die unserige, wo sich dem
Wohlwollenden so viel Leid darstellt, welches ein einzelner nicht beseitigen
kann, sondern welches man still mit ansehen muß lediglich mit dem Wunsche,
daß dem Leidenden geholfen werden möge, in einer solchen Welt wird das
Wohlwollen ebenso oft die Form mitleidiger Teilnahme als thätiger Hilfe
annehmen müssen. Kann man letztere noch allenfalls als einen Ausdruck
von Selbstgefühl und somit als Lust oder Lebenserhöhung deuten, so doch
sicherlich nicht die Teilnahme an fremdem Wehe.**)

---

*) S. einige Beispiele in Zt. f. ex. Ph. XV. S. 425 ff.

**) Dabei werde an eine Bemerkung Herbarts erinnert, die noch genau auf
viele der heutigen Ethiker oder Eudämonisten paßt. Er sagt III. 375: „Die Schulen
fingen an zu künsteln; und es gelang ihnen, gleichsam im Herzen des Wohlwollens
den Eigennutz aufzuspüren. Man hatte die an sich unschuldige und wahre Bemerkung
gemacht, daß mit wohlwollenden Gesinnungen ein Gefühl von Heiterkeit, mit deren
Äußerungen ein inneres Vergnügen verbunden zu sein pflegt. An den Schmerz, den
sie unter anderen Umständen (z. B. wo man fremder Not nicht helfen kann) mit sich
führen, und an die ganze Zufälligkeit der von Nebendingen abhängenden Rückwirkung

Um an dem Eudämonismus wenigstens dem Worte nach festzuhalten, wird zuweilen gesagt: das Glück, die Eudämonie ist das Ziel der Menschheit und also das Prinzip der Ethik, jedes einzelnen Menschen Aufgabe ist es demnach, das möglichst größte Glück für möglichst viele zu erstreben, wenn es sein muß, auch mit Hintansetzung seines eigenen Vorteils. Wird dies ernst genommen, so ist damit der Eudämonismus im geschichtlichen Sinne, als Egoismus vollständig aufgegeben, und sein Gegenteil an seine Stelle gesetzt. Denn für das Glück anderer sorgen in keiner anderen Absicht als damit sie glücklich sind, das ist eben das Wohlwollen, wie wir es oben beschrieben haben.

Die Idee des Rechts.

175. Werden zwei Willen zur That und richten sich zufällig auf das nämliche Objekt, über welches aber nur einer mit Ausschluß des anderen disponieren kann, so hat man das Verhältnis des Streites unter den Willen. Daß nun der Streit, in dem der eine Wille den anderen zu negieren sucht, an sich nichts Wohlgefälliges sei, sondern auf irgend eine Weise beigelegt werden müsse, haben wohl die meisten Rechtslehrer gefühlt, nur erhielt das Mißfallen am Streite sehr oft eine Deutung im eudämonistischen Sinne. Der Streit sollte vermieden werden, nicht weil er absolut verwerflich, sondern weil er dem Wohle der Streitenden nachteilig ist. Von Natur ist der Mensch begehrlich, selbstsüchtig und gerät dadurch in Wirklichkeit oder doch der Begierde nach in Konflikt mit anderen, welche auch nur an sich denken und nach ihrer Neigung über die Güter und Dinge disponieren wollen. Dies ist nach Hobbes der natürliche Zustand, das bellum omnium contra omnes. Damit ist notwendig eine Unsicherheit des Wohles und der Selbsterhaltung aller einzelnen gesetzt; diese fordert daher, die Unsicherheit und also den Streit durch einen unzerstörbaren Frieden

---

auf die eigene Gemütsstimmung des Wohlwollenden wurde wenig gedacht. Wohlwollende Handlungen waren einmal als eine Quelle eigener Lust unvorsichtig empfohlen worden; darum sollten sie nun auf einen versteckten Eigennutz zurückgeführt werden. Wir wollen hierbei nicht vergessen, zu fragen, was denn wohl der Vorwurf der Verstecktheit hier bedeuten möge? Kann sich wirklich, wie es im Leben oft genug vorkommt, der Eigennutz eine schöne Larve, einen Anspruch auf Ehre schaffen, indem er sich hinter dem Bilde des Wohlwollens verbirgt, so muß unstreitig dies Bild an sich schön und ein Gegenstand der Verehrung sein. Hier und da mag der Mensch heucheln; aber die Idee des Wohlwollens ist eben deswegen nicht an sich Heuchelei; denn niemand sucht den Schein des Heuchlers.“

aufzuheben. Das sicherste Mittel zu einem solchen Frieden ist nach Hobbes, daß alle Personen sich aller ihrer Privatwillen, Rechte, Urteile begeben und sie einer wirklichen oder physischen Person als dem Oberhaupte über= tragen und von dessen Willen alsdann das Recht ableiten, so daß alles Recht vom Staate ausgeht.

176. Die Gegner von Hobbes, die deutschen Sozialisten, sind von ihm nicht sowohl in der Grundlegung des Rechts verschieden, als vielmehr nur hinsichtlich des Mittels, durch welches der Friede und dadurch die Wohlfahrt jedes einzelnen sichergestellt werden soll. Als dieses Mittel empfiehlt Pufendorf die Sozialität. Der einzelne Mensch ist hilflos, nur in Verbindung mit anderen vermag er sein Wohl zu sichern; damit dies geschieht, muß er sich gegen die anderen so verhalten, daß sie ihm nicht schaden, sondern nützen. So wurde das Recht von der Sozialität und diese aus dem Streben nach Selbsterhaltung hergeleitet. Damit hängen nun die drei folgenden wichtigen Umstände zusammen:

1. Da der allgemeine Vertrag allein um des Wohles jedes einzelnen willen geschlossen wurde, so mußte dabei vor allem das beachtet werden, ohne welches es für den einzelnen kein Glück gibt. Zu diesen notwendigen Bedingungen der Wohlfahrt gehört die Disposition über Leib und Leben. Dies sind unveräußerliche Güter und Rechte, sind Dinge, worüber nicht erst der Vertrag mit seinen positiven Rechten entscheidet, sondern solche, auf welche jeder von Natur ein angeborenes Recht hat.

2. Die eingegangenen rechtlichen Verträge leisteten nicht, was sie sollten, d. h. sie hätten keinen Nutzen, wenn nicht im Falle des Nicht= erfüllens Zwang angewendet werden könnte; und zwar muß dieser soweit gehen können, als der Widerstand, welcher der Pflichterfüllung entgegen= gesetzt werden kann. So wurde der Zwang zum Korrelat des Rechts, und man unterschied vollkommene oder erzwingbare und unvollkommene oder nicht erzwingbare Pflichten.

3. Kommt es beim Recht, welches zur Wohlfahrt der einzelnen gestiftet ist, allein auf die Leistung an, so ist es gleichgültig, in welcher Gesinnung die Rechtspflichten erfüllt werden. Wer allein sein Wohl im Auge hat, dem kommt es nur auf die That (Leistung) an, nicht auf die Gesinnung, oder auf letztere nur insofern, als sie der Grund der That ist. Außerdem vermag der Zwang ja überhaupt nur die äußere That hervorzubringen.

Diese Grundzüge: die auf der Voraussetzung des Triebes zur Glück= seligkeit gegründeten Rechtsverträge, die Naturrechte mit ihren unveräußerlichen Gütern, der Zwang als Korrelat des Rechtes, das Absehen von der Ge= sinnung charakterisieren die Rechtslehre von Pufendorf bis auf Kant, als deren besondere Vertreter bez. Weiterbildner Thomasius, Wolff und in gewissem Sinne auch Leibniz zu nennen sind.

177. Durch die beiden Punkte, daß der Zwang das Korrelat des Rechts sei, und daß man von der inneren Gesinnung glaubte absehen zu können, hatte sich die Rechtslehre immer mehr von der Tugendlehre (Moral) gelöst. Allein da in dieser Periode die gesamte Moral auf einer durch= aus eudämonistischen Grundlage ruhte, also auch die Tugend im Grunde nur um des Vorteils willen empfohlen wurde, so hingen Moral und Natur= recht noch prinzipiell zusammen, letzteres war nur die Konsequenz des gemein= samen Prinzips. Als aber Kant den Eudämonismus ganz aus der Moral ver= bannte und gleichwohl die Rechtslehre im allgemeinen in der überkommenen Gestalt beibehielt, trat eine vollständige Trennung der Tugend= und der Rechtslehre ein. Moralität besitzt nach Kant eine Handlung nur dann, wenn ihr kein anderes Motiv als die Achtung vor dem Sittengesetz zu Grunde liegt. Die Legalität läßt jedes Motiv zu und bezieht sich allein auf die äußere That. Den Hauptnachdruck legt Kant in seiner Rechts= lehre auf die Freiheit, auf ihr, als einem inneren Besitztum beruht ihm die Würde des Menschen; jeder Mensch ist Selbstzweck und darf weder als bloßes Mittel gebraucht werden, noch darf er andere Personen als bloßes Mittel brauchen; er darf daher seine Freiheit nur insofern geltend machen, als sie mit der Freiheit von jedermann nach einem allgemeinen Gesetze zusammen bestehen kann. Nur durch einen Faden hing bei Kant die Rechts= lehre noch mit der Tugendlehre zusammen. Die Heilighaltung der Ver= träge soll nämlich nicht bloß auf Zwang, sondern auf einem unbedingten Postulat der praktischen Vernunft beruhen.

178. Dieses letzte Band löste Fichte. Bei ihm hat das Recht gar nichts Ethisches mehr an sich, sondern es gründet sich allein auf die praktische Gültigkeit des Syllogismus. Was auf mich von außen einwirkt, kann nach dem Fichte'schen Idealismus nur von einem Ich herrühren, also von einem freien Wesen (Nr. 64). Habe ich nun jemand als freies Wesen erkannt, so muß ich ihn auch als solches behandeln. Behandelt der andere mich nicht als freies Wesen, so ist es nur konsequent, wenn ich ihn auch nicht als solches behandele, vielmehr steht mir dann ein Zwangsrecht gegen ihn zu. Damit möglichst jeder von jedem als ein freies Wesen behandelt wird, hat sich der Staat die gegenseitige Sicherstellung der Individuen zur Auf= gabe zu machen. Der Staat rechnet nicht auf den guten Willen der einzelnen, sondern sieht allein darauf, daß jedem Versuch, rechtswidrig zu handeln, durch Zwang entgegengewirkt wird.

Auch im späteren Idealismus, z. B. bei Hegel, wird das Recht nur
als die niedere Stufe der Moralität angesehen und sogar auf den animus
habendi oder darauf begründet, daß die Person ihren Willen in eine un=
persönliche Sache legt.

179. Neben dieser Trennung der Moral und des Rechts lief aber
von Anfang an noch eine andere Richtung, welche beides zusammenzuhalten
suchte, indem sie beides als unmittelbare göttliche Einrichtungen zu
begründen bemüht war. Gott hat bestimmt, was gut und recht ist, und
daß etwas gut und recht ist, hat seinen Grund lediglich in dem Willen
Gottes. Am ausführlichsten ist dies zuletzt wohl von Stahl geschehen;
nach ihm müssen die weltökonomischen Ideen des göttlichen Weltplanes das
leitende Prinzip bei der Rechtsordnung sein. Doch führt diese Art der
Begründung des Rechts wieder zu dem oben besprochenen theologischen
Standpunkt der Moral und im Grunde zum Eudämonismus (Nr. 133).

180. Wird nun der Eudämonismus überhaupt aufgegeben, nicht allein
für die Moral, sondern auch für die Rechtslehre, so bleibt keine andere
Begründung des Rechts übrig, als die absolute Mißbilligung des Streites.
Schon Hugo Grotius hatte dies im allgemeinen richtig erkannt. Dem
Menschen, sagt er, wohnt ein Trieb zu einer ruhigen und geordneten Gesell=
schaft inne. Aus der Bewahrung einer friedlichen Gesellschaft leitet er
das Recht ab; was diesen Frieden stört, ist Unrecht, nicht weil es Nachteil
bringt, sondern weil der Streit absolut verwerflich ist, würde man sagen
müssen, wenn man den Gedanken des Grotius vollkommen verdeutlichen
wollte. Dies, das Mißfallen am Streite, ist das Rechtsprinzip bei Herbart.

181. Das Mißfallen am Streite betrifft nicht den einen oder den
anderen der beiden streitenden Willen für sich allein genommen, sondern
das Willensverhältnis. Faßt man bloß einen der beiden Willen ins
Auge, so mag derselbe schon an und für sich Lob oder Tadel nach anderen
Ideen verdienen, indem er sich im Streite einer guten oder bösen Sache
widmet, indem er etwa nach der Idee des Wohlwollens den Streit zum
Besten anderer aufnimmt, oder indem er nach der Idee der Vollkommenheit
durch die Art seines Streitens sich als ein mutiger, tapferer, beharrlicher,
besonnener, oder als ein feiger zeigt. In allen diesen Fällen wird nicht
der Streit als solcher gelobt oder getadelt, sondern Lob oder Tadel trifft
den Streitenden eben nach anderen Ideen und würde ihn treffen auch ganz
abgesehen von der zufälligen Verwickelung des Streits.*) Der Streit an

---

*) Die Mißverständnisse, welche in dieser Beziehung Jhering äußert, sind
zurückgewiesen von Geyer und Fienemann in Zt. f. ex. Ph. XI. 262.

fich, in welchem ein Wille den anderen unaufhörlich aufzuheben, zu negieren sucht, diese Dissonanz bietet stets einen mißfälligen Anblick dar. Doch ergeht dies Mißfallen noch nicht als eine moralische Verurteilung über einen der beiden Willen, welcher ja ganz ohne sein Zuthun in einen derartigen Konflikt gekommen sein kann; einen Tadel zieht der Wille erst auf sich, wenn er trotz des vernommenen inneren Mißfallens im Streite verharrt. Um dieses Mißfallens inne zu werden, muß dasselbe wie jedes ästhetische Urteil unbefangen zu stande kommen, darf also vor allem nicht das Urteil einer Begierde sein, denn sonst würde dem Streitsüchtigen aller= dings der Streit gefallen; der Feige, Bequeme würde ihn als etwas Lästiges verurteilen. Weiter muß der Gedanke an eine wissenschaftliche Kontroverse oder an einen Prozeß vor Gericht ferngehalten werden, denn dies soll kein Streit der Willen sein, sondern eine ganz unparteiische Erörterung der Sache, wobei schon im voraus der Erwägung von Gründen oder dem Urteil des Richters die Entscheidung überlassen wird; mischt sich jedoch hierbei Parteilichkeit, Rechthaberei, also ein Wille ein, so erhebt sich auch sofort das verwerfende Urteil über einen solchen Streit.

182. Stellt man sich nun auf den Standpunkt eines begierdelosen Anschauens zweier Willen, die im Zustande der Evolution sich an einander abarbeiten, von denen der eine, um zu erreichen, worauf er gerichtet ist, den anderen ganz aus dem Felde schlagen muß, so stellt sich unvermeidlich ein absolutes Mißfallen am Streite ein. Dieses verschwindet auch nicht, wenn der eine Wille den anderen niederschlägt und sich in den Besitz der streitigen Sache setzt, denn damit verschwindet noch nicht der Streit der Willen, da der Wille des Unterdrückten noch immer im Stillen fortfahren wird, dem Unterdrückten zu widerstreben. Verstummen wird das Mißfallen erst, wenn der Streit als solcher auch im Keime beigelegt ist, also wenn entweder beide Willen, oder einer freiwillig vom Streite zurücktreten, oder sich über den Gebrauch bez. Besitz der streitigen Sache vereinbaren. Hierbei überläßt der eine Wille dem anderen entweder ganz oder unter gewissen Bedingungen und Beschränkungen. Dieses Überlassen bedeutet, daß man dem eigenen Willen eine Grenze setzt, um das Wollen der anderen Person in dieser Beziehung freizulassen, damit kein Streit sei. Hier erwirbt die Person, welcher überlassen ist, ein Recht, über das strittige Objekt nach Willkür, soweit es ihr überlassen ist, zu disponieren.

183. Wie die Überlassung geschieht, beruht auf der besonderen, von den betreffenden Personen festzusetzenden Vereinbarung. Überschreitet eine der beiden die in der Vereinbarung gezogenen Grenzen, so erhebt sie allein Streit, indem sie in die Rechtssphäre der anderen eingreift. Der Zwang kann hiernach nicht als Korrelat des Rechts angesehen werden; ein Recht zum Zwange erfordert nicht weniger, als jedes andere positive Recht, eine Übereinkunft. Auch von angeborenen oder Naturrechten oder von unveräußerlichen Rechten kann hier keine Rede sein. Doch wird das, was man durch die Naturrechte schützen wollte, auch in jenem Sinne gewahrt. Das vollkommenste Recht ist darnach dasjenige, welches nicht allein allen Streit, sondern auch jeden Keim eines künftigen möglichen Streites unterdrückt und für jeden also die Erhaltung des Friedens möglichst leicht macht. Bei Errichtung von Rechten sind demnach die Naturverhältnisse der Willen zu beachten, um zu erkennen, von welcher Seite allein oder am leichtesten der Streit vermieden werden kann. So wird z. B. ein sonst formell rechtlich zu stande gekommener Vertrag, in welchem jemand die Disposition über seinen Leib oder über etwas zum Leben unbedingt Notwendiges einer anderen Person überläßt, immer den Keim des Streites in sich tragen, indem jener nicht umhin können wird, sich wenigstens innerlich dagegen zu sträuben. Hier war es, wo auch Grotius sein Prinzip verließ und gewisse Naturrechte und den Zwang als integrierenden Bestandteil gewisser Rechte nicht glaubte entbehren zu können.

Die Idee der Vergeltung.

184. Bei der Idee des Rechts war vom absichtslosen Zusammentreffen zweier Willen die Rede; Wohlwollen oder Übelwollen war ausgeschlossen. Fügt nun aber eine Person absichtlich einer anderen durch ihre That Wohl oder Wehe zu und bleibt es dabei, so ist dies wiederum ein mißfallendes Verhältnis, denn unvergoltene Thaten, Wohl- oder Wehethaten mißfallen. Das Mißfallen verstummt erst, wenn ein entsprechendes Quantum von Wohl oder Wehe auf den Thäter zurückgegangen ist.*)

185. Ohne Zweifel ist diese Idee der Vergeltung bez. der Billigkeit mit am frühesten unter den Völkern erwacht. Sie bietet hauptsächlich den Stoff zur alten Tragödie. Von den Pythagoreern berichtet Aristoteles die Regel: Jedem müsse widerfahren, was er selbst gethan habe. Ja, es scheint, als hätten die Pythagoreer diese ihre Ansicht vom ἀντιπεπονϑός bis zum buchstäblichen jus talionis gesteigert. Auch Sokrates spricht bei Plato: das größte der Übel ist Unrecht zu thun, ohne dafür zu büßen.**)

---

*) Über einige Ausstellungen Landmanns in dieser Beziehung siehe von demselben: die Hauptfragen der Ethik, Leipzig 1874, dazu die Rez. in Zt. f. er. Ph. XI. 240 ff.

**) Dieser Ausspruch hat freilich mehr einen pädagogischen Sinn, indem die Strafe als Heilmittel vom Unrechtthun angesehen wird.

In der Regel erscheint die Idee der Billigkeit als ein Teil der Gerechtigkeit, sowie es ja historisch meist in einer Hand lag, Recht zu stiften, zu schlichten, zu beschützten und das verletzte zu bestrafen. So wird namentlich bei den Stoikern das suum cuique tribuere auch auf die Vergeltung bezogen. Und allerdings läßt sich Recht und Vergeltung leicht unter diesem Ausdruck zusammenfassen. Jedem das Seine geben, das heißt in einer gesetzlich geordneten Gesellschaft, jedem das zugestehen, geben und leisten, worauf er ein Recht hat; es heißt aber auch: jedem geben, was ihm nach seinen Thaten gebührt, Lohn oder Strafe. Doch finden sich bei den späteren Stoikern manche Spuren, wo sie beides auseinander zu halten und das πρέπον von dem δίκαιον zu unterscheiden suchen.

186. Die Zusammenfassung von Recht und Billigkeit blieb auch in der neueren Naturrechtslehre bestehen. Die Vergeltung galt für einen Teil der Gerechtigkeit, als justitia distributiva. Ward einmal der Zwang als Korrelat des Rechts angesehen, so war ja die Strafe leicht unter den Gesichts= punkt des Zwangs zu bringen. Hobbes ist wohl der erste, welcher beides, Recht und Vergeltung, getrennt wissen will. Herbart trennt Recht und Vergeltung darum, weil beide Ideen auf ganz verschiedenen Willens= verhältnissen beruhen. Jener liegt das unabsichtliche Zusammentreffen zweier Willen (Streit) zu Grunde, dieser eine absichtliche Störung des einen Willen durch einen anderen, sei es im guten oder im bösen Sinne.

187. Die Vergeltung hat bei der Wohlthat keine Schwierigkeit, hier ist es zunächst Sache des Empfängers, zu vergelten. Dasselbe von der Wehethat zu sagen, hindert die Erwägung, daß der Beleidigte in seinem Affekte schwerlich im stande ist, das gebührende Maß zurückzugeben. Dies ist in geordneten Verhältnissen Sache eines Unparteiischen. Daß eine Strafe den Übelthäter treffen solle, ist das allgemeine Urteil. Der Grund desselben ist ohne Zweifel in dem absolut mißfälligen Verhältnisse einer unvergoltenen That zu suchen. Aber über den Zweck der Strafe sind mehrfach von einander abweichende Theorien aufgestellt worden, die sich in absolute und relative teilen. Für erstere ist der Zweck der Strafe lediglich der, der Vergeltung Genüge zu thun, so z. B. bei Kant und Hegel. Die relativen Straftheorien fordern zur Strafe noch ein Motiv, so die Abschreckungs=, Besserungs=, Witzigungstheorie. Der Fehler dieser Theorien ist, daß jede allein genommen das rechte Maß der Strafe nicht finden kann. Nach Herbarts Ethik liegt es nahe, sich den absoluten Straftheorien anzuschließen. Herbart selbst jedoch verlangt um der Idee des Wohlwollens willen noch ein Motiv zur Strafe, welches in der Ab=

16*

ſchreckung und Beſſerung beſtehen möge, ſo jedoch, daß die Idee der Ver=
geltung das Maß der Strafe beſtimme.*)

188. Es leuchtet ein, daß man es nach den ſittlichen Ideen mit
abſoluten Gegenſätzen zu thun hat. Die Idee der inneren Freiheit ſtellt
einander gegenüber: Harmonie und Disharmonie zwiſchen Einſicht und
Willen oder Überzeugungstreue und Handeln wider beſſere Überzeugung;
die Idee des Wohlwollens: reine uneigennützige Liebe und Haß, Tücke,
Bosheit, Neid; die Idee des Rechts: Eintracht und Zwietracht, Treue und
Untreue, Worthalten und Wortbrechen; die Idee der Billigkeit: Dank und
Undank u. ſ. w. Daß hier Gegenſätze obwalten, und zwar von der Art,
daß kein Glied derſelben auf das andere durch Steigerung oder Ver=
minderung zurückgeführt werden kann, alſo abſolute Gegenſätze, kann kein
Unbefangener verkennen. Gleichwohl hat es von altersher nicht an ſolchen
gefehlt, welche Gutes und Böſes nur als etwas relativ Verſchiedenes, als
etwas Wandelbares betrachten, das ſich nach Ort, Zeit, Nationalität,
Bildungsgrad und dergleichen richtet, ſo daß bei einem Volke zu einer
beſtimmten Zeit gerade das für böſe und ſtrafbar gilt, was zu anderer
Zeit oder einem anderen Volke als lobenswert erſcheint. Bei derartigen
kulturhiſtoriſchen Betrachtungen hat man indes nicht ſowohl das unmittelbar
Sittliche im Auge, als vielmehr das, was wir (Nr. 197) für mittelbare
Tugenden anſehen, wie z. B. Mäßigkeit, Fleiß u. ſ. w. oder ſehr verwickelte
ſittliche Verhältniſſe, wie Kinderzucht, Stellung des Weibes, Staats=
einrichtungen und dergleichen, oder was Volksſitte, religiöſe Überlieferung
und poſitive Geſetzgebung geordnet haben. Daß in dieſen Beziehungen
viel wandelbar iſt, vieles der Willkür, der fortſchreitenden Geſittung und
anderen Einflüſſen unterworfen iſt, liegt vor Augen und iſt durchaus
nicht anders zu erwarten. Freilich iſt dabei nicht zu überſehen, daß es
auch mittelbare ſittliche Verhältniſſe gibt (wie etwa die Monogamie),
welche durch ihren Einfluß auf wahre Sittlichkeit in praxi die Bedeutung
von unmittelbaren ſittlichen Verhältniſſen erlangen. In verwickelten Fällen
kann man allerdings über das, was recht und unrecht iſt, geſtritten werden,
und zwar von beiden ſtreitenden Parteien im guten Glauben; es kann
aber auch geſtritten werden bei Gegenſtänden, deren Evidenz im all=
gemeinen niemand bezweifelt. Es kann auch über die Richtigkeit eines

---

*) Das Nähere darüber ſ. bei Fienemann: das Strafrecht vom Standpunkte
der exakten Philoſophie, Zt. f. ex. Ph. VI. 337. Zu den beiden letzten Ideen
überhaupt vgl. Thilo: theologiſierende Rechts= und Staatslehre, Leipzig 1861,
und in Zt. f. ex. Ph. XV. 342.

geometrischen Lehrsatzes Streit sein, nämlich so lange man die Behauptung desselben nicht durch einen strengen Beweis auf diejenigen einfachen Sätze zurückgeführt hat, deren Richtigkeit sich mit zweifelloser Evidenz ergibt. Wenn z. B. die Gleichheit zweier Flächen behauptet wird, so kann man vielleicht ohne weitere Überlegung nicht die einfachen Teile der einen erkennen, welche mit den entsprechenden der anderen in voller Übereinstimmung sich befinden. So kann auch das, was der sittlichen Beurteilung unterliegt, ein Zusammengesetztes sein; es kann verschiedene Elemente in sich enthalten, denen wir zum Teil Beifall spenden, die wir zum Teil aber auch tadeln müssen. Bei einer wohlwollenden Handlung z. B. wird die liebevolle Gesinnung, aus welcher sie hervorgegangen ist, unseren Beifall auf sich ziehen; dem Wollen fehlt aber die rechte Stärke, und es mißfällt wegen seiner Schwäche; in dem Handeln, zu welchem jene wohlwollende Gesinnung führt, sind die Rechte anderer nicht hinreichend geachtet, und die Rechtsverletzungen, welche es in sich schließt, müssen wir tadeln. Hier erregt eine und dieselbe Handlung verschiedene, ja entgegengesetzte Urteile, die sich nicht gegeneinander aufheben, wie positive und negative Zahlen, sondern in voller Gültigkeit nebeneinander bestehen bleiben, die also gegeneinander abgewogen werden müssen. Die Abwägung wird aber dadurch erschwert, daß die verschiedenen Arten des Lobes und Tadels nicht allein quantitativ, sondern auch qualitativ von einander verschieden sind; daß sie nicht alle zugleich, sondern nur nacheinander im Bewußtsein festgehalten werden können; daß die Aufmerksamkeit bei dem einen mehr auf dieses, bei dem anderen mehr auf jenes Moment gerichtet ist. Es ist daher kein Wunder, daß in verwickelten Fällen diejenige Verschiedenheit der Meinungen sich herausstellen kann, der wir im täglichen Leben so häufig begegnen. Dazu kommt noch, daß die echte moralische Würdigung gar oft mit Wertschätzungen anderer Art verwechselt und infolgedessen verunreinigt wird; daß falsche Theorien sie trüben können; daß Vorurteile, selbstische Interessen, Parteirücksichten, Gewohnheit und manches andere die richtige Auffassung fälschen; daß nur bei ruhigem Gemüte die sanftmahnende Stimme des absoluten Beifalls oder Tadels vernehmbar ist, daß wir also im Sturm der Leidenschaften und Affekte, wenn Kummer, Angst und Sorge uns bedrängen, sie überhören. Mag indes infolge aller dieser Umstände noch soviel über das gestritten werden, was gut und böse ist, ja mag sich fast in keiner Beziehung eine solche Verschiedenheit der Meinungen herausstellen, als gerade in dieser: die vollkommene Sicherheit der Grundlagen, auf welche unsere moralischen Ansichten sich gründen, wird dadurch nicht erschüttert.*) Ebensowenig werden wir sagen, daß der absolute Gegensatz von Harmonie und Disharmonie in der Musik aufgehoben oder zweifelhaft gemacht würde, wenn der bei weitem größere Teil der Menschheit vollständig unempfänglich für das Wohlgefällige unserer Musik und deren Dissonanzen wäre. Desgleichen wird man niemals die evidenten logischen und mathematischen Wahrheiten verlassen und deren Gegenteile für das Richtige halten, oder meinen, daß zwischen richtig und falsch in der Mathematik ein nur relativer Gegensatz bestehe. Ebensowenig wird die Menschheit jemals dahin fortschreiten, oder vielmehr so tief sinken, daß das Handeln wider bessere Überzeugung, Charakterschwäche, Bosheit, Falschheit, Tücke, Zwietracht, Unrecht, Untreue, Meineid, Undank als das sittlich Gute gelobt und deren Gegenteilen in der Beurteilung vorgezogen werden sollten.

Man hat sich hier vor der Meinung zu hüten, als wären die Urteile über gut und böse oder die Ideen angeboren in dem Sinne, daß sie sich ganz von selbst und abgesehen von dem Zusammenhange mit der sonstigen geistigen Bildung geltend machten. Nach der Psychologie, deren Grundzüge wir im obigen ganz kurz andeuteten, ist kein Gedanke, noch irgend eine Gedankenverbindung der Seele angeboren. Was den Menschen angeboren ist, kann nur in gewissen, durch den Leib bedingten Dispositionen bestehen, vermöge deren gewisse Neigungen, Fähigkeiten, Fertigkeiten in dem einen Individuum so oder anders, leichter oder schwerer, vollkommener oder unvollkommener entstehen. Aber positive, fertige Gedanken, Erkenntnisse, Ideen u. s. w. können sich im einzelnen Menschen wie in Völkern nur im Wege sehr allmählicher Entwickelung bilden. Das gilt für das Praktische wie für das Theoretische. Die natürliche anfängliche Auffassung der äußeren Welt bewegt sich bekanntlich in widersprechenden Begriffen, deren wir oben bei den Problemen der theoretischen Philosophie gedacht haben; die letztere schreitet darum weniger von Wahrheit zu Wahrheit als vielmehr meist von dem Irrtum zur Wahrheit fort.

Etwas ähnliches gilt von dem sittlichen Urteil oder den aufgestellten Ideen. Die ersten Wertschätzungen des Vorziehens, Gefallens oder Mißfallens beruhen auf dem leiblich bedingten Unterschied des Angenehmen und Unangenehmen und begründen die Maximen, das Angenehme zu suchen und das Unangenehme zu meiden. Zugleich aber mit den ersten Regungen,

---

*) Ballauff: das religiöse Bedürfnis; im Jahrbuch des Vereins für wissenschaftliche Pädagogik, herausgegeben von Ziller, Leipzig 1872 IV. S. 11, und O. Flügel: das Ich und die sittlichen Ideen im Leben der Völker, 1885. S. 224.

Erfahrungen des geistigen Lebens machen sich auch Hemmungen und Förderungen und damit Verabscheuungen und Begierden geltend, welche ihre Befriedigung suchen, und also demjenigen einen Wert erteilen, was geeignet ist, die Begierde zu befriedigen.

Hieraus lassen sich zum größten Teil die Handlungen und Werturteile des Menschen auf den ersten Stufen der Entwickelung erklären, seine Be=mühungen gehen zum größten Theil darauf aus, das Angenehme und Lustbringende im obigen Sinne zu suchen, haben ihren Grund im Egoismus.

Es ist nun die Frage: kann aus diesem Triebe nach Glück und Wohl=sein auch das Sittliche erklärt werden? Ist dasselbe nur eine Verfeinerung des Egoismus oder des wohlverstandenen Interesses? Das ist bekanntlich die Behauptung aller Eudämonisten von Aristipp und Epicur an bis in unsere Tage (Nr. 174).*) Und allerdings läßt sich auch mit einiger Sophistik und mit einer Umdeutung der für die sittliche Beurteilung üblichen Wörter darthun, daß das Gute auch zugleich das Nützliche und Angenehme ist, indem eben alles, was gelobt, gebilligt, gewünscht, be=vorzugt wird, mit dem allgemeinen Namen Lust oder ähnlich bezeichnet wird, und man keinen Unterschied macht zwischen den verschiedenen Arten des Vorziehens, ob etwas vorgezogen wird, weil es angenehm oder lust=bringend ist oder an und für sich gefällt. Man kann sagen: auch der Märtyrer, welcher für seine Überzeugung das Grausamste erleidet, hat größere Lust daran, seiner Überzeugung treuzubleiben, als die Qualen mit Verleugnung seiner Überzeugung zu vermeiden, oder es würde ihm viel schwerer und unangenehmer sein, seine Überzeugung zu verleugnen, als die Grausamkeiten zu dulden. Und so kann man bei jeder sittlichen, aber auch unsittlichen That sagen: wäre es dem Menschen nicht das Angenehmste, fühlte er sich nicht dabei am wohlsten, würde er eben das sogenannte Gute oder Böse nicht thun. Dann besteht überhaupt kein Unterschied mehr zwischen gut und böse, kaum noch zwischen kluger und unkluger Berechnung der Lust, denn der Mensch wird immer thun, was ihm im Augenblick des Handelns am meisten Lust bringt. Aber jeder muß hier erkennen, daß die Wörter: sittliche Wertschätzung, angenehm, lustbringend als völlig gleich=bedeutend genommen werden. Es ist aber ein großer Unterschied zwischen diesen Werturteilen. Wir erwähnten oben die beiden Arten: das An=genehme und das Lustbringende, welches letztere lediglich darauf beruht, daß eine Befriedigung einer augenblicklich aufsteigenden Begierde eintritt.

---

*) Hierher gehört auch die Ethik von Wundt, vgl. dazu Zt. f. ex. Ph. XV 196—224.

Dazu kommt nun noch eine dritte Wertſchätzung, nämlich das Vor=
ziehen nach äſthetiſchen Rückſichten, welche ſich doch auch ſehr früh bei allen
Völkern, wenn ſchon in ſehr verſchiedenem Maße, geltend machen. Es
gibt eine ganze Anzahl von Handlungen, welche ſich nicht aus den Rück=
ſichten des Nutzens erklären laſſen. Aus dieſem, etwa aus dem Selbſt=
gefühl, dem Ehrgefühl und dergleichen, folgt wohl die Anlegung von
Burgen, Schatzhäuſern, das Tragen zweckmäßiger oder glänzender Kleidung
u. ſ. w., aber ſchon das regelmäßige Geflecht einer Matte iſt aus bloßen
Nützlichkeitsgründen nicht zu erklären. Man denke an das Symmetriſche
im Bau der Hütten, im Pflanzen der Bäume, in der Anlage von Beeten,
in den Verzierungen des Leibes und der Geräte, an die Farbenharmonie,
an harmoniſch und melodiſch komponierte Lieder u. ſ. w., was man alles
zum Teil in reichem Maße bei den ſogenannten Naturvölkern findet,*)
dies alles iſt entſtanden ohne Rückſicht auf unmittelbaren Nutzen und trägt
zur Förderung des Lebens nichts bei. Natürlich kann man auch hier
ſagen: es trägt zur Erhöhung, zum Genuß des Lebens bei, es iſt eben
dem Menſchen weit angenehmer, es erhöht ſeine Luſt, auf regelrecht an=
gelegte Beete zu ſchauen, das Gegenteil beleidigt ihn gewiſſermaßen. Aber
hier findet wieder die Vermengung der verſchiedenen Wertſchätzungen ſtatt.
Natürlich führt jedes Wohlgefällige, mag es in der Annehmlichkeit einer
Speiſe, oder in einem Geldgewinn, oder in einem äſthetiſchen Genuß, oder
im Anblick einer ſittlichen Handlung beſtehen, ein Wohlgefühl mit ſich.
Dieſes nennen wir eben das Werturteil ganz im allgemeinen. Aber es
iſt doch ein großer Unterſchied zwiſchen dem Angenehmen des Geſchmackes,
des Geruches u. ſ. w. und zwiſchen der Befriedigung einer in mir auf=
ſteigenden Luſt und zwiſchen dem rein objektiven Wohlgefallen an äſthetiſch
ſchönen Formen. Bei den letzten iſt das Subjekt als Individuum gar
nicht beteiligt. Ein ganz unparteiiſcher Zuſchauer, deſſen perſönliches Wohl
dadurch nicht im mindeſten gefördert oder vermindert wird, kann nicht
umhin, hier Beifall bez. Mißfallen zu empfinden. Nun liegt ja auch im
Empfinden des Beifalls, ja der bloßen Zuſtimmung eine Art Lebens=
erhöhung, Lebensförderung, innere Befreiung u. ſ. w., wie ſchon der Name
des Wohlgefälligen andeutet; aber gerade an den äſthetiſchen Urteilen ſchon
der Naturvölker hat man einen Beweis, daß, wenn erſt die notwendigſten
Lebensbedürfniſſe befriedigt ſind, ſich ſogleich im Menſchengeiſte noch ein

---

*) Vgl. zu der Frage über das Abſolute in der Moral O. Flügel: das Ich
und die ſittlichen Ideen im Leben der Völker, 1885. S. 231 ff. u. 157 ff. u. Zt. f.
ex. Ph. XII. 78—117 über: Schäffle: Bau und Leben des ſozialen Körpers.

gewiſſes Gefühl für Wohlgefälliges geltend macht, welches gefällt ohne jede
Rückſicht auf den Nutzen im gewöhnlichen Sinne. Von dieſen äſthetiſchen
Urteilen und Handlungen kann man nicht ſagen, der Menſch war dazu
genötigt, weil die Verzierungen den Geräten größere Haltbarkeit oder
Brauchbarkeit gaben, ſondern weil ſie eben ſo geſchmückt mehr gefielen,
darum wurden ſie hergeſtellt. Der Menſch erhebt ſich eben in einzelnen
Stücken verhältnismäßig früh auf die Stufe, auch rein objektiv im
äſthetiſchen Sinne zu urteilen.

Und wie es nun unmöglich iſt, die äſthetiſchen Urteile und Handlungen
allein aus dem Nutzen im gewöhnlichen Sinne abzuleiten, als ob Diſſo-
nanzen die Ohren und Häßlichkeit der Form die Augen krank machten,
ſo verlangt auch das Ethiſche, angeſehen zu werden als beruhend auf
Urteilen über gewiſſe Willensverhältniſſe. Das Lob oder der Tadel,
welcher ſich bei der Darbietung ſolcher Verhältniſſe erhebt, iſt nicht Folge
einer Begehrung, eines das Wohl des Urteilenden betreffenden Mögens
oder Nicht-Mögens, ſondern ein völlig objektives Urteil, wie es in dem
ganz Unparteiiſchen zu ſtande kommt. Weil nun dieſe Art der Un-
parteilichkeit, dieſer völlig objektive Standpunkt für die Beurteilung
ſo langſam und ſo ungleich von den Völkern und von den Individuen
erworben wird, daher rührt die große Verſchiedenheit der Beurteilung
der ſittlichen Verhältniſſe. Wenn man von einer Geſchichte der ſittlichen Urteile ſpricht, ſo hat man damit die Geſchichte der Menſchheit
und des einzelnen Menſchen im Auge, wie nämlich der Geiſt allmählich
und mit vielen Unterbrechungen und Abirrungen die Stufe der unbefangenen,
unparteiiſchen Beurteilung erſteigt. Iſt dieſe erreicht, dann ſchwanken die
Urteile auch nicht mehr, es ſchwankt das Urteil nur in der Anwendung
auf die im Leben gewöhnlich ſehr verwickelten Fälle.

Mit den aufgeſtellten fünf Ideen iſt die Reihe der urſprünglichen
Ideen geſchloſſen, weil die möglichen Willensverhältniſſe zwiſchen zwei
Perſonen erſchöpft ſind.*) Faßt man eine größere Anzahl von Perſonen
und deren mögliche Willensverhältniſſe zu einander ins Auge, ſo wiederholen ſich jene Ideen, nur mit dem Unterſchiede, daß ſie nicht mehr bloß
auf einzelne Perſonen, ſondern auf Geſellſchaftsgruppen bezogen werden.
Bei der Darſtellung der geſellſchaftlichen oder abgeleiteten Ideen werden
am natürlichſten diejenigen vorangeſtellt, welche es mit dem zu thun haben,
was nicht im Inneren des einzelnen eingeſchloſſen bleibt, ſondern heraus-
tritt und als That in die Augen fällt, oder mit all den geſellſchaftlichen
Verhältniſſen, welche die Ideen der Billigkeit und des Rechts berühren.

*) S. Herbart II. 251.

Von dieſen beiden Ideen iſt es wiederum natürlicher, mit der des Rechts zu beginnen, weil ſie ſelbſt Thaten und Verhältniſſe betrifft, welche aus einem unabſichtlichen Zuſammentreffen der Willen hervorgehen.

Die abgeleiteten oder geſellſchaftlichen Ideen.

189. Rechtsſyſtem. Vorausgeſetzt wird hier eine Mehrheit von Menſchen auf einem Boden, der mancherlei bietet, auf welches die Willen ſich richten können und wodurch einer den anderen hindert, wenn jeder nach ſeiner Neigung darüber verfügen will. Außer Frage bleibt hier noch, wie in Wirklichkeit Recht und Beſitz entſteht, denn wir haben es jetzt zu thun mit einer Idee, einem Muſterbegriff, wie Recht und Beſitz beſchaffen ſein bez. entſtehen ſoll. Vorausgeſetzt wird nämlich zum anderen, daß alle Perſonen nicht allein im vollen Maße den Streit mißbilligen, ſondern auch beſeelt ſind von dem guten Willen, überall dem Streite vorzubeugen und den etwa entſtandenen zu ſchlichten.

Zu den Vorbeugungs= oder Präventivmaßregeln gehören beſonders das Eigentumsrecht, Occupationsrecht und das Anrecht auf perſönliche Freiheit. Eine Sache hat der zum Eigentum, welchem ſie von allen anderen, auch den ſpäter zur Geſellſchaft Hinzutretenden zu allſeitigem Gebrauche überlaſſen iſt, damit kein Streit ſei. Occupationsrecht heißt die Übereinkunft, welche im voraus feſtſetzt, wie man es mit noch auf= zuſindenden, überhaupt herrenloſen Gütern halten wolle. Damit dem Streite vorgebeugt werde, wird endlich nötig, gegenſeitig feſtzuſetzen, daß niemand über die Perſon des anderen nach eigenem Gutdünken verfügen ſolle.

Gleichwohl kann Streit entſtehen, nicht allein durch böſen Willen, ſondern auch durch Zweifel, z. B. infolge nicht ganz genauer Ausdrücke, wie weit überlaſſen war und wie weit nicht. Für den Fall eines Streites wird darum im voraus feſtzuſetzen ſein, ein jeder habe ſich dem Ausſpruche eines dritten Unparteiiſchen (Richters) zu fügen. Auch den Fall, daß ein böſer Wille Streit erhebt und ſich der Autorität nicht fügen will, wird man vorausſehen müſſen und alſo von vornherein dahin übereinkommen, daß, wer dem Ausſpruch des Richters nicht gehorcht, zum Gehorſam gezwungen werden kann. Es iſt aber hierbei wohl zu bemerken, daß das Zwangsrecht nicht daraus abgeleitet wird, daß dem Einzelnen oder der Geſellſchaft vermöge der Verletzung eo ipso ein Recht zum Zwange zuſtände, ſondern es wird dabei vorausgeſetzt, jeder innerhalb der Geſellſchaft, alſo auch der Verletzende habe ſchon im voraus ſeine Zuſtimmung dazu gegeben, daß in einem ſolchen Falle Zwang und Strafe eintreten ſolle.

Dem eigenwillig Streit erhebenden geschieht, wenn Zwang gegen ihn aus=
geübt wird, nur was er selbst anerkannt hat als etwas, dessen Eintreten
keinen Streit erhebe. Überhaupt bedarf das Rechtssystem als Ergänzung
des Systems der Vergeltung oder der Billigkeit. Damit das Recht nicht
ein hartes sei, welches den Streit im Keime in sich trägt und zum Streite
reizt, muß die Billigkeit bei Stiftung des Rechtes gehört werden. So
weist das Rechtssystem hin auf das Lohnsystem.

190. Lohnsystem. Vorausgesetzt wird hier eine Mehrheit von
Menschen, welche alle beseelt sind von dem ernsten Willen, die Idee der
Billigkeit auf die angemessenste Weise zu realisieren, insbesondere dafür
zu sorgen, daß womöglich keine Wohlthat und keine Wehethat ohne den
ihr gebührenden Lohn bez. Strafe bleibt.

Wohlthaten, welche dem Ganzen zu Gute kommen, hat die Gesellschaft
zu vergelten, bei Wohlthaten, welche dem einzelnen erwiesen werden, hat
die Gesellschaft darauf zu sehen, daß wenn irgend möglich von dem Be=
treffenden wiedervergolten werde, wenigstens daß kein Undank oder Un=
billigkeit sich geltend mache. Wehethaten hat allein die Gesellschaft, als
unparteiisch, als im Dienste der Idee nicht des Interesses stehend, zu ver=
gelten. Hierbei ist nicht allein Übelwollen oder Unrecht oder Unbilligkeit
ferne zu halten, sondern bei dem Strafen soll zugleich neben der Idee
der Vergeltung auch die Idee des Wohlwollens berücksichtigt werden. Ob
eine Strafe ein Recht hat, zu bestehen, ist zunächst Sache einer Über=
einkunft; auch die härtesten, unbilligsten Strafen können in dieser Beziehung
zu Recht bestehen, aber die Ideen der Vergeltung und des Wohlwollens
werden dagegen Einspruch thun.

191. Verwaltungssystem. Vorausgesetzt wird hier eine Gesellschaft
beseelt von dem Willen, daß die Güter des Landes so verwaltet und die
vorhandenen Kräfte dergestalt gerichtet werden, daß dadurch für den einzelnen
die größte Summe von Wohlfahrt und so zugleich das allgemeine Beste
erzielt werde. Die Aufgaben des Verwaltungssystems sind also vornehmlich:
möglichst allgemeine, schnelle und vollkommene Kenntnis der vorhandenen
Bedürfnisse, Vermehrung der natürlichen Güter durch Acker=, Berg=
und Forstbau, Industrie, Handel u. s. w., endlich möglichst zweckmäßige,
wohlwollendste Verwaltung der Güter zum Besten der einzelnen.
Natürlich kommen hier der Idee des Wohlwollens gemäß immer nur die
einzelnen Individuen in Betracht, das Gemeinwohl selbst enthält nur die
größte mögliche Summe des individuellen Wohlseins.

Da allgemeines Wohlwollen, verbreitet unter den Gliedern der Ge=
sellschaft, die Grundbedingung des Verwaltungssystems ist, so fällt der

Wert des Chriſtentums für jede Geſellſchaft in die Augen. Gäbe es kein Chriſtentum, ſo würde man dieſe Bedingung noch weit mehr als jetzt vermiſſen. Montesquieu, der Furcht, Ehre, Tugend dem Despotismus, der Monarchie, der Republik als die jedem eigentümlichen Prinzipien zu= theilt, ſagt vom Chriſtentum: Les principes du Christianisme bien gravés dans le cœur seroient infinement plus forts que ce faux honneur des monarchies, ces vertus humaines des republiques et cette crainte servile des états despotiques.*)

192. Kulturſyſteme. Der eigentümliche, auf der Idee der Voll= kommenheit beruhende Grundgedanke des Kulturſyſtems iſt: Ausbildung der Kräfte des Wiſſens und Könnens, nur damit ſie hervortreten und ſich darſtellen in ihren Wirkungen, zunächſt noch abgeſehen von allen weiteren Abſichten des Gebrauches für einen Zweck. Mit dieſer ſeiner beſonderen Bedeutung greift das Kulturſyſtem bereits hinein in die bisher dargeſtellten Syſteme. Das Rechtsſyſtem ſetzte Kenntnis der Beſtrebungen, ſowie der verſchiedenen Reizungen der Willen voraus, das Lohnſyſtem Kenntnis der geſchehenen Wohl= und Wehethaten. Vor allen aber iſt der beſten Verwaltung möglichſte Ausbildung der Kräfte weſentlich, einmal weil mit der Kraft zugleich eine urſprüngliche Luſt des Schaffens oder Umgeſtaltens verbunden zu ſein pflegt, ſodann weil durch möglichſt große Ausbildung der Kräfte die Summe der Güter und damit die Möglichkeit, wohlzuthun, vermehrt wird. So erfährt das Verwaltungs= ſyſtem Förderung durch das Kulturſyſtem, das letztere hingegen eine ge= wiſſe Beſchränkung und eine beſtimmte Richtung durch das erſtere, denn nicht alle Kräfte ohne Unterſchied ſind der Ausbildung gleich wert.

Die ſelbſtändige Bedeutung des Kulturſyſtems macht ſich geltend, wenn die Willen und deren Leiſtungen lediglich nach deren formaler Seite, der Stärke, Dauer, Vielſeitigkeit und Konzentration betrachtet werden. Mit Rückſicht auf die natürlichen Schranken des Menſchen wird hier die Idee von dem einzelnen Virtuoſität in einem Zweige des Wiſſens bez. Könnens und Intereſſe für die anderen verlangen. Übernimmt ſo jeder die möglichſt vollkommene Darſtellung einer der vielen verſchiedenen Seiten

---

*) Gegen Bayle, welcher behauptet, ein Staat aus lauter wahren Chriſten ſei unmöglich, bemerkt Montesquieu: Chose admirable! la réligion Chrétienne, qui ne semble avoir d'objet, que félicité de l'autre vie, fait encore notre bonheur dans celle-ci . . . . . La réligion Chrétienne, qui ordonne aux hommes de s'aimer, veut sans doute, que chaque peuple ait les meilleures lois politiques et les meilleures civiles, parcequ'elles sont après elle le plus grand bien, que les hommes puissent donner et recevoir. Vgl. Esprit des Lois liv. 24, 1 u. 3 u. 6.

des Kultursystems, so wird dieses als ein Ganzes betrachtet möglichst voll=
kommen realisiert sein. Eine Vergleichung findet hier natürlich nicht
zwischen dem Einzelnen und dem Ganzen statt, sondern nur zwischen den
einzelnen untereinander oder zwischen mehreren Gemeinschaften untereinander.

193. Beseelte Gesellschaft. In Wirklichkeit geschieht es meist, daß
gewisse Gesellschaften bald die eine, bald die andere Idee vorzugsweise
ausbilden und dabei die anderen vernachlässigen; aber das Ideal verlangt,
daß eine sittliche Gemeinschaft von allen Ideen gleichmäßig beseelt ist,
oder bestrebt ist, alle Ideen in gleicher Weise zu verwirklichen. Ist dies der
Fall, so wird bei allen Mitgliedern der Gesellschaft die richtige sittliche
Einsicht als Gemeinbesitz vorhanden sein, so daß jeder einzelne diese
Einsicht nicht als seine Privatansicht betrachtet, sondern dieselbe bei jedem
anderen voraussetzt. Zum anderen werden alle Glieder es sich zur höchsten
Aufgabe machen, der sittlichen Einsicht gemäß zu leben oder die Ideen
darzustellen, so daß jeder diesen Willen bei jedem anderen voraussetzt.

Dies ist das höchste Gut, ein Ideal, welches den Alten bei Beschreibung
des goldenen Zeitalters und Plato bei dem Entwurf seines Musterstaates
vorgeschwebt haben mag. Dieses Ideal setzt der Kantische Gedanke einer
allgemeinen Gesetzgebung voraus, der sich jeder mit seinen Maximen an=
schließen und von der niemand Ausnahme fordern soll: ein Ideal, welches
das Christentum als erreichbares Ziel im Reiche Gottes vorhält.*)

Die Ideen und die Wirklichkeit.
Tugend, Pflicht, Freiheit, Religion.

194. Der Gang der Untersuchung ist in der praktischen Philosophie
ein ähnlicher, wie in der theoretischen. Diese geht vom Gegebenen in seinen
Hauptformen aus, gewinnt dadurch die Begriffe des Seins und Geschehens,
welche einer genauen Erwägung in abstracto, d. h. abgesehen von der in=
dividuellen Wirklichkeit, unterworfen werden müssen. Sind diese Begriffe
widerspruchsfrei in einem notwendigen Denken festgestellt, so muß man
wieder zum Gegebenen zurückkehren, um zu sehen, wie die genannten
Begriffe zu dem stimmen, was durch dieselben begriffen werden soll.

---

*) Als Ideal soll die beseelte Gesellschaft auch dem Staate vorschweben, und
es ist eine sehr einseitige Betrachtung desselben, wenn die Naturrechtslehrer und die
Vertreter der Trennung der Moral und des Rechts im Staate nur ein Rechts= und
Lohnsystem sehen wollen. Gegen dergleichen Ansichten übte Stahl eine berechtigte
Reaktion aus, wenn er den Staat überhaupt als ein sittliches Reich betrachtet
lehrte, dessen Aufgabe es ist, alle sittlichen Ideen nach Möglichkeit zu realisieren.

In ähnlicher Weise hebt die praktische Philosophie mit den gegebenen sittlichen Urteilen an. Diese müssen begrifflich untersucht werden, indem man während der Untersuchung abstrahiert von dem wirklichen Wollen und von vielen anderen Umständen und Beziehungen, welche in Wirklichkeit die gegebenen Urteile beeinflussen. Soweit sind wir jetzt gelangt. Die sitt= lichen Urteile sind gereinigt von allem, was nicht unmittelbar ein sittlicher Bestandteil darin ist; dieselben sind den Grundzügen nach begrifflich voll= ständig festgestellt sowohl in Ansehung der Einzelnen als der Gesellschaft. Mit anderen Worten, die Ideale, die absoluten Zielpunkte sind aufgestellt. Nun kehrt die Untersuchung zu der gegebenen Wirklichkeit zurück und fragt, in welchem Verhältnis steht diese zu den Ideen? Die Ideen sind Muster= bilder für die wirklichen Willen, und diese sollten sich also nach jenen richten. Ist dies nun der Fall, entspricht die Wirklichkeit den sittlichen Ideen? In Betreff dieser Frage macht sich alsbald ein großer Unterschied zwischen der theoretischen und der praktischen Philosophie geltend. Finden die theoretischen Begriffe keine Bestätigung in der Wirklichkeit, und läßt sich das Gegebene nicht dadurch begreiflich machen, so sind jene Begriffe unrichtig oder noch unvollständig entwickelt, vorausgesetzt, daß die Wirklichkeit nicht etwa un= richtig aufgefaßt oder gedeutet ist. Das Mißverhältnis zwischen der Wirk= lichkeit und unseren theoretischen Begriffen stellt also die Forderung auf, nicht die Wirklichkeit, sondern unsere Begriffe zu verändern bez. zu berichtigen und zu ergänzen. Im Praktischen hingegen behalten die aufgestellten Muster= begriffe ihre absolute Gültigkeit, auch wenn die Wirklichkeit ihnen nicht entspricht. Die Forderung der Abänderung, welche die Nichtübereinstimmung der Ideen und der Wirklichkeit stellt, geht nicht an die Ideen, sondern an die Wirklichkeit, welche diesen entsprechend geordnet werden soll. Die Ideen verwandeln sich in diesem Falle in Postulate oder Gebote.

Nimmt man an, die Ideen und die Wirklichkeit decken sich wenigstens in einer Person, so daß deren Wollen und Handeln eine vollständige Darstellung der Ideen sei, so wird man auf den Begriff der Tugend geführt. Der Fall der Nichtübereinstimmung leitet zum Begriff der Pflicht. Die Frage, ob die Nichtübereinstimmung aufgehoben und zur vollen Über= einstimmung gebracht werden kann, läßt den Begriff der Freiheit hervor= treten. Ist endlich die Rede von den Mitteln, durch welche die Wirklichkeit nach den Ideen gestaltet, oder die Tugend realisiert werden kann, so nimmt unter diesen Mitteln die Religion die hervorragendste Stellung ein. Diese vier Begriffe mögen jetzt kurz erörtert werden.

195. Tugend. Die Reihe der sittlichen Ideen beginnt mit der inneren Freiheit, dem Verhältnis der eigenen sittlichen Einsicht zum Willen (Nr. 161).

Zur Aufstellung dieses Verhältnisses ist es zunächst gleichgültig, was der Inhalt der Einsicht ist, ob sie vollständig oder nicht, ob sie richtig oder unrichtig ist, wesentlich ist es nur, daß sie die eigene Einsicht des Wollenden ist. Diese Unbestimmtheit deutet darauf hin, daß mit der besagten Idee die Reihe der sittlichen Urteile nicht erschöpft ist, sondern noch andere als bestimmender Inhalt der Einsicht hinzukommen müssen. Diese sind in den vier weiteren Ideen (Nr. 169—188) gefunden: sie bilden den Inhalt der sittlichen Einsicht, wenn sie richtig und vollständig sein soll. So lange das, was die Einsicht erkennt und billigt, nicht das ist, was nach den vier anderen Ideen das sittlich Gute ist, so lange ist sie irrig, schwankend oder noch unvollständig, so lange mag allerdings eine gewisse innere Freiheit, Über=einstimmung des Willens mit der mangelhaften Einsicht vorhanden sein, aber dieser Art von Freiheit droht die Unfreiheit. Wenn nämlich die Einsicht eines Bessern belehrt wird, also das Wohlgefällige nach den anderen Ideen erblickt, wird sie das verurteilen müssen, was sie früher billigte, und der Wille ausführte. Dieses Verurteilen seiner selbst ist eben die innere Un=freiheit. Sind dagegen die vier anderen Ideen der ausschließliche Inhalt der sittlichen Einsicht, dann droht die Gefahr der inneren Unfreiheit niemals, denn etwas besseres als das absolut Gute kann die Einsicht nie erkennen. Ist dies der Fall, dann gefällt der Wille, welcher einer solch geläuterten Einsicht folgt, stets doppelt, einmal nach der Idee der inneren Freiheit und zum anderen nach der besonderen Idee, welche durch ihn realisiert wird, etwa als ein wohlwollender, rechtlicher u. s. w. Hingegen kann es bei einer mangelhaften oder falschen Einsicht recht wohl geschehen, daß ein Wille zwar als augenblicklich innerlich frei gelobt, aber zugleich z. B. als ein unbilliger oder schwacher nach anderen Ideen getadelt wird, oder umgekehrt, daß er nach einer Idee zwar gelobt, aber als innerlich unfrei verurteilt wird, wenn z. B. ein grundsätzlicher Egoist einmal von einer besseren Regung der Teil=nahme beschlichen wird.

196. So werden die verschiedenen, an sich selbständigen Ideen zu=sammengefaßt in die vollendete innere Freiheit. Wird nun diese in ihrer idealen Vollkommenheit nach Einsicht und Wille als realisiert, als beharrliche Eigenschaft einer Person gedacht, so erhält man den Begriff der Tugend. Eine derartige Person wird in allen ihren Willensregungen genau durch die vollkommene sittliche Einsicht bestimmt und darum ein gleichbleibender Gegenstand eines reinen sittlichen Wohlgefallens nach allen Ideen sein. Jeder Mangel nach einer Seite der Sittlichkeit, jedes ein=seitige Hervortreten einer Idee auf Kosten einer anderen ist ausgeschlossen. Damit ist aber nicht gesagt, daß jede Idee gleichviel beiträgt zur Bildung

des sittlichen Charakters oder der Tugend, denn es liegt in der Natur der Sache, daß die Idee des Wohlwollens den Charakter vornehmlich bestimmen wird. Die beiden Ideen des Rechts und der Billigkeit haben ja überhaupt nur eine negative Bedeutung, sie verbieten zunächst nur etwas. Wer ihnen folgt, vermeidet allerdings Tadel, aber einen positiven Wert der Person bezeichnet die bloße Rechtlichkeit nur insofern, als sie auf einer innerlich freien Beobachtung des Rechts beruht. Diese beiden Ideen betreffen ferner zuvörderst nur Thaten, nicht Gesinnungen, diese erst in zweiter Linie, sofern Streit und Unbilligkeit auch in der Gesinnung vermieden werden soll. Die Idee der Vollkommenheit ferner ist ganz leer ohne die übrigen Ideen, sie lobt nur die Größe, und es ist ihr für sich allein genommen gleichviel, ob sich das Lob auf die Größe im Guten oder Bösen bezieht. Hingegen ist die Idee des Wohlwollens ganz eingeschlossen in die Gesinnung; da es völlig ohne Motive zu denken ist, so entzieht es sich am meisten dem Pflichtbegriff, denn Wohlwollen aus Pflicht ist kein reines Wohlwollen. Dasselbe läßt sich nicht gebieten, und wenn sich auch vieles gebieten läßt, was zur Entstehung und Erhaltung des Wohlwollens sehr förderlich ist, das Wohlwollen selbst ist frei und ursprünglich und bleibt am meisten in der Nähe der inneren Freiheit. Daher konnten auch die Systeme, welche lediglich vom Standpunkt der Pflicht aus entworfen sind, der Idee des Wohlwollens nie ganz gerecht werden und stellten den Rechtspflichten als den vollkommenen die des Wohlwollens als die unvollkommenen gegenüber. Mit dem Wohlwollen ist ferner die Realisierung der anderen Ideen zum größten Teil gegeben, denn daß der Streit vermieden wird, die Wohlthat nicht unvergolten bleibt, versteht sich für den Wohlwollenden von selbst, geht er ja doch in dieser Beziehung noch viel weiter, als die Ideen des Rechts und der Billigkeit von ihm fordern. Was ferner nach der Idee der Vollkommenheit gelobt wird, macht sich auch zum Teil im Wohlwollen geltend, denn je reiner dies ist, um so stärker wird auch der Wille sein, das Wohlsein anderer zu fördern, und desto umsichtiger werden die Mittel dazu gewählt werden, die Liebe, sagt man, macht erfinderisch und ist stärker als der Tod. Das Wohlwollen selbst aber ist schon an sich ein nicht geringer Teil der Realisierung der Idee der Vollkommenheit auch insofern, als dasselbe dem natürlichen Zuge des gemeinen menschlichen Egoismus direkt entgegen steht, in der Regel mit einer starken Selbstüberwindung verbunden ist und gewöhnlich sehr mächtige Hindernisse im eigenen Innern zu überwältigen hat.

So bezeichnet das Wohlwollen am unmittelbarsten den Wert der Gesinnung und gibt von allen Ideen den größten Beitrag zur Vollendung der Tugend. Es ist daher auch nicht zu verwerfen, wenn populär zu paränetischen Zwecken die ganze Moralität auf die Liebe zurückgeführt wird; bezeichnet man doch auch gemeinhin mit Güte die ganze sittliche Gesinnung und nennt gut vorzugsweise den Wohlwollenden. Aber in wissenschaftlicher Beziehung darf nicht vergessen werden, daß jede einzelne Idee auf einem besonderen Willensverhältnisse beruht. Zur Zeichnung des Tugendbegriffes darf keine Idee fehlen, jede in ihrer Eigentümlichkeit muß mit den anderen in der rechten Weise verbunden gedacht werden, jede ihren besonderen Beitrag zur harmonischen Abrundung des sittlichen Charakters oder der Tugend geben.

197. Insofern nun als sämtliche Ideen gleichmäßig realisiert gedacht sein müssen im Ideale der Tugend, kann es auch nur e i n e Tugend geben. Dieselbe schließt allerdings ein Mannigfaltiges ein und wird sich je nach den Umständen als Darstellung bald dieser, bald jener Idee äußern, und insofern mag man auch von einzelnen Tugenden als einzelnen Merkmalen des Tugendbegriffes sprechen; selbst mittelbare Tugenden, nämlich solche Bestimmungen des persönlichen Willens, welche die Ausübung der Tugend und die Annäherung an dieselbe befördern, wie Sparsamkeit, Fleiß u. s. w., wird man nicht umhin können geradezu Tugenden zu nennen; aber für sich betrachtet sind die einzelnen und die mittelbaren Tugenden nur sehr unvollkommene Annäherungen an das Ideal der Tugend. Eben diese Annäherung, das S t r e b e n nach Tugend, pflegt man auch wieder für sich schon Tugend zu nennen, und zwar ist dies die einzige Bedeutung, unter welcher uns überhaupt die Tugend am Menschen bekannt ist. Denn auch im besten Falle ist die Tugend der Menschen nur ein Streben nach der (vollkommenen) Tugend; sie selbst ist Ideal.

Da man zumeist nur dies Streben zur Vollkommenheit im Sinne hat, wenn von Tugend gesprochen wird, so kommt es, daß mit derselben gar häufig die Nebenbedeutung von etwas Mühevollem, Anstrengung= kostendem verknüpft ist. Dies liegt bereits in der Disinition des Aristoteles, welcher die Tugend als eine F e r t i g k e i t bezeichnet, die durch Übung ge= wonnen ist und mit Anstrengung die rechte Mitte zwischen zwei entgegen= gesetzten Lastern halten muß. Auch die S t o i k e r und K a n t verbinden mit dem Begriff der Tugend stets Kampf, Selbstüberwindung, Rigorismus. Weil allerdings menschliche Tugend nie mehr ist, als ein bloßes Streben darnach, so erscheint dieselbe oft als etwas Unnatürliches, Gemachtes, wobei man sich Zwang auflegen muß, daher auch als etwas Unliebens= würdiges, Abstoßendes; damit hängt dann wieder zusammen, daß der in diesem Sinne Tugendhafte im Bewußtsein der Schwierigkeiten, welche er überwunden hat und stets noch überwinden muß, zum Tugendstolze, zur Selbstgerechtigkeit neigt, wobei ihm seine Tugend als etwas sehr Ver= dienstliches erscheint. Aber die Tugend, vollkommen gedacht, besteht nicht nur nicht im Kampf, sondern schließt auch überhaupt allen inneren Kampf aus, denn ein Selbst, was überwunden werden sollte, was widerstehen und die Ausübung der Tugend schwer machen könnte, ist im wahrhaft Tugendhaften gar nicht vorhanden; nimmt man ein solches Selbst im Inneren und gar als eigentliche feste Bestimmtheit der Person an, so weicht man vom Ideale der Tugend ab und blickt auf den empirischen Menschen. Im Tugendhaften gibt es keinen Kampf mit sich selbst, jede Regung, auch die leiseste, muß den Ideen gemäß gedacht werden. Die vollendete Tugend trägt das Gepräge jeder wahren, vollendeten Kunst, das Gepräge der Natürlichkeit und mühelosen Leichtigkeit. Darum ist auch die Tugend verknüpft mit dem Gefühl der höchsten Freiheit; diese besteht darin, daß der Tugendhafte ausschließlich der eigenen Einsicht folgt, welche als vollkommene keiner Abänderung bedarf, noch fähig ist, und in dem Gefühl, daß alle Willensregungen dieser eigenen Einsicht von selbst folgen.

Wo eine solche Tugend herrscht, also volle Übereinstimmung der Wirklichkeit mit den Ideen vorhanden ist, da ist von dem Sittlichen nicht als von einer Aufgabe, einem Postulate, einem Gesetze oder Sollen und Pflicht die Rede; daher gelten, sagt Kant ganz richtig, aber nicht voll= kommen im Sinne seiner Ethik, welche das Gute nur in der Form der Pflicht kennt, daher gelten für den göttlichen und überhaupt für einen heiligen Willen keine Imperative, das Sollen ist hier am unrechten Orte, weil das Wollen schon von selbst mit dem Gesetze (den Ideen) notwendig übereinstimmt .... Ein freier Wille und ein Wille unter sittlichen Gesetzen ist ein und dasselbe.

198. Pflicht. Kant fährt in der eben angeführten Stelle fort: Daher sind Imperative nur Formeln, die das Verhältnis objektiver Gesetze des Wollens (der absoluten Ideen) überhaupt zu der subjektiven Unvoll= kommenheit des Willens dieses oder jenes vernünftigen Wesens, z. B. des menschlichen Willens, ausdrücken. Das Gute wird also nur da unter der Form des Sollens, eines Gesetzes, der Pflicht auftreten, wo die Wirklichkeit nicht in allen Punkten Ausdruck der Ideen ist. An sich ist keine Idee ein Imperativ, indes eine kurze Überlegung zeigt, daß jede Idee einen Tadel einschließt, falls ihr nicht gemäß gewollt wird, und daß hierdurch die Idee zu einem Postulat wird. Stellt sich nämlich ein Konflikt der Idee und

eines wirklichen, ihr widersprechenden Willens ein, so drängt einmal der allgemeine Lauf der Vorstellungen, sodann der Umstand, daß die betreffende Idee das absolute Musterbild gerade für den in Rede stehenden Willen ist, auf eine Beseitigung dieses Konfliktes hin. Soll derselbe beschwichtigt werden, so muß entweder die Idee, das Urteil über den Willen, oder der Wille selbst unterdrückt, bez. abgeändert werden. Das erstere ist unmöglich, das verbietet die Absolutheit der Idee. Das zweite ist nur thunlich, so lange der Wille noch ein bloß vorgestellter, künftiger ist, denn in diesem Falle kann er aufgegeben oder abgeändert werden. Ist der Wille aber ein fester Entschluß, vielleicht schon zur That geworden, so ist der Widerstreit zwischen ihm und der Idee nicht aufzuheben. Der Tadel, der Vorwurf bleibt und ergeht auch über den Entschluß, selbst wenn er nicht ausgeführt ist. Indes ganz unwillkürlich stellt sich neben die Gegenwart die Zukunft, und aus dem Konflikt ergibt sich die Weisung, in Zukunft anders zu wollen. Hier wird ein zukünftiger Wille an eine bestimmte Vorschrift gebunden, deren Anspruch auf Gültigkeit nicht aufgehoben wird, auch wo das Geforderte faktisch nicht geschieht. Dieses beides: der Anspruch auf absolute Gültigkeit und die Rücksicht auf die Zukunft findet eben seinen Ausdruck in dem Worte Sollen. So kann ein jedes tadelnde Urteil über einen Willen zu einem Sollen werden. Selbst bloße Nützlichkeitsrücksichten treten oft als sehr starke Imperative auf. Auch ästhetische Urteile werden zu Postulaten, indem der Künstler zu sich oder zu anderen sagt: wenn wieder künstlerisch geschaffen wird, so soll dies so oder so geschehen. Allein in diesem Falle gibt es noch einen anderen Ausweg, um jenen Konflikt zu vermeiden; ein derartiges Sollen ist doch immer nur hypothetisch: wenn wieder geschaffen wird, aber ob dies geschieht oder ob das Handeln in dieser Beziehung ganz unterlassen wird, ob sich also jenes Soll geltend macht oder nicht, steht in der Willkür des Künstlers. Anders ist es im Sittlichen: einmal vermag der Mensch nicht, alles Wollen zu unterlassen, und muß also immer von neuem den Beifall oder den Tadel der Ideen wecken, sodann, wenn er wirklich von allem Wollen abstände, würden sämtliche Ideen ihren Tadel über das Säumen und Unterlassen erheben. Es stellt sich also hier ein Entweder—oder heraus: entweder den Tadel, die Selbstverurteilung zu ertragen, oder der Weisung, welche in den Ideen liegt, zu folgen. In beiden Fällen ist eine Verurteilung des schlechten Willens und damit ein Sollen*) oder eine Pflicht, der Idee gemäß zu wollen, vorhanden.

---

*) Natürlich liegt in dem Gefühle des Sollens, der Verpflichtung zum Guten noch nicht ein Wollen desselben.

17*

Der Begriff des Sollens oder der Pflicht setzt also vielerlei voraus und ist völlig ungeeignet, den Anfang einer Ethik zu bilden. Er setzt voraus: 1) die Bekanntschaft mit den absoluten Ideen, also die Antwort auf die Grundfrage der Ethik: was ist gut? 2) Eine Vergleichung der Ideen mit der Wirklichkeit und die sich daraus ergebende Erkenntnis, daß letztere nicht immer den ersteren entspricht. 3) Das Bewußtsein von der Veränderlichkeit des Willens, also daß, wo jenes Mißverhältnis stattfindet und das Urteil sich als Tadel geltend macht, in künftigen, ähnlichen Fällen anders, nämlich den Ideen gemäß, gewollt werden kann. Damit sind wir auf die Freiheit des Willens geführt.

199. Freiheit. Gesetzt, der Wille wäre unfrei, er wäre also gerade so wie jedes andere Naturereignis anzusehen, so ist wohl festzuhalten, daß das Urteil nach den Ideen über den Willen nicht verstummen würde. Dasselbe würde billigend oder mißbilligend, Gefallen oder Mißfallen aussprechend sich kund thun, sowie ästhetische Urteile über schöne und unschöne Naturverhältnisse ergehen. „Keiner, sagt einmal Schleiermacher, wo er auf der Spur einer richtigen Ethik ist, keiner, er bejahe den Begriff der Willensfreiheit oder verneine ihn, wird behaupten, daß er dann anderes für gut und anderes für böse halten würde, als zuvor. . . . . So auch gibt es über die künstlerischen Handlungen des Menschen und das Gelingen derselben ein System der Beurteilung nach dem Ideale, ohne daß jemals die Frage in Anregung käme, ob auch der Künstler Freiheit gehabt, anderes oder besseres zu können. Das Urteil über gut und böse, schön und häßlich ist unabhängig von der Annahme der Freiheit oder Unfreiheit. Das steht erfahrungsmäßig fest." Allein bei der Leugnung der Willensfreiheit würde sich unmöglich aus dem Mißfallen ein Sollen ergeben. Ein solches folgt nur für den, in dessen Macht es steht, die mißfälligen Verhältnisse zu ändern bez. in Zukunft zu vermeiden. Das Urteil hörte sonst auf, ein spezifisch sittliches zu sein und würde zu einem allgemein ästhetischen. Das spezifisch sittliche Urteil erfordert als sein Objekt Willens verhältnisse. In der Annahme eines unfreien Willens aber liegt eigentlich schon ein Widerspruch, denn ein unfreier Wille ist kein Wille, sondern sinkt zur bloßen Begehrung oder zum Trieb herab. In dem Begriff eines Willens liegt, daß er der bewußte Ausdruck eines Ich ist, oder daß er seine Ursachen im Ich hat und somit frei, d. h. durch Gedanken, Motive bestimmbar ist.[*] Das war es, was Kant ursprünglich im Sinne hatte,

---

[*] Vgl. über die Freiheit des Willens von O. Flügel in Zt. f. ex. Ph. X. 128, und Tepe: Über die Freiheit und Unfreiheit des menschlichen Wollens, 1861, und Cornelius: Zur Theorie der Wechselwirkung zwischen Leib und Seele, 1880, S. 82.

da er die Freiheit des Willens als notwendige Voraussetzung der Sitt=
lichkeit hinstellte; er fragt, vorausgesetzt, daß die bloße gesetzgebende Form
der Maximen (die Ideen) allein der zureichende Bestimmungsgrund eines
Willens ist, wie muß der Wille beschaffen sein, der dadurch bestimmbar ist?
Die nächste Antwort liegt in der Frage selbst: ein solcher Wille darf nicht
unbedingt dem objektiven Lauf der Begierden hingegeben sein, sondern er
muß bestimmbar sein durch Vorstellungen, durch Gedanken, Motive, welche
dem Ich selbst angehören, bestimmbar auch durch das Lob und den Tadel
der sittlichen Ideen. In dem Falle nun, daß die letzteren, die sittlichen
Motive die einzigen zureichenden Motive sind, ist die Freiheit eine sittliche
Freiheit, die Idee der inneren Freiheit ist realisiert, die Tugend und das
mit ihr verknüpfte Gefühl der Freiheit und des inneren Friedens ist ein
persönliches Besitztum geworden. „Denn der Mensch kommt mit seiner
praktischen Überlegung nicht eher zu einem festen Ruhepunkte, als bis er
unter allen Motiven, denen er sich hingeben könnte, die ganz unveränder=
lichen obenan zu stellen sich entschließt. Unveränderlich aber sind allein die
Ideen; beharrlich ist insbesondere das Mißfallen an der inneren Unfreiheit,
wenn man ihnen zuwider anderen Motiven Raum gibt. Dieses fühlte
Kant, als er von einer absoluten Selbstnötigung sprach."*)

Diese Freiheit, sich selbst zu bestimmen, sich zu dem entschließen zu
können, was uns das Beste dünkt, traut jeder Mensch, der nur einiger=
maßen geistig entwickelt ist, sich selbst zu, und einigermaßen erlangt auch
ein jeder einen Grad von Fertigkeit in dieser Selbstbestimmung. Es ist
daher durchaus nicht zu hoch gegriffen, wenn man das Sittliche als die
allgemeine menschliche Aufgabe hinstellt, denn wenn auch sehr viel fehlt,
daß die Menschen sofort das Sittliche ganz zu vollbringen im stande wären,
so läßt sich doch soviel ohne Zweifel sagen, sie können allmählich dazu er=
zogen werden.**)

Zu dieser Freiheit, ohne welche das Sittliche nicht gedacht werden
kann, gehört also folgendes: 1) der Mensch muß eines wirklichen Willens
fähig sein, der seine Wurzeln nicht in äußeren fremden Ursachen, sondern
im eigenen Innern des Menschen, im Ich hat. Alle materialistischen und
spinozistischen***) Systeme, welche die Existenz eines selbständigen Seelen=

---

*) Herbart I. 144. In diesem Sinne sagt auch Seneca: sapientia est
idem semper velle et semper nolle, potest autem non idem semper placere,
nisi honestum.

**) Vgl. Drobisch: Die moral. Statistik u. d. menschl. Willensfreiheit, Leipzig 1867.

***) Über den Freiheitsbegriff bei Spinoza s. Herbart IX. 256 ff. und
Thilo: Über Spinozas Religionsphilosophie in Zt. f. er. Ph. VII. 83 ff.

wesens leugnen und den Geist und damit den Willen in irgend einer
Weise als Funktion des Leibes bez. der Weltidee (des absoluten Werdens)
ansehen, verkennen die Natur des Willens und entziehen der Ethik die
Grundlage; die sittliche Beurteilung wird hier im besten Falle zu einer all=
gemein ästhetischen, und von Pflicht oder Sollen im rein sittlichen Sinne
kann, genau genommen, nicht mehr die Rede sein.   In dem Begriffe des
Willens als eines motivierten Handelns liegt 2), daß er nicht un=
veränderlich sein darf.   Wäre der Charakter der Menschen, welcher sich
im Wollen kundthut, unveränderlich in dem Sinne, wie Schopenhauer
es meint, daß niemals der Zweck, sondern nur die Mittel umgewandelt
werden können, so wäre eine Ethik gleichfalls unmöglich.   Schopenhauer
sieht den Charakter für etwas ebenso Einfaches und Unveränderliches an,
als wir oben (Nr. 15) die Qualität des absolut Seienden kennen gelernt
haben; die Grundqualität alles Seienden ist ihm eben das Wollen, welches
darum in sich unveränderlich ist.*)   Sowie ein qualitativ bestimmtes ein=
faches Wesen (Atom) unter denselben Bedingungen immer in ganz gleicher
Weise reagieren wird, so handelt auch jeder Mensch zu allen Zeiten ganz
gleich unter ganz gleichen äußeren Umständen.   Dem Boshaften ist seine
Bosheit ebenso angeboren, als der Schlange ihre Giftzähne.   Wäre dem
also, wäre der Charakter etwas so Unveränderliches, dann würde ohne
Zweifel alle Moral illusorisch werden.   Jene Behauptung, welche in
Schopenhauers falscher Metaphysik begründet ist, steht aber nicht allein
mit der Erfahrung in direktem Widerspruch, sondern sie setzt auch eine
ganz falsche Ansicht vom menschlichen Charakter voraus, als sei dieser
etwas Isoliertes oder das Primäre im Geiste, während er doch ganz und
gar in dem vorhandenen Gedankenkreise wurzelt und also zunächst durch
diesen bestimmt bez. verändert wird.   Und das ist ja die notwendige
Voraussetzung der ganzen Sittenlehre, daß der Wille den Ideen gemäß
gebildet werden kann.   3) Zu den Motiven des Willens gehören auch die
sittlichen Urteile, welche eine solche Macht im Gemüte des Menschen er=
langen können und sollen, daß sie überall die entscheidenden Motive
für den Willen sind.   Wie bereits gesagt, war es dies, was Kant eigent=
lich im Sinne hatte und zur Begründung der Moralität brauchte.   Er
legte aber diese Voraussetzung, dieses Postulat der Sittlichkeit falsch aus,
wenn er unter Freiheit ein transcendentales Vermögen verstanden wissen
wollte, welches ohne jede Ursache und also ohne jedes Motiv einen Willen
ganz absolut von vorn anfangen könnte.   Nur auf diese Weise glaubte

---

*) Über Schopenhauers ethischen Atheismus s. Thilo in Zt. f. ex. Ph.
VII. 321 ff. u. 298 ff.

er, die moralische Zurechnung festhalten zu können, indem so der Mensch
der freie Urheber aller seiner Thaten wie seines ganzen Charakters würde.
Diese Freiheit ist nach Kant transcendental, d. h. in Wirklichkeit, in der Zeit
nicht gegeben. Vielmehr stehen in der Zeit alle Thaten des Menschen in
notwendiger Abhängigkeit von dem empirischen Charakter; diesen aber und
damit alle in der Zeit daraus folgenden Willensentschlüsse hat sich das
Ich selbst vor aller Zeit durch eine intelligible That ohne alle Motive
gesetzt. Dies ist auch die Meinung Schopenhauers, nur tritt es bei
diesem ganz deutlich zu Tage, was bei Kant noch verborgen bleibt, daß
mit dieser transcendentalen Freiheit nichts anderes, als ein absolutes Werden
ohne allen Inhalt, ohne Sinn und ohne Wert verstanden wird. Mit dieser
Freiheit trat Kant direkt der vorangehenden Philosophie namentlich Lockes
und Leibniz' entgegen, welche beide sehr entschieden fern von jedem
materialistischen Zuge einen sittlichen Determinismus oder eine Bestimm-
barkeit des Willens durch sittliche Motive gelehrt hatten.

Übrigens lag für Kant noch ein anderer Grund zur Behauptung der
transcendentalen Freiheit vor. Er hatte den Pflichtbegriff und damit einen
Willen zum obersten Prinzip der Ethik gemacht. Dieses oberste Prinzip
durfte nun nicht selbst wieder von etwas außer ihm abhängig gedacht werden,
sondern mußte aller Kausalität entnommen ein absolut selbständiges sein.*)

200. Religion. Fragt man endlich nach den Mitteln, durch
welche die Menschheit und jeder einzelne Mensch zur Annäherung und
endlichen Erreichung des Zieles, nämlich der reinen Tugend erzogen wird,
so nimmt die Religion ohne Zweifel den hervorragendsten Platz unter diesen

---

*) Über den Zusammenhang der transcendentalen Freiheit mit dem Pflichtbegriff
bei Kant s. Herbart IX. 20 f. Bei der Kritik des Begriffes von der transcendentalen Freiheit sind vornehmlich drei Punkte zu beachten: 1) daß eine solche
Freiheit weder in der Erfahrung gegeben ist, noch daß zu deren Annahme ein
moralisches Bedürfnis vorliegt. Vgl. Drobisch: Moralische Statistik und die
menschliche Willensfreiheit, Leipzig 1867, S. 5—8 ff. 2) Daß sie begrifflich dasselbe
ist und also ebenso unmöglich, als das absolute Werden, vgl. Herbart I. 201 ff.
3) Daß sie alle Besserung und Erziehung und also alle Moralität unmöglich macht,
vgl. Herbart II. 329 ff. In letzter Beziehung sagt daher Pristley gegenüber
Hartley vollkommen richtig: die Tugend wird durch den Determinismus nicht
aufgehoben. Zu einer tugendhaften Entschließung und Handlung wird sowohl der
Mensch selbst, als ein Beweggrund erfordert, eine Handlung ohne allen Beweggrund
ist weder tugendhaft noch lasterhaft. Wenn auch unser Wille durch Beweggründe
determiniert wird, so ist er doch immer unser Wille, der in unserem Geiste seinen
Sitz hat. Eine ganze freie, von jedem Urteile, vom Gewissen, von jeder Neigung
unabhängige Selbstbestimmung des Willens würde nur zufälliger Weise bald
Gutes, bald Böses hervorbringen und könnte weder tugendhaft noch lasterhaft sein,
sondern würde gleichgültig sein. Ebenso würde es der Verantwortlichkeit gehen.

Mitteln ein. Der Sittenlehre, als wirkende Kraft gedacht, würde der
Hauptnerv fehlen, müßte sie der Religion im Sinne des Christentums entraten. Kann und muß auch die Moral als Wissenschaft zunächst von jeder
religiösen Grundlage absehen, so verhält es sich ganz anders mit der
Moralität als Gesinnung. Die Bedeutung der Religion, als des vornehmsten Mittels zur Tugend, läßt sich mit den bekannten Worten ausdrücken: das Sittliche ist der Wille Gottes an uns. Außer manchen anderen
wichtigen Punkten liegt darin der Glaube an eine moralische Weltordnung.
Deuten die Eigenschaften Gottes, als des Allweisen, Allmächtigen, Allgütigen
und Gerechten ohne Zweifel auf eine vollkommene Realisierung der sittlichen
Ideen in der Person Gottes hin, so erhält die sittliche Energie eine beträcht-
liche Unterstützung durch den Glauben, daß das Gute der Wille Gottes
und also der Endzweck der ganzen Schöpfung ist. Bekanntlich setzt jedes
energische Wollen die Hoffnung auf das Gelingen voraus. Wo diese
Aussicht schwindet, sinkt das Wollen zum bloßen (sogenannten frommen)
Wunsche herab. Die Zuversicht in die Erreichbarkeit des Guten für den
einzelnen und für die Gesamtheit muß aber notwendig schwinden bei einer
gewissen Deutung der Ansicht Kants vom radikalen (unüberwindlichen)
Bösen, bei Schopenhauers Meinung von der Unveränderlichkeit des
Charakters, im Spinozismus, wo das Böse zum Korrelat des Guten
gemacht wird, oder bei der Leugnung einer individuellen Unsterblichkeit.
Wo in einer solchen oder ähnlichen Weise dem sittlichen Streben von vornherein die Vergeblichkeit alles Bemühens, die Unerreichbarkeit des Zieles
feststeht, da wird auch der sittlichen Energie die Lebensader fehlen. Der
an seiner und der Welt sittlichen Vervollkommnung Arbeitende muß zu
dieser Arbeit den Glauben an eine sittliche Weltordnung festhalten, daß also
das Sittliche das Ziel der Schöpfung sei und endlich auch den Sieg über
das Böse erlangen müsse, oder mit anderen Worten, daß das Sittliche der
Wille Gottes des Allmächtigen ist; denn eine absichtliche Ordnung annehmen
ohne einen persönlichen Ordner, wie Fichte versuchte, ist ein Unding, ein
Gedanke, welchem unter allen Umständen nicht allein die Energie, sondern
auch die Klarheit abgeht.

Der Gedanke der moralischen Weltordnung, wonach das Endziel das
Gute ist, Gott die Welt auf dieses Ziel hin angelegt hat, und sowohl der
Gesamtheit als dem einzelnen den erforderlichen Beistand, die nötigen Mittel
dazu an die Hand giebt, bildet den Abschluß der teleologischen Gedanken
und fordert als notwendige Ergänzung die persönliche Unsterblichkeit der
Seelen.

Chronologisch geordnetes Namenverzeichnis.

I. Alte Zeit.

Die ionischen Physiologen. Thales aus Milet um 640--550 v. Chr. Urstoff ist das Wasser Nr. 1 S. 3, Nr. 94. Anm. S. 128. Hippo lehrt ähnliches zu Perikles' Zeit Nr. 1 S. 3. Anaximander aus Milet 611—547. Der Urstoff ist qualitätslos ($\overset{\text{ν}}{\alpha}\pi\epsilon\iota\rho\text{ον}$) Nr. 2 S. 4, Nr. 15 S. 26, Nr. 134 S. 188. Anaximenes aus Milet um 500. Urstoff ist die Luft Nr. 1 S. 3. Diogenes von Apollonia um 463. Das Seiende ist Eins Nr. 20 S. 36.

Heraklit aus Ephesus um 500. Der Urstoff ist das Feuer. Alles ist in einem absoluten Werden begriffen Nr. 5 S. 9. Dasselbe wird von uns nicht richtig aufgefaßt Nr. 10 S. 16, Nr. 61 S. 98. Im Werden gibt es Strom und Gegenstrom Nr. 9 S. 15. Sein und Erkennen identisch. Weltseele Nr. 9 Anm. S. 16. Periodische Weltverbrennung Nr. 12 S. 19, Nr. 115 S. 158.

Die Eleaten. Xenophanes aus Kolophon zuletzt in Elea um 500. Parmenides aus Elea um 455. Melissus von Samos 444. Zeno aus Elea 495. Es gibt nur ein Seiendes Nr. 20 S. 36. Dieser Monismus ist nicht Pantheismus im gewöhnlichen Sinne Nr. 24 S. 40. Das Seiende ist nicht unterschieden vom Sein Nr. 18 S. 32. Das absolute Sein Nr. 14 S. 24 ist identisch mit dem Denken Nr. 20 S. 35. Im Begriff des Kontinuum und der Bewegung sind Widersprüche enthalten. Das Seiende ist einfach Nr. 19 S. 33, hat keine Größe Nr. 52 S. 86. Die Eleaten verzichten auf Naturerklärung Nr. 24 S. 40, bezweifeln die Richtigkeit der sinnlichen Wahrnehmungen Nr. 61 S. 98.

Pythagoras von Samos um 550. Das Seiende sind die Zahlen Nr. 26 S. 42. Dreiteilung der Seele (?) Nr. 94 Anm. S. 135. Ansatz zu einer kosmologischen Sittenlehre Nr. 135 Anm. S. 189. Strenge Vergeltung Nr. 185 S. 242. Wohlwollen Nr. 172 S. 234.

Empedokles aus Agrigent 440 sieht die sog. vier Elemente Nr. 29 S. 50 als absolut Seiendes an Nr. 14 S. 24. Jedes Element ist einfach Nr. 18 S. 32. Prinzip der Kraft ($\varphi\iota\lambda\acute{\iota}\alpha$ und $\nu\epsilon\tilde{\iota}\kappa o\varsigma$) Nr. 29 S. 50. Die Weltbildung geschieht durch Mischung und Entmischung der Elemente Nr. 31 S. 52. Periodische Weltentstehung und Vernichtung bez. Ewigkeit der Welt Nr. 115 S. 156. Die Seele besteht aus den vier Elementen (Materialismus) Nr. 94 Anm. S. 135.

Anaxagoras aus Klazomenae 500—425 verpflanzt die Philosophie nach Athen. Das absolut Seiende Nr. 14 S. 24, Nr. 41 S. 73 sind unzählig viele Nr. 30 S. 51, Nr. 29 S. 50, unendlich kleine Nr. 19 S. 33, einfache, unveränderliche Nr. 18 S. 32, qualitativ verschieden bestimmte Nr. 41 S. 73 Wesen (Homoeomeren). Deren Qualitäten bestehen in den wahrnehmbaren Eigenschaften der Materie Nr. 38 S. 67. Zweifel an der Wahrheit der sinnlichen Wahrnehmungen Nr. 62 S. 99. Die geistigen Vorgänge werden geschieden von den materiellen Nr. 94 Anm. S. 137. Vom Stoff ist getrennt die Kraft, welche ihren Ursprung im νοῦς hat Nr. 33 S. 56, Nr. 115 S. 156. Derselbe entmischt die in einem Chaos vereinigten Elemente und bildet dadurch die Welt Nr. 29 S. 50 nach bestimmten Zwecken (Teleologie) Nr. 119 S. 165.

Die Atomiker. Leukipp und Demokrit aus Abdera 450. Die letzten Elemente der Materie sind die Atome Nr. 29 S. 50, diese sind absolut (unveränderlich) Nr. 14 S. 24, einfach Nr. 18 S. 32, ausgedehnt Nr. 19 S. 33, undurchdringlich Nr. 38, 39 S. 67, qualitativ einander gleich Nr. 40 S. 70, verschieden an Gestalt Nr. 19 S. 33, unendlich viele Nr. 30 S. 51, anfänglich isoliert Nr. 115 S. 157, in ursprünglichen Bewegungen Nr. 31 S. 53. Die Welt entsteht durch zufälliges Zusammenkommen der Atome Nr. 118 S. 164. Die Seele besteht aus Feueratomen, die Empfindung beruht auf Bildern, welche von den Dingen in die Seele gehen Nr. 94 Anm. S. 135. Zweifel an der Wahrheit der sinnlichen Empfindungen Nr. 62 S. 99. Demokrits ethisches Prinzip ist die εὐθυμία Nr. 134 Anm. S. 189, S. 175.

Die Sophisten. Ethischer Standpunkt derselben im allgemeinen Nr. 123 S. 175, Nr. 125 S. 176. Gorgias aus Leontium 427 folgt in der Erkenntnislehre den Eleaten, es gibt keine Wahrheit Nr. 62 S. 98.

Protagoras aus Abdera 480 folgt in der Erkenntnislehre dem Heraklit, es gibt keinen Irrtum Nr. 62 S. 98. Sein ethischer Standpunkt: der Mensch ist das Maß aller Dinge Nr. 131 S. 183.

Sokrates aus Athen 470—399 wendet sich von der theoretischen Philosophie ab Nr. 149 S. 215. Das Sittliche beruht auf etwas Festem, unmittelbar Gewissem Nr. 149 S. 215. Wiefern die Tugend ein Wissen ist Nr. 150 S. 216. Vergeltung Nr. 185 S. 242, der Glaube an die Vorsehung gründet sich auf die Teleologie Nr. 119 S. 165.

Xenophon aus Athen 444—360. Prinzip der Sittenlehre ist ein gemäßigter Eudämonismus Nr. 128 S. 178. Wohlwollen Nr. 170 S. 233.

Megariker. Euklides aus Megara 432. Das Reale ist nicht ursprünglich wirkend Nr. 36 S. 63.

Cyniker. Antisthenes aus Athen 444. Enthaltsamkeit Nr. 124 S. 176. Der Natur gemäß leben Nr. 135 Anm. S. 190. Diogenes von Sinope 340. Nr. 124 S. 176.

Cyrenaiker. Aristippus von Cyrene 390. Prinzip der Lust Nr. 126 S. 176. Hegesias 300. Prinzip der Schmerzlosigkeit Nr. 126 S. 177.

Plato aus Athen 427—347. Das Absolute im Gegensatze zu dem Relativen Nr. 14 S. 24. Das absolut Seiende ist qualitativ bestimmt Nr. 16 S. 28, ist einfach Nr. 18 S. 32. Die Ideen sind das absolut Seiende Nr. 27 S. 43, deren Absolutheit wird nicht festgehalten Nr. 27 S. 42. Versuch, das Sein aus dem Begriffe zu erschließen Nr. 14 Anm. S. 24. Die Materie ist das Werdende, Qualitätslose Nr. 6 S. 10, Nr. 27 S. 45. Bildung der Welt durch den Demiurg Nr. 27 S. 45. Über Teleologie Nr. 119 S. 165. Dreiteilung, Präexistenz, Unsterblichkeit der Seele Nr. 94 Anm. S. 135, Nr. 103 S. 146. Logischer Realismus Nr. 70 S. 109, Nr. 100 S. 143. Unterscheidung von Denken und Meinen Nr. 27 S. 45. Das Gute ist etwas Absolutes im Gegensatz zur Begierde Nr. 151, 152 S. 218. Σοφία, ἀνδρεία, σωφροσύνη, δικαιοσύνη Nr. 162 S. 227. Reiblose Güte Nr. 170, 171 S. 233. Idealstaat Nr. 162 S. 227, S. 253.

Aristoteles aus Stagira 384–322. Empirist. Die Prinzipien der Wirklichkeit sind Materie und Form. Die Formen, verglichen mit Platos Ideen, werden ursprünglich zu Kräften und dadurch relativ (Möglichkeit und Wirklichkeit) Nr. 6 S. 10, Nr. 28 S. 46. Die Welt ist ewig Nr. 115 S. 158, ein Kreislauf Nr. 12 S. 19, bedingt durch ein zweckmäßig wirkendes Prinzip Nr. 115 S. 159. Beim Zweck geht die Wirkung der Ursache, das Ganze den Teilen voran Nr. 119 S. 166. Erster Beweger Nr. 33 S. 56. Kategorienlehre Nr. 69 S. 108. Seelenvermögen Nr. 103 S. 146. Einheit des Bewußtseins deutet auf die Einfachheit der Seele Nr. 93 S. 133. Keine individuelle Unsterblichkeit Nr. 94 Anm. S. 135. Ethischer Eudämonismus Nr. 129 S. 180. Tugend als Fertigkeit und ein Mittleres zwischen zwei Lastern Nr. 197 S. 257. Wohlwollen Nr. 170 S. 233.

Epikur von Samos 341–270. Nimmt die Atomlehre und die zufällige Bildung der Welt an Nr. 118 S. 164. Ethisches Prinzip ist die Lust Nr. 127 S. 177. **Lucretius** aus Rom 70.

Stoiker. Zeno aus Kittion 350–258. **Chrysipp** aus Soli 282–209. **Kleanth** (Anaxarch 333 S. 165). Die ersten wissenschaftlichen Pantheisten. Nehmen nur ein Prinzip an, welches sich in ein Leidendes und ein Thätiges spaltet Nr. 15 Anm. S. 27, Nr. 135 S. 189. Alles Reale ist körperlich (Materialismus) Nr. 19 S. 33, S. 64. Der Zweck (λόγος σπερματικός) in der Natur Nr. 119 S. 166. Periodische Weltverbrennung Nr. 12 S. 19, Nr. 115 S. 156. Das Prinzip der Ethik: der Natur gemäß leben, gründet sich auf die theoretische Anschauung Nr. 135 S. 189. Über die Übel der Welt Nr. 137 S. 196. Selbstbeherrschung Nr. 169 S. 232, suum cuique. Beginnen Recht und Vergeltung zu scheiden Nr. 185 S. 242. Dogmatismus in der Erkenntnislehre Nr. 62 S. 99. Seelenvermögen Nr. 103 S. 146. Der Stoizismus des **Epiktet** 90 n. Chr. und des **M. Aurelius** Antoninus 161–180 n. Chr. neigt zur Mystik Nr. 137 S. 197.

Plutarch aus Chaeronea 99 n. Chr. Dualismus eines guten und eines bösen Prinzips Nr. 137 S. 197.. Das Geistige ist nicht Bewegung Nr. 40 S. 71.

Die Skeptiker. Pyrrho 330 v. Chr. **Aenesidemus** 20 v. Chr. **Sextus** Empiricus 200 n. Chr. Relativität der sinnlichen Wahrnehmung Nr. 62 S. 99. Einer verwandten Art zu philosophieren folgt die zweite und dritte **Akademie.** Stifter der ersten Akademie ist Plato, der zweiten **Arkesilaus** 316–241 v. Chr., der dritten **Karneades** 214–129 v. Chr. Es gibt kein Wissen, nur Wahrscheinlichkeit Nr. 62 S. 99.

Die Neuplatoniker. Ihrer Denkweise nahe verwandt ist der Jude **Philo** (Zeitgenosse Christi). Ammonius Saccas in Alexandrien 175–250 n. Chr. **Plotin** aus Lykopolis 205–270 n. Chr. Causa sui Nr. 6 S. 10. Kreislauf des Werdens Nr. 12 S. 19. Einheit der Seele Nr. 93 S. 133. Idealismus Nr. 68 S. 101. **Porphyrius** 233–304 n. Chr. Jamblichus 300. Es gibt nur ein Prinzip Nr. 20 S. 36. Dieses ist der eigenschaftslose Gott Nr. 15 S. 26. Vermittelnde Glieder zwischen Gott und der Materie sind λόγος, νοῦς, ψυχή Nr. 15 S. 27. Sitz des Bösen ist die Materie Nr. 137 S. 196. Ethisches Prinzip ist die Lossagung von der Sinnlichkeit Nr. 138 S. 198. Intellektuelle Anschauung Nr. 66 S. 105.

II. Mittelalter.

Augustinus † 430. Anfänge des Idealismus Nr. 63 Anm. S. 101. Das Gute ist nichts Willkürliches Nr. 133 S. 185.

Dionysius Areopagita (pseudonym) 475. Θεολογία ἀποφατική Nr. 16 S. 23. Scotus Erigena 843—877. Absolutes Werden Nr. 6 S. 11. **Anselm** von Canterbury 1033—1109. Ontologischer Beweis für das Dasein Gottes Nr. 13 Anm. S. 23. Gegner desselben **Gaunilo** Nr. 14 S. 23. **Roscellinus** 1092, logischer Nominalist Nr. 70 S. 109. Abelard † 1142. Albertus Magnus † 1280. **Thomas** von Aquino † 1274, logischer Realist Nr. 70 S. 109. Das Gute ist nichts Willkürliches Nr. 133 S. 185. **Duns Scotus** † 1308. Das Gute ist ein willkürlicher Befehl Gottes Nr. 133 S. 186. **Wilhelm v. Occam** logischer Nominalist Nr. 70 S. 104.

Mystiker. Meister Eckhart 1330. Scheffler 1624—1677 Nr. 138 S. 199.

III. Neuere Zeit.

Giordano Bruno, verbrannt zu Rom 1600. Konsequenter Pantheist, nimmt zugleich Monaden an. **Francis Baco** (v. Verulam), geb. zu London 1561, † 1626. Schrift: Cogitata et visa oder Novum organon scientiarum. Gilt für den Begründer des naturwissenschaftlichen Empirismus und der Induktion Nr. 116 S. 161.

René Des-Cartes, geb. zu Lahaye 1596, † in Stockholm 1650. Schriften: Meditationes de prima philosophia 1641. Principia philosophiae 1644. Bezweifelt die Existenz der Außenwelt. Sicher ist zunächst nur das Ich gegeben (cogito ergo sum) Nr. 63 S. 101. Beweist die Existenz Gottes aus dessen Begriff Nr. 68 S. 107 und durch den ontologischen Beweis Nr. 13 S. 23 Anm. Beweist die Existenz der Außenwelt mit Hilfe der Annahme Gottes Nr. 68 S. 107. Das Wesen der Körper besteht in der Ausdehnung Nr. 19 S. 33, Nr. 38 S. 67. Das Wesen der Seele besteht im Denken Nr. 6 S. 10, Nr. 36 S. 62. Verwerfung des influxus physicus Nr. 51 S. 84 und der unvermittelten Fernwirkung Nr. 37 S. 63. Dualismus zwischen Leib und Seele Nr. 93 S. 139. Anfänge des Occasionalismus Nr. 51 S. 84. Das Gute ist ein willkürlicher Befehl Gottes Nr. 133 S. 186.

Arnold Geulinx (Cartesianer) 1625—1669. Beweist die Existenz der Außenwelt aus der Einfachheit der Natur, Nr. 68 S. 107.

Nicolas Malebranche (Cartesianer) 1638—1715. Occasionalist Nr. 51 S. 84. Christlicher Eudämonist Nr. 130 S. 182.

Baruch de Spinoza, geb. zu Amsterdam 1632, † im Haag 1677. Schrift: Ethica ordine geometrico demonstrata 1677. Tractatus politicus 1677. Pantheist. Grund und Wesen aller Dinge ist eine Substanz (Gott) Nr. 3 S. 5. Der Beweis für deren Einzigkeit beruht auf dem Satze: determinato est negatio Nr. 20 S. 34, Nr. 100 S. 143. Die Substanz hat unendlich viel Attribute, von welchen uns nur zwei bekannt sind: Denken und Ausdehnung Nr. 3 S. 5, Nr. 17 S. 31. Zwischen den Modis beider Attribute besteht keinerlei Kausalität Nr. 63 S. 102, Nr. 136 S. 193, sie laufen einander parallel Nr. 66 S. 105. Die Annahme der Außenwelt beruht auf der Empfindung Nr. 66 S. 105. Ursache und Wirkung stehen zu einander in demselben Verhältnis, wie die allgemeinen Begriffe zu den besonderen Nr. 100 S. 143. Aus der Substanz kann das Endliche nicht abgeleitet werden Nr. 3 S. 5. Ein Ding

hat um so mehr Realität, je mehr Attribute es hat Nr. 13 S. 23. Keine Zweck=
ursachen Nr. 116 S. 161. Die Seele besteht im Denken Nr. 36 S. 62. Keine Un=
sterblichkeit Nr. 94 Anm. S. 136. Ethischer Standpunkt: jus = potentia, Fatalismus
Nr. 136 S. 193, S. 231.

Hugo Grotius, geb. zu Delft 1583, † zu Rostock 1645. Schrift: De jure belli
et pacis libri tres 1625. Das Recht gründet sich auf das Mißfallen am Streit
Nr. 180 S. 240. Urrechte und Zangsrecht Nr. 183 S. 242.

Thomas Hobbes, geb. zu Malmesbury 1788, † 1679. Schrift: De cive 1642.
Leviathan 1651. De corpore 1655. De homine 1658. Das Sein hat keine Grade
des Mehr oder Weniger Nr. 14 S. 25. Das Wesen der Dinge erkennen wir nicht
Nr. 63 S. 101. Was im Raume ist, ist räumlich (Materialismus) Nr. 19 S. 33.
Das Recht beruht auf Eudämonismus, ist das Mittel, um dem bellum omnium
contra omnes ein Ende zu machen Nr. 175 S. 237. Unterscheidet das Recht von
der Vergeltung Nr. 186 S. 243.

John Locke, geb. zu Wrington 1632, † 1704. Schrift: An essay concerning
human understanding 1690. Das Wesen der Dinge erkennen wir nicht Nr. 63
S. 101. Problem der Inhärenz, Substanz und Accidenz Nr. 50 S. 82. Keine an=
geborenen Ideen. (Sensualismus) Nr. 70 S. 109. Das Ich ist nicht die Substanz
der Seele Nr. 91 S. 130.

George Berkeley, geb. in Irland 1684, † 1753. Schrift: Theory of vision
1709. Treatise on the principles of human knowledge 1709. Leugnet die Existenz
einer Außenwelt. Idealist. Alle Ursache ist in Gott zu suchen Nr. 64 S. 103.

Samuel Clarke 1675—1729, **Shaftesbury** 1671—1713, **Francis Hutcheson**
1694—1747, **Adam Smith** 1723—1790, **Wollaston** 1659—1729 sind Vertreter der
absoluten Wertschätzung Nr. 159 S. 225. Ueber Wohlwollen Nr. 174 S. 235.

David Hume, geb. zu Edinburg 1711, † 1776. Schrift: Enquiry concerning
human understanding 1770. Die Kausalität hat nur subjektive Bedeutung Nr. 63
S. 102, Nr. 51 S. 83.

Macchiavelli 1469—1527. Ethisches Prinzip der Macht Nr. 128 Anm. S. 180,
Nr. 133 S. 185.

Die Jesuiten. Moralisten: Sanchez 1610, Suarez 1617, Laymann 1635,
Escobar, Busenbaum 1669, Tamburini 1675 u. a. Das Gute ist etwas Relatives
Nr. 133 S. 186. Probabilismus Nr. 163 S. 228.

Blaise Pascal 1623—1662. Christlicher Eudämonist Nr. 130 S. 182, S. 214.

Samuel von Pufendorf 1632—1694. Naturrecht Nr. 176 S. 238.

Bayle 1647—1706. Kritik der prästabilierten Harmonie bei Leibniz Nr. 17
S. 29. Das Gute ist nichts Willkürliches Nr. 133 S. 187.

Montesquieu † 1755. Über das Christentum Nr. 191 S. 252.

Gottfried Leibniz, geb. zu Leipzig 1646, † zu Hannover 1716. Werke heraus=
gegeben von Erdmann 1840 und Gerhard. Sein ist kein reales Prädikat Nr. 14
S. 25. Das Seiende, bestehend in Monaden, hat eine bestimmte Qualität, Nr. 16
S. 28. Die Qualität besteht im Wirken Nr. 36 S. 62, Nr. 38 S. 68, Nr. 41 S. 73.
Das Wirken ist ursprünglich, jede Monade enthält eine Mehrheit innerer Zustände.
Das Wirken hat nur innere Ursachen (prästabilierte Harmonie) Nr. 17 S. 28. Äußere
Ursachen sind undenkbar Nr. 51 S. 84, Nr. 63 S. 102. Verwerfung der unvermittelten
Fernwirkung Nr. 37 S. 63. Das Reale ist nicht unendlich Nr. 30 S. 52. Principium

indiscernibilium Nr. 20 S. 35. Das Kontinuum ist in sich widersprechend Nr. 19 S. 34. Begründung des Realismus Nr. 68 S. 108. Angeborene Ideen Nr. 70 S. 109. Alle Seelenthätigkeiten sind Folgen einer Grundkraft der Seele Nr. 105 S. 148, unvergleichbar den Bewegungen Nr. 93 S. 133 Anm. Verwerfung der Seelenvermögen Nr. 79 S. 120. Naturrecht Nr. 176 S. 239.

Thomasius 1655—1728. Vertreter des Naturrechts Nr. 176 S. 233.

Christian Wolf 1679—1754. Vertreter der Seelenvermögentheorie Nr. 103 S. 156. Ethisches Prinzip: perfice te ipsum Nr. 173 S. 232 Anm.

Die französischen **Encyclopädisten.** Voltaire † 1778, Condillac † 1780, Diderot † 1784, d'Alembert † 1783, de Lamettrie † 1751, Holbach (système de la nature) sind Materialisten und Eudämonisten Nr. 127 S. 178.

Priestley 1733—1804, über Freiheit des Willens Nr. 199 S. 263 Anm.

Immanuel Kant, geb. in Königsberg 1724, † 1804. Werke herausgegeben von Hartenstein 1838 und 1867, und von Rosenkranz und Schubert 1842. Kritik der reinen Vernunft 1781, Grundlegung zur Metaphysik der Sitten 1785, Kritik der praktischen Vernunft 1788, Kritik der Urteilskraft 1790, Religion innerhalb der Grenzen der bloßen Vernunft 1793. Sein ist kein reales Prädikat; über den ontologischen Beweis für das Dasein Gottes Nr. 13 Anm. S. 23, Nr. 14 S. 25. Einfachheit des Seienden Nr. 19 S. 34. Möglichkeit des absoluten Werden Nr. 6 S. 11. Problem der Inhärenz. Die Dinge an sich kennen wir nicht Nr. 50 S. 82. Antinomien Nr. 30 S. 52. Die Materie erfüllt den Raum durch Kraft Nr. 38 S. 68. Fernwirkung Nr. 37 S. 64. Der Stoff der Empfindungen kommt von außen, die Form von innen. Kategorienlehre. Transcendentaler Idealismus Nr. 63 S. 102, Nr. 71—77 S. 110. Teleologie hat nur subjektive Bedeutung Nr. 117 S. 163; anschauender Verstand Nr. 119 S. 167. Seelenvermögen Nr. 103 S. 156. Das Ich bezeichnet nicht die Qualität der Seele Nr. 91 S. 130. Ethik beruht auf absoluter Wertschätzung. Trennung der praktischen Philosophie von der theoretischen Nr. 153 bis 156 S. 220. Das Objekt der sittlichen Beurteilung ist der Wille Nr. 156 S. 222. Kritik des Eudämonismus Nr. 157 S. 223. Kategorischer Imperativ Nr. 158 S. 224. Autonomie Nr. 164 S. 228. Deren Deutung in eine transcendentale Freiheit Nr. 6 S. 11, Nr. 165 S. 229, Nr. 199 S. 261. Pflicht Nr. 198 S. 253. Wohlwollen Nr. 173 S. 235. Trennung des Rechts von der Moral Nr. 176 S. 238. Absolute Straftheorie Nr. 167 S. 243. Radikales Böse Nr. 199 S. 261. Rigorismus der Tugend Nr. 197 S. 258.

Christian Jacob Kraus 1753—1807. Begriff vom absoluten Sein Nr. 14 S. 25.

Friedrich Heinrich Jacobi 1743—1819. Macht darauf aufmerksam, daß Kants transcendentaler Idealismus in einen absoluten übergehen müsse Nr. 63 S. 102, Nr. 72 S. 112. Sein Realismus gründet sich auf die Sinnesempfindungen Nr. 66 S. 105. **Fries** 1773—1843. Kantianer hinsichtlich der Erkenntnislehre, lehrt die Einfachheit des Seienden Nr. 19 S. 34, die Durchdringlichkeit Nr. 39 S. 69, verwirft die Unendlichkeit des Seienden Nr. 30 S. 52. **Reinhold** 1758—1823. Kantianer, bereitet den absoluten Idealismus vor durch den Satz: alle Wissenschaft müsse aus einem Prinzip abgeleitet werden. **G. E. Schulze, S. Maimon, Beck,** Kantianer, bereiten den absoluten Idealismus vor durch Verwerfung der Dinge an sich Nr. 63 S. 102.

Johann Gottlieb Fichte, geb. in Schlesien 1762, † 1814 in Berlin. Werke herausgegeben von J. H. Fichte 1845. Kritik aller Offenbarung 1792. Wissenschaftslehre 1794, 1795. Grundlage des Naturrechts 1797. System der Sittenlehre 1798. Über die Bestimmung des Menschen 1800. Die Wissenschaft hat nur ein Prinzip. Dieses ist das Ich, welches allein Realität besitzt Nr. 64 S. 103. Das Wesen des Ich besteht im absoluten Werden Nr. 7 S. 12, entwickelt sich durch Thesis, Antithesis, Synthesis Nr. 140 S 203, wird modifiziert durch ein Nicht-Ich (unbegreiflichen An= laß) Nr. 9 S. 16, läuft in sich zurück Nr. 12 S. 19. Die intellektuelle Anschauung schaut das Ich als in sich widersprechend Nr. 11 S. 17, wird mißverstanden von Schelling Nr. 66 S. 105. Seine Ethik gründet sich auf die Forderung, daß das Nicht=Ich dem Ich identisch werde Nr. 139 S. 201, führt zur Vernichtung des Individuums Nr. 143 S. 209. Selbstthätigkeit ist die einzige Tugend Nr. 165 S. 229, Nr. 169 S. 232. Harmonie mit sich selbst Nr. 165 S. 229. Trennung des Rechts von der Moral Nr. 178 S. 239. Moralischer Sinn Nr. 146 Anm. S. 213.

Friedrich Wilhelm Joseph Schelling, geb. zu Leonberg 1775, † zu Berlin 1854. Werke herausgegeben von K. F. A. Schelling. Abhandlungen zur Erläuterung des Idealismus der Wissenschaftslehre 1796. Bruno oder über das göttliche und natürliche Prinzip der Dinge 1802. Philosophische Untersuchungen über das Wesen der menschlichen Freiheit 1809. Ideen zur Philosophie der Natur 1803. Ver= allgemeinert das Fichte'sche Ich und überträgt es als absolutes Werden auf die ganze Natur Nr. 7 S. 13. Kennt nur ein Prinzip Nr. 7 S. 13, N. 20 S. 34, dieses ist qualitätslos (Indifferenz) Nr. 16 S. 27, enthält eine innere Vielheit Nr. 17 S 31. Die Existenz der Außenwelt wird durch die intellektuelle Anschauung erkannt Nr. 11 S. 17, Nr. 66 S. 105. Kreislauf des Werdens Nr. 12 S. 19. Immanente Teleologie Nr. 119 S. 167. Unsterblichkeit Nr. 94 Anm. S. 136. Seine Ethik beruht auf der Entwickelung des Absoluten Nr. 140 S. 203. Höhere Geschichtsanschauung Nr. 140 S. 204.

Der Schelling'schen Art zu philosophieren verwandt sind der Naturphilosoph Oken, die Theosophen Krause (Panentheismus) und Baader. Dessen Begriff vom Sein als Werden und Vielheit in der Einheit Nr. 17 S. 31, Nr. 8 S. 14. Ferner: **Stahl** 1802—1861. Philosophie des Rechts 1830. Theologische Begründung der Ethik Nr. 133 S. 185. Verwirft eine Trennung des Rechts von der Moral Nr. 179 S. 240. Der Staat ist nicht bloß Rechtsstaat Nr. 193 S. 253 Anm.

Georg Wilhelm Friedrich Hegel, geb. zu Stuttgart 1770, † zu Berlin 1831. Werke herausgegeben 1832. Phänomenologie des Geistes 1806. Wissenschaft der Logik 1812. Encyclopädie 1817. Grundlinien der Philosophie des Rechts 1821. Es gibt nur ein Prinzip Nr. 8 S. 13, Nr. 20 S. 37, dasselbe ist qualitätslos Nr. 16 S. 27, trägt in sich das Prinzip der Vielheit Nr. 17 S. 31, entwickelt sich als absolutes Werden Nr. 8 S. 13, durch die dialektische Methode Nr. 103 S. 146, Nr. 140 S. 205. Kreislauf der Dinge Nr. 12 S. 19. Das absolute Denken sieht das In=sich=Widersprechende als das Wahre an Nr. 11 S. 18. Identität des Seins und des Denkens Nr. 100 S. 143. Immanente Teleologie Nr. 119 S. 167. Die Psychologie operiert mit Allgemeinbegriffen Nr. 103 S. 147. Keine Unsterblichkeit Nr. 94 Anm. S. 136. Die Ethik gründet sich auf die Entwickelung des Absoluten Nr. 140 S. 203. Absolute Straftheorie Nr. 187 S. 243.

Friedrich Schleiermacher, geb. zu Breslau 1768, † in Berlin 1834. Werke 1835—64. Grundlinien einer Kritik der bisherigen Sittenlehre 1803. Entwurf eines Systems der Sittenlehre 1835. Gründet die Annahme der Außenwelt auf die Empfindung Nr. 66 S. 105. Die Ethik ist Darstellung des Absoluten Nr. 140

S. 203. Der Mensch wirkt auf die Natur symbolisierend und organisierend Nr. 140 S. 204, Nr. 169 S. 232. Über Wohlwollen Nr. 172 S. 234, Über die Freiheit des Willens Nr. 199 S. 260. Keine Unsterblichkeit Nr. 94 Anm. S. 136.

Benecke 1798—1854. Obgleich er in der Psychologie nur empirisch verfahren will, behält er doch die Seelenvermögen bei Nr. 103 S. 156.

Arthur Schopenhauer 1788—1860. Die Welt als Wille und als Vorstellung 1819. Ist Monist, nicht Pantheist, kennt nur ein Seiendes mit ursprünglich innerer Vielheit Nr. 17 S. 31. Dieses entwickelt sich als absolutes Werden oder Wille Nr. 8 S. 14, Nr. 36 S. 63, wird von uns nur unvollkommen aufgefaßt Nr. 10 S. 17. Kategorienlehre und Beweis der Existenz einer Außenwelt Nr. 73 S. 112, Nr. 85 S. 126. Ethik (Pessimismus) gründet sich auf die Entwickelung des Absoluten Nr. 141 S. 205. Über Wohlwollen Nr. 172 S. 235. Unveränderlichkeit des Charakters Nr. 199 S. 262. Keine Unsterblichkeit Nr. 94 Anm. S. 136.

Johann Friedrich Herbart, geb. zu Oldenburg 1776, † zu Göttingen 1841. Werke herausgegeben von Hartenstein 1850. Lehrbuch zur Einleitung in die Philosophie 1821. Allgemeine Metaphysik. 2 Thle. 1828. Psychologie als Wissenschaft 1825. Allgemeine praktische Philosophie 1808. Werke herausgegeben von Hartenstein 1851, von Kehrbach 1887. Die allgemeine Metaphysik behandelt folgende Probleme: der Inhärenz Nr. 47 S. 78, der Veränderung Nr. 51 S. 83, der Materie Nr. 52 S. 85, des Ich Nr. 61 S. 97. Deren Lösung erfordert die Annahme von vielen Nr. 25 S. 41, aber nicht unendlich vielen Nr. 30 S. 51 realen Wesen, welche absolut Nr. 14 S. 25, qualitativ bestimmt Nr. 16 S. 28, von verschiedener Qualität Nr. 40 S. 70, einfach Nr. 19 S. 34, für einander durchdringlich Nr. 38 S. 66 zu setzen sind, und welche sich gegenseitig zu Kraftäußerungen bestimmen Nr. 45 S. 76. Begründung des Realismus Nr. 91 S. 130. Nach den inneren Kraftverhältnissen richten sich die äußeren Zustände der realen Wesen Nr. 57 S. 93. Selbständiges Seelenwesen Nr. 92 S. 132. Dessen Wechselwirkung mit dem Leibe Nr. 95 S. 135. Wechselwirkung der Vorstellungen untereinander Nr. 98 S. 140. Die Zweckformen der Natur (Teleologie) führen zur Annahme eines Schöpfers Nr. 119 S. 168. Unterschied zwischen der theoretischen und der praktischen Philosophie Nr. 153 S. 220. Ethik als Teil der allgemeinen Ästhetik Nr. 160 S. 226 und S. 246 gründet sich auf absolute Urteile Nr. 154 S. 220, welche über Willensverhältnisse ergehen Nr. 156 S. 222. Diese Urteile geben zur Aufstellung folgender Ideen Veranlassung: der inneren Freiheit Nr. 161 S. 227 (beseelte Gesellschaft Nr. 193 S. 253), der Vollkommenheit Nr. 169 S. 231 (Kultursystem Nr. 192 S. 252), des Wohlwollens Nr. 170 S. 233 (Verwaltungssystem Nr. 191 S. 251), des Rechts Nr. 175 S. 237 (Rechtssystem Nr. 189 S. 250), der Vergeltung Nr. 184 S. 242 (Lohn- und Strafsystem Nr. 190 S. 251).

Aug. Preuß, Cöthen.

Über die erste Auflage des vorstehenden Buches

Die

Probleme der Philosophie
und ihre Lösungen.

Historisch-kritisch dargestellt

von

O. Flügel.

folgen nachstehend einige Beurteilungen:

Deutsche Blätter für erziehenden Unterricht. 1885. Nr. 22. Flügels Schrift will dazu anleiten, aus der Geschichte der Philosophie das Philosophieren und die Philosophie zu lernen. Verf. giebt weder eine rein historische, noch eine dogmatische Darstellung, sondern er stellt diejenigen Probleme in den Vordergrund, auf deren Lösung die philosophischen Bestrebungen aller Zeit gerichtet gewesen sind und um deren Lösung jede ernste in dieser Beziehung angestellte Forschung bemüht sein muß. Der ganze Stoff einer allgemeinen Geschichte der Philosophie ist um diese Grundfragen des Denkens und deren Lösungen gruppiert. Es werden sämtliche Grundprobleme der theoretischen und praktischen Philosophie vorgeführt, die Punkte, an welchen sich Schwierigkeiten finden, insbesondere deren eigentümliche Beschaffenheit bemerklich gemacht und damit die verschiedenen Anfangs= punkte der Spekulation gezeigt. Der Forscher soll bei jedem einzelnen Probleme in den Stand gesetzt werden, sämtliche mögliche und historisch versuchte, bemerkenswerte Lösungen zu übersehen und sie nach ihrem wahren Werte beurteilen zu können. Denn an einem selbständigen Versuche, jene Schwierigkeiten zu lösen, dürfte kaum jemand mit Erfolg arbeiten können, der sich nicht mit sämtlichen Denkbewegungen in Bezug auf Geist und Materie wenigstens den Hauptpunkten nach vertraut gemacht hat. Wo diese Kenntnis fehlt, wird oft an vermeintlich selbständige Lösungsversuche große Mühe verwendet, die gespart sein würde, hätte man gewußt, wie ganz die nämlichen Gedanken bereits früher vielfach aufgestellt, abgeändert, widerlegt und von neuem aufgenommen worden sind. Bei einer derartigen Darlegung der ver= schiedenen Denkbewegungen hat allerdings auch auf Gedanken Rücksicht genommen werden müssen, die bereits wegen ihrer Unfruchtbarkeit aufgegeben sind, wie z. B. die Philosophie Schellings oder Hegels, die jedoch prinzipiell immerhin als ein bedeutungsvoller Versuch, gewisse Probleme zu lösen, anzusehen sind. Wer sie nicht kennt, kommt nur gar zu oft, ohne es zu wollen oder zu wissen, auf sie zurück.

Im übrigen sind die einzelnen Probleme und ihre Lösungen so weit verfolgt und die einschlägige Litteratur so weit angegeben, daß man von da aus unmittelbar zur Detailforschung übergehen kann.

Diejenigen Fragen, von deren Beantwortung die eigentliche Entscheidung einer allgemeinen Weltanschauung abhängt, sind genügend erörtert, so daß sich jeder wissen=

schaftlich Gebildete dadurch hinlänglich auf dem Gebiete der Philosophie und der allgemeinen Naturwissenschaft orientieren und ein selbständiges Urteil über die eigentlich entscheidenden Fragen bilden kann.

Jenaer Litteraturzeitung. 1877. Nr. 3. Das vorliegende Werk giebt weder eine dogmatische, noch bloß historische Darstellung, sondern ist so angelegt, daß die Geschichte der Philosophie um die Hauptprobleme des Denkens, mit denen die Wissen= schaft von jeher beschäftigt gewesen ist, gleichsam verteilt erscheint. Die philosophischen Probleme als solche sind also in den Vordergrund gerückt, und an ihnen wird ge= zeigt, inwiefern und mit welchem Erfolge im Verlaufe der historischen Entwickelung die verschiedenen Denker an deren Lösung gearbeitet haben. Indem der Verfasser durch diese Art der Darstellung, welche schon durch die Neuheit fesselt, den Blick seiner Leser immer wieder auf die eigentlichen Grundfragen der Philosophie hinlenkt, ist er nicht nur imstande, diese recht bemerklich zu machen, sondern zugleich auch den Trieb zu immer neuem Eindringen und Forschen zu wecken, welche beiden Zwecke er denn auch im Auge zu haben ausdrücklich erklärt — einmal nämlich denen zu dienen, die das vorhandene Material einer allgemeinen Geschichte der Philosophie kennen lernen wollen, sodann aber auch denen, welche bestrebt sind, sich an der eigentlichen Forschung selbständig als Arbeiter zu beteiligen. Dieser doppelten Absicht genügt das vor= liegende Buch in vorzüglichem Maße. Zunächst zeichnet es sich durch einen klaren, allgemein verständlichen Stil aus, der zugleich jedoch an wissenschaftlicher Schärfe nichts zu wünschen übrig läßt; es gruppiert ferner seinen Stoff in so übersichtlicher Weise, daß man sich überall schnell zurechtfindet, was durch ein sorgfältiges Register am Schluß des Werkes noch gefördert wird; endlich weisen zahlreiche Anmerkungen unter dem Text diejenigen, welche einzelnen Punkten näher treten und weiter nach= gehen wollen, auf die neuesten Untersuchungen darüber hin.

Evangelisches Kirchen= und Schulblatt für Württemberg. 1881. Nr. 38. Ein nach Anlage und Behandlung bisher gar nicht vorhandenes, ganz besonders willkommenes Buch sind Flügels Probleme rc., eine encyklopädische Geschichte der Philosophie nach den dieselbe von Anfang an bis jetzt bewegenden Hauptfragen, deren jede in ihren verschiedenen Lösungen durch alle Jahrhunderte hindurch auf= gezeigt wird. Das Buch bietet also eine Reihe größerer und kleinerer Monographien über die Grundprobleme der theoretischen und praktischen Philosophie — der Begriff des absoluten Werdens, des Seins, das Problem der Materie, des Ich, der Teleologie, der Freiheit rc. rc. —, deren Anordnung und Gruppierung schließlich doch ein über= sichtliches Ganzes giebt, deren abgerundete Sonderbehandlung aber viel leichter, tiefer und eindringender in die einzelnen philosophischen Hauptfragen vorläufig einführt, als es bei einer rein historischen Philosophiegeschichte, die dies schon voraussetzt, irgend möglich ist. Der Stil ist allgemein verständlich, die Untersuchung von bedeutender wissenschaftlicher Schärfe, unter dem Text fehlen nicht die nötigen An= merkungen, und ein sorgfältiges Register erleichtert den Gebrauch. Als philosophische Propädeutik, wie als philosophisches Repetitorium für Theologen ist das Buch aus= gezeichnet empfehlenswert und durch die Neuheit des Grundgedankens fesselnd, Bekanntes in neuer instruktiver Beleuchtung zeigend.

Die Seelenfrage

mit Rücksicht auf die neueren Wandlungen gewisser naturwissenschaftlicher Begriffe

von

O. Flügel.

1878. — Preis: 2 Mark.

Inhalt: 1. Historische Einleitung. 2. Worin hat der naturwissenschaftliche Materialismus Recht? 3. Gehirn und Geist. 4. Bewegung und Empfindung. 5. Stoff und Kraft. 6. Einheit des Bewußtseins.

Beurteilungen.

Allgemeine litterarische Korrespondenz. 1878. Nr. 35. Wir haben das Vergnügen, unter dem vorangestellten Titel eine sehr interessante Schrift zur Anzeige zu bringen. Denn diese Schrift ist fest, klar und richtig geschrieben, für jeden wissenschaftlich gebildeten Leser verständlich, und sie legt in einer gedrängten Uebersicht den ganzen Stand der Frage dar, ob es nämlich eine (persönliche) substantielle Seele giebt, und wie weit der Wissenschaft die Erkenntnis oder doch eine logisch richtige Aufstellung einer solchen Seele möglich ist. Durch das Lesen dieser Schrift kann sich jedermann sofort mitten in diese wichtige Streitfrage versetzen.

Philosophische Monatsblätter von Schaarschmidt. Bonn 1878. Heft VIII. Die kurze historische Einleitung handelt die Geschichte des Materialismus viel übersichtlicher und sachgemäßer ab, als das vielgerühmte Lange'sche Buch. . . . Der Grundgedanke des Flügel'schen Buches, daß die materialistische Theorie in ihrer bisherigen Fassung als unhaltbar erkannt zu werden anfange, ist von ebenso unleugbarer Richtigkeit, als die Durchführung desselben im allgemeinen für eine gelungene erklärt werden muß. . . . Die vorliegende Publikation ist als ein wichtiger Beitrag zur zeitgenössischen Psychologie zu betrachten, welcher mit um so größerer Anerkennung aufgenommen werden muß, als er die Richtung bezeichnet, in welcher sich in der That ein gesunder Fortschritt der Seelenlehre zu vollziehen beginnt.

Litterarisches Centralblatt. 1878. Nr. 39. Die Vorzüge der früheren Schriften des Verfassers, Belesenheit, Scharfsinn und logische Konsequenz, finden sich auch in der vorliegenden wieder.

Litteraturblatt. Wien. Heft 21. 1878. Die materialistischen Grundbegriffe sind gegenwärtig in einer Umwandlung begriffen, aus der sie philosophisch vertieft hervorgehen werden, und daraus wird auch die Unhaltbarkeit der materialistischen Ansicht sich ergeben. Diesen Umwandlungsprozeß stellt der Verfasser sehr gut und lichtvoll dar.

Pädagogisches Archiv. 1878. XX. 8. Denjenigen, welche sich für den Kampf zwischen dem Materialismus und den ihm entgegenstehenden Ansichten über die Natur unserer Seele interessieren, kann das vorliegende Buch bestens empfohlen werden. . . . . Der Verfasser weiß in seiner überaus klaren Darstellung die objektive Ruhe zu wahren und hütet sich sorgfältig vor jener heftigen widerlichen Polemik, welche so vielen der über jene Frage geschriebenen Bücher nicht gerade zur Zierde gereicht.

Grenzboten. 1879. Nr. 35. S. 350—360. Unter den Schriften, welche vom psychologischen Standpunkte aus den Materialismus bekämpfen, zeichnet sich die Arbeit O. Flügels durch Scharfsinn des Gedankens und Durchsichtigkeit der Darstellung aus. . . .

M. Carriere. Beilage zur Augsb. Allgem. Zeitung. 1878. Nr. 220. S. 325. Eine kleine aber gehaltvolle Schrift eines scharfsinnigen Psychologen. . . . Seine Sätze erörtert er in Bezug auf übereinstimmende wie auf widerstreitende Ansichten von Philosophen und Naturforschern in einleuchtender Weise.

Reform. Wien. Der Verfasser behandelt das schwierige Thema mit wissenschaftlicher Vollendung.

Theologische Litteraturzeitung. Gießen 1879. Nr. 5. In klarer und eingehender Untersuchung erörtert der Verfasser die Gründe für die Annahme eines einfachen Seelenwesens.

Beweis des Glaubens. 1879. Heft 10. Die Seelenfrage wird hier in völlig befriedigender, den Thatsachen der Naturwissenschaft und des Selbstbewußtseins ebensowohl, als den Forderungen der Offenbarung entsprechender Weise gelöst. Wir empfehlen die Schrift der Aufmerksamkeit unserer Leser.

Die spekulative Theologie der Gegenwart
kritisch beleuchtet von
O. Flügel.
═══ Zweite, erweiterte Auflage. ═══
1888. — Preis: 6 Mark.

Inhalt: Der Monismus und die Theologie. Die philosophischen Gründe des Monismus. Die theologischen Gründe des Monismus. — Der Monismus und die negative Theologie. Biedermann. O. Pfleiderer. Lipsius. — Der Monismus und die positive Theologie (Apologetik). Ebrard. Dorner. Frank. — Der Neukantianismus und die Theologie. Ritschl. Herrmann. — Die realistische Metaphysik und die Theologie. Gott und die Welt. — Über organische und mechanische Weltanschauung. — Moral und Religion.

Beurteilungen.

Theologische Litteratur-Zeitung von Harnack und Schürer. 1881. Nr. 23. S. 550—553. In klarer und durchsichtiger Sprache, wie in treffender Argumentation werden die Fehler des Monismus aufgedeckt. . . . Volle Beherzigung verdient die allgemeine Erörterung über die arge Kompromittierung, welche die Theologie durch die Apologeten erleidet. Ihre Kanzelargumente, ihr Anrufen von Autoritäten, ihre Hast, jedes scheinbare Zugeständnis der Naturwissenschaft auszubeuten, die kausale Methode und den Atomismus zu bekämpfen und für Lebenskraft, Spiritismus, angeborene Ideen einzutreten ꝛc., werden gebührend gewürdigt. Die Darlegung der realistischen Metaphysik, die der Verf. sehr geschickt von dem Gedanken der lückenlosen Giltigkeit des Kausalgesetzes aus giebt, ist klar. . . .

Philosophische Monatshefte. Herausgegeben von Schaarschmidt. 1882. S. 304—309. Der Ref. ist mit den Bemerkungen sehr einverstanden, welche den Abschnitt über den Neukantianismus eröffnen und sich auf die in Deutschland, besonders von Alb. Lange, in England und Frankreich durch die Positivisten vertretene Ansicht beziehen.... Flügel zeigt sehr gut das Unhaltbare dieser zwei Seelentheorien und das Unzureichende der Ritschl=Herrmann'schen Theologie.

Dörpfeld's Evangelisches Schulblatt. 1882. S. 236—237. Der als Autor hervorragender philosophischer Schriften, als unbefangener Theologe, scharfsinniger Denker und Psychologe bekannte Verf. giebt in diesem Werke eine umfassende Kritik der spekulativen Theologie in ihren neuesten Erscheinungen. Fern von jedem Parteistandpunkte und alles spezifisch Dogmatische streng vermeidend, hat er die Spekulation innerhalb der Theologie zum Gegenstande seiner Arbeit gemacht.... Am Schlusse befindet sich ein Namenregister, dasselbe zählt über 230 Namen, und ist daraus ersichtlich, daß wohl kein namhafter Theologe der Gegenwart ohne Berücksichtigung geblieben ist. Das Buch ist ein Werk deutscher Gründlichkeit und außerordentlicher Belesenheit, logischer Konsequenz und großen Scharfsinnes und bedarf keiner Empfehlung.

Zöckler: Evangelische Kirchen-Zeitung. 1882. Nr. 20. Der Verf. unterwirft die spekulative Theologie einer kritischen Beleuchtung. Nach mehreren Seiten hin thut er dies mit gutem Erfolge und so, daß man ihm vom positiv-evangelischen Standpunkte aus zustimmen kann. Namentlich den Vertretern des modernen Pantheismus, sowohl den im Philosophenmantel einherwandelnden, als den ihre Blöße mit diesen oder jenen theologischen Schleiern verdeckenden, übt er eine unbarmherzige, scharfe Kritik, aus welcher, weil sie gerecht ist und auf Thatsachen fußt, manches Nützliche sich lernen läßt.... Wir begrüßen in der Energie seines Auftretens gegen Biedermann, O. Pfleiderer, Lipsius und andere Vertreter der heutigen negativen Theologie eine unseren Bestrebungen verwandte und sympathische Erscheinung, teilen desgleichen im wesentlichen den Standpunkt, von welchem aus er dem antimetaphysischen neukantischen Naturalismus Ritschls und Herrmanns gegenübertritt. Ja, die realistische Metaphysik, auf deren Grunde er sich bewegt, gilt auch uns als eine großenteils berechtigte, dem Grundgedanken biblischer Weltansicht nicht fernstehende und darum zukunftsvolle. Wir sagen, wenn nicht ganz ohne abweichende Auffassungen, doch in der Hauptsache Ja zu des Verf. Postulat am Schlusse: Nur der vollendete, zur Reife gekommene Leibnizianismus genügt der Religion.

Allgem. konservative Monatsschrift. 1888. Das Buch ist ein recht sympathisches und lehrreiches. Sympathisch, weil es in einer rein sachlich gehaltenen, ruhigen und klaren Darstellung die schwierigen Probleme, mit welchen es sich beschäftigt, zu lösen sucht und eine positive, wirklich fördernde Kritik giebt; lehrreich, weil es manche Irrtümer, welche in der heutigen Theologie verbreitet sind, scharf beleuchtet und auf ihre Quellen zurückführt, auch in einer oft überraschenden Weise zeigt, wie Anschauungen und Ergebnisse der exakten Wissenschaften, welche man von manchen Seiten um des Glaubens willen bekämpfen zu müssen gemeint hat, in Wahrheit sich gerade als Stützen der christlichen Weltanschauung verwerten lassen. Der Verf. huldigt der Metaphysik Herbarts und sucht von diesem Standpunkte aus den in der spekulativen Theologie des negativen wie

positiven Lagers unbewußt oder bewußt vorausgesetzten Monismus als an sich un=
haltbar und den religiösen Interessen geradezu entgegengesetzt zu erweisen. Dabei
wird auch die übliche Apologetik, wie sie aus Vorträgen vor einem gemischten
Publikum in Bücher übergegangen ist, mit ihren für den Augenblick bestechenden,
aber nicht überzeugenden Argumenten, mit ihrer planlosen Berufung auf einzelne
Äußerungen von Autoritäten, mit ihren wechselnden Manövern gegenüber den
jeweiligen Ansichten der Naturwissenschaften scharf, aber nicht ungerecht kritisiert.
Dem allen, wie dem Endergebnis, daß spekulative Theologie nicht möglich sei,
stimmen wir im wesentlichen gerne zu.

Litteratur-Bericht für Theologie. 1888. Nr. 7. Der durch mannigfaltige
philosophische Schriften bekannte Herausgeber der Zeitschrift für exakte Philosophie
bietet in diesem Buche einen sehr beachtenswerten Beitrag zu der im letzten Jahrzehnt
viel behandelten Frage der Metaphysik in der Theologie und zwar in Form einer
kritischen Besprechung einiger neuerer Hauptvertreter der spekulativen Theologie,
nämlich Biedermann, O. Pfleiderer, Lipsius, Ebrard, Dorner, Frank,
Ritschl und Herrmann. Flügel will an Stelle der falschen, aber fast durchweg
in der Theologie herrschenden, monistischen Metaphysik die realistische Herbarts
einführen. Das ist um so notwendiger, wie er ausführt, als sonst die Theologie
dem Vorwurf der Unwissenschaftlichkeit und damit dem Tode verdienterweise preis=
gegeben ist, da der Monismus ein gegenwärtig überwundener Standpunkt in der
Wissenschaft sei und nur noch in der Theologie herrsche, welche nicht erkenne, daß er
in direktem Gegensatz gegen das Christentum wie überhaupt gegen alle Religion
stehe. Mit Scharfsinn verfolgt und verurteilt er den Monismus, d. h. die Ansicht,
daß es nur ein Seiendes giebt, welches als letzte Substanz allem Gegebenen zu
Grunde liegt, sowohl in der konsequent monistischen, negativen Theologie, die sich
demselben entweder völlig ergeben habe, wie bei Biedermann und Pfleiderer,
teils mit ihm noch ringe, wie bei Lipsius, als auch in der inkonsequent monistischen
positiven Theologie, die mit ihm liebäugle. Der allerdings scharfen Kritik des
konsequenten theologischen Monismus, welcher alle christlichen Grundbegriffe zerstören
muß, und der nicht minder scharfen Kritik einer gutgemeinten aber irrigen Apologetik,
welche viele Dinge als unchristlich abweist, die nur antimonistisch, in Wahrheit aber
für christliche Religion völlig irrelevant sind, und die andererseits monistische Hirn=
gespinste, wie z. B. die Annahme einer besonderen Lebenskraft, die Lehre von den
angeborenen Ideen, die Einführung des unsinnigsten aller Begriffe der causa sui
verteidigt, für die Trinität die trivialsten Bilder gebraucht u. s. w., wird man nur
mit großem Interesse und meist zustimmend folgen können. Wie man sich auch zu
Flügels Ausführungen stellen mag, das eine muß ihm zugestanden werden, daß
er in geistvoller und klarer Darstellung seine Forderungen an die Theologie stellt
und jedenfalls höchst anregend wirkt.

Litterarische Rundschau für das katholische Deutschland. Nr. 4. 1883.
S. 106 f. Die Schrift ist auch für uns (Katholiken) von großem Interesse, sofern
sie das wissenschaftliche Facit der protestantischen Dogmatik mit annähernder
Richtigkeit für das reine Denken darlegt. Wir müssen es dem Buche zum Verdienst
anrechnen, daß es überall hinweist auf die Vergiftung des protestantischen Denkens
durch die Phantasmen des pantheistischen Monismus. Die negative Theologie
(Biedermann, O. Pfleiderer, Lipsius, Hartmann) ist lediglich ein

Amalgama Hegel'scher und Schleiermacher'scher Phrasen. Die positive Theologie (Ebrard, Dorner, Frank) verstrickt sich gleichfalls, wenn sie die Dogmen spekulativ zu begründen unternimmt, in das Gewirre der monistischen Dialektik u. s. w. Dr. Braig.

Jahrbuch für Philosophie und spekulative Theologie von Commer. 1888. S. 464 ff. Das Werk ist klar und mit logischer Schärfe gegliedert. Der Verf. verfügt über eine reiche und eingehende Kenntnis der betreffenden Autoren und weiß in wenigen Worten deren Grundlehren zusammenzufassen. Mit ernstem Sinne legt er den Maßstab des Wissenschaftlichen und Religiösen zugleich an die verschiedenen, von ihm behandelten Systeme. Dr. Schneider.

Deutsches Litteraturblatt, begründet von Herbst. 1888. Nr. 11. Die Schrift zeigt mit ebenso viel Gelehrsamkeit wie Scharfsinn die Irrtümer der verschiedenen spekulativen Theologen. Freilich wird keine der drei Hauptrichtungen, welche Verf. bespricht, mit ihm zufrieden sein, wie der Verf. selbst durch die Kritiken beweist, die seinem Buche von allen Seiten geworden. Jedesmal fand nämlich der Kritiker die Besprechung aller übrigen Standpunkte vortrefflich, die seines eigenen aber völlig falsch! Nach der Einleitung, welche das Wesen des Monismus, seine philosophischen und theologischen Gründe bespricht, um zu zeigen, daß alle spekulativen Theologen dem Monismus huldigen, führt er zuerst die negative Theologie (Biedermann, O. Pfleiderer, Lipsius) vor, dann die positive, die Apologetik (Ebrard, Dorner und Frank), dann die Neukantianer Ritschl und Herrmann; darauf sucht er zu zeigen, daß die realistische, d. h. Herbart'sche Metaphysik, der Flügel bekanntlich huldigt, der Theologie nicht widerspreche. Hieran schließen sich zwei lesenswerte Exkurse: über organische und mechanische Weltanschauung, und: Moral und Religion. Ein Namensverzeichnis erhöht die Brauchbarkeit des Buches. Dasselbe möchten wir zunächst den Theologen, besonders jüngeren, zu sorgsamer Lektüre empfehlen, aber auch Laien, welche aus Beruf oder Neigung sich mit spekulativer Theologie beschäftigen. Sie werden daraus nicht nur manches überaus treffende Urteil schöpfen, sondern auch philosophieren lernen. Kirchner.

Die
Elemente der Psychologie.
Von
Ludwig Ballauff,
Konrektor an der Realschule zu Barel
1877. — Preis: 2 Mark 50 Pf.
Beurteilungen.

Erziehungsschule, herausgeg. von Dr. E. Barth. 1884. Nr. 5. Herbart's Psychologie als Wissenschaft, neu gegründet auf Erfahrung, Metaphysik und Mathematik (1824), ist nach des Verf. Ueberzeugung für die eigentliche Psychologie auch jetzt noch das Hauptwerk, wenn es auch in physiologischer Hinsicht mehrfach der Ergänzung durch die Resultate der neueren Forschungen bedarf. Dieses wertvolle

Werk, das sich durch Bedeutung, Reichtum und Gediegenheit seines Inhalts, Klarheit und Schönheit der Darstellung auszeichnet, ist aber nicht leicht zu studieren; es gründet sich auf Metaphysik und zieht mancherlei mathematische Berechnungen herbei, die nicht jedermanns Sache sind. Da ist nun ein Hilfsmittel wie das vorliegende an seinem Platze. Ballauff führt seine Leser in passender Weise in die Herbart'schen psychologischen Forschungen ein; er giebt die Herbart'sche Psychologie in breiterer Darstellung, berücksichtigt die neueren Forschungen der Physiologie und sieht von allen mathematischen Untersuchungen ab, die den Anfänger leicht zurückstoßen. Die intellektuellen Thätigkeiten bilden den Hauptgegenstand des vorliegenden Buches. Es teilt sich in sieben Abschnitte, die folgendes enthalten: Die metaphysischen Grundlagen der Psychologie, die herkömmliche (mythologische) Lehre von den Seelenvermögen, die Gesetze des Vorstellungsverlaufs, Entstehung der sinnlichen Weltanschauung, Verarbeitung der sinnlichen Vorstellungen durch das Denken, das innere Sein und Selbstbewußtsein, Wesen der Seele und ihr Verhältnis zum Leibe.

Das treffliche Lehrbuch von Ballauff ist besonders für Lehrerkreise geeignet, in denen sich jetzt ein reges psychologisches Interesse zu zeigen beginnt. Es bietet ein gewisses Maß psychologischer Kenntnisse und erscheint auch besonders passend für solche, die sich dem Studium des Hauptwerkes der Herbart'schen Richtung, dem Lehrbuche der Psychologie von Volkmann, zuwenden wollen.

Central-Organ für die Interessen des Realschulwesens. VII. Jahrg. S. 738. Der Verf. versucht in dem vorliegenden Buche die Psychologie Herbarts, dessen eifriger Anhänger er ist, in einer leichtfaßlichen und dabei doch wissenschaftlichen Form darzustellen. Er ist dabei von der richtigen Ueberzeugung durchdrungen, daß die Psychologie sich auf eine Metaphysik gründen müsse. Und wenn wir auch, wie anderen Orts begründet worden, Herbarts Metaphysik nicht zustimmen können, so leugnen wir doch ihre in vielen Punkten anzuerkennende Richtigkeit keineswegs. Seine Psychologie dagegen, welche mit bewundernswertem Scharfsinn die tausenfach verschlungenen Fäden des seelischen Lebens aufdeckt, verdient ohne Zweifel vor den meisten psychologischen Büchern den Vorzug.

Ballauff stellt die Psychologie hauptsächlich für Lehrer dar, welche, ohne Philosophen von Fach zu sein, nach philosophischer Bildung verlangen. Er hat mit richtigem Takt die schwerverständlichen, meist unfruchtbaren Rechnungen und mathematischen Formeln seines Meisters fortgelassen, sich auf die intellektuellen Fragen der Psychologie beschränkt und nicht nur Resultate gegeben, sondern durch die Form dialektischer Entwickelung überall zum eigenen Nachdenken angeregt. Nachdem er in der Einleitung die (scheinbaren) Selbstwidersprüche des Ich aufgedeckt, weist er zunächst die sogenannten Seelenvermögen als eine unhaltbare Vorstellung zurück, um dann die Gesetze des Vorstellungsverlaufes zu entwickeln. Hierauf wird die Entstehung der sinnlichen Weltanschauung, die Verarbeitung der sinnlichen Vorstellungen durch das Denken geschildert, sodann das Selbstbewußtsein analysiert und mit Untersuchung des Verhältnisses der Seele zum Leibe geschlossen. Namentlich die beiden letzten Kapitel (S. 142—216) haben unseren Beifall wegen der umsichtigen und maßvollen Methode, diese schwierigen Probleme zu behandeln, und wir empfehlen das Buch als ein gutes Hilfsmittel zum philosophischen Studium.

Berlin.   Lic. Dr. Friedr. Kirchner.

Jenaer Litteraturzeitung. 1876. Nr. 48. Der Verf., ein Anhänger der Herbart'schen Philosophie, hat sich eine anerkennenswerte Selbständigkeit des Denkens bewahrt, die ihn befähigt, neben den Vorzügen der Herbart'schen Psychologie auch deren schwache Seiten nicht zu übersehen. Seine Schrift zeichnet sich durch eine korrekte und klare Sprache aus, die Darstellung hält sich immer streng an die Sache selbst, ohne den Leser durch unnütze Seitenbewegungen oder durch Polemik gegen andere zu stören, und läßt den aufmerksamen Leser bald erkennen, daß der Verf. an ein gründliches Nachdenken und an Vorsicht im Folgern und Behaupten gewöhnt ist. Diese Eigenschaften der Schrift, die somit unstreitig zu den besseren psychologischen Arbeiten solcher Art aus der Herbart'schen Schule gehört, lassen erwarten, daß der Verf. seine Absicht erreichen wird, einerseits nämlich den Leser zu einer noch tiefer gehenden Beschäftigung mit der Psychologie zu befähigen, und andererseits namentlich Lehrer, auch solche in der Volksschule, in allgemein verständlicher, gründlicher und zum Selbstbeobachten wie zu eigenem Nachdenken anleitender Weise mit den Hauptstücken der Psychologie bekannt zu machen.

Deutsche Blätter für erziehenden Unterricht. 1877. Nr. 5. . . . . Wenn wir noch sagen, daß die Darstellung des Verf. bei aller Strenge der Beweisführung anschaulich und erschöpfend ist, so dürfte wohl zur Empfehlung des **trefflichen** Buches nichts mehr erfordert werden. Der wegen ihrer angeblichen Dunkelheit und Schwierigkeit immer noch da und dort ängstlich vermiedenen Herbart'schen Psychologie ist durch **Ballauff's** Buch ein bequemer Zugang geebnet. Möge es in die Hände sehr vieler kommen und unseren Berufsgenossen auf dem ganzen Felde der Erziehung aufs wärmste empfohlen sein.

Lehrbuch der Psychologie

vom Standpunkte des Realismus und nach genetischer Methode

von

Dr. W. Volkmann Ritter von Volkmar,

k. k. o. ö. Prof. der Philosophie an der Universität zu Prag.

Des Grundrisses der Psychologie dritte, sehr vermehrte Auflage.

1884·85. 2 Bände. Preis: 22 Mark.

Beurteilungen.

Philosophische Monatshefte. XXII. 4/5. Diese neue Auflage des Volkmann'schen Lehrbuches der Psychologie, des vollständigsten und am meisten zeitgemäßen der Herbart'schen Schule, enthält den Inhalt der vorigen, vor mehreren Jahren erschienenen Auflage in der von dem bewährten Verfasser zuletzt gegebenen Darstellung, abgesehen von einigen Änderungen formaler Art, vollständig wieder. Außerdem bietet dieselbe aber noch mancherlei Ergänzungen in der Form von Anmerkungen, welche Prof. C. S. Cornelius zum Verfasser haben und durch ein Sternchen von den Volkmann'schen Anmerkungen zu unterscheiden sind. In dem ersten Bande des durch klare und präzise Darstellung rühmlichst bekannten Werkes sind besonders die beiden ersten Abschnitte als bedeutend hervorzuheben, von denen der erste den Begriff der Seele metaphysisch entwickelt und ihn dann als mit den physiologischen Thatsachen in Harmonie stehend nachweist, der zweite gleichfalls eine Verwertung der Forschungen der neueren Physiologie, und zwar für das Gebiet der Empfindung und Bewegung, mit eingehender Genauigkeit vornimmt. In dem zweiten, erst vor kurzem erschienenen Bande ist die Theorie des räumlichen Vorstellens, sowie die der Lokalisation und Projektion der Empfindungen als ganz besonders wertvoll hervorzuheben, ebenso die Lehre vom Ich, von der inneren Wahrnehmung und Apperception. Der letzte Abschnitt, welcher auf die beiden vorhergehenden vom Fühlen und Begehren basiert ist und den Willen betrifft, bildet durch die scharfsinnige Behandlung der einschlagenden, zum Teil sehr schwierigen Probleme einen wertvollen wissenschaftlichen Leitfaden und eröffnet durch die eingehende Erörterung der Zurechnung den Blick auf das Gebiet der Ethik. Die umsichtige, eine immense Fülle des Stoffs umfassende Darstellung des Verfassers erweist sich überall reich an nützlichen Fingerzeigen und fruchtbaren Erörterungen, nicht minder ist er bestrebt gewesen, die Geschichte der psychologischen Probleme in den umfangreichen Anmerkungen zu verfolgen und dadurch überall auf die historische Entwickelung der Wissenschaft höchst lehrreiche Lichter zu werfen. Ein sehr genaues Namen- und Sachregister erleichtert den Gebrauch des trefflichen Werkes, **wohl des tüchtigsten und wissenschaftlich bedeutendsten Kompendiums der zeitgenössischen Psychologie.**　　　　　　　　　　　　C. S.

Repertorium der Pädagogik. 1888. Heft VIII. (Ebner-Ulm.) Volkmann scheidet die Psychologie in zwei Teile: im ersten wird vor allem der Begriff der Vorstellung festgestellt, die Theorie der Empfindung und Bewegung ausgeführt, die Wechselwirkung und Reproduktion der Vorstellungen untersucht; im zweiten dagegen wird das Vorstellen des Zeitlichen und Räumlichen, die Vorstellung des Ich, die innere Wahrnehmung und das Selbstbewußtsein, das Denken, das Gefühl, das Begehren und Wollen zu erklären unternommen. Dort werden die allgemeinen Gesetze des Seelenlebens aus ihren Grundlagen entwickelt und aus ihnen wieder die einfacheren Erscheinungen unmittelbar und in der Reihenfolge, in welcher die Gesetze selbst zur Entwickelung gelangen, abgeleitet. Hier wird der Verschiedenheit innerhalb der zusammengesetzteren Erscheinungen nachgegangen und dieselbe in der Ordnung, in welcher die Zusammensetzung zunimmt, auf die gewonnenen Gesetze zurückgeführt. Es braucht wohl kaum noch eigens ausgesprochen zu werden, daß im ersten Teile der Weg in der Hauptsache vom Allgemeinen gegen das Besondere, im zweiten aber vom Besonderen zum Allgemeinen hin genommen wird, weshalb denn auch Volkmann jenen als synthetischen, diesen als analytischen bezeichnet. Indem ausgegangen wird einerseits von den Vorstellungen in ihrer erfahrungsmäßig gegebenen Mannigfaltigkeit und andererseits vom Begriff der Vorstellung, indem dann aus diesem Begriff im Hinblick auf jene Mannigfaltigkeit die allgemeinen Gesetze der Wechselwirkung der Vorstellung entwickelt werden, indem endlich die anderen inneren Erscheinungen außer der Vorstellung in Beziehung zum Vorstellungsleben gesetzt, ja eigentlich als Phänomene desselben aufgefaßt werden, indem also von den einzelnen Gesetzen des Vorstellungslebens aus die Erklärung jener Erscheinungen, die neben der Vorstellung erfahrungsmäßig gegeben sind, angestrebt wird, empfängt das Ganze einen großartigen Zusammenhang, die gesamte Psychologie gestaltet sich zur Theorie der Vorstellungen.

Wir verstehen jetzt zugleich, warum Volkmann sein Forschungsverfahren vor allem auch als genetisches bezeichnet. Unwillkürlich erinnern wir uns dabei an einen anderen Zug seiner Forschung. Sie beseelt ein nimmer ruhender Drang, ihren Gegenstand weiter und weiter zurück, bis hin zu den Anfängen des Nachdenkens darüber, zu verfolgen. Daraus sind jene wertvollen historischen Dar=legungen hervorgegangen, die in ihrer Gesamtheit fast eine Geschichte der Psychologie bedeuten. Eine Fülle gründlichster Kenntnisse, Ertrag eines Lebens, entfaltet sich darin vor unseren erstaunenden Augen.

Die Form unseres Lehrbuches erfüllt alle Anforderungen an eine gute wissen=schaftliche Darstellung. Die Bezeichnungen treffen immer den Nagel auf den Kopf, jedes Wort scheint abgewogen, so sicher und bestimmt ist der Ausdruck. Alle Un=klarheit und Undeutlichkeit ist ferne gehalten. Aber auch an lichtvoller Entwickelung der Gedanken und wohl zusammenstimmender Anordnung der einzelnen Glieder des ganzen Gebäudes fehlt es nicht. Von Schwerfälligkeit und Dunkelheit sind die Aus=führungen vollkommen frei.

Das Unternehmen, Volkmanns Lehrbuch zu studieren, gleicht der Reise in eine reiche Welt. Wie oft hat man hier von einer Kunst des Reisens geredet: man dürfe nicht mit Hast von einem Ort zum andern eilen, nicht bloß das allerwichtigste flüchtig besehen, sich nicht von der Begierde nach dem Anblick von stets neuem einnehmen lassen, sondern müsse mit aller Muße drin wandern, das Auge auf den Dingen ruhen, wohl auch einmal zu ihnen zurückkehren lassen, es liebevoll selbst dem scheinbar Unansehnlichen zuwenden, in reiner, unschuldiger Hin=gabe das Fremde betrachten, ja sich gleichsam draußen heimisch machen, wenn man anders mit Land und Leuten wirklich vertraut werden wolle. Nun, langsames Fortgehen, nachdenkendes Verweilen, wiederholtes Anschauen, Beachten auch des scheinbar Nebensächlichen und vor allem ein treuer redlicher Sinn gehören gewiß auch zu einem wahrhaften Studium unseres Buches. Wer es aber in solcher Weise be=treibt, der mag auch an sich die Erfahrung machen: Wer fort geht, der kommt heim.

Würzburg, im Januar 1888.   P. Zillig.

Rhein. Schulmann. 1885. Heft 12. Herausgeg. von Schumann. Heusers Verlag in Neuwied. . . . . . Es ist allerdings kein Buch für Anfänger, aber es kann dem, der die Elemente der Psychologie, vielleicht von Ballauff u. a. studiert hat, eine ganze psychologische Bibliothek ersetzen und bietet ihm für alle Detailfragen die erforderliche eingehende Belehrung oder doch die nötigen Winke und den Hinweis auf die litterarischen Hilfsmittel, in welchen jene Fragen erörtert sind.

Man wird das Werk, welches die Forschungen im weitesten Umkreise, in der Physiologie, der Sprachwissenschaft, Kulturgeschichte, Anthropologie, Kunst und Religion genau berücksichtigt, niemals, ohne Anregung und Belehrung empfangen zu haben, aus der Hand legen, und dazu bietet die schlichte Klarheit der Sprache in den schweren Partien dem Leser kein Hemmnis, sondern fesselt durch Feinheit der Dar=stellung sein Interesse. Die Anmerkungen aber bieten eine geradezu staunenswerte

Menge von Belegen aus allen Gebieten und Litteraturen. Wir können darum unter allen Werken das Buch von Volkmann sowohl für Fachstudien als auch zur Belehrung für weitere Kreise als die beste Bearbeitung der Psychologie empfehlen.
    Tr.   Sch.

Blätter für litterarische Unterhaltungen. 1876. Das vorliegende Werk begrüßen wir freudig als die gelungene Vollendung einer Aufgabe, welcher der Verfasser einen großen Teil seines Lebens gewidmet hat. Die erschöpfende Gründlichkeit, mit der alle Materien behandelt sind, wie die nahezu vollständig zu nennende Reichhaltigkeit der Litteraturangaben machen das Werk zu einem wahrhaft klassischen Handbuch der psychologischen Wissenschaft.

Dr. Drbal äußert sich darüber: Staunenswert ist die Fülle des darin verarbeiteten Lehrstoffes. Die Darstellung selbst beruht auf den umfassendsten Quellenstudien und auf den gründlichsten und vielseitigsten eigenen Beobachtungen, besitzt eine kaum zu übertreffende Klarheit, Zuverlässigkeit und Vollständigkeit. Das Buch ist ein Denkmal deutscher Forschung und Gelehrsamkeit, eine Fundgrube psychologischen Wissens und Könnens.

Zeitschr. d. Böhm. Museums. Der Eindruck des Werkes ist ein vielseitiger. Das Werk ist eine gewisse Encyklopädie aller maßgebenden Ansichten und Erkenntnisse, die über das Seelenleben bisher aufgetaucht sind; mit schönen ruhigen Worten fügt sich die Belehrung in die Aufmerksamkeit des Lesers, und was ihm im Gedächtnisse zurückbleibt, ist kein täuschender Schein dialektischer Geistesfülle, sondern etwas Besseres, nämlich: ein gründlicher Einblick in die Geheimnisse und Erscheinungen des eigenen Innern. — Sollen wir unsere Meinung in ein Urteil zusammenfassen, so sei es dahinlautend, daß unter allen deutschen Schriften, die von der Psychologie handeln, Volkmanns Werk dasjenige ist, das wir sowohl für Fachstudien wie auch zu Belehrung weiterer Kreise am meisten empfehlen würden.   J. Durdik.

Deutsche Blätter für erziehenden Unterricht. 1876. Nr. 6. ... Wir haben bis hierher vorzugsweise das Verhältnis des Volkmann'schen Werkes zu der Lehre, welche es, auf ihren Ausgangspunkt zurückgreifend, mit Glück erneuert, in Betracht gezogen; allein damit ist nur eine Seite des Unternehmens gekennzeichnet. Das zweite Augenmerk des Verfassers ist es, seine Theorie im weitesten Umkreise mit Forschungen anderen Ursprungs in Verbindung zu setzen und ihre historischen Voraussetzungen ans Licht zu ziehen. Die Forschungen der neueren Physiologie werden, wie schon bemerkt, mit großer Sorgfalt und in einem Umfange herangezogen, wie dies noch kein Vorgänger versucht hat; die psychophysischen Untersuchungen werden nicht nur verwendet, sondern auch nach Ergebnissen und Methode charakterisiert; die neuere psychologische Sprachforschung findet an verschiedenen Stellen Berücksichtigung, und das Gleiche gilt von den anthropologisch-kulturhistorischen Arbeiten der neueren Zeit, deren Einfluß u. a. in der Erklärung der Kunst und Religion (II § 133 und 134) zu erkennen ist. Die psychologischen Schriften der Schelling'schen und Hegel'schen Schule werden in keiner der wichtigeren Materien außer Acht gelassen, und in den Gebieten, wo ihre Stärke liegt, wie bei der Lehre vom Verhältnis der Sinne, vom Traum, von der

Hallucination, vom Instinkt u. a. nicht ohne Kritik, aber ohne Voreingenommenheit
benutzt; ausgiebige Verwendung finden endlich die neueren Untersuchungen der
Engländer und Franzosen, zu deren Einbürgerung bei uns das Buch mehr beitragen
dürfte, als die wenig sagenden Empfehlungen, wie sie A. Lange u. a. ausgesprochen
haben.

Es reicht jedoch der Plan des Verf. noch ungleich weiter; die Litteratur der
Psychologie wird nicht bloß vom Gesichtspunkte der Beschaffung von Hilfsmitteln
und bestätigenden Zeugnissen, sondern von dem höheren der Begründung des
historischen Verständnisses der Probleme behandelt, ein Gedanke, der bereits in dem
älteren „Grundriß" zur Geltung kommt und schon damals als ein höchst fruchtbarer
begrüßt wurde, aber erst in dem neuen Werke eine Durchführung im großen Stile
erhält. — Die Anmerkungen, welche die Geschichte der Probleme der
Empfindungen des inneren Sinnes, des Selbstbewußtseins, der
angeborenen Begriffe, des Gefühls, des Begehrens und Wollens
behandeln, sind historische Monographien, die nicht großer Um=
arbeitung bedürften, um ein kleines Buch auszumachen, eine Ge=
schichte der Psychologie nach ihren Problemen, welche Arbeiten wie
die von Friedr. Aug. Carus weit hinter sich ließe.

Evangelisches Schulblatt von Dörpfeld. 1885. 16./17. .... Wir haben
im vorstehenden wiederholt auf das Lehrbuch der Psychologie von Volkmann
hingewiesen, und zwar in der bestimmten Absicht, diesem ausgezeichneten Werke die
Aufmerksamkeit der Leser zuzuwenden. Wer einmal sehen will, wie die
Psychologie sich ausnimmt, wenn sie mit echt wissenschaftlichem
Geiste an= und aufgefaßt wird, der muß zu diesem Buche greifen,
das man ohne jede Übertreibung als ein Ehrendenkmal deutschen
Scharfsinns und deutschen Gelehrtenfleißes bezeichnen darf. Den
erstaunlichen Fleiß und die Arbeitskraft des Verf. lernt man erst recht schätzen,
wenn man erfährt, daß Volkmann, geb. zu Prag 1822, gest. daselbst am
13. Januar 1877, von Jugend auf mit einem unheilbaren Lungenleiden behaftet
war, so daß er nur dank seiner sorgfältigen Pflege und Selbstbehütung ein ver=
hältnismäßig hohes Alter erreichte. — Es dürfte kaum eine Erscheinung des
Seelenlebens zu nennen sein, über welche man bei Volkmann keinen Aufschluß
fände; wenn er auch nicht jedes Phänomen ausführlich behandelt (was sich ja von
selbst versteht), so zeigt er doch wenigstens den wissenschaftlichen Ort an, wo dessen
Erörterung hingehören würde. Sein Werk ist also nicht geeignet oder bestimmt,
psychologische Monographien zu ersetzen oder überflüssig zu machen; am aller=
wenigsten hat Volkmann daran gedacht, eine pädagogische Psychologie zu
liefern. Er behandelt den Traum mit derselben Liebe und Gründlichkeit, wie das
Gedächtnis und den Willen. Sein Lehrbuch verfolgt eben einen rein wissenschaftlichen
Zweck, und niemand darf das großartige Werk unberücksichtigt lassen, dem es um
eine Übersicht über die bisherigen Leistungen des (Herbart'schen) Realismus auf
dem Gebiete der Psychologie zu thun ist. Auch wer sich nicht in der Lage befindet,
das umfangreiche, zwei starke Bände umfassende „Lehrbuch" in ununterbrochener
Folge von Anfang bis zu Ende durcharbeiten zu können, wird doch sehr oft Ver=
anlassung finden, sich seines Besitzes zu freuen. O. Foltz.

Kurze pragmatische
Geschichte der Philosophie
von
Chr. A. Thilo,
Oberkonsistorialrat.

Zweite, verbesserte und vermehrte Auflage.

Zwei Teile. — 1880 bis 1881. — Preis: 14 Mark.
Erster Teil:
Geschichte der griechischen Philosophie. 1880. 6,75 Mk.
Zweiter Teil:
Geschichte der neueren Philosophie. 1881. 7,25 Mk.

Beurteilungen.

Zeitschrift für österreichische Gymnasien. 1882. 5. Die Schule Herbarts
ist nicht reich an litterarischen Publikationen geschichtlichen Inhalts. Die Weise
ihres Begründers, die Bearbeitung der Begriffe und die Darstellung von Thatsachen
scharf auseinanderzuhalten, statt, wie es die spekulative Schule gethan, beide in
einander aufgehen lassen, hat sich auf die Jünger und Nachfolger verpflanzt. Aus
der ersteren ist eine Art der Geschichtsschreibung der Philosophie entstanden, bei
welcher die Behandlung der philosophischen Probleme die Hauptsache ausmacht, und
die geschichtlichen Thatsachen gleichsam nur als illustrierende Beispiele aus der Geschichte dienen, deren bewußter Zweck daher weniger auf ein erschöpfendes Bild der
Lebens- und Zeitumstände der Philosophen als auf eine wissenschaftliche Einleitung
in die Philosophie selbst durch eine analytische Bearbeitung der in der Geschichte
aufgetretenen Lösungsversuche der philosophischen Aufgaben gerichtet ist. In diesem
Sinne hat Strümpell seine verdienstvolle Geschichte der theoretischen, sowie der
praktischen Philosophie bei den Griechen geschrieben. In demselben Geist hat auch
der Verf. der vorliegenden pragmatischen Geschichte die Geschichte der neueren Philosophie
abgefaßt und ist demselben auch in der gegenwärtigen, die Gesamtgeschichte der Philosophie umfassenden Bearbeitung treu geblieben. Nach wie vor besteht ihm der eigentliche
und letzte Zweck einer solchen Geschichte weder in biographischen Mitteilungen über die
Philosophen, noch in litterarischen Notizen über ihre und ihrer Schüler Werke, noch in
kulturhistorischen Exkursen über den Einfluß, welchen die philosophischen Systeme
auf die allgemeine Bildung der verschiedenen Zeiten ausgeübt und über die Rück-
wirkungen, welche sie von dieser empfangen haben, sondern vielmehr „in der Kenntnis
und dem Verständnis des Gedankeninhalts der verschiedenen Philosophien und ihres
Zusammenhanges unter einander". Daß sein Werk dadurch weder, wie das bekannte
von Lewes, zu einer unterhaltenden „Philosophie in Biographien", noch, wie das
Überwegs, zu einem erschöpfenden litterarhistorischen Nachschlagebuch, noch, wie
die Darstellung Kuno Fischers, zu einer brillanten Kulturgeschichte werden konnte,
war vorauszusehen. Dagegen hat es sich um so geeigneter erwiesen,
Anfänger in eine exakte und gründliche Behandlung philosophischer
Probleme und damit in das Studium der Philosophie selbst ein-

zuführen, eine Eigenschaft, durch welche das Studium der Geschichte
der Philosophie für das der Philosophie selbst allein wirklichen
Wert erlangt. Robert Zimmermann, Wien.

Philosophische Monatshefte. Bd. XVII. Heft I II. Als pragmatische
Geschichte macht sie schon in der Einleitung auf die eigentlichen Aufgaben
der Philosophie und deren Einteilung aufmerksam. Sodann läßt sie alles
bei Seite, was nur litterarische oder kulturgeschichtliche Bedeutung hat, und hält sich
lediglich an diejenigen Philosophen und Philosophien, welche auf irgend eine Weise
für die Lösung der philosophischen Probleme von Wichtigkeit sind, sei es durch Auf=
findung und Aufstellung der Probleme, sei es durch Vorbereitung oder auch Be=
hinderung ihrer Lösungen. Bei den ausführlich dargestellten Systemen
kommt es Thilo hauptsächlich auf Eindringen in das eigentliche Gedanken=
gefüge und Bloßlegung der besonderen Gedankenarbeit nach ihren Anlässen, dem
Beweisverfahren, den Zielen und Folgen an. Es versteht sich von selbst, daß er
sich überall lediglich an die unmittelbaren Quellen hält und sich nicht von sonst
gangbaren historischen Auffassungen beeinflussen läßt. Um die philosophische Be=
deutung der dargestellten Lehren noch mehr hervorzuheben, weist der Verf., sei es in
der Darstellung selbst, sei es, wie namentlich im zweiten Teile, in besonderen Be=
merkungen auf den Wert oder Unwert und den Einfluß der betreffenden Philo=
sopheme hin. Dabei zeigt sich, wie sich gewisse Sätze, die noch heute in verschiedenen
Systemen fortwirken, bis in die allerfrüheste Zeit des Philosophierens zurück=
verfolgen lassen. Besonders interessant ist in dieser Hinsicht die Darstellung von
Plotin, indem hier fast die sämtlichen Begriffe und Sätze, mit denen der neuere
absolute Idealismus operiert, nicht bloß im Keime, sondern oft in sehr ausgeprägter
Gestalt aufgezeigt werden.

Da nach dem Verf. jede Bearbeitung der Geschichte, vor allem der Philosophie,
den Zweck hat, nicht allein die Gegenwart aus der Vergangenheit zu begreifen,
sondern auch eben dadurch zur Herbeiführung einer bessern Zukunft mitzuhelfen, so
schließt er sein Werk mit Herbart und einigen hieran geknüpften Andeutungen ab,
welche Wege die heutige Spekulation zu vermeiden und welche sie einzuschlagen hat,
um zu einem in seinen Prinzipien festen und unverrückbaren Wissen zu gelangen,
das in seiner Ausführung einer ins Unermeßliche gehenden Ausbreitung und Ver=
feinerung zugänglich ist, ähnlich wie es die Mathematik auf ihrem Felde darbietet

Der Jahresbericht über die Fortschritte der klassischen Altertumswissenschaft
von C. Bursian nennt das Werk in einer im Jahrgang 1876 enthaltenen Be=
urteilung des ersten Teiles „eine Darstellung, die, zumal so schlicht, lichtvoll und
lebendig geschrieben von einem so scharfsinnigen und unterrichteten Manne, ihre
volle Berechtigung und Bedeutung hat, die als eine vielseitig verdienstliche, anregende
und dankenswerte Arbeit betrachtet werden muß".

Pädagogium. IV. Jahrgang. 2. Heft. Das vorliegende Werk muß als eine
äußerst gediegene, überall auf den Kern der Sache eingehende, von reiner Liebe für
philosophische Forschung und redlichem Streben nach historischer und theoretischer
Wahrheit zeugende Leistung deutschen Fleißes und Geistes bezeichnet werden. Nur
mit Bedauern verzichten wir im Hinblick auf den uns zu Gebote stehenden engen
Raum auf ein näheres Eingehen in dieses vielumfassende Werk, welchem selbst neben
Überwegs Geschichte der Philosophie ein ehrenvoller Platz gebührt, und welches

Jedem, der mit mäßigem Aufwand von Zeit und Kraft ein treues Bild des Ganges
philosophischer Forschung gewinnen will, als zuverlässiger und einsichtsvoller Führer
empfohlen werden kann.

Evangelisches Kirchen- und Schulblatt für Württemberg. 1881. Nr. 38.
Die Thilo'sche Geschichte der Philosophie ist kurz und präzis, scharf und
klar, in strengem Pragmatismus und eindringender Kritik geschrieben, wie dies beides
in seinem Herbart'schen Standpunkt liegt, dessen Tendenz ist, die ganze Ent-
wicklung konsequent bis auf Herbart hinzuführen und dessen Opposition gegen die
anderen Systeme auch ein besonders scharfes Auge für ihre Eigentümlichkeiten und
Schäden hat. Dabei ist ganz besonders instruktiv, daß bei den wichtigsten Systemen
die Kritik unter einen besonderen Abschnitt „Bemerkungen" zusammengefaßt
wird. Diese Rubrik fehlt auch bei Herbart selbst nicht trotz des prinzipiellen Ein-
verständnisses, über das hinaus sich ja der Leser seine eigene Meinung leicht vor-
behalten kann. Dies um so leichter, da die ganze Darstellung Thilos in erster
Linie immer sich als rein objektive, treffende Wiedergabe der Quellen hält
und erst in zweiter Linie zu kritischer Würdigung übergeht, auch in letzterer übrigens
so unbefangen und unparteiisch, wie scharf und eindringend. Das Werk hat innerhalb 4 Jahren schon die 2. Auflage erlebt und erscheint in dieser nun überall vielfach vermehrt und berichtigt, vieles ganz neugearbeitet (Aristoteles, Plotin,
Leibniz ꝛc.). In seinen beiden, mäßig großen Bänden hält es zwischen dem dürren
Grundriß und den weitschichtigen, langatmigen Philosophie-Geschichten trefflich die
Mitte, giebt einen gründlich orientierenden Gesamtüberblick im einzelnen viel
des Ausgezeichneten. Der Verf. hat die Gabe, ohne Schulsprache und tönende
Phrasen, die der Leser nicht versteht, die philosophischen Systeme so außerordentlich
lichtvoll auseinanderzulegen, die in Rede kommenden Fragen und Begriffe so faßlich
zu entwickeln, so wenig vorauszusetzen und doch so viel zu geben, wirkliches Verständnis der philosophischen Bewegung zu vermitteln, wirkliches Urteil darüber
beim Leser zu bilden, wie man dies selten findet. Darum gewährt die Lektüre demjenigen wahren Genuß, der nicht mehr ein Examenskompendium braucht und sucht,
und wird bei jedem den Geschmack an philosophischer Fortbildung in späteren Jahren
erhalten oder erneuern.

Ethische Abhandlungen.

Von

G. F. Tepe,

Doktor der Philosophie.

1. Die praktischen Ideen. Nach Herbart.
2. Schiller und die praktischen Ideen.
3. Die Lüge und die praktischen Ideen.
4. Über die Freiheit und Unfreiheit des menschlichen
   Wollens. Ein Leitfaden.

1888. — Preis: 1,80 Mark.

309